1 MONTH OF
FREE
READING

at

www.ForgottenBooks.com

By purchasing this book you are eligible for one month membership to ForgottenBooks.com, giving you unlimited access to our entire collection of over 1,000,000 titles via our web site and mobile apps.

To claim your free month visit:

www.forgottenbooks.com/free388466

ISBN 978-0-428-90031-1
PIBN 10388466

HISTOIRE

DE

SAINT ALPHONSE
DE LIGUORI

FONDATEUR

DE LA CONGRÉGATION DU T.-S. RÉDEMPTEUR

1696-1787

PRÉCÉDÉE D'UNE LETTRE

DE MGR DUPANLOUP

ÉVÊQUE D'ORLÉANS

PARIS

LIBRAIRIE POUSSIELGUE FRÈRES

RUE CASSETTE, 27

1877

LETTRE

DE M** L'ÉVÊQUE D'ORLÉANS

A L'AUTEUR

Orléans, 1er novembre 1876.

Vous avez répondu à des vœux bien souvent et depuis longtemps exprimés, en donnant au public cette vie de saint Alphonse de Liguori, un des saints des temps modernes qui a toujours eu pour moi le plus vif et le plus profond attrait.

Nous possédions jusqu'ici, pour l'histoire de cet admirable Évêque, de précieux documents : d'abord ce que j'appellerais volontiers les notes plutôt que le livre de Tannoia, source incomparable, puisque Tannoia, secrétaire du Saint pendant quarante années, est un témoin aussi minutieusement et exactement informé que possible; puis l'ouvrage qu'a su tirer de là le cardinal Villecourt, ouvrage qui est loin assurément d'être sans valeur, mais qui a le grand inconvénient de se prolonger en quatre volumes. Il y en a peu qui aient le courage aujourd'hui de lire une vie de saint en quatre volumes.

Pour rendre populaire même parmi les fidèles, et pour eux aussi attrayante et édifiante la vie d'un Saint trop peu connu et cependant si digne de l'être, il fallait un livre à la fois complet et précis, écrit avec érudition, car cela seul donne de l'autorité, de la lumière et de la vie à un livre; mais aussi avec art, car même, et je dirai, surtout dans une vie de Saint, l'art est nécessaire, et ce fut là qu'on a cru trop longtemps pouvoir en mettre le moins; il fallait dégager de l'immensité des détails les aspects nombreux et variés de cette belle et sainte figure, et raconter, sans diffusion comme sans sécheresse, avec onction et piété, mais sans fadeur et sans lenteur, avec l'intérêt continu et croissant d'un drame, car toute grande vie en est un, les œuvres, les épreuves, les vertus de ce grand Saint, l'histoire enfin si saisissante de son long épiscopat. Et c'est ce que vous avez su faire avec une critique, une foi, un sens chrétien et un talent que le public religieux saura, je l'espère, reconnaître et apprécier.

Saint Liguori est mort presque centenaire, à

quatre-vingt-onze ans! Sa vie s'est prolongée
pendant tout le xviiie siècle : il a rempli l'Italie de
ses exemples et de ses œuvres. Enlevé au monde et
au barreau par le sacerdoce, il fut un des serviteurs
les plus laborieux et les plus complets de l'Église :
grand missionnaire, grand théologien, grand directeur des âmes; fécond et grand écrivain, doué d'une
puissance de travail infatigable, d'un vaste savoir,
qu'il a versé avec son âme dans ses livres. Il y cn
a de deux sortes : les livres de piété, car depuis
saint François de Sales nul peut-être n'a plus fait
dans l'Église, pour la piété chrétienne, que saint
Liguori; nul peut-être n'a écrit avec plus de so-
ildité et de suavité sur les deux plus grandes
et plus autorisées dévotions du christianisme, le
saint Sacrement et la sainte Vierge : c'est là surtout qu'il a mis le trésor de son incomparable
piété; ce que vous avez su faire découler de cette
onction dans votre ouvrage n'en sera peut-être
pas la partie la moins attrayante et la moins utile
pour les âmes; et puis il y a les grands écrits de
théologie, surtout de théologie morale, très-
autorisés dans l'Église, très-éloignés du rigorisme,
sans tomber toutefois dans l'excès contraire, appuyant l'indulgence sur la vraie science et sur la
vraie charité.

En outre, saint Liguori fut aussi un grand
évêque, d'une activité incroyable, d'une fécondité
d'œuvres merveilleuse, d'une fermeté dans la douceur, d'une douceur dans la fermeté, qui font de
son administration épiscopale un rare et précieux
exemple. Son diocèse était petit; mais il en sut
faire un diocèse modèle, à force d'application, de
vigilance, de sollicitudes, d'industries et de labeurs. Et ce qu'il y a d'infiniment précieux, c'est
que, jusqu'à la fin de sa longue vie, il écrivit ses
expériences : je ne sache rien de plus instructif
et de plus lumineux.

On n'accomplit pas de si grandes choses sans
luttes ni sans épreuves; comme toutes les grandes
et saintes vies, celle-ci eut le sceau suprême de la
souffrance. Il n'y a peut-être pas un saint qui ait
plus souffert que lui. Et les amertumes que Dieu
lui ménagea furent exquises, inexprimables; car,
d'une sensibilité naturelle extrême, elles pénétraient jusqu'au fond de son âme; mais d'une force
supérieure encore, elles le torturaient sans l'abattre
et sans jamais le décourager. J'appelle amertumes
exquises, en particulier, les abandons, les tra-
hisons, les ingratitudes, les méconnaissances qu'il
eut à supporter : à l'origine, quand il voulut fonder
cette congrégation, aujourd'hui si répandue dans

l'Église et si florissante, il fut abandonné par tous ses disciples; il connut l'amertume que ressentit le cœur de Notre-Seigneur, lorsque ce bon maître dit à ses disciples : *Numquid et vos vultis abire?* et, à la fin de sa vie, trahi indignement par quelques-uns de ceux qu'il avait faits ses amis, et qui se firent ses accusateurs auprès du Saint-Siége, il mourut déposé de la charge de Supérieur de la Congrégation qu'il avait fondée.

Mais, comme il arrive aussi toujours, ces épreuves mirent le comble à sa sainteté; jamais plus doux envers les hommes, ni plus pieux et fervent envers Dieu, ni plus assidu à la prière, ni plus persévéramment appliqué à ses œuvres, que sous le feu de ses douleurs; et là surtout offrant avec cet attrait pénétrant qui vient de l'onction d'une sainte âme aux chrétiens de tous les temps, et en particulier à ceux du nôtre, les exemples dont nous aurons toujours le plus besoin. Les fortes vertus nous deviennent, en effet, de plus en plus nécessaires; mais combien nous y sentons-nous plus efficacement et puissamment animés, quand elles nous apparaissent unies à une piété affectueuse, et se répandent, dans une vie, de la source intarissable d'un cœur aussi tendre que vaillant! Telle est, ce me semble, la double et grande leçon qui se dégage sans cesse de cette vie de saint Liguori : avec le charme qui s'attache toujours à un livre bien composé et bien écrit, les âmes qui le liront y respireront à toutes les pages ces deux grandes choses d'un si constant usage dans toute vie : la douceur et la force chrétiennes.

Je vous remercie donc et je vous bénis d'avoir fait ce livre. Il vous a coûté, je le sais, pendant des années, de longs labeurs : vous en serez amplement récompensé par les grands biens qu'il produira dans les âmes, auxquelles je suis heureux de le recommander.

† FÉLIX, ÉVÊQUE D'ORLÉANS.

AVANT-PROPOS

———

Quatre-vingt-dix ans ne se sont pas encore écoulés depuis que saint Alphonse de Liguori, après une vie qui avait duré près d'un siècle, a quitté la terre, et déjà trois décisions solennelles du chef de l'Église, dont la dernière date à peine de cinq ans, l'ont offert aux regards de tous les chrétiens comme un Maître et comme un modèle. Il semble même qu'en lui conférant de nos jours ce titre de Docteur de l'Église, si rare dans les annales catholiques, Pie IX ait voulu indiquer avec un nouvel éclat la mission providentielle que sa doctrine et son exemple sont appelés à remplir au sein des temps troublés dans lesquels nous vivons.

Saint Alphonse a entrevu, en effet, le début de la tempête au milieu de laquelle les nations chrétiennes poursuivent aujourd'hui leur route. Il a connu, souvent par

expérience. les défiances du pouvoir et les envahisse-
ments de l'État dans le domaine de la liberté évangélique. Il a assisté aux premières ruines morales accomplies par les doctrines philosophiques dont nous voyons
sous nos yeux le dernier mot. Aucune de ces douleurs
n'a été sans retentissement dans son âme. et les horizons que la sainteté ouvre à l'esprit nous apparaissent
sous une lumière particulièrement féconde dans l'histoire de ce pauvre missionnaire perdu au fond des
campagnes de l'Italie méridionale. combattant Voltaire
en France. Febronius en Allemagne. et adressant à
tous les souverains de l'Europe des apologies et des
avertissements. Mais. à côté de la polémique à laquelle
il a consacré jusque sur son lit de mort tous les instants que lui laissaient ses devoirs ou ses douleurs.
et au-dessus d'elle. saint Alphonse a placé dans ses
préoccupations la défense de l'Église par la sanctification de ses enfants. Comme tous les saints depuis deux
mille ans. il a vu là pour elle la base immuable. sous
les formes changeantes de la lutte. de l'accroissement
et du triomphe. Il y a vu le moyen infaillible et divin
par lequel le chrétien le plus humble et le plus ignoré
peut agir. s'il est permis de parler ainsi. sur l'histoire.
et garder son rang dans cette grande armée des enfants de Dieu. où il n'est personne qui n'ait reçu un
poste à défendre. Aussi le perfectionnement intérieur.
l'échelon. l'épanouissement et l'achèvement de la sainteté dans toutes les sphères qu'il pouvait atteindre.

a-t-il été le but suprême de sa vie. Il l'a poursuivi en lui-même d'abord, dans toutes les âmes qui, attirées par sa vertu, se sont pressées autour de lui, ensuite, et enfin jusque dans l'avenir, par les immortels travaux de morale et de direction qu'il a laissés à l'Église. Mais, nous tenons à le dire au début de ce travail, ce n'est pas dans cette dernière partie de sa mission que nous nous proposons d'étudier saint Alphonse. Ce n'est pas le théologien que nous nous permettons de présenter aux lecteurs de ces pages, bien qu'il nous ait paru indispensable d'indiquer sommairement ses ouvrages principaux, et, lorsque le sujet l'exigeait, les grandes lignes d'une doctrine qui fait partie de l'histoire de son âme : c'est le saint que nous voulons essayer aujourd'hui de remettre encore en lumière, en nous servant des matériaux précieux que nous ont conservés ses contemporains et ses disciples.

Parmi ceux-ci se distingue au premier rang le P. Antoine-Marie Tannoia, qui nous a laissé de véritables archives, recueillies durant la vie et après la mort de saint Alphonse, avec la piété d'un fils et la patience d'un érudit. Appelé en songe, à dix-neuf ans, par le fondateur, Tannoia vécut pendant quarante ans à ses côtés dans la Congrégation. Pressentant sa sainteté et le culte qu'on lui rendrait un jour, il résuma soigneusement les entretiens intimes qu'il avait avec lui, interrogea sa mère, ses frères, les premiers compagnons de sa jeunesse, et, après avoir reçu son dernier soupir, parcourut encore les lieux témoins de cette existence sur laquelle planait déjà une auréole. Le résultat de ces recherches[1], imprimé à Naples lorsque le souvenir du saint était encore présent à tous, forme donc, on peut le dire, un véritable dossier de pièces historiques à l'examen desquelles nous avons apporté la conscience et le respect qui sont dus à des témoignages de première main. Les lettres et les détails inédits fournis, il y a quelques années, au vénérable cardinal Villecourt, le plus récent historiographe du saint, par les RR. PP. Rédemptoristes, n'ont pas moins fixé notre attention, qui n'a négligé du reste aucune des informations éparses dans les diverses autres publications faites depuis le commencement du siècle.

C'est à l'aide de ces documents que nous avons essayé de retracer cette vie, prisme lumineux où se refléte la beauté du « soleil de justice », et dont chacune des faces semble destinée à servir de type à l'un des états de la vie chrétienne. Avocat, homme du monde, prêtre, missionnaire, fondateur d'ordre, évêque, saint Alphonse peut être, en effet, contemplé utilement par tous. Sa vie n'est pas seulement une suite d'œuvres et souvent de miracles qui rappellent, au milieu de la société contemporaine, les merveilles des temps héroïques du christianisme ; elle est encore une source toujours fraîche et vivifiante d'exemples, de méditations et de conseils.

---

1 Trois volumes in-4°. — Naples, 1799.

Notre vœu le plus cher sera exaucé si ce récit aide quelques-uns à connaître plus à fond cette grande existence. Afin d'en rendre l'étude plus pratique, toute dissertation étrangère au sujet en a été bannie : l'Évangile, le modèle suprême et toujours nouveau, présente surtout des faits, et saint Alphonse lui-même conseillait à ceux qui traitent de la vie des saints de raconter avant tout leurs vertus.

27 septembre 1876, fête de saint Côme et de saint Damien, et anniversaire de la naissance de saint Alphonse de Liguori.

LIVRE I

DEPUIS LA NAISSANCE D'ALPHONSE DE LIGUORI JUSQU'A LA FONDATION
DE LA CONGRÉGATION DU SAINT-RÉDEMPTEUR

1696-1732

CHAPITRE I

La famille de Liguori. — Naissance et premières années d'Alphonse.

L'humilité des saints ne semble pas autoriser à mettre en relief, lorsqu'on cherche à résumer leur vie, les avantages purement humains de la naissance et de la fortune dont il a plu à Dieu de les doter. Cependant, comme les moindres détails se rattachant à eux sont pour nous d'un inestimable prix, on nous permettra, au début de ces pages, quelques mots sur la famille à laquelle appartenait le saint dont nous entreprenons d'écrire l'histoire. Grande et touchante figure, dont nous voudrions faire le portrait comme Fra Angelico peignait ses madones : à genoux.

Les Liguori étaient déjà illustres avant qu'il y eût des rois à Naples, et leur nom, allié aux plus fameux de l'Italie méridionale, avait figuré souvent dans les annales du pays. Les registres de la capitale ont conservé le souvenir d'un Liguori gouverneur de la ville au xii⁰ siècle, et des documents authentiques nous montrent des personnages de cette race mêlés aux plus grandes affaires politiques et militaires, depuis l'époque de la féodalité. Un de leurs descendants, Don Joseph de Liguori, était, à la fin du xvii⁰ siècle, capitaine des galères de l'empereur Charles VI [1]. Il avait

---

[1] Charles VI, deuxième fils de l'empereur Léopold, né en 1685, disputa le trône d'Espagne à Philippe V, petit-fils de Louis XIV, fut nommé empereur après la mort de son frère Joseph Iᵉʳ, en 1711, et mourut en 1740. Il avait épousé Isabelle, fille de Philippe IV, roi d'Espagne, et fut père de Marie-Thérèse. Le royaume de Naples était alors réuni à l'Empire.

épousé Donna Anna Cavalieri, par sa mère d'origine espagnole, et qui avait pour père un patricien de Brindisi, membre du conseil royal, dont on disait de son vivant : « Personne ne mérite mieux l'éloge de Job : simple, juste, craignant Dieu. » S'il plaît parfois à la Providence, pour mieux manifester sa souveraine liberté, de faire germer le lis au milieu des épines, les bénédictions promises aux unions saintes sont trop éclatantes dans l'Écriture, pour qu'il ne nous paraisse pas utile de recueillir les détails parvenus jusqu'à nous sur Don Joseph et son épouse. D'une ardeur naturelle qui touchait presque à la violence, le premier savait conserver, au milieu de l'agitation à laquelle le condamnait sa carrière, une attitude grave et une vie exemplaire. Lorsqu'il était en mer, sa chambre ressemblait à la cellule d'un Camaldule; il se faisait accompagner dans tous ses voyages par quatre petites statuettes de deux palmes [1] environ, représentant Jésus au jardin des Olives, à la colonne, devant le peuple, et chargé de sa croix. Sa fidélité à cette dévotion aux souffrances du Sauveur ne se démentit jamais, et dans ses confidences sur sa vie intérieure il aimait à dire qu'elle lui avait valu des grâces nombreuses et signalées. Quant à Donna Anna, elle menait au milieu du monde la vie d'une religieuse. Elle récitait tous les jours l'office canonial, se livrait avec persévérance à l'oraison, et, ne reculant ni devant les disciplines ni devant les cilices, pratiquait avec une étonnante rigueur des jeûnes et des abstinences auxquels sa quatre-vingt-dixième année devait encore la trouver fidèle.

Dieu lui donna sept enfants, quatre garçons et trois filles. L'un d'eux, Don Benoît, fut moine du Mont-Cassin et mourut, après une vie de renoncement et de pénitence poussée jusqu'à l'héroïsme, dans le monastère de Saint-Séverin, à Naples; un autre, Don Gaëtan, se dévoua à la vie sacerdotale; Marie-Louise et Marie-Anne entrèrent au couvent de Saint-Jérôme, également à Naples; et si la volonté divine

---

[1] Cinquante centimètres.

laissa au monde Hercule [1] et Thérèse [2], ce fut pour qu'il
apprît d'eux, une fois de plus, que la sainteté peut s'épanouir sous toutes les formes et tous les horizons. Cependant, au milieu de ce glorieux essaim de frères et de sœurs
rivalisant de vertus, Dieu s'était choisi plus particulièrement à titre de prémices Alphonse, le premier-né d'entre
eux.

Il naquit à Marianella, aux environs de Naples, le 27 septembre 1696, et fut baptisé, deux jours après, dans la capitale, à l'église paroissiale de Sainte-Marie-des-Vierges;
c'était un samedi, et l'on célébrait la fête de l'archange
saint Michel. Il reçut les noms d'Alphonse-Marie-Antoine-
Jean-François-Cosme-Damien-Michel-Ange-Gaspard. En
les lui donnant, son père et sa mère voulaient honorer la
mémoire de ses ancêtres et celle des saints qui avaient présidé à sa naissance et à son baptême; mais la mère de Dieu
lui fut surtout donnée pour protectrice : on le consacra à elle
d'une manière spéciale, et c'est pour cela qu'on l'appela
habituellement Alphonse–Marie. Un fait remarquable, bien
qu'il ne soit pas rare dans la vie des saints, vint compléter la
joie de ses parents. Un religieux de la Compagnie de Jésus, le
Père François de Hiéronymo, étant venu rendre visite à Don
Joseph, prit entre ses bras le nouveau-né, et s'adressant à sa
« mère : Ce petit enfant, lui dit-il, aura de très-longs jours ;
il ne mourra pas avant sa quatre-vingt-dixième année; il sera
évêque et fera de grandes choses pour Jésus-Christ. » Peut-
être ceux qui furent témoins de cette scène se souvinrent-ils
de Siméon annonçant les grandeurs du Verbe; toujours est-il
que les paroles de cet autre vieillard furent reçues avec une
confiance proportionnée à la vénération dont il était l'objet,
et dès lors on regarda Alphonse comme destiné à accomplir
des œuvres précieuses devant le Seigneur. La prédiction
devait, en effet, s'accomplir; mais, ce qui n'est pas moins

---

[1] Hercule, que nous retrouverons souvent dans cette histoire, épousa
en premières noces Rachel Liguori, dont il n'eut pas d'enfants, et ensuite
Marianne Capano Orsini, qui lui donna trois fils et une fille.

[2] Thérèse épousa le duc de Presenzano.

frappant peut-être, c'est que cent cinquante ans plus tard, l'enfant et le prophète, entourés des mêmes honneurs, étaient placés le même jour sur les autels [1].

Donna Anna ne voulut pas que la première éducation d'Alphonse fût confiée à des étrangers; elle tint à s'en charger toute seule. Tannoia, qui la connut personnellement, nous fournit [1] d'intéressants détails sur les pieux usages de cette mère chrétienne. Chaque matin, elle réunissait ses fils et ses filles, leur donnait sa bénédiction, les faisait prier avec elle, et chaque soir, les retrouvant à ses côtés, elle leur expliquait la doctrine de l'Église; puis le rosaire était récité en commun, ainsi que diverses prières en l'honneur des saints. Attentive à veiller sur la pureté de ces jeunes cœurs, elle évitait de les laisser converser sans surveillance avec des enfants de leur âge, et désirant que la grâce devançât chez eux la connaissance du mal, elle les menait chaque semaine se confesser, dans l'église des Oratoriens, au Père Thomas Pagano, qui la dirigeait elle-même. Dans tous ces soins, sa vigilance était d'autant plus active que les courses maritimes de Don Joseph laissaient peser tout entiers sur elle le fardeau et l'honneur de l'éducation; aussi Alphonse aimait-il à dire dans sa vieillesse que sa mère avait été pour lui, pendant ses premières années, l'œil et la main de la Providence.

Dieu, de son côté, s'était montré prodigue envers lui. Alphonse était né avec un cœur docile aux impressions de la grâce. Comme d'autres enfants aiment à jouer au soldat, il se plaisait à bâtir de petits autels et à imiter les cérémonies religieuses. Plus tard, ayant atteint l'âge de raison, on le voyait souvent, dit son biographe, négligeant ses jouets, se présenter seul devant le Seigneur, qui commençait à lui adresser, à son insu, ces appels ineffables, préparation mystérieuse des âmes destinées aux grandes choses.

A neuf ans, Alphonse fut reçu dans une congrégation

---

[1] Le Père François de Hiéronymo fut canonisé en même temps qu'Alphonse, le 26 mai 1839.

[2] Tannoia, *Della vita ed istituto di S. Alfonso-Maria de Liguori.*

établie pour la jeunesse, par les prêtres de Saint-Jérôme [1], où sa piété et son exactitude à la réunion de chaque dimanche le rendirent bientôt digne de servir de modèle à tous. Son zèle et son recueillement devinrent plus édifiants encore lorsque, admis à la première communion, il eut goûté les tendresses du Tabernacle. « C'était vraiment, écrit Tannoia, un beau spectacle de voir cet enfant s'approcher de la sainte Table. Il entendait la messe prosterné à genoux, et ne se retirait qu'après une longue action de grâces. » En effet, « il était déjà saint dès son enfance; » tel était le témoignage que lui rendait un de ses contemporains, en racontant une anecdote qu'on nous permettra également de rapporter.

Alphonse avait alors douze ans. Tous les dimanches, après les vêpres, les Pères de Saint-Jérôme conduisaient à la campagne les jeunes gens de la congrégation. La promenade fut dirigée, un jour, vers une villa située sur les hauteurs de Capo-di-Monte, qui appartenait au prince della Riccia. Là, pressé par ses compagnons de prendre part à un divertissement en faveur parmi les écoliers et qu'on appelait le jeu des oranges, Alphonse refusa d'abord; mais il céda enfin à leurs instances, et, appliquant à ce passe-temps sa facilité ordinaire, il gagna trente parties l'une après l'autre. Cette rare fortune excita l'envie de plusieurs, et, dans le feu de la dispute, une parole inconvenante échappa à l'un des joueurs. Alphonse, ému de cette atteinte portée à la vertu qui lui était le plus chère, rougit, et, se tournant vers son interlocuteur : « Comment! dit-il d'un air sévère, est-ce pour quelques misérables deniers qu'il faut offenser Dieu? » puis, jetant à terre l'argent qu'il avait gagné, il disparut. Le soir venu et l'heure du retour arrivée, on l'appela, mais en vain. On parcourut le jardin à sa recherche, et quelle ne fut pas la surprise de tous, en le trouvant à genoux devant un buisson de lauriers auquel il avait suspendu une image de la sainte Vierge! Absorbé dans sa prière, il n'entendait

---

[1] La maison où saint Philippe de Néri avait commencé son institut à Rome se nommait Saint-Jérôme-de-la-Charité : de là cette appellation donnée encore aujourd'hui à Naples aux Oratoriens.

et ne voyait que Dieu, et il fallut tous les efforts de ses amis pour l'arracher à ce doux colloque.

Ces courses, en compagnie d'autres jeunes gens, étaient les seules circonstances dans lesquelles les parents d'Alphonse consentaient à se séparer de leur fils ; car, redoutant pour lui les périls du collège, ils avaient voulu le conserver près d'eux, et lui avaient donné pour maître dans la maison paternelle un savant prêtre de Calabre, nommé Dominique Buonaccio, qui, non moins versé dans les sciences humaines que dans celle de Dieu, s'efforçait de les faire comprendre et goûter à son élève.

La tâche était pleine d'espérances, car l'esprit d'Alphonse était aussi bien doué que son cœur : il avait une mémoire prompte et facile, une passion ardente pour l'étude et l'intelligence ouverte aux pensées élevées ; aussi fit-il de rapides progrès. La philosophie, les mathématiques, les sciences naturelles, les langues grecque, latine et française lui devinrent bientôt familières [1]. Don Joseph lui fit donner aussi des leçons de dessin, de peinture et d'architecture [2] ; mais comme il aimait par-dessus tout la musique, il exigeait que son fils consacrât trois heures chaque jour à cet art, et l'on raconte qu'il enfermait parfois le maître et l'élève, lorsqu'il ne pouvait lui-même surveiller la durée de la leçon.

De rares plaisirs étaient accordés à cette sérieuse jeunesse. Alphonse aurait aimé la chasse, racontait-il dans sa vieillesse ; mais il ne s'y livrait que les jours où il était dispensé

[1] Il fit en particulier une étude si complète de la géographie et de la cosmographie, que, plus tard, il se réserva le soin de les enseigner lui-même à ses jeunes clercs. On conserve à Iliceti un planisphère armillaire fabriqué de ses mains. (Tannoia, *Della vita ed istituto di S. Alfonso - Maria de Liguori*, lib. I, cap. III.)

[2] Il ne cultivait pas moins les arts que les sciences. Jusque dans sa vieillesse, on l'a vu tracer des images du Sauveur et de la sainte Vierge, qu'il faisait quelquefois graver pour les distribuer ensuite dans ses couvents. On montre encore dans l'église d'Iliceti un ancien portrait de la Mère de Dieu dont il avait ravivé les couleurs, et une peinture à l'huile représentant l'adoration des bergers. Comme architecte, Alphonse était aussi, dit-on, fort habile ; c'était lui qui dessinait ou corrigeait les plans de ses maisons. (*Ibid.*)

de l'étude. Du reste, Don Joseph ne lui permettait pour divertissement ordinaire que la société d'un jeune homme de
son âge, Balthazar Cito[1], avec lequel il passait chaque soir
une heure à faire quelques parties de *terziglio* ou d'*ombre*,
jeux en usage dans la bonne société du temps; mais il devait
alors se garder de dépasser le terme fixé, sous peine de trouver
au retour, ainsi que cela lui arriva une fois, les livres qui
chargeaient sa table remplacés par autant de paquets de
cartes, et son père lui disant avec ironie : « Voilà donc tes
études, et les auteurs qui te rendent si exact ! »

Telle était l'éducation d'Alphonse; rien n'avait été négligé,
on le voit, pour qu'elle fût brillante et complète, et peut-être
eût-elle suffi pour illustrer une vie ordinaire; mais Dieu
avait sur lui, comme nous ne tarderons pas à le montrer,
de plus hauts desseins.

[1] Don Balthazar Cito mourut conseiller d'État de Ferdinand IV, à cent
trois ans, après avoir présidé le conseil royal *jusqu'à l'âge de cent ans.*

CHAPITRE II

Le barreau. — Vie publique et intime. — Conversion et mort
d'un jeune Africain.

Le désir de son père appelait Alphonse à la carrière de
la magistrature ; aux études générales succéda donc bientôt
pour lui celle du droit civil et canonique. Ses débuts furent
brillants, car, à seize ans, le 21 janvier 1713, il revêtait la
toge doctorale ; il avait fallu pour cela obtenir une dispense
de près de quatre années, ce qui explique l'incident dont il
plaisantait plus tard, en disant : « Ils m'avaient affublé d'une
longue casaque qui passait sous mes pieds et faisait rire tout
le monde. »

Dès lors, et malgré sa jeunesse, on le vit suivre exactement les tribunaux de Naples et assister, anxieux de s'y instruire, aux délibérations des Conseils. Son père le confia
d'abord, pour l'habituer aux affaires, à un célèbre avocat du
temps, nommé Perrone, et ensuite au jurisconsulte Jovene.
Lui-même, renonçant à tout divertissement et sacrifiant jusqu'aux soirées qu'il passait chez Balthazar Cito, ne voulut
plus fréquenter que la maison d'un magistrat, Don Dominique Caravita, homme aussi pieux que savant et ne le cédant à personne dans la connaissance du droit. Cette maison
était une sorte d'académie pour les jeunes gens studieux. Là
se réunissaient les étudiants les plus graves et les plus avan-
cés dans les matières juridiques ; tous les soirs on tenait
des conférences ; on discutait des questions difficiles, sous la

direction de Caravita, qui aimait à se voir entouré de ces jeunes débutants et mettait tous ses soins à les former.

Grâce à ce genre de vie austère, Alphonse n'avait pas encore vingt ans, que déjà, chargé d'une nombreuse clientèle, il figurait avec honneur au barreau, parmi les premiers avocats. La confiance inspirée par son talent était telle que bientôt, à l'étonnement de tout Naples, les causes les plus importantes du pays lui furent confiées, sans que, comme le constate le relevé des sentences, il en ait perdu une seule pendant les huit années qu'il fut attaché au tribunal. « Nos vieillards affirment, » dit Tannoia, « que dans ces fonctions tout le rendait remarquable : largeur de vues, lucidité d'esprit, précision dans le discours, loyauté parfaite, affabilité envers les clients, désintéressement complet et horreur si absolue de la chicane, qu'il refusait impitoyablement toute cause dont la justice n'était pas indiscutable. » Il avait reçu de Dieu un don extraordinaire d'éloquence, et c'était un beau spectacle que de voir ce jeune homme attirer tous les regards, dominer tous les cœurs et tenir tout un auditoire suspendu à ses lèvres. Longtemps on s'est souvenu dans les tribunaux de Naples de cette parole entraînante qui savait enlever les juges, gagner jusqu'aux adversaires et, avec un bonheur rare, assurer aux causes justes la faveur et le succès.

Il s'était proposé, dès lors, les douze résolutions suivantes, qui nous sont parvenues textuellement, et dont il faisait la règle de sa conduite :

1º Ne jamais accepter de causes iniques, car elles sont pernicieuses pour la conscience et pour l'honneur.

2º Ne jamais employer dans l'intérêt de son client de moyens illicites.

3º Ne pas l'accabler de dépenses superflues, autrement l'avocat est tenu à restitution.

4º Mettre à défendre sa cause le même soin que l'on mettrait à défendre la sienne propre.

5º Bien étudier les pièces du procès, afin d'en tirer les arguments les plus utiles à la défense.

6° Prendre garde de nuire au client par son retard ou sa négligence, autrement on pèche contre la justice, et l'on est tenu à réparation.

7° Implorer, pour obtenir le succès, le secours de Dieu, parce qu'il est le premier protecteur de la justice.

8° Ne pas se charger d'affaires qui dépassent ses forces ou son talent, ou exigent plus de temps qu'on ne peut leur en donner.

9° Respecter, comme la prunelle de ses yeux, la justice et la probité, compagnes indispensables de l'avocat.

10° Réparer les pertes dont on a été cause.

11° Être toujours véridique, sincère, respectueux et raisonnable.

12° Regarder comme les qualités nécessaires de l'avocat : la diligence, la vérité, la fidélité, la science et l'équité [1].

Ces formules rigides, minutieuses, où les mêmes préceptes se reproduisent comme pour se fortifier, montrent combien, en appréciant les grands côtés de sa profession, Alphonse en sentait la difficulté et le péril. Il voyait sans cesse le mensonge dénaturer les causes les plus justes. « Notre profession est pleine de dangers, » disait-il un jour avec découragement à un de ses amis, « car il n'y a pas jusqu'à l'honnêteté de l'avocat qui ne puisse parfois entraîner sa défaite... Le métier d'avocat peut se résumer ainsi : beaucoup de fatigue et peu de fruit. » La pensée de quitter le barreau traversa dès lors son esprit, et il en fit la confidence à son collègue Joseph Capecelatro : « Mon ami, » lui dit-il, « nous menons une vie malheureuse, et nous courons le risque de faire une mauvaise mort ; notre carrière ne me convient plus, et je l'abandonnerai quelque jour, pour assurer le salut de mon âme, qui, pour moi, passe avant tout. » Le salut de son âme, tel était, en effet, l'objectif permanent de sa pensée, que nous révèlent assez les détails de sa vie intime pendant le cours de ses succès publics.

---

[1] Rispoli, *Vita del beato Alfonso-Maria de Liguori*, p. 16. Napoli, 1834.

Sa piété, loin de s'affaiblir au contact de ses occupations extérieures, grandissait de jour en jour. Il persévérait dans l'oraison et la mortification, fréquentait les sacrements et ne se rendait jamais au tribunal sans avoir entendu la messe et longuement satisfait à sa dévotion. Ses rapports avec le Père Pagano, demeuré son guide, n'avaient subi aucun changement; il lui exposait tous ses doutes et ne négligeait jamais ses conseils. Il se fit recevoir[1] dans une association charitable que les Oratoriens de Saint-Jérôme avaient fondée pour les jeunes gens, sous le nom de Congrégation des Docteurs[2], et trouva le temps d'en accomplir tous les devoirs, parmi lesquels se trouvait la visite des hôpitaux. Quelques années après sa mort, un vieux gentilhomme de la ville de Vietri, Don Diodato de Santis, se plaisait à rappeler qu'étant enfant, il l'avait vu, revêtu des insignes d'avocat, servir les malades avec ses confrères dans la maison des Incurables, arranger leurs lits, leur donner à manger, et leur prodiguer tous les soins de la plus tendre charité. Alphonse était, du reste, puissamment encouragé dans ces ferventes dispositions par Don Joseph, qui le menait chaque année passer quelques jours avec lui chez les Pères de la Compagnie de Jésus ou dans le couvent de la Mission, dirigé par les prêtres de Saint-Vincent-de-Paul, et, fidèle à cette habitude, le jeune avocat s'y rendait seul, lorsqu'une course maritime retenait son père sur les galères royales. C'est ainsi que, pendant cette première période de sa carrière, il sut, en ajoutant à sa vie le travail et les affaires, ne rompre avec aucune pratique chrétienne et ne renoncer à aucune vertu.

De tels exemples étaient déjà par eux-mêmes un apostolat. Nous en trouvons la preuve dans une touchante histoire dont la maison des Liguori fut à cette époque le théâtre. Don Joseph avait ramené de ses voyages plusieurs esclaves maures. De grands efforts avaient été faits pour les décider

---

[1] Le 15 août 1715.

[2] Il en fit partie jusqu'à sa mort, et s'y rendit chaque fois qu'il vint à Naples, même pendant le peu de jours qu'il y passa étant évêque.

à renoncer au mahométisme et à embrasser la foi ; mais toutes
les tentatives étaient restées sans succès, quand, un jour,
l'un d'eux, qui avait été mis au service d'Alphonse, demanda
spontanément à se faire chrétien. La surprise fut extrême,
et comme on cherchait à savoir d'où venait à l'enfant cette
pensée : « Ce qui m'a déterminé, » répondit-il, « c'est l'exemple
de mon jeune maître ; la religion qui produit de semblables
vertus ne peut être que la vraie religion. » On se mit aussitôt à l'instruire ; mais, sur ces entrefaites, il tomba malade
et réclama instamment la présence d'un des Pères de l'Oratoire. Dès qu'il aperçut ce religieux, l'esclave lui demanda
le baptême à grands cris : « C'est la Madone, saint Joseph
et saint Joachim qui le veulent, » lui dit-il ; « je viens de
les voir, et ils m'ont ordonné de me faire baptiser tout de
suite, parce qu'ils m'attendent en paradis. » Le Père ayant
objecté que la maladie n'était pas sérieuse et que, d'ailleurs,
il n'était pas encore suffisamment instruit : « Que Votre Révérence m'interroge, reprit le Maure, » et il répondit si
merveilleusement à toutes les questions qui lui furent adressées, qu'on n'hésita plus à combler ses désirs. On le baptisa ;
puis on l'engagea à prendre un peu de repos. « Me reposer,
s'écria-t-il, ah ! ce n'est pas l'heure, car, dans un instant,
je vais être en paradis ! » Une demi-heure s'était à peine
écoulée, en effet, que l'esclave, le sourire sur les lèvres,
rendait son âme à Dieu.

Ainsi Alphonse, avocat, était déjà apôtre ! Cet esclave fut
son premier converti, la première âme qu'il envoya au paradis. Combien d'autres devaient, sans qu'il le sût lui-même
encore, rejoindre, grâce à lui, celle du pauvre Africain !

CHAPITRE III

Tiédeur. — Influence salutaire d'une retraite. — Propositions de mariage.
— Circonstances qui décident Alphonse à quitter le barreau.

Cependant la réputation d'Alphonse commençait à se répandre en dehors du barreau, et la faveur dont jouissait sa famille auprès des princes de la maison d'Autriche faisait prévoir qu'il occuperait, avant peu, une place importante au sénat de Naples. Cette perspective brillante n'altérait en rien les sentiments de respect et de soumission qu'il professait pour ses parents, et si, par surprise, il lui arrivait de les offenser, sa douleur se manifestait avec toute la vivacité et, pour ainsi dire, toute l'exaltation des jeunes années; un trait, soigneusement conservé par le fidèle historien de sa vie, suffit pour nous en convaincre.

Un soir que Donna Anna avait réuni une société brillante, un des serviteurs chargés d'accompagner les invités une torche à la main, comme cela se pratique encore pour quelques hauts personnages dans certaines parties de l'Italie, vint à manquer à ses fonctions. Grande colère de Don Joseph, qui, non content de réprimander le coupable, allait et venait, s'exhalant en plaintes et en reproches. Alphonse, témoin de cette agitation excessive, ne put se contenir et laissa échapper cette regrettable parole : « Quel bruit, mon père! une fois que vous avez commencé, vous ne finissez plus. » Don Joseph, blessé, répondit par un soufflet. Alphonse ne dit mot et se retira dans sa chambre. L'heure du souper arrivée, Donna Anna, qui ne le voyait pas paraître, monta

chez lui et le trouva baigné de larmes aux pieds de son crucifix ; comme elle le comprit bientôt, sa faute seule, et non
l'humiliation qui l'avait suivie, était la cause de ce chagrin si
violent. Aussi, avec la simplicité touchante d'un enfant, Alphonse la supplia-t-il de l'accompagner chez son père pour
lui obtenir son pardon.

Jusqu'ici, on le voit, cette première période de la vie
d'Alphonse n'a été qu'une marche ascendante vers la perfection et la sainteté ; mais les vertus sur cette terre ne
sont pas des états de l'âme posée en soi ; ce sont des élans de
l'âme hors d'elle-même et en Dieu. Si l'élan s'arrête, si même
il se ralentit, si l'homme cesse de lutter et de réagir, il a
tout à redouter ; peu à peu les lueurs s'éteignent, la sève de
l'amour s'épuise, et l'âme se sépare de sa vie. Ces fléchisse-
ments momentanés, naturels à la faiblesse humaine, se
rencontrent, du reste, souvent dans l'histoire des plus
grandes âmes ; mais, grâce à la miséricorde divine, ils deviennent pour plusieurs une source nouvelle de ferveur et
comme la dernière étape de leur essor. Telle semble avoir
été la destinée d'Alphonse. Il racontait, dans sa vieillesse,
que, vers l'âge de vingt-six ans, il s'était notablement refroidi dans la piété. Le contact du monde, où Don Joseph
avait commencé à le produire, fut l'occasion de cette épreuve.
Suivant les intentions de son père, Alphonse allait constamment au théâtre, et assistait ou prenait part au jeu. Il n'y
avait dans cette habitude, malgré les reproches qu'il s'adressait plus tard, rien de bien coupable ; pourtant ces divertissements inaccoutumés pour lui jusque-là, les succès qu'il
recueillait de tous côtés, les demandes en mariage, les
avances des uns, les flatteries des autres, la vie facile,
enfin, de la société de Naples, finirent par ralentir sa ferveur et par le priver de ces joies spirituelles que goûte seule
une âme toute à Dieu. Dès lors, le plus léger empêchement
devint un motif suffisant pour lui faire omettre quelques-uns
de ses exercices de piété. « Je serais tombé dans l'abîme, »
disait-il, » si cet état eût duré davantage. » Mais la Providence, qui veillait sur lui, le secourut à temps.

Alphonse qui déjà, nous l'avons dit, avait pour collègue au barreau un membre de la famille Capecelatro, s'était lié étroitement avec un autre jeune homme de ce nom appartenant à la branche des ducs de Casabona. Celui-ci, doué d'une piété profonde, comprenant peut-être le danger que courait son ami, lui proposa, à l'occasion du carême, de suivre, en même temps que lui, les exercices spirituels dans la maison de la Mission. Il y consentit, et tous deux, réunis à plusieurs autres gentilshommes, commencèrent, le 26 mars 1722, une retraite que devait prêcher le supérieur, Don Vincent Cutica. Ce missionnaire avait une foi d'apôtre, et Dieu était sur ses lèvres comme dans son cœur. Sa parole pénétrante fut pour Alphonse ce qu'est la rosée pour une plante courbée, mais encore vivante. La grâce, qui le poursuivait sans jamais l'abandonner, lui fit voir combien il était déchu de son ancienne ferveur. Il comprit qu'il n'aimait plus Dieu que d'une manière secondaire; que, dans son existence mondaine, il se nourrissait d'illusions et de mensonges, tandis que la table de l'Agneau, où il s'asseyait maintenant avec l'indifférence d'un convive rassasié, pouvait seule lui offrir un aliment répondant aux besoins de son intelligence et de son cœur. La lumière divine l'illumina en un instant, et pleurant son relâchement, il résolut de transformer sa vie.

Un événement extraordinaire, dont on parlait beaucoup alors à Florence, vint seconder ce rayon intérieur, et l'affermit singulièrement dans sa généreuse décision. Un gentilhomme, qui faisait une retraite au couvent de la Mission fondé dans cette ville, priait un jour pour une malheureuse âme, jadis complice de ses fautes, et à laquelle Dieu n'avait pas laissé, comme à lui, le temps de les pleurer. Tout à coup, cette âme lui apparut, et, interrompant sa prière : « Ne vous occupez plus de moi, lui dit-elle, car je suis damnée. » Au même instant et comme pour confirmer cette terrible parole, une main se posa sur le tableau devant lequel le gentilhomme était agenouillé et y laissa une empreinte de feu. Ce tableau venait d'être apporté de Florence

à Naples, et pendant le sermon sur l'enfer le prédicateur le
présenta à l'auditoire. L'impression générale fut des plus
vives ; mais Alphonse surtout la ressentit profondément et
s'affermit dans sa résolution de quitter un monde dont il
devait dire plus tard : « Croyez-moi, tout y est folie ; festins, spectacles, sociétés, jeux : tout y est plein de fiel et
d'amertume. J'en ai fait l'expérience, et je la déplore sou-
verainement. »

Les grâces qu'Alphonse reçut pendant cette retraite peuvent être placées parmi les plus grandes peut-être de sa
vie ; il le reconnaissait lui-même, et, lorsqu'il lui arrivait
d'en parler, il ne manquait pas de dire avec une gratitude
émue qu'après Dieu, c'était à son ami, le duc Capecelatro, qu'il devait le salut de son âme. A l'âge même de
soixante-dix-huit ans, il écrivait encore au supérieur des
Prêtres de la Mission : « Je me reconnais comme étant le
fils et le serviteur de Votre Paternité et de tous vos Pères ;
car c'est dans votre maison que, grâce aux saints exercices, j'ai connu le Seigneur et renoncé au monde. » Ces
paroles pourraient donner à penser qu'il avait à se reprocher des fautes graves. Rien ne serait moins vrai pourtant.
Mais il y aura toujours dans ce monde deux groupes, et
comme deux familles d'âmes : les unes coupables et refusant de pleurer leurs crimes, les autres innocentes et ne
cessant de s'accuser. C'est au rang de ces dernières que dès
son adolescence doit être placé Alphonse. A cette époque,
qu'il appelait le temps de sa corruption et de sa folie, tout le
monde le considérait comme un modèle de régularité et de
pureté ; ceux qui dirigèrent alors sa conscience ont affirmé
que le mal n'y avait jamais pénétré et qu'il n'avait pas commis un seul péché mortel. Balthazar Cito, interrogé dans sa
vieillesse sur la conduite de son ami, répondait : « La jeunesse
d'Alphonse a toujours été très-sainte ; » et, inclinant profondément la tête en signe de respect, il ajoutait : « Si je
parlais autrement, je dirais un blasphème. » Enfin, la vérité
arrachait un jour au saint lui-même cet aveu : « J'ai fréquenté les théâtres ; mais, grâce à Dieu, je n'y ai jamais

commis de péché véniel : j'y allais, pour entendre la musique, qui absorbait mon attention et m'empêchait de penser
à autre chose. »

Le principal fruit des méditations d'Alphonse, pendant
les journées de silence dont nous venons de rechercher le
souvenir, se trouvait être en même temps le meilleur moyen
qu'il pût choisir pour assurer ses progrès, moyen infaillible
et décisif, on ne saurait trop le dire, et pouvant se résumer en
ce seul mot : un grand amour pour l'Eucharistie. Il comprit
que c'est de l'autel que partent tous les rayons et que c'est
dans le tabernacle, réservoir de la force, foyer de la vie,
que nous devons chercher le rassasiement de tous nos attraits, de tous nos besoins, de toutes ces aspirations, parfois
inconscientes, de notre être. Il communia dès lors plusieurs
fois par semaine, et prit l'habitude d'aller chaque jour visiter le
saint Sacrement dans les églises où il était exposé, quelque
éloignées qu'elles fussent de sa demeure. Là il restait plongé
dans la contemplation pendant des heures entières, remerciant Dieu quand il voyait aux magnificences du temple se
joindre, pour le glorifier, l'affluence des fidèles : mais plutôt
affamé que satisfait par ces longues stations dans le sanctuaire, il enviait, nous dit-on, les plantes qui, la nuit comme
le jour, pouvaient y répandre leur parfum, et dont il aimait
à grossir le nombre sur l'autel [1]. « Cette fidélité à visiter
le saint Sacrement, dit-il dans un de ses livres [2], contribua
beaucoup, malgré ma froideur et mon imperfection, à me
dégager du monde, où, pour mon malheur, j'avais vécu jusqu'à l'âge de vingt-six ans. »

Elle fit plus encore, car elle le conduisit en peu de temps
à des hauteurs où malheureusement le silence de son humilité nous permet à peine de le suivre. Nous savons seulement que l'année suivante, pendant une retraite à laquelle
il assista avec son père au couvent de la Mission, il reçut un

---

1 Il conserva jusqu'à la fin de sa vie ce goût d'orner de fleurs les autels ;
il se plaisait à en cultiver de ses mains pour en embellir le sanctuaire,
et recommandait aux recteurs de ses maisons de ne pas négliger ce luxe
de la nature.

2 *Visites au saint Sacrement.*

surcroît de lumières et de faveurs célestes, et que, pour mieux y répondre, il résolut de céder son droit d'aînesse à son frère Hercule, de renoncer au mariage, et de se consacrer à Dieu tout entier, sans abandonner néanmoins sa carrière d'avocat. C'est ainsi que la miséricorde divine l'attirait avec douceur et puissance, *suaviter et fortiter*, et qu'avant de frapper le grand coup elle écartait peu à peu ce qui pouvait faire obstacle à ses desseins. Mais ce n'était encore que la première phase d'une lutte où Dieu devait avoir le dernier mot.

Cependant Don Joseph, ignorant le travail qui se faisait dans l'âme de son fils, s'efforçait depuis longtemps d'asseoir sa situation en lui préparant une alliance avantageuse. Cette tâche ne paraissait pas difficile; car l'avenir brillant qui s'ouvrait devant Alphonse, ses qualités sérieuses et le charme de sa personne faisaient désirer à plus d'un père de l'avoir pour gendre. Parmi les nombreux partis en présence, celui qui offrit d'abord le plus de chances de succès était un mariage avec une de ses cousines, la fille de Don François de Liguori, prince de Presiccio. Cette jeune personne, nommée Teresina, était considérée comme devant hériter de tous les biens de la famille dont elle était l'unique rejeton : Don Joseph espérait donc par cette union procurer à son fils une fortune considérable; et comme le prince et la princesse ne montraient pas moins d'empressement que lui, la négociation semblait devoir être bientôt conclue entre les parents. Ceux-ci, quoique Alphonse fût demeuré étranger à toute l'affaire, ne voulaient pas mettre en doute son consentement; ils échangeaient des politesses nombreuses, et songeaient déjà au moment où les fiançailles pourraient être célébrées; mais il était écrit là-haut qu'aucun lien terrestre n'était digne de ces deux âmes et qu'elles devaient rester *sicut Angeli Dei in cœlo* [1].

Un jour, en effet, on apprit, contre toute prévision, que la princesse de Presiccio était enceinte. Don Joseph, dissimulant mal son mécontentement, se montra dès lors plus froid,

[1] Matth. xxii, 30.

diminua ses visites, et lorsque enfin elle eut mis au monde un garçon, cessa complétement de fréquenter la maison. Cette conduite blessa Teresina profondément et ses parents plus encore. Au bout de quelques mois, pourtant, l'enfant mourut. Don Joseph renouvela aussitôt ses assiduités, et revint peu à peu sur la question du mariage ; mais Teresina avait compris le sens des sourires de la terre : « J'ai appris maintenant à connaître le monde, dit-elle. C'est ma dot et non ma personne qu'on recherche. Jésus-Christ seul sera mon époux. » Et, satisfaisant aussitôt ce généreux élan, elle entra chez les religieuses du Saint-Sacrement [1].

Ce mariage rompu, Don Joseph recommença ses recherches et songea à la fille du duc de Presenzano, qui n'était inférieure à Teresina ni par la naissance ni par le mérite personnel. Ses avances furent accueillies avec empressement, au grand déplaisir d'Alphonse, dont les pensées se dirigeaient de plus en plus vers un autre horizon. N'osant cependant faire à son père une confidence qu'il savait devoir lui être très-pénible à entendre, il ne refusait pas de l'accompagner chez le duc ; mais il y allait à contre-cœur, par pure obéissance, ne s'occupait nullement de plaire à la jeune fille, et ne pensait, comme il le disait plus tard, qu'à ce qu'il appelait l'heure de la délivrance. Don Joseph, affligé de cette indifférence, mit tout en œuvre pour la vaincre : les qualités de la fiancée, son éducation, son esprit et les avantages de cette alliance, il faisait tout valoir et ne négligeait rien pour convaincre son fils. Alphonse répondait qu'il avait la poitrine délicate et ne se croyait pas destiné à l'état conjugal. Mais on pensait que sa timidité seule le faisait parler ainsi, et on ne ralentissait en rien les instances. A la fin, poussé à bout et espérant trouver un appui dans sa mère, il se décida à lui avouer le motif réel de sa résistance. Contre son attente, Donna Anna, sans se

---

[1] Elle y mourut en odeur de sainteté, le 30 octobre 1724, âgée de 21 ans. En 1761, Alphonse, à la demande des religieuses du Saint-Sacrement, écrivit un récit abrégé de la vie de Teresina, qui se trouve dans ses œuvres.

laisser persuader, discuta, pressa, sollicita à son tour. « Je
ferai si bien, s'écria alors son fils exaspéré, mais non découragé, que ni ce mariage ni aucun autre ne pourra se
conclure. »

Cette fois encore, en effet, un incident amena bientôt la
rupture. Alphonse, malgré la fermeté de sa résolution, continuait, par égard pour Don Joseph, ses visites au duc de
Presenzano. Un soir, on lui demanda de se mettre au piano ;
il y consentit de bonne grâce, et la jeune fille, qu'il devait
accompagner, vint se placer tout près de lui, approchant, pour
ainsi dire, son visage du sien ; mais il eut l'air de ne pas s'en
apercevoir, et, sans affectation, il détourna doucement la tête.
Croyant à une distraction, la jeune personne passa de l'autre
côté ; toutefois son mouvement ne fut pas plus rapide que
celui de son accompagnateur, qui reprit aussitôt sa position
première. L'intention n'était plus douteuse ; aussi, forma-
lisée de ce dédain apparent, elle se plaignit tout haut de
l'impolitesse d'Alphonse, et retourna s'asseoir. Celui-ci demeura interdit ; toutefois sa réserve, qui avait été remarquée, ne déplut pas aux témoins de cette scène. Peu de jours
après, le duc et la duchesse pressèrent leur fille de dire son
dernier mot ; mais ils ne purent obtenir que cette réponse :
« Comment épouserais-je un homme qui ne veut pas me
regarder en face? »

Pendant que ces petits drames intimes se déroulaient
dans le cercle des Liguori, Dieu, qui se sert tour à tour des
moyens les plus simples et des coups les plus extraordinaires
pour la réussite de ses desseins, se préparait à renverser
en un instant, et par un événement singulier, l'édifice des
espérances et des ambitions paternelles.

On était en 1723. Les tribunaux de Naples étaient saisis
d'un procès entre le Grand-Duc de Toscane et l'un des
personnages les plus considérables du royaume[1]. L'affaire
était d'une haute importance ; il s'agissait d'un fief ne valant pas moins de cinq à six cent mille ducats[2]. Alphonse

---

[1] Quelques-uns le nomment Rufll, d'autres Orsini.
[2] Environ 2,658,000 francs.

avait été choisi pour défenseur par l'adversaire du Grand-Duc, et, après une étude approfondie des pièces, croyait avoir trouvé des arguments si puissants et des précédents si avérés, que les droits de son client ne pourraient être raisonnablement contestés. La cause fut appelée : Dominique Caravita occupait le fauteuil du président. Alphonse prit la parole avec l'assurance que donne la perspective d'une victoire facile ; il exposa avec fermeté ses raisons, cita les lois et produisit les arrêtés. Sa plaidoirie était éloquente et bien conçue. Procureurs et avocats l'admiraient et ne doutaient pas d'un succès qu'on semblait lire d'ailleurs dans le regard du président. Déjà l'orateur lui-même se préparait aux applaudissements qui allaient accueillir son triomphe, lorsque l'avocat du Grand-Duc, l'interrompant froidement : « Monsieur, lui dit-il, les faits ne sont pas tels que vous le supposez ; revoyez le procès, vous avez oublié une pièce : examinez-la, et vous y verrez précisément le contraire de ce que vous avancez. » — « Produisez-la, » reprit Alphonse avec vivacité. Or la question capitale était de savoir si la concession du fief avait été faite selon la loi des Lombards ou selon celle de la dynastie française. La pièce examinée donna raison au Grand-Duc. Alphonse se demandait s'il n'était pas le jouet d'un cauchemar. Il voulut encore lire de ses yeux le document. Hélas ! l'évidence était incontestable. « Je me suis trompé !... » murmura-t-il. Consterné, atterré, craignant qu'on ne soupçonnât sa bonne foi, il ne pouvait maîtriser son trouble, ni retrouver sa présence d'esprit. En vain le président, qui l'aimait et le tenait pour un homme d'honneur, s'efforçait-il de le calmer, en lui disant que jamais le talent n'était à l'abri de l'erreur ; Alphonse n'entendait plus rien. Il avait, comme nous l'avons dit, successivement examiné chacune des pièces de la procédure, vu et revu cent fois chacun des documents. Comment un point si important lui avait-il échappé ? Il ne pouvait le concevoir. Son amour-propre surexcité et sa fierté blessée se révoltaient contre cette humiliation ; habitué exclusivement aux triomphes, il se sentait désarmé devant une si amère défaite. Aussi, tout à coup, à la stupéfaction universelle, les juges et l'auditoire le virent-ils quitter sa place et disparaître précipitamment.

Rentré chez lui, sans être en état de dire la route qu'il a suivie, il monte dans sa chambre et s'y renferme avec son désespoir. Son père est absent; sa mère ne comprend pas ce qui se passe. L'heure du repas arrive. On l'appelle, il ne répond pas; on frappe, il dit qu'il ne veut pas souper; on continue à l'appeler, et lui à refuser d'ouvrir. La soirée s'écoule ainsi, non sans que cette étrange nouveauté, dont personne ne soupçonne la cause, mette la maison en alarmes. Le lendemain, Don Joseph arrive; mais il n'est pas plus heureux dans ses efforts. L'inquiétude augmente; Anna pleure, le père s'irrite. « Mon fils va mourir! s'écrie la mère. — Eh bien, qu'il meure! » répond Don Joseph dans sa colère.

Le deuxième jour se passe comme le premier, et le troisième n'apporte aucun changement : le prisonnier volontaire persistait à tenir sa porte close. Cependant les cris de Donna Anna devenaient de plus en plus déchirants. Alphonse, enfin, n'y put résister davantage; et, comme ces âmes fortes dont parle l'histoire antique, vaincu par la seule douleur de sa mère, il consentit à ouvrir; mais il refusa la nourriture qu'on le pressait d'accepter. A peine arriva-t-on, à force de sollicitations, à lui faire prendre une tranche de melon qui lui parut, dit-il, plus amère que du fiel.

Telle fut cette crise dans laquelle il est difficile de faire la part de la nature et celle de la volonté, et que Dieu permit évidemment, afin que du sein de ces ténèbres de trois jours il sortît pour Alphonse une de ces illuminations intérieures qui décident d'une vie. Rougissant bientôt de lui-même, il comprit à quels excès l'avait entraîné l'orgueil, et pleura amèrement son inexprimable défaillance. Mais les grands ébranlements ou les grandes tristesses précèdent souvent les grandes résolutions. Alphonse, éclairé sur la fragilité des succès humains et peut-être aussi sur sa faiblesse, se décida, sans en parler à sa famille, à quitter le barreau.

CHAPITRE IV

Lorsque le calme fut rentré dans l'âme d'Alphonse et qu'il eut expié par le repentir cet accès d'orgueil et de désespoir qu'il déplora toute sa vie, il congédia ses clients, s'éloigna de ses amis, et, ermite, pour ainsi dire, dans sa propre maison, il cessa même d'avoir avec sa famille des rapports aussi fréquents que par le passé. La grâce s'était emparée de son âme d'une manière définitive, et ses journées ne se divisaient plus qu'entre l'église et l'hôpital. Il trouvait un bonheur céleste à passer deux ou trois heures dans les sanctuaires où le saint Sacrement était exposé. On l'y trouvait à genoux, immobile, les yeux fixés sur la sainte hostie, dans une extase si complète, dit Tannoia, qu'il ne voyait pas la perruque dont il était revêtu selon l'usage tomber à demi sur ses épaules, ni tous les regards se diriger vers lui. De là, il se rendait souvent à l'hôpital des Incurables pour soigner les malades ; il y méditait sur les misères humaines, et la vue des plaies du corps l'aidait à supporter les épreuves dont, au milieu de ses joies saintes, son cœur était abreuvé.

En effet, le changement d'habitudes d'Alphonse était pour Don Joseph le sujet d'un profond chagrin. A travers cette nouvelle vie, il entrevoyait vaguement la ruine de tous ses rêves, et il se demandait même parfois si son fils n'avait pas perdu l'esprit. « Quel projet médite donc Alphonse ? » di-

sait-il à Donna Anna, qui n'était pas non plus sans inquiétude. Ce projet, tous deux le soupçonnaient, le devinaient
presque ; cependant, comme s'ils craignaient de briser leur
dernier espoir, ni l'un ni l'autre ne voulait se l'avouer.

Don Joseph avait une foi sincère, et il désirait ardemment
le bonheur de son fils; mais ici nous rencontrons, une fois
de plus, un phénomène trop fréquent dans l'histoire des
âmes pour qu'on ne soit pas tenté d'y voir une sorte de disposition providentielle. Il semble qu'à l'aurore des existences
prédestinées le sacrifice de deux générations soit souvent
nécessaire : l'une, renonçant avec déchirement à l'espoir de
se continuer ici-bas ; l'autre, pierre de choix dans l'édifice
de l'Église, devant être taillée à coups de marteau et de ci-
seau, c'est-à-dire à coups d'amertumes et de douleurs, avant
de prendre sa place dans les fondements du temple. Don
Joseph et Alphonse n'échappèrent pas aux angoisses de
cette lutte : le premier ne pouvait s'habituer à voir l'avenir
de son fils se dérouler en dehors des horizons ordinaires du
monde ; le second devait trouver dans cette résistance paternelle le dernier lien qu'il lui fallût briser.

Le secret d'Alphonse ne tarda pas à se dévoiler. Un soir,
son père, qui avait une affaire très-importante engagée
devant les tribunaux, le pria de s'occuper de sa défense.
« Mon père, répondit-il, choisissez, de grâce, un autre
avocat ; pour moi, le barreau ne me convient plus. Dieu me
demande de me consacrer désormais au salut de mon âme. »
Ces paroles produisirent sur Don Joseph l'effet de la foudre.
Ce qu'il craignait depuis si longtemps commençait à s'accomplir ; la résolution de son fils d'abandonner sa carrière
lui semblait un coup mortel porté à l'honneur et à la fortune
de toute sa maison ; aussi ne put-il retenir ses larmes. En
vain, pour le consoler, Anna lui disait-elle que la crise passe-
rait et qu'Alphonse reviendrait sur sa détermination : « Non,
répliquait Don Joseph, il est tenace ; il ne changera pas. »

A quelques jours de là, une scène plus vive encore venait
attrister le père et le fils. C'était le 28 août 1723 ; on célébrait à Naples la fête de l'impératrice Isabelle, femme de

Charles VI ; il y avait grand gala à la cour, et Don Joseph,
qui devait assister à la cérémonie du baisemain, engagea
Alphonse à l'accompagner ; mais celui-ci, alléguant un prétexte, pria son père de l'excuser, et, devant ses instances,
il reprit avec un soupir : « Qu'irais-je faire là, hélas ! dans
ce monde, tout n'est-il pas vanité ? — Eh bien ! s'écria Don
Joseph en colère, fais ce qu'il te plaira et va où bon te semble. »
Cependant son trouble et son irritation étaient tels qu'Alphonse n'osa lui résister davantage, et d'un ton soumis :
« Calmez-vous, mon cher père, lui dit-il, me voici ; je suis
prêt à vous suivre. » Mais le choc avait été trop rude ; Don
Joseph ne voulait plus rien entendre, et, impuissant à maîtriser son agitation : « Va-t'en, répétait-il sans cesse, et fais
ce qu'il te plaît. » Enfin, ayant appelé son carrosse, il y
monta, non pour se rendre à la fête, mais pour aller cacher
sa douleur dans son casino de Marianella.

Alphonse demeura seul et plongé dans une profonde tristesse. « Mon Dieu, disait-il, que faire? En résistant à mon
père, je vous offense ; en lui cédant, je crains de vous offenser
plus encore !... » puis il sortit à son tour, et se dirigea vers la
maison des Incurables, espérant y puiser, selon sa coutume,
dans la contemplation des souffrances, sinon la paix de l'âme,
au moins la résignation. C'était là que Dieu l'attendait.

Encore sous l'émotion de la scène que nous venons de raconter, il s'était mis à soigner les malades, lorsque soudain
il se vit entouré d'une lumière extraordinaire. L'édifice où il
était lui sembla secoué comme par un tremblement de terre,
et il entendit dans son cœur une voix qui prononçait ces paroles : *Quitte le monde et donne-toi à moi*. Ébloui par cette
lueur éclatante, mais sans s'arrêter à aucune résolution,
Alphonse se borna à poursuivre jusqu'au bout son charitable
office, et il se disposait à quitter l'hôpital, quand, au milieu
de l'escalier, la maison lui parut de nouveau s'écrouler, et la
même voix répéta d'une manière sensible le même appel.
Quitte le monde et donne-toi à moi. Cette fois, il s'arrêta,
et, baigné de larmes : « O mon Dieu, répondit-il, j'ai trop longtemps résisté à votre grâce. Me voici ; faites de moi ce qu'il

vous plaira. » Puis, presque hors de lui-même, il se dirigea
du côté de la *Porta-Alba*, vers l'église de Notre-Dame-de-la-
Merci, où il allait souvent prier. Là, prosterné devant l'autel
et enveloppé pour la troisième fois de la mystérieuse lumière,
il renonça définitivement au monde, et résolut d'entrer dans
la société des Pères de l'Oratoire; enfin, comme pour donner
à la sainte Vierge un gage immédiat de sa fidélité, il détacha
l'épée qui pendait à son côté et la déposa sur l'autel. C'est
à Marie qu'il rendait les armes, comme c'est à elle aussi
qu'il attribua toujours les faveurs ineffables de cette mémo-
rable journée, la journée de *sa conversion*, comme il la
nommait plus tard.

En face de cette dernière phase d'une lutte que nous avons
essayé de suivre pas à pas, il est impossible de ne point
jeter un regard en arrière sur le poëme merveilleux que nous
offre l'ascension de la grâce dans le cœur d'un saint. Dieu
n'avait besoin pour vaincre ni de temps ni d'efforts; et cependant ici, comme dans ses plus grands desseins, sa marche
est patiente, progressive et mesurée, pour ainsi dire, à la faiblesse de l'homme. Au milieu des joies du monde, l'impression intime d'une retraite rend Alphonse plus attentif à la
voix du Seigneur; puis un échec public et un orage intérieur
brisent sa carrière; enfin, un prodige éclatant, comme ceux
dont la Providence se plaît souvent à embellir les grandes
aurores, couronne l'œuvre et achève le triomphe. De son
côté, il faut lui en rendre la justice, Alphonse répond à ces
miséricordes successives par des sacrifices qui grandissent
avec elles : il renonce d'abord aux joies ordinaires de la vie,
puis aux ambitions légitimes d'un brillant avenir; enfin,
allant jusqu'à l'oblation absolue, comme Dieu a été jusqu'au
miracle, il promet le don entier de lui-même dans l'immolation du sacerdoce.

Au sortir de l'église de la Merci, Alphonse se rendit chez
le Père Pagano; il lui raconta ce qui s'était passé à l'hôpital, et lui confia sa résolution de devenir prêtre de l'Oratoire. Mais le Père jugea prudent de modérer son ardeur.
« Ce ne sont pas choses à décider en un jour, dit-il, je vous

répondrai dans un an. — Un an ! s'écria le jeune homme,
je ne veux pas différer d'un jour! » Ce combat entre la sagesse du directeur et la ferveur du pénitent se termina par
une prière commune, et ils se séparèrent en demandant
l'un et l'autre à Dieu de manifester lui-même sa volonté.

Alphonse avait eu son chemin de Damas ; comme Saul
chez Ananie, il eut aussi son temps d'abstinence. Dieu, qui
se plaisait à le faire marcher jusqu'au bout dans une voie
extraordinaire, lui inspira la pensée de ne prendre pendant
trois jours aucune nourriture. Il s'excusa donc, sous divers
prétextes, de ne point paraître à la table commune. Son
père n'était pas encore de retour de Marianella, et nul ne
s'informa du motif qui le faisait agir. Son but, qu'il révéla
plus tard, était d'expier le jeûne déréglé auquel l'orgueil l'a-
vait condamné un mois auparavant ; mais autant les mobiles
étaient éloignés, autant les résultats furent dissemblables,
et les amertumes d'alors se changèrent en douceurs surnaturelles et en célestes bénédictions. Il semblait que Dieu voulût
lui montrer d'une manière sensible que l'homme ne vit pas
seulement de pain ; aussi, à mesure qu'il versait en lui la
manne de sa parole, lui inspirait-il une répugnance croissante pour tout aliment terrestre. Chaque jour, le Père
Pagano entendait le récit des lumières nouvelles que recevait
son jeune pénitent, des attraits qui s'imposaient à lui, de son
horreur pour le monde, enfin de sa vocation de se consacrer
à Jésus-Christ parmi les fils de saint Philippe, et le sage
directeur, ne mettant plus en doute le souffle de l'Esprit-Saint,
l'encourageait à y répondre. Bientôt le supérieur et les autres
Pères de la Congrégation furent instruits du désir d'Alphonse : ils l'accueillirent avec empressement ; mais à leur
tour ils conseillèrent d'agir avec beaucoup de ménagements
et de lenteur ; car, jusque dans ses erreurs, la tendresse
paternelle demeurait à leurs yeux digne de tous les respects,
et il était facile de prévoir que la désolation allait se répandre
dans la famille de Liguori.

Don Joseph, en effet, de retour à Naples, n'avait pas
changé de sentiment sur l'avenir de son fils, dont l'inaction

apparente lui paraissait un malheur, autant qu'elle était
pour lui un mystère. Supplications, raisonnements, réprimandes, rien n'était épargné pour vaincre une résistance où
il ne voulait voir que de l'obstination, et, dans un accès de
colère, il s'oublia un jour jusqu'à lui dire : « Je prie Dieu
de rappeler à lui l'un de nous deux; car je n'ai plus même
le courage de vous regarder. » Chacune de ces secousses
agitait profondément le cœur d'Alphonse, sans toutefois l'é-
branler dans ses résolutions. Il commençait à boire au calice
des amertumes; mais la grâce l'enivrait en même temps, et
il restait fidèle et fort. Enfin, désespérant de trouver le moment opportun qu'il attendait depuis longtemps, il rassembla
tout son courage, et s'adressant à Don Joseph : « Mon père, »
lui dit-il sans détour, « je vous vois triste à cause de moi;
mais je dois vous apprendre que je ne suis plus de ce monde.
Dieu m'a inspiré et j'ai pris la résolution d'entrer à l'Oratoire. Ne le trouvez pas mauvais et veuillez me donner votre
bénédiction. » Cette nouvelle porta la consternation de Don
Joseph à son comble; il fondit en larmes, et, sans répondre
un seul mot, disparut dans ses appartements.

Cependant il reprit bientôt courage, et comme, selon lui,
les amis d'Alphonse pouvaient encore, en réunissant leurs
influences, arriver au but que ses prières et ses menaces
n'avaient pas atteint, il n'eut plus d'autre pensée que de les
mettre tous à l'œuvre pour circonvenir son fils et le décider
à ne point quitter le monde. Plusieurs, en effet, consen-
tirent à agir auprès de lui dans ce sens, et parmi eux un
religieux bénédictin, le Père de Miro, qui, se faisant en
quelque sorte l'avocat du diable, s'efforça de dérouler devant
lui les avantages qu'il abandonnait si légèrement. Il lui démontra tout ce qu'il avait le droit d'attendre de ses talents,
de son titre d'aîné, de la faveur dont jouissait sa famille à
la cour de Vienne, et alla jusqu'à affirmer avec serment que
ce qui s'était passé à l'hôpital n'était qu'une illusion de
l'esprit de ténèbres; mais aucun de ces arguments n'im-
pressionnait Alphonse; à tous, il répondait invariablement :
« Dieu m'appelle; je ne puis lui résister! »

Du reste, il trouvait dans sa propre famille un exemple dont il pouvait au besoin invoquer l'autorité pour se fortifier contre les conseils d'une sagesse trop humaine. Son oncle maternel, l'Évêque de Troia [1], avait autrefois dédaigné une position non moins brillante afin de se consacrer à Dieu ; aussi ce prélat, que dans son désespoir Don Joseph n'avait pas craint d'appeler à son secours pour combattre les projets d'Alphonse, déclina-t-il le rôle étrange qu'on cherchait à lui imposer, par cet argument irréfutable : « Comment! j'ai renoncé au monde et à mon droit d'aînesse pour me sauver, et vous voudriez que je lui conseillasse le contraire, au risque de nous perdre tous deux ! » Ce fut même l'Évêque de Troia qui, aidé du Père Pagano et de Don Vincent Cutica, supérieur du couvent de la Mission, décida enfin, après bien des instances, Don Joseph de Liguori à permettre à son fils d'embrasser l'état ecclésiastique; mais la condition expresse du consentement fut que, renonçant à entrer dans la Congrégation de l'Oratoire, Alphonse demeurerait dans la maison paternelle. En exigeant cette concession, Don Joseph ignorait que Dieu allait mettre à profit jusqu'à ses résistances, et faire de lui, comme nous le verrons plus tard, un instrument de ses desseins. Cependant il ne cédait encore qu'à contre-cœur et en protestant ; car bientôt, contraint de présenter lui-même, selon l'usage, son fils au Cardinal-Archevêque de Naples [2], il ne put s'empêcher de répondre aux félicitations du prélat sur la résolution du jeune homme : « Plût à Dieu, Éminence, qu'il n'en fût pas ainsi! Mais, hélas! vous le voyez, sa décision est irrévocable. »

Le dernier pas était fait, et le 27 octobre 1723, Alphonse, alors âgé de vingt-sept ans, quittait ses vêtements séculiers pour prendre l'habit ecclésiastique. Ce fut une nouvelle épreuve pour le malheureux Don Joseph, qui, ne pouvant

---

[1] Mgr Cavalieri, frère aîné de Donna Anna de Liguori, entra d'abord dans l'institut des Pieux-Ouvriers, refusa l'évêché de Fondi, que lui offrait Innocent XII, mais fut ensuite contraint d'accepter celui de Troia en Pouille. Il y mourut en odeur de sainteté.

[2] Le Cardinal Pignatelli.

se résigner à voir sous ses yeux le symbole vivant de son
sacrifice, éluda, chose presque incroyable, toute rencontre
avec son fils pendant un an; et lorsqu'au bout de cette
longue période il l'aperçut pour la première fois, par hasard
et de loin, il jeta un cri perçant et s'éloigna en toute hâte.
C'est peu à peu seulement que la lumière se fit dans son
âme, et qu'il arriva à entrevoir sous la forme d'une grâce ce
que jusque-là il semblait regarder comme un irrémédiable
malheur. Un jour pourtant le voile se déchira tout à fait, et
Don Joseph, sortant comme d'une longue obscurité, se retrouva lui-même.

C'était un soir, il revenait du palais du roi, lorsqu'il
aperçut une foule considérable rassemblée dans l'église du
Saint-Esprit. Il s'approcha, et une voix qu'il crut reconnaître
pour celle de son fils frappa ses oreilles. Poussé par la
curiosité, il s'avance, il écoute; c'est bien, en effet, Alphonse qui prêche, et sa parole est si incisive et si pénétrante qu'il en est touché jusqu'aux larmes. Le sermon fini,
il regagne sa demeure; mais son émotion ne diminue pas,
et sa tendresse impatiente se plaint, au contraire, du retard
que son fils met à venir. Alphonse paraît enfin; aussitôt son
père s'élance dans ses bras, et, comme pour le consoler en
un instant de toutes les angoisses dont il avait été pour lui,
depuis plus de quatre ans, la cause souvent inconsciente :
« Oh! merci, mon fils, s'écrie-t-il en le serrant avec effusion contre son cœur, vous venez de m'apprendre à connaître
Dieu; je vous bénis, et aujourd'hui je suis heureux mille
fois du parti que vous avez pris. »

Alphonse dut croire devant cette justice, tardive mais
entière, que la première des grandes épreuves de sa vie
était à son terme. Un dernier assaut, nous le dirons bientôt,
lui restait encore à subir; mais, pour le moment du moins,
l'harmonie était rétablie dans le palais des Liguori, et
Donna Anna, dont la tendresse, plus surnaturelle que celle
de son époux, avait depuis longtemps pris la défense de son
fils, n'était plus seule à remercier Dieu de ses desseins sur
sa famille.

CHAPITRE V

Nouveau mode de vie d'Alphonse. — Premières fonctions ecclésiastiques. — Préparation au sacerdoce.

En changeant d'état, Alphonse, qui ne faisait pas les choses à demi, voulut changer aussi de mode d'existence : il renonça à tous les insignes de son rang, supprima son carrosse, et bientôt même congédia le laquais dont, par condescendance pour son père, il avait d'abord consenti à se faire accompagner. Rien dans son costume ni dans son attitude ne rappela désormais la position brillante qu'il avait sacrifiée, et dans la rue on l'eût pris pour le plus pauvre clerc de la capitale. Mais peu de gens dans le monde savent s'élever au-dessus de la sphère où se déroule la vie vulgaire, et comprendre ce qu'il y a de grandeur à fouler aux pieds, pour Jésus-Christ, un peu de gloire ou un peu d'or; aussi y eut-il dans la société napolitaine un concert presque universel de critiques et de blâmes. Les membres du barreau et du sénat, qui ne tarissaient pas jadis sur les mérites d'Alphonse, paraissaient avoir perdu pour lui toute considération, et ne plus voir dans sa conduite qu'inconséquence ou légèreté; un des magistrats les plus éminents, qui lui avait témoigné une tendresse de père, alla même jusqu'à lui refuser un jour brusquement l'entrée de sa maison [1]. Aux résistances de la

[1] Quelques années plus tard, et en face de la mort, ce magistrat, nommé Don Muzio de Maio, revint à des sentiments plus justes. Alphonse ayant demandé à le voir, il y consentit avec empressement, et s'écria, dès qu'il

3

famille venaient donc se joindre à leur tour les répulsions
des amis : il semble que pour rompre son dernier lien avec
le monde, Alphonse, qui avait déjà fait tant de sacrifices, dut
renoncer aussi à la bienveillance que les charmes de son
commerce lui avaient value jusque-là. Mais, à côté de cette
chute des feuilles, si l'on peut ainsi parler, qui se produisait
autour de lui, Dieu, pour le consoler de ces abandons, permit
qu'il trouvât à cette époque, à l'ombre du tabernacle, comme
une nouvelle floraison d'amis.

Parmi les visiteurs assidus que l'adoration des Quarante-
Heures rassemblait régulièrement dans les divers sanctuaires
de Naples, deux personnes, un prêtre, nommé Jean Mazzini,
et un gentilhomme d'Amalfi, Don Joseph Panza, remar-
quaient depuis longtemps, mais sans lui avoir jamais adressé
la parole, un jeune homme dont la ferveur excitait leur admiration. Un jour, ils crurent le reconnaître sous le costume ecclésiastique. Leur curiosité fut excitée, et, au sortir
de l'église, ils abordèrent Alphonse. Après s'être excusé
de son indiscrétion, Mazzini lui demanda s'il était bien le
même jeune homme qu'ils avaient tant de fois rencontré
avec d'autres vêtements, et, sur sa réponse affirmative, il
le pria de leur faire connaître son nom en ajoutant, si ce
n'était pas abuser de sa complaisance, quelques détails
sur l'origine de sa vocation. Alphonse y consentit, et leur
raconta en peu de mots sa conversion, sans dissimuler les
difficultés qu'il rencontrait dans l'intérieur de sa famille. Ses
interlocuteurs furent émus de son récit, et, cédant enfin à
l'attrait qu'ils éprouvaient depuis longtemps, ils lui demandèrent de vouloir bien les admettre dans le cercle de ses
amis. « A partir de ce moment, raconta plus tard Mazzini,
nous nous réunissions tous les jours pour nous rendre à
l'adoration... Pendant la route, nos conversations roulaient
sur des sujets mystiques, et, après avoir terminé notre
prière, afin d'être plus libres de nous livrer aux sentiments

l'aperçut : « O Alphonse! que vous êtes heureux, et que vous avez été
sage! Combien je voudrais vous avoir imité, moi qui vais maintenant
paraitre devant Dieu et répondre de tous les jugements que j'ai rendus!»

qui remplissaient nos cœurs, nous sortions de la ville, choisissant de préférence pour nos promenades des lieux solitaires et écartés, où nous prolongions nos entretiens. » Bientôt un autre prêtre, appelé Joseph Porpora, frappé, comme Mazzini et Panza, de l'attitude d'Alphonse, ne put résister non plus à l'entraînement qu'il se sentait vers le jeune inconnu, et l'arrêtant un jour, sur les marches d'une église : « Moi aussi, lui dit-il, je veux être des vôtres; » et, sans plus de cérémonie, il se jeta à son cou. Ces quatre amis ne firent plus dès lors qu'un seul cœur, et leur unique pensée fut de s'entr'aider dans la voie du ciel. Autour d'eux vinrent se grouper successivement plusieurs autres jeunes gens animés du même esprit, et dont les plus connus étaient Don Gennaro Sarnelli, fils du baron de Ciorani, et Don Michel de Alteris. Ils se réunissaient tous, chaque mois, pendant trois ou quatre jours, dans une maison solitaire appartenant à l'un d'entre eux et à laquelle un oratoire était adjoint. Méditations, conférences spirituelles, chants, pénitences même, tout tendait à faire, sans qu'ils s'en doutassent, de cette vie commune non-seulement une véritable retraite, mais presque le début d'un monastère. Alphonse ébauchait ainsi le plan de l'Institut qu'il devait donner à l'Église; rien cependant ne lui faisait encore pressentir la mission que l'avenir lui réservait.

L'Archevêque de Naples, en le revêtant de l'habit ecclésiastique, l'avait mis sous la direction du curé de *Sant'-Angelo-a-Segno*. Chaque matin il servait la messe; aux jours de fête, il remplissait l'office de thuriféraire ou d'acolyte; le dimanche, il était chargé de parcourir la paroisse en portant un grand crucifix de bois, selon l'usage de certaines parties de l'Italie, et de rassembler les enfants pour les conduire à l'église, où il leur faisait ensuite un catéchisme dont la simplicité contrastait fort avec l'éloquence de ses anciens plaidoyers; enfin, pendant les semaines qui précèdent le temps pascal, il avait pour mission de préparer ces enfants à la première communion. Ce fut là le début de sa carrière apostolique.

Afin de la rendre bientôt plus féconde, il se mit à l'étude avec ardeur, choisit pour professeur de dogmatique et de morale un chanoine dont la science était alors en grand renom, Don Jules Torni [1], et se traça un règlement sévère. L'Écriture sainte devint son livre par excellence. Il ne passait pas un jour sans en lire et en méditer quelque chapitre, ou sans fouiller les meilleurs commentaires pour y découvrir le sens le plus vrai et le plus élevé de la parole divine. La tradition des Pères fut aussi un des sujets spéciaux sur lesquels se portèrent ses recherches. « Les saints docteurs, disait-il, ont été les premiers savants, et le prêtre qui ne les consulte pas constamment ne peut arriver à la science. » L'histoire des conciles, celle des hérésies, ainsi que les traités faits pour les réfuter, la théologie ascétique et mystique, complétaient son plan d'étude ; enfin, de même qu'autrefois il avait recherché la société du président Caravita pour former sa jeunesse à la jurisprudence, il se mit à fréquenter les membres du clergé de Naples chez lesquels se tenaient des conférences théologiques, tout en s'efforçant, dans ses rapports avec eux, d'éviter les opinions extrêmes, opposées, selon lui, au véritable esprit de l'Évangile. Tel était à cette époque le résumé de sa vie intellectuelle. Quant à sa vie intime, nous en dévoilerons plus tard les sublimes secrets. Cependant nous croyons devoir citer dès à présent les règles qu'il s'était prescrites pour se préparer au sacerdoce

« Un clerc, écrivait-il alors, est obligé de se sanctifier, « et, dans ce but, il doit :

« 1º Fréquenter de saints prêtres qui puissent l'édifier « par leurs exemples ;

« 2º Faire, chaque jour, une heure au moins d'oraison « mentale, afin de vivre dans le recueillement et la ferveur ;

« 3º Visiter le saint Sacrement, particulièrement dans « les églises où il est solennellement exposé ;

---

[1] Il devint dans la suite Évêque d'Arcadiopolis. Alphonse lui témoigna toujours une grande vénération : dans ses ouvrages de théologie, il ne le cite jamais qu'en le nommant son maître.

« 4° Lire la vie des prêtres qui se sont sanctifiés, pour
« y trouver des règles de conduite et s'exciter à les imiter ;

« 5° Honorer la sainte Vierge, Mère et Reine de l'Église,
« et se consacrer tout spécialement à son service ;

« 6° Veiller avec grand soin sur sa réputation, et soutenir
« par là l'honneur de l'état ecclésiastique ;

« 7° Respecter tout le monde, mais fuir les conversations
« frivoles ; éviter la familiarité avec les laïques et surtout
« avec les femmes ;

« 8° Obéir aux ordres des supérieurs, et y voir la volonté
« de Dieu ;

« 9° Porter la soutane et la tonsure ; être modeste, mais
« sans affectation, sans bizarrerie et sans fierté ;

« 10° Vivre retiré dans sa maison ; donner l'exemple en
« classe et édifier les fidèles par son attitude, particulière-
« ment lorsqu'il remplit des fonctions ecclésiastiques ;

« 11° Se confesser tous les huit jours au moins, et com-
« munier plus souvent ;

« 12° Enfin, il doit avoir la sainteté négative, c'est-à-dire
« vivre éloigné de tout péché, et viser à la sainteté positive,
« c'est-à-dire s'efforcer de pratiquer toutes les vertus. »

Ce fut dans les dispositions d'esprit ardentes dont ces
lignes nous ont conservé le témoignage, qu'une année après
avoir pris l'habit ecclésiastique, le 23 septembre 1724,
Alphonse reçut la tonsure des mains de Mgr Mirabello, Archevêque de Nazareth. Le 23 décembre suivant, il fut promu
aux ordres mineurs avec dispense ; le sous-diaconat lui fut
conféré par l'Évêque de Satriano, Mgr Invitti, le 22 septembre 1725 ; et le diaconat, encore avec dispense, le 6 avril
1726. Convaincu que Dieu destinait ce jeune homme à de
grandes œuvres, le Cardinal Pignatelli voulut lui donner dès
lors le droit de prêcher, et Alphonse, pressé par son zèle
d'en faire usage, monta pour la première fois en chaire dans
l'église de Saint-Jean-de-la-Porte [1], à l'occasion des Quarante-Heures. Prenant pour texte de son discours ce verset

---

1 Cette église était ainsi nommée à cause du voisinage de la porte
Saint-Janvier.

du prophète : *Utinam disrumperes cœlos et descenderes...*
« *aquæ arderent igni*[1], il tint bientôt ses auditeurs sous
le charme de sa parole. Devant la passion avec laquelle il
dépeignait l'amour de Jésus-Christ pour les hommes, ils
croyaient entendre, dit Tannoia, ce débordement des grandes
eaux qu'il avait invoqué. A partir de ce moment il ne s'ap-
partint plus, et son frère racontait au fidèle biographe
dont nous aimons à recueillir les souvenirs, qu'il ne se passait plus guère de jour désormais qu'on ne vînt l'inviter
à prêcher, tantôt dans un lieu, tantôt dans un autre, mais
surtout dans les églises où avaient lieu les Quarante-Heures.
Le sujet qu'il traitait d'ordinaire était la présence de Jésus-
Christ dans l'Eucharistie, et il attirait un tel concours que
les autres sanctuaires étaient déserts. Son auditoire se composait, non-seulement de gens du peuple, mais d'ecclésiastiques distingués, de religieux, d'avocats, de procureurs, de
magistrats, de gentilshommes et de dames de haut rang.

Vers cette époque, pour imposer à son zèle une règle sûre
et attacher à ses œuvres le mérite de l'obéissance, Alphonse
se fit affilier à la Congrégation de la Propagande, dont le
but était de donner des missions dans le royaume et en particulier aux environs de Naples. Il accompagnait souvent
ses confrères dans les campagnes et les hameaux, prêchait,
faisait le catéchisme aux enfants et, le soir, rassemblant dans
la rue les gens du peuple, leur adressait de pressantes invitations à la pénitence. Toutefois son assiduité à s'acquitter
de ces fonctions ne nuisait à aucune de ses obligations paroissiales, ainsi que l'affirmait lui-même le curé de *Sant'-
Angelo-a-Segno*, et il appartenait en outre à deux autres
confréries, dont il remplissait avec exactitude tous les devoirs,
la Congrégation des Clercs, érigée dans la maison des prêtres
de Saint-Vincent-de-Paul, et la Compagnie *des Blancs*, dont
l'œuvre spéciale était l'assistance des condamnés à mort.

Mais tant d'œuvres, tant de fatigues, jointes à des habitudes austères, devaient tôt ou tard compromettre sa santé.

---

[1] Isaïe, LX, 6.

Aussi Donna Anna, tout heureuse qu'elle était de voir son fils mener une vie si parfaite, s'affligeait-elle à la pensée que cette vie l'épuisait. Elle fit part de ses inquiétudes aux amis d'Alphonse, et supplia le Père Pagano de retenir son ardeur et de modérer ses pénitences. Malheureusement il était trop tard. Alphonse tomba gravement malade, et fut en peu de temps aux portes du tombeau. Une nuit même, le danger parut si grand qu'on dut envoyer chercher en toute hâte le saint viatique. Cependant la confiance ne l'abandonnait pas, et il demandait avec instance qu'on lui apportât la statue de Notre-Dame de la Merci, aux pieds de laquelle, on s'en souvient, il avait naguère déposé ses promesses et son épée. Son désir fut satisfait, et l'image miraculeuse placée devant son lit; presque aussitôt, une amélioration extraordinaire se manifesta dans son état, et une guérison inespérée vint montrer que Dieu attendait d'Alphonse, avec de nouveaux services, d'autres sacrifices que celui de sa vie.

CHAPITRE VI

**Alphonse prêtre. — Il évangélise le peuple de Naples. —
Origine de l'œuvre « des chapelles ».**

Le 21 décembre 1726 fut un jour solennel dans la vie d'Alphonse. Agenouillé sous les mains du Cardinal-Archevêque de Naples, il se releva prêtre pour l'éternité[1], l'âme parfumée de l'onction sainte et enrichie de pouvoirs qui paraissaient accablants à son humilité. Son zèle pour le salut des âmes augmenta dès lors en proportion des grâces nouvelles dont il se sentait comblé ; pressé à l'autel de mêler son sang au sang divin du calice et de devenir non-seulement sacrificateur, mais victime, il était, selon l'expression de saint Jean Chrysostome, lorsqu'il quittait le sanctuaire, comme un lion qui souffle la flamme. Son existence tout entière allait bientôt, du reste, être pénétrée et consumée par ce brûlant amour, ainsi que le font pressentir les résolutions écrites par lui peu après son ordination, et dont le texte est heureusement parvenu jusqu'à nous.

« Je suis prêtre, disait-il ; ma dignité surpasse celle des « anges ; c'est donc aussi à la vie la plus pure et la plus « angélique que je dois viser. Dieu obéit à ma voix ; je dois « obéir à la sienne, c'est-à-dire à la grâce et à mes supé- « rieurs.

« L'Église m'honore, et moi je dois l'honorer par la sain- « teté de ma vie, par mon zèle, par mes travaux.

---

[1] Ps. CIX.

« J'offre Jésus-Christ au Père éternel; je dois donc être
« revêtu des vertus de Jésus-Christ, et me rendre digne de
« traiter avec le Saint des saints.

« Le peuple chrétien me considère comme le ministre de
« sa réconciliation avec Dieu; je dois donc être toujours
« cher à Dieu et vivre dans son amitié.

« Les fidèles espèrent être affermis dans la sainteté par
« mon exemple : je dois donc les édifier tous et toujours.

« Les pécheurs attendent de moi que je les délivre du pé-
« ché; je dois le faire par mes prières, mes exemples, mes
« paroles et mes œuvres.

« J'ai besoin de force et de courage pour triompher du
« monde, de l'enfer et de la corruption de ma nature : je
« dois combattre, et je vaincrai avec la grâce divine.

« Je dois travailler à acquérir la science pour devenir ca-
« pable de défendre la religion, de confondre l'erreur et de
« détruire l'impiété.

« Je dois mépriser le respect humain et les amitiés mon-
« daines : ce sont choses qui discréditent le sacerdoce.

« Je dois fuir l'ambition et l'intérêt; c'est la perte du sa-
« cerdoce : combien de prêtres auxquels l'ambition a enlevé
« la foi !

« Je dois être grave et charitable, prudent et réservé,
« surtout avec les femmes, mais non pas fier ni dédaigneux.

« Être recueilli et fervent, cultiver l'oraison et pratiquer
« une vertu solide : telle doit être ma vie de tous les jours
« pour plaire à Dieu.

« La gloire du Seigneur, la sanctification de mon âme et
« le salut de mon prochain doivent être mon unique but,
« et il faut l'atteindre, même au prix de ma vie.

« Je suis prêtre : je dois faire aimer la vertu et glorifier
« Jésus-Christ, le prêtre suprême et éternel [1]. »

L'occasion fut bientôt fournie à Alphonse de développer
devant un auditoire de choix ce plan sublime qu'il se traçait
à lui-même. L'Archevêque, frappé des résultats déjà ob-

[1] Rispoli, *Vita del beato Alfonso-Maria de Liguori*, p. 35-36.

tenus par son ministère, voulut que sa première œuvre sacerdotale fût une retraite ecclésiastique, et qu'aussitôt après avoir reçu la prêtrise il donnât les exercices spirituels au clergé de Naples, dans l'église de Santa-Restituta. On blâma l'empressement du prélat; on prétendit « qu'il voulait bâtir sans ciment ». Mais sa confiance ne tarda pas à être justifiée par le jeune apôtre, dont le succès fut aussi éclatant que fécond.

L'enthousiasme qu'il inspirait n'allait plus d'ailleurs lui laisser un instant de repos. Une véritable rivalité s'établit entre les congrégations et les paroisses ; c'était à qui l'aurait pour prêcher des sermons ou donner des retraites ; en outre la vénération que lui témoignaient les populations des campagnes forçait, pour ainsi dire, le supérieur de la Propagande à ne pas l'épargner: Jamais, cependant, il ne chercha à se soustraire à aucune des charges qui lui étaient imposées [1]. Il suffit, du reste, pour avoir la preuve irréfragable de son zèle, de rappeler que, le dernier reçu dans la Société, il se vit adjuger par ses collègues un bénéfice important laissé par un bienfaiteur au plus zélé des membres de la Congrégation.

Mais ce n'était pas là, nous n'avons pas besoin de le dire, la récompense qu'ambitionnait Alphonse. Ce qu'il cherchait, c'était à se dévouer, et les pauvres, avant tous les autres, attiraient à eux son cœur. On le voyait souvent prêcher sur la place du marché et dans le quartier du *Lavinaro*, où se trouvait réuni ce qu'il y avait de plus infime dans la population de Naples. Il aimait à s'y voir entouré de *lazzaroni*, et ces pauvres gens, ressentant à leur tour pour lui une affection bien justifiée, se donnaient le mot les uns aux autres, et venaient en foule pour l'entendre. Alphonse les instruisait, les éclairait, les retirait du vice et les préparait à recevoir les sacrements.

---

[1] Nous n'avons pas le relevé de toutes les missions que prêcha Alphonse pendant ces premières années d'apostolat. On voit seulement dans les papiers de la Congrégation que, le 20 novembre 1727, il partit avec plusieurs autres prêtres pour évangéliser Bosco et les villages environnants, et que, le 16 janvier 1728, il se rendit dans le même but à Resina.

Après une année de sacerdoce, et malgré l'usage qui soumettait le prêtre à une plus longue épreuve avant de lui ouvrir les consciences, Alphonse reçut le pouvoir d'entendre
les confessions. Beaucoup d'âmes attendaient ce moment
pour se mettre sous sa direction ; il les adopta avec une
charité sans limite, et, à partir de ce jour, le confessionnal
absorba une part considérable de son temps.

Cependant le nombre de ses pénitents croissant de jour
en jour et ne lui permettant pas de donner à chacun en particulier les instructions qu'il jugeait nécessaires, il imagina
de les rassembler, pendant les soirées d'été, dans un lieu
écarté de la ville, et de faire pour eux une série de caté-
chèses, comme les anciens Pères en adressaient autrefois
aux fidèles. La place de *Santa-Teresa-degli-Scalzi* lui parut d'abord favorable pour la réunion; mais, après en avoir
fait l'essai, il choisit de préférence celle *della Stella*, qu'il
trouva plus commode et encore plus solitaire. Là se rendaient, du marché de la *Conceria*, du *Lavinaro*, ou
même de quartiers plus éloignés, des gens de toute sorte,
maçons, barbiers, menuisiers, fabricants de savons, artisans
de tous métiers ou *lazzaroni ;* plus leur condition était
basse, et meilleur était l'accueil qu'ils recevaient. Chaque
soir, Alphonse leur exposait les vérités de la religion, et
plusieurs prêtres de ses amis, Porpora, de Alteris, Mazzini,
Sarnelli et d'autres, prenant alternativement la parole, leur
racontaient des traits de la vie des Saints et cherchaient à
leur montrer, par ces exemples, la nécessité de pratiquer
la pénitence et d'imiter Jésus-Christ.

Mais il est rare que les œuvres de Dieu n'aient pas à traverser des épreuves, et parfois des plus imprévues. Le bruit
de rendez-vous nocturnes d'un caractère mal défini arriva
jusqu'aux religieux Minimes, dont le couvent était situé sur
la place *della Stella,* et, s'imaginant qu'une réunion si nombreuse d'hommes inconnus devait avoir un but coupable,
quelques-uns d'entre eux se mirent aux fenêtres pour les
épier. Or les pauvres gens qui excitaient ainsi la méfiance
étaient arrivés déjà, paraît-il, à un degré de vertu peu

ordinaire, car, ce soir-là même, un artisan, dont le travail devait nourrir sa famille, fut accusé devant Alphonse de ne vouloir plus manger que des racines et des herbes crues. On le blâma de cet excès de pénitence, et Porpora lui dit en plaisantant : « Dieu ne veut pas que l'on se suicide. Si l'on vous donne quatre côtelettes, mangez-les, et grand bien vous en fasse! » Tout l'auditoire éclata de rire, et chacun ajouta son mot. Les moines aux aguets avaient entendu confusément des paroles qui leur parurent étranges : *Quatre côtelettes... mangez-les, et grand bien vous en fasse!...* Toujours sous l'empire de leurs préventions, ils se livrèrent sur ces propos entrecoupés à toutes les suppositions possibles. Les plus calmes pensaient qu'on avait affaire à des hommes réunis par un motif de réjouissance et de sensualité; d'autres, poussant plus loin les conjectures, allaient jusqu'à soupçonner un conciliabule d'hérétiques; enfin, toute réflexion faite, on crut devoir prévenir l'Archevêque.

L'attention publique était alors surexcitée par la découverte récente de conférences tenues par des soldats luthériens dans divers quartiers de la ville. Aussi le Cardinal s'empressa-t-il d'informer l'autorité civile des rapports qu'il venait de recevoir, et ordre fut donné au capitaine de la grand'-garde de se rendre le soir même sur les lieux, sous un déguisement, afin d'éclaircir le mystère. On était au mois de septembre, et l'on célébrait la neuvaine de la Nativité de la sainte Vierge. Alphonse, traitant de la fête prochaine, employa dans le courant de son discours plusieurs expressions familières, telles que langes, bonnet, berceau, qui semblèrent louches à l'agent chargé de surprendre le secret. D'un esprit évidemment assez borné, le malheureux capitaine n'y comprit absolument rien, et, afin de ne pas se compromettre, il se contenta de rapporter au gouverneur qu'il y avait là un mélange bizarre de bien et de mal, mais qu'il n'avait pu saisir nettement la vérité. Sur ce, le magistrat décida l'arrestation préventive des principaux membres de la réunion.

Le lendemain, Alphonse, se rendant au palais épiscopal, entendit parler d'une assemblée nocturne qu'on avait ordre de dissoudre dans la soirée. Il devina qu'il s'agissait de ses pénitents, et, pour essayer d'étouffer l'affaire sans bruit, les fit prévenir qu'aucune réunion n'aurait lieu ce jour-là à la *Stella*. Malheureusement, tous ne purent être avertis à temps, et deux d'entre eux, dont la demeure était fort éloignée, se présentèrent comme d'habitude au rendez-vous ; c'étaient Luc Nardone et Pierre Barbarese, dont la récente conversion avait fait quelque bruit à Naples. Le premier était un ancien déserteur, connu par ses désordres, et qui n'avait dû la vie qu'à l'intervention du roi de France, dans la garde duquel son frère servait ; le second, un maître d'école, qui jusque-là s'était occupé à pervertir ses élèves, au lieu de les enseigner ; mais Alphonse les avait transformés tous deux, et en avait fait des apôtres. A peine furent-ils arrivés sur la place, avec leur exactitude ordinaire, qu'ils se virent entourés de sbires, garrottés et conduits au corps de garde de la porte Saint-Janvier, puis chez le chanoine Giordano, procureur de la cour. Forts de leur innocence cependant, ils ne se troublèrent ni l'un ni l'autre, et Nardone ayant demandé en route à son compagnon si le traitement qu'on leur faisait subir le contristait, Barbarese lui fit cette belle réponse : « Oui, car Jésus-Christ fut lié avec des cordes, et on a la politesse de nous attacher les mains avec un mouchoir. »

Heureusement le mystère s'éclaircit bientôt. Le chanoine ayant sommé les prévenus de faire connaître le but de leurs réunions sur la place *della Stella,* ils répondirent simplement qu'ils étaient de pauvres ignorants et qu'ils venaient se faire instruire de leurs devoirs par Don Alphonse de Liguori. « Que Dieu vous pardonne ! s'écria le chanoine confondu et rassuré par cette déclaration inattendue, mais vous avez jeté l'alarme dans les deux cours ecclésiastique et civile. »

On n'en conduisit pas moins, selon la règle, les prisonniers devant le gouverneur de la ville. Dès qu'ils eurent achevé

leur récit, ce magistrat ne douta pas plus que son collègue
de leur innocence; néanmoins il les interrogea, comme
c'était son devoir, et leur demanda des détails sur les pratiques de piété qui leur étaient enseignées dans les assemblées du soir. Le maître d'école et le soldat répondaient sans
embarras à ses questions; quand le saint Sacrement qu'on
portait à un malade vint à passer dans la rue. Au bruit des
cloches, Pierre et Luc, oubliant leur situation d'accusés,
s'élancèrent vers le balcon et se prosternèrent la face contre
terre. Le gouverneur, déjà édifié sur l'affaire, fut touché de
cette simplicité fervente, et, sans leur en demander davantage, les fit mettre aussitôt en liberté.

La consternation d'Alphonse fut grande, lorsqu'il apprit
le lendemain la mésaventure de la nuit et l'émotion publique. Déjà, en effet, on disait partout dans la ville que des
bandes d'hérétiques se réunissaient chaque soir, et Mazzini,
ayant été célébrer la messe au couvent des Camaldules, était
interrogé par un des Pères au sujet de la *secte* qui alimen-
tait toutes les conversations.

« Quelle secte ? demanda Mazzini.

— La secte *delle costatelle* (des côtelettes), répondit sérieusement le religieux. Ce sont, nous a-t-on dit, des prêtres
et des gens du peuple qui se rassemblent tous les soirs sur
la place *della Stella*, et on les croit affiliés aux molinistes. »
Mazzini sourit et tranquillisa le bon Père. Cependant Alphonse,
pour mettre fin à toute méprise, alla trouver sans retard le
Cardinal, lui exposa en détail l'affaire, et, se dénonçant lui-
même comme la cause première du trouble, s'offrit à porter
la peine de sa faute. Mais le prélat, loin de le réprimander,
le remercia du bien qu'il faisait dans son diocèse, tout en
ajoutant qu'il convenait par prudence d'éviter ces rassem-
blements trop nombreux. « Les temps sont mauvais ; dit-il,
il faut empêcher les loups de revêtir la peau des brebis. Les
méchants pourraient faire le mal à l'ombre de votre nom. »

Alphonse cessa donc les conférences populaires ; mais
ceux qu'il dirigeait n'en continuèrent pas moins leur vie
édifiante. On nous permettra de céder ici la plume à Tan-

noia, anneau vivant qui nous relie à cette société humble et ardente, dont, sans lui, Dieu seul aurait conservé le souvenir. Parlant des premiers pénitents d'Alphonse : « Plusieurs d'entre eux, dit-il, se sont consacrés à Dieu comme frères lais dans diverses communautés ; trois notamment ont pris l'habit dans l'ordre de Saint-Pierre-d'Alcantara ; l'un d'eux est le frère Joseph, qui vit encore. D'autres sont restés dans le monde et ont fait l'admiration de tout Naples ; j'en connais trois : un vieux marchand de farine, appelé communément *Giuseppe il Santo*, demeurant *al Mercato*; un potier, *Ignazio Chianese*, établi au pont de la Madeleine, et un vendeur d'historiettes et de livres anciens, *Bartolomeo d'Auria*, qui sont des hommes d'une sainteté rare. J'ai aussi entendu parler avec vénération d'un vacher, nommé *Bernardino Vitale;* d'un meunier, *Pasquale Sorrentino;* de *Giuseppe* le menuisier et de *Giuseppe* le carrossier; du jardinier *Matteo;* d'un courtier en orfévrerie, *Gennaro Camparotolo;* d'*Agnello*, fabricant de feux d'artifice; de *Francesco*, imprimeur, et d'une foule d'autres, dont je n'ai plus les noms présents. Il y en a deux, cependant, que je ne saurais oublier; car Dieu a permis qu'ils fissent des miracles pendant leur vie et après leur mort. Ce sont deux pauvres marchands ambulants qui, tout en faisant leur petit commerce, évangélisaient leurs clients et gagnaient des âmes a Jésus-Christ. L'un était ce *Leonardo Cristano*, qu'on rencontrait dans les rues de Naples, conduisant son âne et débitant des châtaignes; l'autre, *Antonio Pennino*, vendait des œufs; il apparut après sa mort à plusieurs personnes, et les retira du péché. L'un et l'autre furent honorés d'une sépulture solennelle, le premier dans l'église *San-Arcangelo-all'Arena*, et le second chez les Jésuites, dans l'église *del Carminello, al Mercato*. La vie de *Leonardo* a été écrite par le docteur Vincenzo Tino et imprimée par les frères di Paci, en 1776. »

Les conférences n'avaient certainement pas été étrangères à cet épanouissement de sainteté dans les rangs les plus infimes du peuple; aussi comprend-on facilement qu'Alphonse, obligé de les suspendre, cherchât un moyen d'y suppléer. Il eut la pensée d'engager Barbarese et quelques autres de ses pénitents les plus fervents à donner eux-mêmes des instructions aux pauvres *lazzaroni*, dans les quartiers habités par eux et dans le voisinage de la place *del Mercato*. Barbarese accueillit volontiers la proposition et se mit à l'œuvre. Il commença par convoquer dans la boutique d'un barbier, près de l'église des Carmes, quelques jeunes gens du peuple auxquels il apprit les prières du matin et du soir, enseigna les principales vérités de la religion, et, joignant la pratique au conseil, fit faire un quart d'heure de méditation sur la passion de Jésus-Christ ou sur les fins dernières. Peu à peu le nombre de ses auditeurs s'accrut, et on conseilla à Barbarese de transporter la conférence dans une chapelle appartenant à la corporation des Bonnetiers. Il mit sans retard cette idée à profit, et se trouva bientôt entouré tous les soirs de plus de soixante disciples. En même temps, Nardone, qui avait aussi quelque teinture littéraire, établissait sa chaire dans un autre quartier. Plusieurs artisans imitèrent à leur tour ces exemples; le mouvement grandissait; et ceux qui pénétraient dans ce monde caché aux regards de la foule purent se croire revenus au temps où les premiers fidèles se réunissaient sans bruit chez quelques-uns d'entre eux. La Providence se chargeait souvent de fournir des catéchumènes. C'est ainsi qu'un dimanche un jeune cardeur de laine, étant entré pour se faire raser chez un barbier de la *Pigna Secca*, se trouva tout d'un coup, en pénétrant dans l'arrière-boutique, au milieu d'une réunion nombreuse d'hommes, les uns assis, les autres à genoux devant un petit autel sur lequel s'élevait, environnée de lumières, une statue de la sainte Vierge. Angiolo, c'était le nom du jeune homme, surpris de ce spectacle, demanda ce qui allait se passer en ce lieu : « Nous venons ici, lui répondirent quelques-uns des assistants, pour nous faire instruire des devoirs de la religion, et aujourd'hui nous espérons voir Don Alphonse de Liguori, qui vient de temps à autre au milieu de nous; s'il en est empêché, le patron y suppléera. » En effet, Alphonse n'ayant pas paru, le barbier fit le catéchisme, et tous ensuite prièrent en commun. Quant au pauvre ouvrier tombé inopinément au milieu de cette scène, il en fut si touché qu'il sollicita son admission dans la société. Il ne s'arrêta pas là, et bientôt, la grâce poursuivant son œuvre, il entra chez les religieux de Saint-Pierre-d'Alcantara, au couvent de *Santa-Lucia-del-Monte,* où il devait mourir en odeur de sainteté, âgé de près de quatre-vingts ans.

Mais de toutes ces assemblées, dont Alphonse faisait alternativement la visite, la plus nombreuse était toujours celle que présidait Barbarese, dans la chapelle des Bonnetiers. Son importance ne permettait plus à l'autorité religieuse de la laisser à elle-même, et le Cardinal Pignatelli chargea un prêtre d'en prendre la direction. Barbarese, étranger à toute pensée d'amour-propre, s'empressa d'abdiquer ses fonctions et profita de ses loisirs pour convoquer dans sa maison un nouvel auditoire de *lazzaroni.* Ainsi encouragée par l'autorité ecclésiastique, l'œuvre se développa avec une rapidité croissante. Des écoles populaires furent fondées sur le même type, par d'autres pénitents d'Alphonse, dans les quartiers de la ville qui n'en possédaient pas encore, et, comme chacune de ces réunions compta bientôt de cent à cent cinquante membres, elles ne tardèrent pas, elles aussi, à quitter les échoppes pour se transporter dans des chapelles publiques.

L'humble essai de la place *della Stella* était devenu désormais une institution régulière; aussi convient-il de jeter un regard sur les exercices qui associaient dans une même action une partie notable de cette population intéressante et délaissée de la grande cité napolitaine. Chaque soir, dès que l'*Ave Maria* [1] sonnait, l'assemblée se réunissait. On récitait le rosaire, auquel on ajoutait les actes de foi, d'espérance et de charité; puis venait une conférence familière sur le catéchisme; enfin, l'explication des différentes parties de l'oraison mentale terminait la séance, qui durait une

[1] C'est ainsi qu'en Italie on nomme l'*Angelus.*

heure et demie environ. Tous les samedis, plusieurs prêtres venaient entendre les confessions. Le dimanche matin, après une méditation d'une demi-heure sur la Passion, on exposait le saint Sacrement et l'on célébrait la messe; les confrères communiaient et recevaient avant de se retirer la bénédiction. Dans l'après-midi, tous ensemble visitaient une église; puis ils se rendaient à la campagne, dans un lieu peu fréquenté, ou, si le temps ne le permettait pas, dans un cloître hospitalier, et y passaient à converser et à se récréer la fin du jour; ils revenaient enfin en chantant à leur chapelle pour l'exercice du soir. Bientôt, la prière les conduisant d'elle-même à la charité, ils ajoutèrent à leur règlement la visite des hôpitaux. Deux fois par semaine, le dimanche et le jeudi, ils allaient à l'hospice des Incurables ou à celui de l'*Annunziata :* les uns balayaient les salles; les autres faisaient les lits ou la toilette des infirmes; tous cherchaient à arriver jusqu'à leurs âmes, les exhortaient à la patience et les préparaient aux sacrements. Parmi ces infirmes, il s'en trouvait souvent d'ailleurs de fort ignorants que les confesseurs désignaient spécialement aux membres de l'œuvre en tirant les rideaux du lit, et qui, à ce signe convenu, devenaient aussitôt l'objet d'une attention et d'un zèle tout particuliers. Quand chacun avait été soigné et servi, un prêtre faisait une instruction, recommandait aux prières ceux qui étaient morts dans la semaine, portait le saint Sacrement à travers toutes les galeries et donnait la bénédiction solennelle. Tel fut le couronnement de ces conférences, connues généralement sous le nom de *Chapelles,* qui, en 1800, étaient déjà au nombre de soixante-quinze, et qui, après 1830, s'élevaient au chiffre de cent, embrassant environ trente mille personnes. De la première et la plus humble des œuvres d'Alphonse, du **grain de** sénevé de sa vie sacerdotale, si l'on peut ainsi parler, Dieu avait fait, moins de cinquante ans après sa mort, **un** grand arbre couvrant de son ombre la ville qui avait **été** son berceau.

Le fondateur de la première chapelle, le pauvre maître

d'école Barbarese, ne cessa de se dévouer à sa tâche jusqu'au jour où vint pour lui aussi l'heure du repos. Dès qu'elle eut sonné [1], Dieu parut vouloir le glorifier aux regards des hommes en faisant briller sur sa dépouille une merveille fréquente dans la vie des saints. Longtemps, en effet, après son dernier soupir, ses membres étaient encore si souples et si flexibles, qu'on ne pouvait se décider à l'ensevelir. On dessina ses traits comme ceux d'un bienheureux, et il fut déposé derrière le maître-autel de l'église *del Carminello al Mercato*. L'émule de Barbarese, Luc Nardone, vécut et mourut également en prédestiné, et l'église de *San-Matteo al Lavinaro* garde son corps jusqu'à la résurrection.

[1] 19 septembre 1767.

CHAPITRE VII

Alphonse avait continué jusqu'alors à demeurer chez son père; mais il soupirait après une cellule où il pourrait trouver, seul avec Dieu, cette paix que le monde ne connaît pas. Il en éprouvait comme un avant-goût chaque mois pendant les jours de retraite qu'il passait avec ses amis, non plus dans la maison de Michel de Alteris, mais dans une villa plus retirée encore, que Gennaro Sarnelli avait louée pour leurs réunions. Ces essais répétés de solitude, et pour ainsi dire de vie religieuse, lui faisaient ardemment souhaiter le moment où il pourrait se livrer sans partage à son attrait, lorsqu'une occasion favorable de mettre ses désirs à exécution s'offrit d'elle-même à lui.

Un saint missionnaire, qui avait travaillé avec zèle au développement de la foi catholique en Chine, le Père Matthieu Ripa, avait ramené de ce pays un lettré et quatre élèves avec lesquels il désirait fonder à Naples un collége pour les jeunes Chinois dont l'ouverture des relations commerciales faciliterait, pensait-il, la venue en Italie. Son but était de leur donner dans cette maison une instruction religieuse très-complète, de les préparer même au sacerdoce, si leur vocation les y poussait, et de les rendre capables par là d'évangéliser ensuite leur patrie, où en temps de persécu_

tion les prêtres indigènes pouvaient plus facilement que les
prêtres étrangers échapper aux recherches [1]. Le Pape Clément XI approuva ce projet, et, le 14 avril 1729, le Père
Ripa établit sa congrégation à Naples, sous le nom de « Sainte-
Famille de Jésus-Christ », en lui donnant pour règle celle
des Oratoriens. Alphonse fut frappé du mérite de cette œuvre;
et, attiré par la sainteté du fondateur et la ferveur des élèves
chinois ou napolitains, il prit la résolution de venir demeurer
parmi eux à titre de pensionnaire. Le Père Ripa le connaissait déjà; aussi accueillit-il sa proposition avec une joie
égale, pour le moins, à la douleur de Don Joseph et à
l'effort de résignation que celui-ci dut faire pour consentir
à se séparer de son fils.

Au commencement du mois de juin, Alphonse, quittant
donc pour la première fois la maison paternelle, se transporta
au collège des Chinois. A peine y était-il installé, que le
tonnerre tomba dans la chambre où se trouvait réunie toute la
Congrégation. Le supérieur se sentit atteint à la gorge; lui-
même perdit connaissance, ainsi que plusieurs autres de ses
compagnons,· et on les crut frappés de mort. Il n'en était
rien cependant, et, au bout d'un quart d'heure, tout le
monde était guéri; mais ce coup de foudre qui pouvait paraître
symbolique, cette protection divine si manifeste, remplit de
gratitude la petite congrégation, et lui inspira un courage
nouveau pour supporter les épreuves auxquelles elle était
soumise depuis son début.

La pauvreté et les privations qu'elle endurait étaient
extrêmes en effet. Bien que la règle accordât pour le dîner
du bouilli et des légumes, on ne mangeait, faute d'argent,
que fort rarement de la viande, et, lorsqu'il en paraissait
sur la table, ce n'étaient d'ordinaire que des débris de chair
de buffle ou de vache morte, plus ou moins avancée, et dont

---

[1] Pendant la dernière persécution qui avait eu lieu sous la minorité de
Kang-hi, tous les missionnaires européens avaient été, en effet, relégués à
Canton, et un seul d'entre eux, le Père Lopez, de l'ordre de Saint-Domi-
nique, avait pu échapper aux rigueurs de l'édit parce qu'il était chinois de
naissance.

le prix ne dépassait pas six grains le rotolo [1]. Le plus souvent, la communauté devait se contenter d'un maigre bouillon
de raves fournies par le jardin de la maison. Ce qui n'avait
pas été consommé le matin était réchauffé le soir; on y
faisait détremper des biscuits fabriqués avec une farine noire
et grossière, et, pour tout régal, chacun recevait de ce mélange le contenu d'une grande cuiller à pot.

Alphonse, tout inaccoutumé qu'il fût à un pareil régime,
se réjouissait de partager ce dénûment, et, libre enfin de
suivre un attrait que ne venait plus contrarier le contrôle
de sa famille, il se livra dès lors à des austérités dont les
détails nous ont été conservés par un des membres de la Congrégation. « Il était, rapporte ce religieux, continuellement
revêtu de cilices et de chaînettes de fer, se flagellait plusieurs fois par jour, souvent jusqu'au sang, dont il ne pouvait
dissimuler les traces; mêlait de la·myrrhe, de l'absinthe
ou des poudres amères à sa chétive nourriture; mangeait
ordinairement à genoux et jeûnait chaque samedi au pain
et à l'eau en l'honneur de la sainte Vierge. Dans sa chambre
il ne s'asseyait pas; mais il étudiait toujours debout, son
livre à la main, et mettait même des pierres aiguës dans
ses chaussures, afin d'ajouter la souffrance à la fatigue. »
« Si l'on connaissait toutes ses pénitences, disait un autre
prêtre, avec lequel il était également en relations à cette
époque, on trouverait qu'elles dépassent de beaucoup celles
de saint Pierre d'Alcantara. » Il faisait sa lecture ordinaire de la vie des saints, dont l'exemple stimulait son courage, et, outre le temps de la méditation en commun, à laquelle il ne manquait jamais, il passait chaque jour une
heure et demie ou deux heures en oraison, immobile devant
le saint Sacrement. Sa messe était longue, comme l'était aussi
son action de grâces; il priait la plus grande partie de la
nuit, et lorsqu'il devait, à regret, accorder à la nature un
peu de repos, c'était sur une planche ou sur la terre nue
qu'il étendait ses membres.

[1] A raison de 8 centimes la livre.

Cette conduite était d'autant plus admirable que Dieu l'avait, à cette époque, sevré de toute grâce sensible : il ne goûtait plus aucune joie spirituelle, et son âme était comme une terre aride et désolée. Ni l'oraison ni la messe n'apportait de rafraîchissement à sa sécheresse intérieure ; il y cherchait le Seigneur, mais sans le trouver. « Je vais à Jésus-Christ, disait-il, et il me rebute ; j'ai recours à la sainte Vierge, et elle ne m'écoute pas. » Il lui fallait sans cesse ramer contre le courant et marcher dans l'obscurité, à la seule lumière de la foi ; cependant il restait inébranlable dans sa résolution de servir Dieu, moins par crainte de sa justice ou par désir de ses récompenses, que par amour de lui seul.

Sa tendresse pour les âmes ne fléchissait pas devant les apparentes sévérités de Dieu pour la sienne. Il continuait à prêcher presque tous les jours, soit dans les différentes églises de Naples, soit dans la chapelle des Chinois, où tous les vendredis, en particulier, il parlait sur les souffrances de la sainte Vierge et récitait avec les fidèles le chapelet des Sept-Douleurs. Le Père Ripa nous apprend qu'il nourrissait même la pensée de se faire agréger à la congrégation de la Sainte-Famille, et qu'il confia plusieurs fois à son directeur « son désir d'aller en Chine pour prêcher l'Évangile ». « Connaissant le zèle et les talents de Don Alphonse de Liguori, ajoute le Père Ripa, je me reposai presque complétement sur lui du soin de desservir notre chapelle en ce qui regardait les confessions et la prédication, et il s'acquittait de tout avec le plus grand succès [1]. »

On accourait, en effet, des quartiers les plus éloignés de Naples pour l'entendre ou pour se confesser à lui. Souvent, après avoir à peine trouvé le temps dans la journée de manger un morceau à la hâte, il était encore obligé de passer une partie de la nuit à recevoir ses pénitents. Un grand nombre d'âmes abordaient sous sa conduite les sentiers de la perfection. Tannoia cite entre autres une courtisane très-connue qu'Alphonse avait convertie et élevée jusqu'à

[1] Tannoia, p. 42.

l'héroïsme de la vertu. Il nous parle aussi de plusieurs jeunes filles qui, d'après ses conseils, avaient distribué leur fortune aux pauvres et vivaient dans leur maison comme des religieuses. Ailleurs, dit-il, c'étaient des fidèles engagés dans l'état du mariage qui apprenaient de lui à ne plus chercher dans la vie conjugale que l'union angélique des âmes entre elles. Parmi eux étaient un riche marchand du quartier des Juifs, nommé Tavolieri, et sa femme Antonia, qui, entrés avec joie dans cette voie toute céleste, se consacraient entièrement aux bonnes œuvres. Alphonse avait un don spécial pour faire comprendre et aimer la chasteté. A la suite d'un de ses discours sur ce sujet, une jeune fille, appelée Fortunée Trotta, dit adieu à son fiancé, et déclara que son seul époux serait Jésus crucifié. Dirigée par celui qui avait semé dans son cœur ce généreux attrait, elle mena une vie pénitente et mourut en odeur de sainteté. Un autre jour, quinze jeunes personnes, ayant entendu, dans la chapelle de la Sainte-Famille, Alphonse parler de la virginité, prirent également la résolution de renoncer au mariage. « Je passe sous silence, pour ne pas être trop long, continue le biographe, beaucoup de faits de ce genre ; cependant je ne puis omettre la conversion d'une autre jeune fille, nommée Marie, dont l'esprit, vide de Dieu, n'était rempli que des futilités du monde. Par condescendance pour sa mère, elle eut avec Alphonse un entretien à la suite duquel, commençant à entrevoir les dangers que courait son âme, elle se retira dans un coin de l'église et se mit à pleurer. Le saint prêtre, quittant alors le confessionnal, la rappela, et lui dit : « Marie, vous êtes-vous donnée toute à Dieu ?

« — Oui, répondit-elle.

« — Sans réserve ? reprit Alphonse.

« — Sans réserve, répliqua Marie.

« — S'il en est ainsi, ajouta-t-il, coupez-vous les cheveux et faites-vous carmélite. »

« La jeune fille obéit ; elle prit l'habit et devint une âme forte et généreuse. Elle fut cruellement, et pendant plusieurs années, tourmentée par des peines intérieures : Dieu la voulait sans tache; aussi la fit-il passer par le creuset de l'é-preuve; elle mourut en laissant la réputation d'une grande vertu, et ceux qui l'invoquèrent obtinrent, dit-on, plusieurs grâces miraculeuses. »

Cependant l'apostolat qu'Alphonse exerçait dans la petite chapelle de la Sainte-Famille et dans la ville de Naples ne l'empêchait pas de continuer à remplir ses devoirs de mem-bre de la Congrégation de la Propagande. Chaque année, il quittait la capitale, en compagnie de plusieurs autres prêtres, pour aller donner des missions dans différentes parties du royaume, et, comme il était un des plus jeunes et des plus zélés de la société, c'était lui qui portait d'ordi-naire tout le poids de la fatigue. Il nous reste peu de détails sur ces courses évangéliques; toutefois la neuvaine qu'il prê-cha, en 1731, à Foggia, chef-lieu de la Capitanate, fut marquée par des circonstances trop extraordinaires pour tomber dans l'oubli. On nous permettra, avant d'en faire le récit, de rappeler brièvement les souvenirs qui se rattachent aux origines de Foggia, bien que pour les recueillir il faille remonter à une distance de sept cents ans et nous transporter en 1062.

A cette époque, on découvrit dans un marais desséché qui occupait à peu près la place où la ville s'élève de nos jours, un tableau enveloppé de sept voiles : il paraissait fort ancien et représentait la sainte Vierge montant au ciel. Les populations voisines accoururent pour vénérer cette précieuse image, et une petite chapelle fut bâtie près du lieu où elle avait été trouvée. En 1075, Robert Guiscard fit construire à la place de ce modeste sanctuaire une grande et belle église à laquelle, cent ans après, Guillaume le Bon ajouta une façade en marbre d'un travail remarquable. Peu à peu des habitations se groupèrent autour de l'église, et la ville qui devait porter un jour le nom de Foggia prit nais-sance. Elle fut appelée d'abord la CITÉ DE MARIE, et at-tira les plus illustres visiteurs; l'histoire cite entre autres saint Guillaume et saint Pellegrin, qui avaient quitté An-tioche pour s'y rendre et qui s'y endormirent dans le Seigneur. Charles d'Anjou y termina aussi sa vie, en 1285, après avoir donné à l'église des témoignages de sa munificence et demandé que son corps fût placé au pied de l'*Icona vetera;* c'est ainsi qu'on désignait l'antique peinture. Cependant la vénération des princes et des peuples ne pouvait empêcher le temps d'exercer ses droits sur la sainte image; les couleurs s'altérèrent et les traits s'effacèrent peu à peu; mais le respect des pèlerins ne s'affaiblit pas, et le tableau fut recouvert d'une feuille d'argent, au milieu de laquelle une ouverture de forme ovale indiqua seulement la place où avait été la figure de la Vierge.

En 1731, date à laquelle nous sommes arrivés dans cette histoire, pendant la nuit du 18 au 19 mars, un tremblement de terre considérable se fit sentir sur toute la côte orientale de l'Italie. Foggia fut en partie détruite et l'église collégiale renversée; mais l'image miraculeuse fut retrouvée intacte et transportée dans la chapelle des Pères Capucins. Épouvantés par des secousses continuelles, les habitants vinrent bientôt la rejoindre, et implorer avec des cris et des larmes la protection de leur première patronne. Ces supplications se prolongèrent durant plusieurs jours, lorsque le 22 mars, dans la matinée du jeudi saint, la foule qui remplissait l'église vit soudain se dessiner dans l'ovale du tableau la figure resplendissante de la sainte Vierge. Le même prodige se manifesta de nouveau les jours suivants, au milieu des transports continuels de la population. Les regards de Marie semblaient fixés avec amour et compassion sur la cité qui avait porté son nom et lui promettre la fin de ses douleurs. L'impression fut immense et se répandit dans tout le royaume [1].

Sur ces entrefaites, les Évêques de Bari, de Lecce et de Nardo, dont les diocèses avaient été aussi plus ou moins

---

[1] L'autorité ecclésiastique fit dresser dans la suite des procès-verbaux en forme constatant ces apparitions de la sainte Vierge, et l'on institua une fête spéciale en l'honneur de Marie que le clergé de Foggia, ainsi que les Pères de la congrégation du Saint-Rédempteur, célèbrent le 22 mars, anniversaire de la première apparition. (Le cardinal Villecourt, *Vie et Institut de saint Alphonse de Liguori.*)

maltraités par le tremblement de terre, désireux de mettre à
profit l'émotion qui régnait dans les cœurs, engagèrent les
membres de la Congrégation de la Propagande à venir les
aider de leur parole et de leur zèle. Alphonse s'y rendit sans
retard, avec quelques-uns de ses confrères, donna plusieurs
missions, et obtint en divers lieux, à Nardo en particulier,
d'éclatantes conversions. De là il voulut pousser jusqu'à
Foggia pour y vénérer l'image privilégiée. La population,
encore consternée du passé et tremblante pour l'avenir, l'accueillit avec grand empressement, et l'Évêque, après lui
avoir rendu visite [1] en compagnie d'une partie de son clergé,
lui demanda de prêcher la neuvaine de prières qu'on allait
commencer en l'honneur de la sainte Vierge. Alphonse s'excusa d'abord, disant qu'il n'avait pas la permission de son
supérieur; mais l'Évêque, qui faisait aussi partie de la Congrégation de la Propagande, déclara prendre sur lui toute
la responsabilité, et le saint fut obligé de céder. Il ignorait que des merveilles aussi grandes au moins que celles
dont il était venu honorer le souvenir, allaient marquer son
passage dans la *cité de Marie*.

La neuvaine devait avoir lieu dans l'église Saint-Jean-
Baptiste. L'*Icona vetera* y avait été transportée pour la circonstance; cependant la nef ne suffisait pas encore à la foule,
et la place était tellement encombrée, qu'afin d'augmenter
le nombre des auditeurs on fut obligé d'établir la chaire
à la porte de l'église, près de laquelle le tableau était
aussi solennellement apporté tous les jours, à l'heure du
sermon. La parole d'Alphonse provoquait l'enthousiasme
général, et l'on pouvait déjà pressentir que les grâces répan-
dues sur ses missions antérieures allaient se renouveler à
Foggia, lorsque la sainte Vierge sembla vouloir intervenir
elle-même pour mettre le sceau à ses efforts. Un soir, pendant qu'il prêchait, il aperçut tout d'un coup le centre du
tableau, que recouvrait une draperie noire, sortir de son ob-

---

[1] Alphonse logeait dans la maison d'un chanoine de la collégiale,
Don Francesco Garzili, qui entra plus tard dans la congrégation du Saint-
Rédempteur.

scurité et, comme dans la fameuse journée du jeudi saint,
les traits d'une jeune fille de treize à quatorze ans, voilée
de blanc, apparaître dans l'ovale. Ce n'était pas une peinture, c'était un visage en relief, couleur de chair, une figure
vivante, en un mot, qui se remuait à droite et à gauche et regardait l'assemblée. Le peuple tout entier vit le prodige en
même temps qu'Alphonse, et avec un saisissement inutile à
décrire. A plusieurs reprises et à divers jours, la même merveille se reproduisit ; une fois entre autres avec un caractère
spécial que le saint s'est gardé de nous faire connaître [1], mais
que ses historiens nous ont heureusement conservé. Il traitait, ce soir-là, un de ses sujets de prédilection et cherchait
avec feu à exciter la confiance de son auditoire dans le pa-

[1] Nous avons, en effet, de la main d'Alphonse un témoignage qui donne
à ce miracle un caractère rare d'authenticité. Lorsque, en 1777, le chapitre de Saint-Pierre, à Foggia, voulut procéder au couronnement de la
sainte image, Alphonse, qui était alors évêque, fut instamment prié de
joindre son attestation à celles qu'on avait déjà réunies, et voici en quels
termes formels et solennels il s'exprima sur le fait que nous venons de
raconter :

Alphonsus Maria de Ligorio, episcopus sanctæ Agathæ Gothorum, et
rector major congregationis Sanctissimi Redemptoris.

Universis et singulis has nostras inspecturis ac lecturis notum facimus,
atque cum juramento in verbo veritatis testamur, nos in anno 1731, in
civitate Fogiæ, dum sacras conciones ad populum in ecclesia sancti Joan-
nis Baptistæ ageremus, ubi tunc magna tabula in cujus medio extat fo-
ramen ovatæ figuræ nigro velo obductum observabatur, pluries, ac in
diversis diebus, vidisse faciem sanctæ Mariæ Virginis, vulgo Iconis veteris
nuncupatæ, quæ ex dicto foramine egrediebatur ; eratque aspectus ejus
quasi puellæ tredecim aut quatuordecim annorum, ac dextrorsum, sini-
strorsum, albo lino operta, movebatur. Insuper asserimus magna devotione
ac spiritus nostri voluptate, nec sine lacrymis, inspexisse eamdem faciem,
non quasi depictam, sed integram, quasi sculptam, ac carneam, veluti
sive adolescentulæ quæ pariter huc illuc se volvebat, et eodem tempore, quo a nobis conspiciebatur, similiter a toto populo, ad concionem
audiendam collecto, cernebatur, qui se magno fervore cum lacrymis cla-
moribusque sanctissimæ Dei Genitrici commendabat.

In cujus rei veritatem, has nostro sigillo muniri curavimus.

Datum Nuceriæ Paganorum, decima die mensis octobris 1777.

ALPHONSUS MARIA DE LIGORIO,
Episcopus.

F. A. ROMITO, *secretarius.*

tronage de Marie, lorsqu'un ravissement extatique s'empara
de lui. Au même instant, un jet de lumière semblable à un
rayon de soleil s'échappa du tableau et vint se refléter sur
son visage. A ce spectacle, une sorte de commotion élec-
trique traversa l'assemblée : les uns priaient tout haut,
les autres pleuraient leurs péchés à chaudes larmes; tous
criaient au miracle. On vit même plusieurs femmes de mauvaise vie se convertir soudain en proclamant publiquement
leurs fautes et leur repentir.

Alphonse reçut peu de jours après, dans une autre circonstance, une grâce analogue. L'exercice était terminé et
le tableau reporté dans l'église. Se sentant pressé de le contempler encore, il monta sur l'autel; mais à peine fut-il en
face de la sainte image, qu'il tomba de nouveau en extase;
la douce vision des jours précédents lui fut accordée une
dernière fois, et il demeura immobile devant elle pendant
près d'une heure. Lorsque l'apparition se fut évanouie, il
quitta l'autel et, l'âme enivrée de joie, entonna avec une
trentaine de personnes qui se trouvaient présentes l'*Ave
maris stella;* enfin, le lendemain dès l'aurore, voulant
essayer de conserver pour les fidèles une ombre au moins
de la beauté qu'il avait entrevue, il demanda un peintre,
lui décrivit les traits fidèlement gravés dans sa mémoire, et
lui fit exécuter un tableau que ses disciples devaient plus
tard précieusement recueillir.

Cette neuvaine, que Marie bénissait d'une manière si visible, eut un succès tel que les prêtres de Foggia, dont le
nombre était considérable cependant, ne pouvaient arriver à
entendre toutes les confessions. Quant au prestige d'Alphonse,
il grandissait de jour en jour. Sa présence semblait à plusieurs
le gage assuré des miséricordes divines; aussi, au moment
où il se disposait à retourner dans la capitale, l'Archevêque
de Manfredonia vint-il le supplier de s'arrêter dans son
diocèse; mais avant tout esclave de son devoir, et sachant
d'ailleurs que l'obéissance était pour ses œuvres la condition
première de la fécondité, il déclara qu'il ne pouvait agir sans
la permission de son supérieur et demeura inflexible. « Dieu

veuille même, ajouta-t-il, que je ne regrette pas d'avoir eu trop de condescendance à Foggia ! »

Ses pressentiments ne le trompaient pas : lorsque, vers le milieu de mai, il arriva à Naples, le chef de la Congrégation de la Propagande, qui était alors son ancien professeur, Don Jules Torni, peut-être pour éprouver ses dispositions intérieures, le blâma sévèrement devant tous les missionnaires d'avoir été prêcher à Foggia sans autorisation. Alphonse pouvait aisément se justifier; mais il reçut au contraire humblement ces reproches, et, loin d'en éprouver aucune amertume, se réjouit, nous disent ses contemporains, « d'être repris et abaissé en présence d'une si respectable assemblée. » La sainteté ne consiste ni dans les visions, ni même dans les conversions qu'on opère : la pierre de touche à laquelle on la reconnaît, est l'humilité. Qui sait donc si cette épreuve supportée en silence et avec joie ne valut pas devant Dieu plus de mérites à Alphonse que le bien dont à Foggia il avait été l'instrument !

A la suite de ces travaux, il vint se reposer au collège des Chinois, où il retrouva, avec bonheur, mais non pas pour longtemps, sa chère et calme cellule.

CHAPITRE VIII

Depuis deux ans, la santé d'Alphonse inspirait de sérieuses
inquiétudes. Ses prédications multipliées, son activité pendant une épidémie dont Naples avait été le théâtre, et surtout son dernier voyage dans les provinces de Lecce et de
Bari avaient épuisé ses forces ; les poumons paraissaient
attaqués ; il fallait à tout prix imposer pour un temps au
jeune missionnaire le silence et le repos. Mazzini et ses premiers amis, en particulier Joseph Panza, qui n'avaient cessé
d'entretenir avec lui les plus affectueuses relations, s'effor-
cèrent de lui démontrer la nécessité de ce sacrifice, et le décidèrent à venir faire un séjour à Amalfi. Ils l'y conduisirent
bientôt, en effet, avec l'intention de s'établir auprès de lui, en
compagnie de quelques autres de leurs anciens camarades,
dans un casino des environs dont la situation heureuse,
sur une colline d'où l'on découvrait la mer, leur promettait
une résidence solitaire et agréable. Mais, à peine débarqués,
ils rencontrèrent le vicaire général de Scala[1] qui essaya
de modifier leurs projets. Il leur vanta un petit ermitage
bâti au-dessus de la ville épiscopale, en un lieu nommé
Santa-Maria-dei-Monti. « Là, leur dit-il, vous pourriez vous

---

[1] Scala (principauté citérieure), à cinq kilom. ouest d'Amalfi. L'évêché
a été dans la suite réuni à celui de Ravello.

reposer tout à votre aise, et, par la même occasion, faire
du bien à de pauvres chevriers dispersés aux environs et
privés ordinairement de secours religieux. Dès à présent, du
reste, je vous donne tous les pouvoirs qui dépendent de moi. »
Le grand vicaire avait pris le moyen le plus sûr de faire
agréer sa proposition. Des cœurs à consoler et des âmes à
convertir, le repos transformé en apostolat, il n'en fallait
pas davantage pour séduire Alphonse, et, par lui, pour
entraîner ses compagnons. Leur résolution fut vite prise,
et tous se rendirent sans délai à Santa-Maria-dei-Monti.

Le premier acte d'Alphonse fut de profiter des facultés
qui lui avaient été données pour placer dans son ermitage
le saint Sacrement. Il sentait que le soin de son corps ne
devait en rien ralentir l'essor de son âme, ni devenir un
obstacle à ses entretiens avec Celui qui seul est le maître de
la vie. Son repos d'ailleurs ne fut pas de longue durée, et
l'espoir qu'il avait conçu devint bientôt une réalité. Dès que
l'arrivée des missionnaires fut connue dans le pays, les
bergers, les chevriers et tous les paysans d'alentour accoururent à eux, et leur villégiature prit toutes les apparences
d'une mission.

C'était l'occasion que la Providence avait préparée de
longue main pour découvrir à Alphonse jusqu'à quel degré
d'abaissement peuvent descendre les âmes privées de la
parole de vie et des sacrements, et comme perdues, loin de
Dieu et des hommes, dans les solitudes des campagnes. Il
raconta lui-même qu'un grand nombre des pâtres de cette
contrée vivaient dans une ignorance si profonde qu'il fallait,
avant de les confesser, leur enseigner jusqu'aux premiers
éléments de la foi. Cette révélation inattendue produisit sur
lui une des plus profondes impressions qu'il eût encore
éprouvées. Habitué à vivre dans une société dont le but
était de porter la lumière aux infidèles de l'Orient, il se
trouvait tout d'un coup, à quelques heures de Naples, au
milieu d'un pays à évangéliser et à instruire. Devant ce
spectacle, il ne pouvait retenir ses larmes, et, contemplant
douloureusement dans ces populations oubliées le troupeau

sans pasteur, la moisson sans ouvriers [1], sur lesquels s'était attendri son maître, il entendait en lui-même les gémisse- ments inénarrables de l'Esprit [2], et priait Dieu avec angoisse de susciter en faveur de ces pauvres délaissés un nouvel apôtre. Ses aspirations prirent-elles dès lors une forme plus distincte? Nous ne pouvons le dire avec certitude; mais un avenir prochain allait déchirer tous les voiles.

La nouvelle de sa présence s'était répandue à Scala, et l'Évêque, qui désirait le connaître, l'avait invité plusieurs fois à prêcher dans sa cathédrale. Alphonse, répondant à cet appel, y avait recueilli des succès sur lesquels nous n'insis- terons pas; mais une retraite qu'il donna aux religieuses du Saint-Sauveur [3] fut marquée par un événement qui s'im- pose à notre attention et tient une place importante dans l'histoire de sa vie. Là, en effet, la lueur répandue dans son âme depuis son arrivée à Santa-Maria de'Monti se trans- forma en lumière, et déjà l'on put prévoir que l'attrait ferait bientôt place à une irrésistible impulsion.

Dans le couvent du Saint-Sauveur vivait une religieuse d'une sainteté éminente, connue sous le nom de sœur Marie- Céleste. Le 3 octobre 1731, Dieu, qui lui accordait souvent des lumières surnaturelles, lui montra en esprit un nombre considérable de prêtres occupés à secourir, au milieu des campagnes, des milliers d'âmes abandonnées jusque-là. Don

---

1 Matth., ix, 37.
2 Rom., viii, 26.
3 La congrégation du Saint-Sauveur avait été instituée, en 1719, par les Pères Falcoia et Filangieri, des Pieux-Ouvriers. Plus tard, saint Al- phonse en modifia les règles; ce qui le fit considérer par la communauté comme un de ses fondateurs. Elle fut approuvée en 1750 par Benoit XIV, sous le titre de Congrégation des religieuses du Très-Saint-Rédempteur. Ces religieuses s'adonnent à la vie contemplative et s'occupent de l'édu- cation des jeunes filles. « Elles portent une tunique rouge, un scapulaire et un manteau bleu de ciel, une guimpe plissée, deux voiles, dont l'un blanc et l'autre noir, et des souliers blancs; elles ont sur la poitrine une image peinte de Notre-Seigneur, et au doigt un anneau d'or formé par deux mains entrelacées, avec cette inscription gravée à l'intérieur : *Spon- sabo te mihi in fide*. Lors de la vêture, les novices reçoivent une couronne d'épines, et à leur profession une couronne de roses. » (Villecourt, *Vie et Institut de saint Alphonse-Marie de Liguori*.)

Alphonse de Liguori était à leur tête, et Marie-Céleste entendit clairement ces paroles : « Voilà celui que j'ai choisi pour
être l'instrument de ma gloire dans cette œuvre. » Peu de
jours après, comme elle s'entretenait avec Alphonse au confessionnal, elle lui confia la vision qu'elle avait eue à son
sujet. La similitude de cette révélation avec ses pensées les
plus intimes et les appels intérieurs qu'il avait cru entendre
le frappa aussitôt ; mais craignant une illusion du démon, et
se défiant par-dessus tout de lui-même, il ne voulut attacher
aucune importance à ce récit, qu'il taxa d'hallucination.
Marie-Céleste s'humilia ; toutefois, plus Alphonse semblait la contredire, plus elle insistait, affirmant toujours que
Dieu l'avait élu pour être l'instrument de ses miséricordes
envers les habitants des campagnes.

A la suite de cet entretien, Alphonse rentra chez lui l'âme
troublée. Mazzini s'en aperçut et lui demanda la cause de
son émotion ; mais il se refusa à toute confidence. « C'est la
sœur Marie-Céleste qui vous aura dit quelque chose d'extraordinaire, reprit son ami en insistant, car je vous ai entendu
tout d'un coup élever la voix et entrer en discussion avec
elle. C'était évidemment après la confession ; vous pouvez
donc m'en faire part. »

Cédant alors à sa prière, Alphonse lui parla longuement
de la tristesse que lui faisait éprouver l'abandon de la population des campagnes, de son désir de voir des prêtres se
consacrer spécialement à les secourir ; enfin, et c'était la
partie délicate de son récit, il lui avoua la vision qu'avait
eue la religieuse de Scala. A peine avait-il achevé, qu'il vit
avec un véritable étonnement Mazzini non-seulement reconnaître que l'œuvre en question serait d'une utilité incontestable, mais entrer complétement dans les pensées de la sœur
Marie-Céleste, dont le discernement et la sainteté, disait-il,
étaient à l'abri de tout soupçon. Alphonse, malgré la grâce
qui opérait dans son âme, objecta que, seul, il ne pouvait
rien faire, et que personne probablement ne voudrait se
joindre à lui. « Me voici ! s'écria aussitôt Mazzini avec enthousiasme. Je suis à vous ; d'autres ne tarderont pas à ve-

nir; l'œuvre est trop belle pour qu'il n'y ait pas de prêtres qui la comprennent et s'y dévouent. »

Sur ces entrefaites arriva à Scala un prélat connu par ses vertus et ses lumières sur les choses intérieures; c'était Mᵍʳ Falcoia, évêque de Castellamare. Alphonse, qui l'avait rencontré plusieurs fois au collége des Chinois, alla le trouver, et lui soumit avec simplicité ses doutes et ses. hésitations. L'Évêque traita l'affaire avec tout le sérieux qu'elle méritait, en conféra avec son collègue de Scala, pesa pendant plusieurs jours toutes les circonstances, puis déclara nettement qu'à ses yeux la volonté de Dieu s'était clairement manifestée; enfin, entrevoyant avec joie la réalisation d'une pensée qu'il nourrissait lui-même depuis son élévation à l'épiscopat, il pressa celui qu'il saluait déjà du nom d'apôtre des campagnes d'obéir promptement à sa vocation.

Quelque autorisée que fût cette parole, Alphonse doutait encore; en effet, si d'un côté la grâce qui envahissait son âme et les encouragements qu'il recevait du dehors lui semblaient des motifs de confiance, de l'autre, se trouvant dans son humilité absolument dépourvu des qualités nécessaires pour exécuter un plan aussi vaste, il craignait d'être sous l'empire d'une témérité présomptueuse, et repoussait comme une tentation d'orgueil toute idée de fondation. Agité, troublé, ne sortant d'une angoisse que pour retomber dans une autre, il retourna à Naples, et, recourant à sa ressource ordinaire, alla ouvrir son âme au Père Pagano. Le prudent religieux ne voulut pas se prononcer sans un mûr examen. Il médita longtemps, puis se déclara à son tour favorable à l'entreprise; mais il exigea qu'Alphonse recueillît d'autres avis que le sien, et l'engagea à consulter plusieurs personnes qui jouissaient à Naples d'une grande considération, entre autres le Père Cutica, dont le nom nous est déjà familier, le Père Manulia, de la Compagnie de Jésus, et le Père Fiorilli, dominicain. Ces trois religieux furent d'accord pour enga-ger le jeune missionnaire à répondre à l'appel d'en haut. Le dernier même, avant d'avoir été interrogé, l'avait abordé un jour sans le connaître, et lui avait dit comme éclairé d'une lumière surnaturelle : « Dieu n'est pas content; il vous veut tout entier, et attend de vous de plus grandes choses; » puis, après avoir été instruit, il ajouta : « Cette œuvre est divine; jetez-vous dans les bras de Dieu comme une pierre qui tombe d'une montagne dans la vallée. Vous aurez des contradictions, mais le Seigneur ne vous abandonnera pas. »

Ne pouvant plus hésiter sur la ligne de conduite qu'il avait à suivre, Alphonse fit son sacrifice. Il s'offrit à Dieu pour passer, si telle était sa volonté, le reste de ses jours dans les pâturages de buffles, et pour vivre et mourir au milieu des laboureurs et des bergers. Cet acte d'abandon mit fin aussitôt aux épreuves intérieures qui l'avaient torturé jusque-là, et lui donna la force nécessaire pour dominer les tempêtes qui allaient éclater autour de lui.

En effet, sa résolution de se consacrer spécialement à l'apostolat des campagnes ne fut pas plutôt connue, qu'elle causa une stupéfaction universelle et provoqua chez ses parents, comme chez un grand nombre de ses amis, des oppositions dont nous avons peine à comprendre la violence. Son dévouement fut traité généralement d'extravagance ; on l'accusa de se laisser diriger par une visionnaire; l'orgueil et les louanges, ajoutaient plusieurs, lui avaient fait perdre le bon sens; enfin il était devenu, peut-on dire, la risée du public, non-seulement dans les sacristies et les salons, mais jusque dans les cafés, dont la fréquentation, on le sait, ne joue qu'un trop grand rôle dans la vie italienne. « Ce n'est pas Dieu qui vous guide, lui disait un de ses oncles, Matteo Gizzio, recteur du séminaire, c'est la folle imagination d'une religieuse dont vous écoutez les rêves. — Non, répliquait le Saint, ce n'est pas d'après ces visions que je ne me règle, mais d'après l'Évangile. — Et sur qui comptez-vous, reprenait l'oncle, pour réaliser vos projets? — Celui qui se confie en Dieu espère tout et peut tout, disait Alphonse. — Allez donc, vous êtes une pauvre tête sans cervelle; vous ne voulez tenir compte d'aucun avis raisonnable, et toute la ville est contre vous. » Dieu permettait

ainsi que les plus vieux amis d'Alphonse méconnussent une
fois de plus son esprit et sa vocation. De semblables mé-
prises ne sont pas rares d'ailleurs dans l'histoire. N'a-t-on
pas vu, dans le feu de la controverse, saint Épiphane suspendre toute relation avec saint Jean Chrysostome, et plus
tard saint Colomban rompre avec saint Gall? Celui qui seul
pénètre le mystère des âmes ne s'offense pas de ces dissi-
dences lorsqu'une intention pure y préside, et sa gloire en
ressort parfois.

Mais ce fut surtout au collége des Chinois qu'Alphonse
rencontra le plus de contradictions. Le supérieur, le Père
Ripa, déçu dans les espérances qu'il avait fondées sur lui,
et craignant que son départ n'entraînât celui de plusieurs
prêtres distingués de la maison, mit tout en jeu pour le retenir. Lui-même a rapporté, dans ses mémoires, les arguments
dont il se servait tour à tour pour dissuader Alphonse. « Je
m'efforçai, dit-il, de le détourner du projet de fondation
qu'il avait conçu, en lui démontrant l'imprudence d'abandonner le bien positif qu'il faisait dans notre église et dans
notre maison, pour courir après un bien incertain, lequel
ne reposait encore que sur les visions d'une femme; je lui
exposai le dommage réel qu'il causerait à notre collége en le
quittant et en emmenant, comme il en était question, un
autre de nos confrères, don Vincent Mandarini; j'ajoutai
que si Mgr Falcoia voulait établir une autre congrégation, il
pouvait le faire sans troubler pour cela notre repos; enfin,
je lui représentai que l'institut projeté devant avoir pour fin
la prédication et l'instruction donnée aux ignorants, il trouvait tout cela au suprême degré parmi nous, puisque le but
spécial de notre société est d'étendre la foi jusqu'aux confins
du monde et de fonder des écoles pour les infidèles. Il y avait
donc, lui disais-je, moins de sagesse que d'inconstance dans
ses pensées; mais, malgré tous mes efforts, don Alphonse
persistait dans sa résolution, me soutenant qu'il était sûr de
sa vocation, et que le Père Fiorilli, Mgr Falcoia et d'autres
encore, l'approuvaient et croyaient à la vision de la religieuse. »

Le Père Ripa ne connaissait que trop, en effet, l'approbation donnée par l'Évêque de Castellamare au projet d'Alphonse; car il s'oublia jusqu'à écrire à ce prélat une lettre dépourvue de toute mesure, dans laquelle il lui reprochait d'entretenir les rêveries extravagantes de son ami. Sous l'empire de son désespoir, il se brouilla aussi successivement avec le Père Pagano et avec le Père Fiorillo; enfin, il souleva si bien l'émotion publique, que ces deux religieux, craignant de compromettre les œuvres dont ils s'occupaient en conservant des rapports trop fréquents avec Alphonse, lui conseillèrent de se mettre entièrement sous la direction de Mgr Falcoia. La considération dont celui-ci jouissait depuis longtemps était faite pour imposer silence aux critiques, et son expérience des fondations religieuses ne pouvait être que très-précieuse dans la circonstance présente. Alphonse cependant hésitait à quitter la direction du Père Pagano, auquel l'attachaient le souvenir de son passé et une tendre reconnaissance; mais un jour, comme il le confia plus tard à un de ses compagnons, se trouvant dans l'église fameuse pour lui de Notre-Dame-de-la-Merci, la sainte Vierge daigna lui accorder des lumières si vives, qu'il résolut instantanément de se placer sous la direction de l'Évêque de Castellamare, et s'engagea même bientôt, sous peine de péché grave, à ne rien faire sans son conseil.

Il n'en continua pas moins cependant à demander le secours de leurs prières aux saintes âmes avec lesquelles il était en rapport, et en particulier aux religieuses de Scala, dont quelques-unes se livraient déjà depuis plusieurs mois à la pénitence à son intention; quant aux autres, elles demeuraient encore si incrédules, qu'aux affirmations de la sœur Marie-Céleste, qui leur disait : « C'est l'œuvre de Dieu, vous le verrez à ses effets, » l'une d'elles répondit un jour : « Eh bien! je le croirai quand sœur Marie-Madeleine sera guérie. » Cette sœur était folle depuis plusieurs années; mais à l'heure même où avait lieu cette discussion, elle recouvrait le plus parfait usage de ses facultés.

Toutes ces circonstances réunies ne pouvaient qu'encoura-

ger Alphonse à hâter l'accomplissement do ses desseins;
aussi commença-t-il à chercher activement les compagnons
dont il avait besoin dé s'assurer le concours avant d'entreprendre aucune fondation. Il s'adressa à don Cutica et au
Père Manulio, et pria aussi le Père Fiorilli de l'aider dans
ses investigations. « C'est moi-même, répondit ce dernier, se
rappelant la révélation dont il avait été favorisé, qui voudrais-
retrouver la jeunesse, afin d'avoir le bonheur de vous suivre,
ne fût-ce que pour porter vos hardes et vous accompagner
partout! Ne reculez pas; si vous ne trouvez pas de sujets
tout d'abord, le Seigneur vous en enverra plus tard, et la
qualité suppléera au nombre. » Les sujets vinrent en effet,
et, bien que tous ne dussent pas demeurer fidèles jusqu'au
bout à celui qu'ils choisissaient pour maître, il importe
d'arrêter un moment notre attention sur ce petit noyau
d'hommes dévoués qui se montraient alors décidés à le
suivre.

Mazzini, dont on se rappelle l'élan, et qui par cette offrande de la première heure pourrait mériter le nom de
premier compagnon d'Alphonse, ne faisait point encore
partie, malgré son désir, de ce groupe choisi; son confesseur ayant tenu à étudier et à laisser mûrir sa vocation;
mais Joseph Panza, dont la liaison avec Alphonse datait de
la même époque, s'était hâté de se mettre tout entier à sa
disposition. Ceux qui se présentèrent après lui furent deux
prêtres du collége des Chinois, sur lesquels le Père Ripa
avait compté pour assurer sa propre fondation : l'un était
Vincent Mandarini, ce religieux dont le supérieur redoutait tant le départ; l'autre, Gennaro Sarnelli, un des membres de cette société de jeunes gens dans laquelle, on s'en
souvient, Alphonse avait fait sans s'en douter comme l'ap-
prentissage de la vie religieuse. A ces trois disciples se joignirent un canoniste distingué de Calabre, Jean-Baptiste de
Donato; un chanoine de Scala, Pierre Romano, assez estimé
comme prédicateur; un savant ecclésiastique de la Terre de
Labour, Jérôme Manfredi, qui semblait avoir reçu des dons
spéciaux pour le ministère apostolique, et deux prêtres de

Tramonti. Alphonse accueillit aussi bientôt avec empressement la demande d'un gentilhomme de Troia, nommé Sil-
vestre Tosquez, ami de Mandarini, qui, sans être encore
dans les ordres, avait déjà étudié avec succès la théologie,
et celle d'un avocat distingué de Naples, César Sportelli,
qui, fatigué du monde, aspirait à de plus larges horizons.
Enfin, un gentilhomme du nom de Vito Curzio, bizarre et
orgueilleux personnage, qui avait plusieurs fois administré
par *interim* l'île de Procida, et se caractérisait lui-même en
disant que les meilleurs instruments de sa dévotion étaient
les pistolets et les baïonnettes, vint compléter cette première
phalange d'ouvriers apostoliques. La conversion de ce dernier se fit dans des circonstances qui méritent d'être rapportées. Une nuit, pendant un séjour à Naples, il eut un
songe qui l'impressionna vivement. Il se voyait au bas d'une
haute montagne que plusieurs prêtres s'efforçaient de gravir; lui-même essayait de les suivre; mais à peine faisait-il
un pas, que le pied lui manquait, et il reculait. Ne voulant
pas céder, il revenait à la charge, glissait, et à son grand
déplaisir retombait toujours, quand enfin un des prêtres lui
tendit la main et l'aida à monter. Le lendemain matin, se
promenant avec Sportelli, dont il était l'ami, mais dont il
ignorait les projets, il lui raconta son rêve, lorsqu'au moment où tous deux passaient devant le collège des Chinois,
ils rencontrèrent Alphonse. Curzio ne le connaissait pas;
toutefois, à peine l'eut-il aperçu que, se retournant avec
émotion vers son compagnon : « Quel est ce prêtre? lui dit-il;
c'est celui qui cette nuit m'a tendu la main. » Puis, ayant
appris que c'était le fameux missionnaire dont toute la ville
s'entretenait alors, il se sentit touché par la grâce, et déclara
qu'il voulait le suivre sans embrasser le sacerdoce, dont il
se sentait indigne, mais comme simple serviteur. Il tint
parole, et devint plus tard frère lai dans la Congrégation.

C'est ainsi qu'une nouvelle famille, dont les membres atteignaient déjà le nombre des apôtres, se constituait peu à peu
autour d'Alphonse. Celui-ci, d'accord avec les Évêques

de Castellamare et de Scala, comptait, quand l'heure serait venue, réunir tous les siens dans l'une de ces deux villes pour y faire la première fondation. Les choses ne marchaient pas assez vite à son gré, et, pressé d'aboutir, il écrivait à Mgr Falcoia : « De grâce, mon père, par charité, laissez-moi « aller à Scala; je me meurs du désir de partir. Le démon « met tout en œuvre pour nous retarder; mais hâtons-nous; « il ne pourra rien contre nous, et tout réussira... » Cependant l'Évêque, soit qu'il voulût attendre l'apaisement des esprits, soit qu'il désirât s'assurer davantage de la constance du fondateur et de ses compagnons, leur recommandait de ne rien précipiter et de ne pas quitter encore la capitale. D'autre part, le supérieur de la Propagande, après avoir épuisé toutes les ressources dé la persuasion pour décider Alphonse à renoncer à ses projets, essayait au moins d'en ralentir l'exécution en l'accablant de travaux, et le chargeait presque en même temps de prêcher une retraite ecclésiastique à Sainte-Restitute, de faire des conférences populaires et de donner une mission à Sainte-Marie-des-Vierges. Alphonse s'acquittait avec zèle de ses fonctions; mais, sûr désormais de la voie où l'appelait la Providence, il s'occupait de plus en plus des préparatifs de son départ.

Afin de pouvoir plus facilement terminer ses affaires, il quitta, au mois d'août 1732, le collége des Chinois, et revint habiter dans sa famille. Une opposition plus vive et des reproches plus douloureux encore que ceux du Père Ripa l'attendaient dans cette demeure paternelle, où il avait déjà tant lutté et tant souffert. Mais l'épreuve avait changé de caractère, et pour rendre son immolation parfaite, le martyre de la tendresse allait succéder au martyre de la rigueur. Don Joseph, en effet, ne pouvait s'habituer à la pensée de se séparer, probablement pour toujours, de celui qu'il aimait et admirait maintenant avec tout l'élan de sa nature passionnée, et chaque jour il livrait au courage de son fils de nouveaux assauts. Un soir, entre autres, qu'Alphonse, accablé par la chaleur, s'était étendu sur son lit pour y prendre un peu de repos, don Joseph entra dans sa chambre en proie à une agitation fébrile, et le serrant convulsivement dans ses bras, « Mon fils, mon fils, s'écria-t-il d'une voix entrecoupée, pourquoi me quittez-vous? Je ne méritais pas ce chagrin, et n'attendais pas de vous cet abandon. » Et pendant trois longues heures il le tint ainsi embrassé, répétant toujours : « Mon fils, ne m'abandonnez pas! » La lutte fut terrible, car les deux antagonistes étaient les plus grands et plus puissants amours que connût Alphonse; et, cinquante ans après, le souvenir en était en lui si vivant encore, qu'il avouait n'avoir jamais été condamné à de plus violente tentation ni à de plus douloureux efforts. Grand spectacle qu'on ne se lasse pas d'admirer dans l'histoire des saints, et qui nous montre « les pures affections ne donnant jamais de plus belles fleurs et des fruits plus suaves que dans un cœur échauffé par l'amour de Dieu [1]. » Cependant la tendresse filiale ne put égarer Alphonse : il demeura ferme jusqu'au bout, et sortit vainqueur de l'épreuve. Seulement la crainte de voir se renouveler cette scène lui inspira la résolution de taire le jour de la séparation, et de quitter Naples secrètement, dès qu'il y serait autorisé, sans prévenir personne et sans faire d'adieux. Quels que fussent les déchirements de son âme, son sacrifice était irrévocable, en effet, et il ne pensait plus qu'à le consommer au plus tôt.

Nous sommes arrivés au terme de ce qu'il est permis d'appeler dans la vie d'Alphonse la période de préparation et d'attente. Mais, avant d'aborder l'histoire de l'œuvre qui lui a donné sa place spéciale dans l'Église et l'a rangé parmi ces fondateurs de familles saintes dont les images entourent, comme une garde d'honneur, le tombeau du prince des apôtres, nous voudrions jeter un regard sur le chemin parcouru jusqu'ici, et résumer en quelques mots la physionomie de cette première phase, qui nous apparaît avec le charme attaché à la jeunesse et l'intérêt inséparable de toute grande chose qui commence.

---

1 L'abbé Bougaud, *Histoire de la bienheureuse Marie-Marguerite.*

On l'a dit avec vérité, l'histoire d'un saint est celle d'un rayon de Dieu dans une âme, Or si, embrassant d'un coup d'œil les faits principaux des trente-cinq années que nous venons de traverser, nous recherchons quel y a été le caractère particulier, et comme la loi d'ascension de cette lumière divine, nous sommes frappés avant tout par la progression lente, mais constante, des appels et des attraits qui ont conduit Alphonse des genoux d'une mère chrétienne à la porte du cloître. Nous n'avons eu à contempler ici ni une vie d'erreurs brisée par un coup de tonnerre ou par un regard d'amour, comme celle de Paul ou de Madeleine, ni une existence où la pensée dernière de Dieu se manifeste dès l'aurore et embrase le cœur avant qu'il ait appris à se connaître, comme celle de Marguerite-Marie faisant à cinq ans, et sans en comprendre le sens, le vœu de virginité. C'est un autre plan divin, moins extraordinaire, mais non moins admirable, qui se déroule devant nous. Dieu, on l'a vu, s'est plu à faire gravir à l'âme d'Alphonse tous les degrés qui relient l'innocence d'une vie d'enfant à la perfection de la vie religieuse. Il semble qu'Il ait voulu pétrir successivement, avec la même substance, plusieurs statues vivantes, destinées à servir d'exemple aux différentes vocations chrétiennes. L'œuvre d'ailleurs se perfectionne à mesure qu'elle avance, et nous permet d'assister au spectacle sans cesse renouvelé de la grâce rencontrant la nature, luttant souvent avec elle et en triomphant toujours. Alphonse, pendant son enfance, ne se présente pas à nous sous des traits fort différents de ceux qui distinguent les rejetons des familles profondément chrétiennes. Cependant sa pureté et sa piété plus qu'ordinaires en font déjà un modèle, et laissent pressentir ce qu'il sera dans la suite, si rien ne vient arrêter son élan. Sa jeunesse fidèle et laborieuse n'est marquée d'abord, elle aussi, par aucun phénomène éclatant; mais sa ferveur dépasse encore les limites dans lesquelles se renferment ses contemporains et ses amis. Ce jeune homme, brillant dans le monde, et au premier rang du barreau, ne se rend jamais au tribunal sans avoir entendu la messe et prié longuement

à l'église, et va soigner les malades à l'hôpital revêtu de sa
robe d'avocat. A vingt-six ans, il est vrai, sa persévérance
semble fléchir un instant; mais il se relève aussitôt, et c'est
l'heure que Dieu choisit pour laisser entrevoir un dessein
extraordinaire qui, pendant dix ans, va le pousser, de sacrifice en sacrifice, jusqu'au but inconnu que la Providence lui
a assigné. C'est d'abord la résolution prise à la suite d'une
retraite de s'éloigner du monde; puis, après une année marquée dans l'histoire de sa vie intérieure par des adorations
de plus en plus prolongées devant le saint Sacrement, une
nouvelle décision d'abandonner son droit d'aînesse et de renoncer au mariage, tout en conservant sa carrière. Mais ce
n'est là qu'une étape. Quelques mois à peine s'écoulent, et
après une crise violente, un combat singulier pour ainsi
dire, une sorte de duel divin entre la grâce et lui, il s'ar-
rache aux luttes humaines, brise son avenir et quitte le
barreau. Enfin, Dieu veut achever son œuvre, et interve-
nant pour la première fois au milieu de l'éclat du miracle, il
lui demande une offrande sans limites, et lui inspire la résolution d'embrasser la vie religieuse. Cette fois, l'horizon s'est
éclairci, et le sommet où se consommera l'holocauste s'est
découvert; mais, obéissant à cette loi providentielle qui le
destinait, nous l'avons dit, à faire briller la sainteté dans
tous les états de la vie chrétienne, Alphonse se voit contraint, par la résistance passionnée de son père, à rester
encore au sein de sa famille et à entrer dans le clergé séculier. Trois ans après, il est prêtre. Cependant l'Esprit
souffle toujours, et ne cessera pas avant qu'il ait atteint le
terme où Dieu l'attend. Tout désormais converge vers cette
vie religieuse qu'il avait entrevue, et qu'à son insu peut-
être il semble poursuivre dans chacun de ses actes. Ce
sont d'abord des retraites mensuelles avec quelques amis,
dans une demeure isolée, puis l'abandon de la maison
paternelle et la vie commune au collége des Chinois. Il n'est
que pensionnaire, il est vrai; aucune règle ne l'enchaîne;
mais il partage avec joie les austérités de la Congrégation,
et en ajoute de nouvelles. D'autre part, il est lié en même

temps à la Congrégation de la Propagande, et soumis à toutes ses obligations comme à tous ses travaux.

Ainsi, d'un côté la vie commune en dehors du devoir de l'obéissance, de l'autre l'obéissance et la vie apostolique sans la vie commune; tel est le genre d'existence que se crée Alphonse. On sent désormais que les éléments du sacrifice sont tous réunis sur l'autel, et qu'une étincelle suffira pour l'allumer. L'amour des âmes délaissées sera ce feu qui descendra du ciel. Effrayé par le désert spirituel qu'il rencontre au milieu de la solitude où sa santé l'a conduit, Alphonse entend en lui-même un appel nouveau et plus précis, celui qu'entendit le père des croyants : *Sors de ta famille et de la maison de ton père, et viens au lieu que je te désignerai*[1]. Et quel est l'objectif qui lui est montré? *Parvuli petierunt panem, et non erat qui frangeret eis*[2], lui est-il dit : les petits, les méprisés de ce monde demandent du pain, et personne n'est là pour le leur rompre. Alphonse hésite, consulte, cède, et élevé par une préparation de trente ans au sommet de l'amour, va y trouver enfin le centre définitif de son activité. Dix ans auparavant, il avait déposé son épée aux pieds de Notre-Dame-de-la-Rédemption-des-Captifs; aujourd'hui Dieu le veut fondateur de la Congrégation du Très-Saint-Rédempteur, c'est-à-dire du rachat des âmes, captives elles aussi de l'ignorance ou du péché.

Combien d'âmes qui, sans être appelées à ces hauteurs, pourraient aussi, en recherchant l'action mystérieuse de Dieu en elles, suivre pas à pas à travers leur vie la marche progressive de la grâce, et y retrouver l'écho, peut-être oublié, hélas! de cette voix divine dont il serait vrai de dire, comme saint Jean du cantique des Vierges, qu'elle a la douceur du son des harpes et la puissance du bruit des grandes eaux[3]! L'idéal auquel cette voix les convie, elles ont pu le méconnaître parfois, mais il n'en est pas moins pour elles le dernier mot de la miséricorde. Y aurait-il,

---

[1] Gen., xii, 1.
[2] Jerem. Thren., iv, 4.
[3] Apoc., xiv, 2.

pour en reprendre le chemin, un moyen plus sûr que cette étude; et prosterné dans l'humilité de la reconnaissance, tout chrétien ne se relèverait-il pas ensuite plus vaillant, pour marcher vers le but?

LIVRE II

DEPUIS LA FONDATION DE LA CONGRÉGATION DU SAINT-RÉDEMPTEUR

JUSQU'A L'ÉLÉVATION D'ALPHONSE A L'ÉPISCOPAT

1732-1762

CHAPITRE I

Le 8 novembre 1732, Alphonse, muni de l'autorisation de Mᵍʳ Falcoia, et fortifié par la bénédiction des Pères Pagano et Fiorilli, sortit de Naples à cheval, et se dirigea, à l'insu de sa famille et de ses amis, vers la ville de Scala, où l'Évêque l'attendait. Cet acte était sa rupture suprême avec le monde et le triomphe définitif qui couronnait pour lui une lutte dont toutes les phases nous sont maintenant connues.

Arrivé à Scala, il y trouva réunis plusieurs de ses compagnons ; d'autres le rejoignirent quelques heures après ; le soir ils étaient au nombre de huit, et ils s'installèrent dans une maison qui leur avait été préparée. C'était un ancien couvent de religieuses qui ne contenait pas plus de trois chambres avec une salle peu spacieuse et un oratoire délabré. Pour tout mobilier, on y avait placé des paillasses à peine recouvertes et quelques pièces de vaisselle destinées à l'usage de la table et de la cuisine ; mais cette demeure, dans sa misère et sa nudité, répondait aux vœux de ses nouveaux habitants : étroite pour le corps, elle apparaissait à leurs esprits comme le port de la liberté.

Le lendemain, 9 novembre, ils se rendirent dans la cathédrale, où, après avoir chanté la messe en l'honneur du Saint-Esprit, ils choisirent solennellement pour patron spécial

6

et immédiat le chef et le modèle par excellence des missionnaires, en prenant le nom de Congrégation du Saint-Sauveur [1].

L'œuvre devait être un monument élevé à la gloire de
Dieu et de son Église; Alphonse avait été désigné pour en
être l'architecte; aussi se mit-il sans retard à en tracer le
plan. Son but, nous l'avons déjà entrevu, était de former
une réunion de prêtres menant une vie apostolique, conforme dans la mesure du possible à celle de Jésus-Christ,
c'est-à-dire humble, pauvre, détachée des choses terrestres
et entièrement dévouée aux âmes, surtout aux âmes délaissées. Ses compagnons étaient en parfaite union de pensée
avec lui; tous rivalisaient d'amour pour l'oraison et la pénitence, et le récit de leur vie intime pendant ces premiers
mois figurerait avec honneur en regard des plus illustres
exemples que nous fournissent les annales des fondations
monastiques. Ils se refusaient tout ce qui n'était pas absolument indispensable au soutien de l'existence, et leur nourriture était de si mauvaise qualité que les pauvres en
dédaignaient les restes. Complétement novice dans l'art
culinaire, Vito Curzio, qui de gouverneur de Procida était
devenu, on s'en souvient, frère servant de la Congrégation,
ne cessait, contre son gré, d'exercer leur patience, tantôt
en brûlant le potage et en le salant à l'excès, tantôt en
oubliant le levain dans la pâte ou en faisant du pain si dur,
qu'on n'arrivait à le briser qu'avec le pilon [2]. A ces mortifications inévitables, chacun ajoutait encore des pénitences
volontaires qu'une rare ferveur pouvait seule inspirer : les
uns mangeaient à genoux après avoir baisé les pieds de leurs
compagnons; les autres assaisonnaient leurs aliments de cen-
taurée ou d'absinthe; et pourtant tous ne faisaient que suivre
de loin les traces de celui qui leur avait montré le chemin.
La vie d'Alphonse, en effet, semblait dépasser les forces
humaines, et il poussait presque à l'excès ses austérités. Sa

1 Ce fut en 1749 seulement que Benoît XIV changea ce nom contre celui
du Saint-Rédempteur.
2 Rispoli, *Vita del beato Alfonso-Maria de Liguori*, part. II, cap. IV.

nourriture ordinaire consistait en une soupe épaisse dont des herbes amères, comme l'aloès et la myrrhe, étaient le principal accommodement. Le samedi, il ne mangeait que du pain et ne buvait que de l'eau. Il portait toujours un rude cilice, et crucifiait sa chair au moyen de chaînettes de fer, de petites croix armées de pointes aiguës et d'autres instruments de pénitence. Tous les jours, et souvent deux fois, il se donnait la discipline jusqu'au sang avec des cordes nouées, garnies parfois d'étoiles de fer, d'aiguilles ou de morceaux de plomb. En même temps, sentant croître avec sa soif d'immolation son amour pour la Victime suprême du tabernacle, il faisait de plus en plus de la contemplation eucharistique le centre de sa vie spirituelle, et ne cessait, peut-on dire, son adoration que lorsque ses affaires ou ses devoirs l'arrachaient de l'autel.

Mais tous ses efforts pour sa propre perfection ne faisaient pas perdre de vue à Alphonse que la sanctification des âmes était le but principal de son œuvre; aussi, dès son arrivée, se mit-il à prêcher aux fidèles de Scala deux fois par semaine, le jeudi et le samedi, et le dimanche et les jours de fête, à catéchiser les paysans d'alentour, qui affluaient alors à la ville. Il établit aussi dans la cathédrale l'usage de la méditation en commun et de la visite au saint Sacrement, suivie de ce qu'il appelait la visite à la sainte Vierge. Enfin il fonda plusieurs confréries, qui se réunissaient chaque dimanche, et dans lesquelles il groupa les différentes classes de la population. Grâce à tous ces moyens d'évangélisation, Scala fut transformé en peu de temps. Heureux débuts qui révélaient dès l'abord tout le mérite de l'œuvre.

Ce premier succès ne suffisait pas cependant au zèle d'Alphonse. Entouré de vaillants ouvriers, et poussé d'ailleurs par les instances de plusieurs Évêques[1], il songea à étendre

---

1 « L'Évêque de Caiazzo nous attend et compte les jours, écrivait-il (29 novembre 1732) à Mgr Falcoia; celui de Cassano également; à Salerne aussi on nous désire. » — « On nous propose beaucoup de fondations; mais nous sommes encore trop peu nombreux en ce moment. » (Au même, 9 février 1733.)

ses travaux dans les régions les plus voisines, et se mit à
parcourir à pied, avec ses compagnons, les villages qui
bordent la côte de la Méditerranée, prêchant et donnant partout des missions ou des retraites. Tout semblait jusque-là
réussir à souhait; mais les difficultés vaincues en apparence
s'apprêtaient à renaître, et des obstacles inattendus étaient
sur le point de surgir sous ses pas. Les oppositions du
dehors couvaient dans l'ombre et allaient servir de prétexte
aux divisions plus funestes encore du dedans.

Alphonse ne tarda pas, en effet, à recueillir l'écho des
rumeurs qu'avait soulevées à Naples la nouvelle de son départ. Mais ce qui l'impressionna le plus, ce fut d'apprendre
que les prêtres de la Propagande, croyant l'honneur de leur
congrégation menacé par la probabilité de son échec, s'efforçaient de dégager leur responsabilité, en le prétendant exclu
de leur société. Il ne crut pas devoir rester muet en face de
cette injustice, et s'en plaignit doucement au supérieur, Don
Jules Torni, qui, revenu de ses préjugés et ne doutant plus
de la vocation de son ancien disciple, lui répondit en l'assurant de toute sa sympathie; « Je n'ai pu retenir mes larmes,
lui écrivait-il [1], en lisant la lettre dans laquelle vous me
faites part des tristesses qui vous accablent. Je ne cesse de
prier le Seigneur, et j'espère qu'il vous donnera, avec la force
de souffrir tout ce que sa Providence permettra à votre
égard, une lumière de plus en plus vive pour comprendre sa
divine volonté. Quant à moi, ne pensez pas que j'aie aucun
sentiment hostile contre vous, ce que je considèrerais comme
une impiété. Au contraire. Je vous ai toujours tendrement
aimé; mais aujourd'hui je vous aime davantage encore...
Notre Congrégation ne saurait cesser de vous reconnaître
comme un de ses membres les plus dignes, et rien ne sera
fait contre vous sans une autorisation expresse de l'Archevêque, comme il en a lui-même ordonné. Soyez sûr, d'ailleurs, que tant que je serai supérieur je ne souffrirai pas qu'il
soit pris aucune mesure à votre préjudice. » Et comme Al-

[1] 20 décembre 1732.

phonse l'avait consulté sur l'organisation de sa Congrégation : « Quant à votre institut, ajoutait-il, j'espère que les
choses seront établies selon les règles que je vous ai communiquées après les avoir méditées devant Dieu. J'espère
aussi que tout sera approuvé par le Saint-Siége, afin qu'appuyée et fondée *supra firmam petram,* votre œuvre soit
durable. »

Ces promesses rassurèrent Alphonse. Mais les efforts de
son protecteur furent impuissants à calmer les membres
de la Propagande, qui, se prétendant offensés par le départ
de leur collègue, résolurent de lui retirer le bénéfice dont
on avait autrefois récompensé son zèle, et de l'expulser formellement de la société. Leurs instances auprès du supérieur furent si violentes, que, malgré ses sentiments, il dut
se résigner à les laisser placarder sur la porte de la maison
où ils se réunissaient une affiche ainsi conçue : « D'après
l'ordre de notre supérieur, un scrutin s'ouvrira, le lundi
23 février 1733, pour décider si l'on doit exclure de la Congrégation et priver de son bénéfice le frère Alphonse de Liguori.' »

Au jour fixé, la Congrégation s'assembla en effet. La
surexcitation était grande, et personne ne faisait défaut à
cette étrange réunion, sur laquelle un de ses membres
les plus éminents [1] nous a conservé quelques détails. « Elle
me parut, dit-il, une image de ce qui se passera au jugement dernier. C'était une indignation générale contre l'accusé, et je me souviens qu'un des gros bonnets (*un pezzo
grosso*) s'écria, en se tournant de notre côté : « Depuis que
je suis dans la Congrégation, je n'ai jamais voté la peine
capitale ; mais aujourd'hui je la vote, et même avec joie,
afin d'humilier cet orgueilleux. » En même temps il laissa
tomber ostensiblement la boule noire dans l'urne préparée
pour le scrutin. » Nous ignorons le nom de ce personnage,
dans lequel plusieurs ont cru reconnaître ce parent d'Alphonse,
recteur du séminaire, qui, avant son départ, l'avait si sé-

---

[1] Don Thomas Buonacquisto.

vèrement traité. Quoi qu'il en soit, la Congrégation se prononça au scrutin secret pour l'expulsion. Cependant, avant
d'exécuter la décision prise, il fallait obtenir l'autorisation
du Cardinal, et une députation lui fut envoyée à cet effet.
Mais, loin d'entrer dans ses vues, le prélat exprima sans
ménagements son mécontentement profond de ce qui venait
de s'accomplir. « Quels peuvent être vos motifs, dit-il aux
membres de la Propagande, pour vous porter à de telles
extrémités ? Ou Dieu bénira l'entreprise d'Alphonse, et ce
sera une gloire pour vous ; ou Dieu n'en voudra pas, et l'on
se bornera à dire qu'il a entrepris une bonne œuvre, et qu'il
n'a pas réussi : je ne vois pas en quoi vous serez déshonorés.
D'ailleurs, vous ne l'ignorez pas, » ajouta-t-il d'un air plus
sévère encore, « c'est moi qui suis le premier supérieur de
votre Congrégation ; or j'entends qu'Alphonse de Liguori
continue à en faire partie et à jouir de son bénéfice, et je défends de rien faire à mon insu contre lui... Il ne doit point
y avoir de punition là où il n'y a point eu de faute. » Les
paroles et l'attitude du Cardinal arrêtèrent les réclamations
sur les lèvres des envoyés. Ils se retirèrent la tête basse,
mais plus décidés que jamais à n'avoir dorénavant aucun
rapport avec Alphonse.

Les choses en étaient là, lorsqu'une nouvelle épreuve,
bien autrement cruelle, vint assaillir le saint fondateur.
L'esprit du mal, voulant étouffer au berceau la Congrégation
naissante, réussit à y semer la discorde, et dès qu'il fallut
établir définitivement les règles, en déterminant les œuvres
qu'on embrasserait, on se trouva en face de graves diver-
gences. Alphonse se proposait deux buts principaux en
créant son institut : d'une part le salut des âmes abandonnées dans les campagnes, au moyen des missions ; de l'autre
la sanctification du clergé et des personnes du monde, par
des retraites données dans les maisons de la Congrégation.
Mandarini, l'homme le plus important après lui, acceptait
ce plan, mais voulait y ajouter une troisième œuvre, la
création d'écoles pour la jeunesse. Cette proposition ne sou-
riait pas à Alphonse. Il faisait remarquer que d'autres reli-

gieux, tels que les Jésuites, les frères des Écoles pies et ceux
de la Doctrine chrétienne se vouaient déjà à l'instruction,
que les maisons de l'institut devaient être d'ailleurs établies
de préférence dans les campagnes, où il y avait peu d'enfants, et où le prêtre du lieu suffisait pour enseigner la
lecture, l'écriture et le catéchisme, qu'enfin le petit nombre
de sujets rendait impossible de mener à bien deux œuvres
aussi différentes ˙que celles des écoles et des missions.
« L'enseignement, ajoutait-il, demande une suite et une
persévérance qui rendraient impossibles les prédications lointaines auxquelles devra être consacrée la plus grande partie
de notre temps. »

Mais la discussion roulait encore sur bien d'autres points.
Plusieurs des missionnaires ne voulaient pas réciter l'office
en commun ; à d'autres, il ne convenait plus de dormir sur
la paille ; tandis que le docteur Tosquez, chez lequel l'imagination l'emportait souvent sur le jugement, se préoccupait surtout des détails extérieurs, et soutenait que le but
de l'institut étant l'imitation de Jésus-Christ, il fallait se
revêtir d'une soutane rouge foncé, avec un manteau bleu de
ciel, c'est-à-dire du costume que la tradition attribuait au
Sauveur[1]. Alphonse riait de ses illusions : « Nous sommes
de simples prêtres, disait-il, il ne nous convient pas de
nous afficher aux yeux du public en adoptant des nouveautés si étranges ; » et il condamnait de même le rêve
poursuivi par Tosquez de dépasser en pauvreté les ordres
mendiants les plus austères. Mais, si ce dépouillement absolu
ne semblait pas pratique au sage fondateur, il était loin de
vouloir laisser aux religieux le droit de posséder indivi-
duellement, ou de se soustraire à la vie commune, « mère
et protectrice de la pauvreté, » et il se refusait avec persévérance aux adoucissements réclamés par plusieurs. Il n'approuvait pas, par exemple, la substitution du matelas à

---

[1] Cette pensée avait peut-être˙été inspirée à Tosquez par la vue du
costume porté par les religieuses du Saint-Sauveur ; mais ce qui pouvait
convenir à des femmes dans l'intérieur d'un cloître eût été au moins
étrange pour des missionnaires appelés à la vie du dehors.

la couche de paille jusqu'alors en usage, et ne l'autorisait
qu'en cas de maladie. Quant aux exercices religieux, il continuait aussi, malgré les opinions contraires, à vouloir qu'ils
se fissent en commun. L'office surtout lui paraissait devoir
être dit ainsi plus parfaitement, bien qu'il demandât seulement à ce qu'il fût récité avec recueillement, sans être
chanté. Cependant chacun soutenait son avis avec acharnement, et Alphonse, de son côté, discutait et suppliait sans
résultat. Dans sa détresse, il s'adressa à ses conseillers
ordinaires, pour en obtenir une direction. Don Jules Torni
et le Père Pagano lui répondirent que ces discordes étaient
des tentations, qu'il fallait tenir bon, et se garder surtout
de vouloir fonder des écoles. La multiplicité des projets,
écrivaient-ils, empêche d'ordinaire d'en exécuter aucun, et
Mgr Falcoia, consulté à son tour, ajouta avec beaucoup
de sens : « Les Congréganistes, engagés dans deux œuvres
différentes, s'occuperont de l'une au détriment de l'autre,
et j'ignore laquelle des deux pourra réussir dans ces conditions. » Mais l'opiniâtreté persistante de Mandarini, autour
duquel se groupaient tous les opposants, finit par lasser
les amis d'Alphonse, et à de nouvelles lettres de ce dernier, le supérieur de la Propagande répondit nettement :
« Consultez-moi pour ce qui vous regarde, je serai toujours
prêt à vous satisfaire; mais ne me parlez plus de cette communauté qui n'écoute pas mes avis. Sur ce point, je suis
décidé à rester muet. » Pendant ce temps, à Scala, les
choses suivaient leur cours, et la solution se précipitait. La
division des esprits n'engendre que trop souvent, hélas ! la
désunion des cœurs. Une aussi grande divergence d'idées
entre des hommes respectables d'ailleurs, altéra bientôt
leurs relations. Peu à peu on vit un refroidissement notable
se produire entre Alphonse et ses compagnons. Mandarini,
d'autant plus tenace qu'il se savait soutenu par la majorité des missionnaires, montra de plus en plus de roideur,
et les rapports avec lui en vinrent à présenter tant de
difficultés, « que l'amour de Jésus-Christ seul, écrivait
Alphonse, pouvait les faire supporter. » La séparation,

on le sentait, devenait inévitable; enfin, au mois de mai
1733, c'est-à-dire après six mois seulement de vie commune,
la rupture fut consommée. Mandarini, qui était entré en
pourparlers avec les seigneurs de Tramonti, se transporta
dans leurs domaines, suivi de tous les missionnaires, à l'exception de Sportelli et de Vito Curzio [1], y ouvrit une maison,
y installa une école et fonda une congrégation indépen-
dante.

L'épreuve était dure. Elle fut pour Alphonse plus amère
qu'on ne saurait le décrire : il en perdit la paix et se prit à
douter de sa vocation. La pensée des railleries nouvelles
dont il allait être l'objet à Naples était pour lui une épine
de plus. Impuissant à dominer sa tristesse, et ne pouvant
supporter davantage la vue des rochers de Scala, qui écra-
saient son âme, il partit pour Castellamare. Mais une autre
déception l'y attendait, et l'accueil que lui fit Mgr Falcoia
augmenta sa douleur, au lieu de la consoler. Ce prélat, fatigué sans doute des discussions auxquelles on l'avait mêlé,
et contrarié d'un insuccès dont l'approbation donnée par lui
à l'œuvre semblait le rendre à quelque degré responsable,
reçut Alphonse froidement, et sans lui laisser le temps de
parler : « *Vultis et vos abire?* » lui dit-il avec ironie. « Dieu
n'a pas besoin de vous, en effet, Don Alphonse, ni de personne. — Monseigneur, » répondit humblement le pauvre
missionnaire, « nul n'en est plus convaincu que moi; c'est
moi, au contraire, qui ai besoin de Dieu et cherche à faire
sa volonté, et quoique seul aujourd'hui, j'espère encore
l'accomplir. » Ces paroles touchèrent l'Evêque, qui reprit avec son anciennne bienveillance : « Le Seigneur bénira
vos bonnes intentions; ayez confiance en lui. »

Alphonse revint donc à Scala; mais l'angoisse et le découragement ne tardèrent point à l'assaillir de nouveau. Heureusement, sachant reconnaître dans son trouble intérieur
les caractères de la tentation, il adopta pour la combattre

[1] Gennaro Sarnelli, retenu à Naples par ses affaires, n'avait pas encore
rejoint Alphonse, et par conséquent ne s'était pas trouvé mêlé à la controverse.

les armes qui sont propres aux saints, et un jour que l'obsession était plus violente que jamais, il fit vœu de se consacrer au salut des âmes abandonnées, dût-il à jamais demeurer seul et sans secours. Dieu bénit cet acte héroïque; le tentateur fut mis en fuite, et Alphonse retrouva la paix. Cette lutte douloureuse laissa toutefois une trace profonde dans son âme. Dans ses dernières années, il se la rappelait encore avec effroi, et disait qu'après le déchirement qu'il avait ressenti en résistant aux larmes de son père, son abandon à Scala avait été la plus affreuse de toutes ses tribulations.

Cependant quinze jours ne s'étaient pas écoulés, que déjà Mandarini, Tosquez et les autres missionnaires regrettaient leur démarche, et priaient Alphonse de se réunir à eux. « Rejoignez-nous, lui écrivait Mandarini, nous vous en supplions tous; notre bonheur sera grand, et nous n'aurons plus d'autre pensée que de rester unis dans l'amour et dans la paix de Jésus-Christ. » Toutefois comme, malgré cette tentative de rapprochement, Mandarini n'entendait pas renoncer à sa manière de voir, et prétendait encore y ramener son ancien ami, Alphonse, convaincu qu'il y allait du salut de son entreprise, demeura inflexible, et par un pénible mais courageux refus confirma lui-même la séparation.

Sur ces entrefaites, l'Archevêque de Naples exprima le désir de le voir, et l'invita à venir le trouver. Alphonse éprouvait une grande répugnance à rentrer dans la capitale, où, comme il le pressentait bien, l'avortement de ses projets avait donné beau jeu à ses adversaires. Les bruits les plus étranges y circulaient, en effet, sur son compte. On affirmait que le Pape, opposé à sa fondation, avait défendu sous des peines graves à Mgr Falcoia de continuer à le diriger, et certains prédicateurs allaient jusqu'à le citer en chaire comme un exemple des chutes qui attendent les âmes présomptueuses, trop confiantes en leurs lumières propres. Aucun de ceux qui le soutenaient autrefois n'osait plus le défendre; seul, le Père Fiorilli voyait dans ses

épreuves le cachet que Dieu imprime d'ordinaire aux
grandes choses, et pressentait pour lui un triomphe prochain. Alphonse fut donc très-mal reçu par ses parents et
ses amis. Son oncle le recteur évita de le rencontrer, et le
Père Ripa lui ferma sa porte; mais la bonté du Cardinal
devait le dédommager de toutes ces rigueurs. Dès son arrivée, il lui témoigna le plus paternel intérêt, lui exprima son
regret de le voir en butte à tant de malveillance, l'engagea
vivement à ne pas abandonner la fondation de Scala, sans
toutefois se réunir à Mandarini, et lui répéta plusieurs fois
ces fortifiantes paroles : « Confiez-vous au Seigneur, et ne
vous inquiétez pas des hommes; Dieu vous aidera. »

Mis a couvert par l'autorité de cet avis, Alphonse n'avait
plus rien à redouter; il rentra donc l'âme en paix dans sa
solitude, où il lui sembla retrouver un avant-goût du paradis. Sa famille spirituelle ne se composait plus, il est
vrai, que de deux membres, et comme il allait constamment prêcher aux alentours avec Sportelli, Vito Curzio
à lui seul formait le plus souvent toute la communauté;
mais l'espérance était plus forte que la détresse, et la
cloche que le bon frère lai ne laissait pas de sonner aux
heures accoutumées, même lorsque la maison était vide,
semblait, malgré les apparences contraires, le premier tin-
tement de la résurrection. Le moment de la seconde floraison était venu, en effet, et les vrais appelés de Dieu allaient paraître. Plusieurs prêtres du voisinage s'offrirent
pour prendre part aux missions d'Alphonse; d'autres lui
demandèrent à être reçus dans la société, et bientôt le
local se trouva trop exigu. Pour y remédier, on se transporta dans une autre maison connue sous le nom de *casa
d'Anastasio,* mais qui, hélas! n'était pas beaucoup plus
grande que la première. Elle n'offrait pour dortoirs que
quatre petites pieces fort étroites, dans chacune desquelles
quatre personnes seulement pouvaient trouver place, et
encore la chambre prenait-elle alors l'aspect d'un vaste
lit. La salle principale n'avait que dix-huit palmes de large
sur quatorze de long; on ne la transforma pas moins en

oratoire. Enfin, un souterrain de seize palmes carrés, qui ressemblait un peu à une catacombe, fut destiné à servir d'église. Alphonse y fit élever un autel, qu'il décora à l'aide de roses et d'œillets artificiels; et n'ayant pas de tabernacle, déposa le saint-Sacrement dans une sorte de coffret qu'il avait orné de son mieux avec des rubans et des draperies de soie. Malgré sa pauvreté, cet humble sanctuaire inspirait le recueillement. Le fondateur et plusieurs de ses disciples y passaient une partie des nuits en prières, s'étendant seulement, pendant quelques heures, sur la terre nue, pour y prendre le repos nécessaire à l'existence. A côté de la *casa d'Anastasio* s'ouvrait une grotte à demi effondrée; c'était là qu'Alphonse allait tous les jours se livrer à ses cruelles pénitences, et que, selon la tradition répandue parmi les habitants de Scala, il vit à diverses reprises, tandis qu'il se martyrisait ainsi lui-même, la Madone lui apparaître et combler son âme de faveurs. Lui-même, du reste, avoua dans sa vieillesse qu'il avait eu souvent, au début de sa vie religieuse, des entretiens avec la sainte Vierge, dans lesquels elle lui avait accordé, avec des conseils pour sa Congrégation, des révélations pleines de délices. La grotte de Scala se liait sans doute dans son esprit au souvenir de ces mystérieux colloques; ainsi s'expliquerait l'émotion avec laquelle il en parlait toujours : « O ma grotte, ma chère grotte, s'écriait-il souvent, que ne puis-je encore jouir de toi! » et il ne venait jamais à Scala sans la visiter. Elle était pour lui comme le cellier mystique du Cantique sacré; tout enivré des tendresses divines, tout brûlant de l'amour des âmes, il n'en sortait que pour répandre au dehors le trop-plein de son cœur. A cette époque, en effet, son activité apostolique ne lui laissait aucun repos. Ce n'était pas seulement le diocèse de Scala, mais presque toutes les régions voisines qui ressentaient les bienfaits de sa parole. Ravello, Raito, Benincasa, puis trois villages du diocèse d'Amalfi : San Lazzaro, Campoli et Pomerano, le voyaient successivement prêcher et donner des retraites au clergé. Peu après Sarnelli, qui était venu se joindre à lui, l'emmenait évangéliser, dans le diocèse de Salerne, la terre de Ciorani, dont son père était le seigneur; enfin, les instances de l'Évêque de Caiazzo l'appelaient dans cette ville au mois de janvier 1734.

L'institut ne comptait guère encore qu'un an d'existence, ou six mois seulement, si l'on prend pour point de départ la crise qui avait paru le détruire, et cependant, retrempé dans cette épreuve et fortifié par la tempête, il était déjà à la veille d'essaimer, et allait, ainsi qu'on va le voir, fonder deux nouveaux établissements, dont l'un devait être bientôt le centre principal de la Congrégation.

CHAPITRE II

La pensée de l'Évêque de Caiazzo, en appelant Alphonse, n'était pas seulement de faire prêcher dans son diocèse les missionnaires du Saint-Sauveur, mais de les y fixer d'une manière définitive. Il avait même déjà en vue pour eux une habitation qui avait autrefois servi d'asile à de pauvres ermites, et à laquelle était attenante une chapelle dédiée à la sainte Vierge : c'était la petite villa dite *degli Schiavi*, ou des esclaves, située à Formicola, dans les domaines du prince de Columbrano. Muni de l'autorisation du roi, du prince et des administrateurs de la commune, il avait invité Alphonse à venir donner une mission, avec l'intention de lui faire part de ses projets. Le Saint y accéda d'autant plus volontiers, que la situation de Formicola, entouré lui-même d'une couronne de bourgs et de hameaux, devait lui permettre de rayonner dans les quatre diocèses de Caiazzo, Capoue, Caserte et Pié di Monte. Les habitants du lieu ne se réjouirent pas moins de cette détermination ; ils se chargèrent eux-mêmes d'exécuter les réparations nécessaires pour aménager la villa, et l'on eut à cette occasion, en plein xviiie siècle, le rare spectacle de ces âges de foi où l'on voyait les seigneurs se mêler aux gens du peuple pour contribuer de leur personne à l'érection d'un sanctuaire. Alphonse, touché de ce zèle, s'associa à l'action commune, ne

voulant pas, disait-il gaiement, « laisser tout le mérite aux
autres ; » mais sa présence au milieu des travailleurs fut
signalée par une autre intervention qui, si elle n'est pas arrivée jusqu'à nous avec un ensemble de détails assez cir-
constanciés, n'en fit pas moins sur la foule une profonde
impression. Un jour, une pauvre femme qui portait des matériaux fut frappée par un moellon qui se détacha du bâtiment au moment où elle passait, et sous le poids duquel elle
s'affaissa ; on la crut blessée à mort ; mais tandis qu'Alphonse, se jetant à genoux, invoquait la sainte Vierge,
elle se releva saine, sauve et souriante, comme si rien ne
lui était arrivé. Le travail reprit avec un nouvel élan, et au
bout de quelques semaines l'œuvre était terminée. L'installation était assez médiocre, il est vrai, et les missionnaires,
chargés de desservir l'église qui restait ouverte au public, ne
recevaient pour leur entretien que le produit de quatre cha-
pellenies équivalant à un carlin [1] par personne et par jour ;
mais Alphonse ne recherchait pas l'argent, et comme sainte
Thérèse, qu'il avait prise pour patronne, et dont la tendresse
protectrice ne cessait, disait-il, de planer sur sa vie intérieure,
il ne demandait « qu'une petite maison et une cloche ».

A peine l'inauguration eut-elle été faite, que les exercices
déjà en vigueur à Scala furent établis dans la chapelle. Le
saint Sacrement fut exposé régulièrement le jeudi ; une méditation publique quotidienne et des sermons le samedi en
l'honneur de la sainte Vierge furent annoncés à tous les
fidèles ; enfin un catéchisme destiné aux petits enfants et
une confrérie d'artisans se fondèrent sans délai. Cette dernière institution surtout eut un grand succès ; elle compta
bientôt deux cents membres, qui venaient souvent de trois
à quatre milles de distance, et qui, de retour chez eux, répétaient dans les champs et sur les places publiques les enseignements qu'ils avaient reçus [2]. Si l'on ajoute à ce coup
d'œil sur l'activité intérieure des missionnaires, la perspec-

[1] Le carlin était une monnaie napolitaine valant environ 42 centimes.
[2] A la fin du siècle dernier, plusieurs d'entre eux vivaient encore et
n'avaient rien perdu de leur ferveur.

tive de tous les bourgs qu'ils évangélisaient au dehors, on aura une idée à peu près exacte de ce qu'était la maison de Formicola, quelques mois à peine après sa création. Dieu voulut, du reste, répondre par une bénédiction visible à cette effusion de vie apostolique, et de nouvelles recrues vinrent à cette époque enrichir la Congrégation.

Parmi ceux qui s'étaient occupés le plus activement de cette seconde maison, était un jeune prêtre de la ville de Regale, nommé Xavier Rossi. Sa sollicitude pour l'établissement des missionnaires, et surtout la pureté d'âme qu'il découvrait en lui charmaient Alphonse, qui ne cessait de lui répéter : « Don Xavier, c'est vous-même que Dieu demande. » Mais Rossi, tout en admirant le genre de vie des Pères, ne se sentait pas le courage de l'embrasser, lorsqu'un matin, pendant qu'il servait la messe d'Alphonse, et que celui-ci essayait d'arracher à Dieu en sa faveur la grâce de la vocation religieuse, il sentit tout à coup un attrait inconnu qui l'entraînait irrésistiblement vers la Congrégation. Toute lutte lui parut dès lors impossible, et le sacrifice achevé, il se jeta aux pieds d'Alphonse, en le conjurant de le ranger au nombre de ses disciples. Le Saint, pour l'éprouver, ajourna d'abord son admission ; mais bientôt, n'ayant plus de doute sur la maturité de sa résolution, il le reçut en qualité de novice. Une autre acquisition non moins heureuse acheva de consoler le fondateur des anciennes défections. Mazzini, retenu jusqu'alors par des conseils dont la prudence pouvait paraître excessive, rejoignit enfin son ami, qui, le connaissant de longue date, ne craignit pas de le nommer immédiatement Recteur de la maison de Formicola. Un autre compagnon des premiers jours, dont le nom nous est également connu, Michel de'Alteris, arriva à peu près en même temps. Mais l'heure qui devait en faire un des plus vaillants ouvriers de la Congrégation n'avait pas encore sonné, et son passage fut court. Son père, irrité de sa détermination, poussa la violence jusqu'à envoyer une nuit des gens armés assaillir la villa *dei Schavi*, pour se saisir de sa personne. Le novice réussit à s'évader, et s'enfuit à Caiazzo.

Toutefois, sur l'avis du Cardinal Pignatelli, et pour éviter de nouveaux conflits, il rentra bientôt chez ses parents [1].

Cependant le rayonnement de la maison de Scala, ce premier berceau de l'œuvre, ne se ralentissait pas, et le Père Sportelli, qui la dirigeait, y recevait un nombre considérable de novices. Le renom de la Congrégation commençait à s'étendre, et un troisième centre d'action, qui devait bientôt dépasser les autres en fécondité, allait s'ouvrir dans le diocèse de Salerne.

On se souvient qu'en 1733 Alphonse avait donné une mission dans les domaines du baron de Ciorani, père d'un de ses plus intimes amis. Cette mission, couronnée d'un grand succès, avait inspiré au seigneur, au curé et aux habitants du lieu le désir très-vif de voir fonder parmi eux une maison de la Congrégation. L'étude des moyens avait été faite, et André Sarnelli, le second fils du baron, avait proposé de prendre à sa charge les frais d'installation et d'assurer aux missionnaires une rente annuelle de cent ducats, à prélever sur le revenu d'une vigne qui devait constituer sa part de l'héritage paternel [2]. Alphonse, instruit de ces bonnes dispositions, accepta l'offre, et se rendit [3] en personne à Ciorani, accompagné des Pères Mazzini et Rossi. Malgré l'humilité de leur équipage, dont quatre ânes mal harnachés formaient tout le luxe, la réception fut solennelle. Le clergé et une foule considérable accourue des campagnes voisines les attendaient sur la route, et ce fut au milieu de décharges de mousqueterie, d'acclamations, de vivats, de carillons de

---

1 « Ils payeront cher leur victoire, » dit Alphonse en apprenant ce dénoûment, et peu de jours après, le frère aîné du novice était enlevé à son père, qui s'écriait au milieu de ses larmes : « J'ai ravi à Dieu un de mes fils, il m'en prend un autre à son tour. » Ce ne fut cependant que plus tard que Michel de'Alteris rentra dans la Congrégation, où il mourut en odeur de sainteté, comme le constate l'histoire de sa vie écrite et publiée peu après sa mort.

2 Cette rente devait s'élever après sa mort à 300 ducats; mais, lorsque plus tard il eut été témoin du bien opéré par les missionnaires, il la porta à 500, et, le 26 décembre 1754, il donna à Alphonse le vignoble entier qu'il avait reçu de son père.

3 Mai 1735.

fête et de cris mille fois répétés de : « *Ecco il Santo!* Voici le Saint, » qu'Alphonse, suivi de la multitude, entra dans l'église paroissiale, où il monta en chaire et prêcha pendant plus d'une heure. Puis il alla saluer le baron de Ciorani, chez lequel il devait loger, mais sans vouloir s'y arrêter encore, ni prendre aucun repos. Un grand nombre de malades des environs aspiraient à sa venue ; infatigable dans sa charité, il tint tout d'abord à les voir et à les consoler, et il ne rentra que fort tard au château.

L'habitation mise à la disposition des missionnaires par le baron traversa plusieurs phases, dont la première fut loin d'être la plus brillante. Elle ne consistait d'abord qu'en deux chambres et un souterrain destiné à servir de cuisine. Comme on y était fort à l'étroit, deux pièces furent bientôt ajoutées. Mais elles ne communiquaient point avec les autres, et l'une d'elles avait pour toute clôture quelques planches, à travers lesquelles le vent se jouait sans obstacle ; de plus, on ne tarda pas à s'apercevoir que les deux premières chambres avaient au-dessous d'elles un cabaret, et les deux nouvelles un cachot ; le vacarme était perpétuel, et les chants des buveurs ne semblaient se taire que pour laisser entendre les cris des prisonniers. Ce début, toutefois, ne rebuta personne. Trois pièces furent converties en dortoirs, et, avec l'autorisation épiscopale, la dernière servit de chapelle. Là, pendant la nuit surtout, Alphonse répandait devant Dieu les tendresses de son cœur ; là il célébrait sa messe, qui durait souvent plusieurs heures [1], au milieu des effusions et des délices dont le Seigneur le comblait. Pourtant, malgré l'austérité de ses hôtes, le baron comprit bientôt les lacunes de leur installation, et se décida à leur octroyer une construction placée à l'extrémité de son domaine, à laquelle il joignit un *moggio* de terre [2] pour servir de jardin. « Le seigneur du lieu, » écrivait Alphonse à l'un de ses frères [3], « nous comble de bon-

1 Tannoia, p. 78.
2 Environ deux tiers d'hectare.
3 Le 16 juillet 1734.

tés; il nous cède un petit bâtiment avec un jardin, et un bel emplacement pour construire une église; il nous fournit aussi la chaux, le bois et même de l'argent. » Pour compléter cette bonne fortune, la ferveur des habitants de Ciorani renouvela le spectacle dont on avait joui à Formicola. On vit des hommes de toute condition, depuis les fils du baron jusqu'aux prêtres de la ville, et même des femmes, travailler à la construction de l'église : les uns apportaient du sable; les autres taillaient des pierres ou coupaient du bois, sans qu'on pût se douter que ces ouvriers volontaires exerçaient pour la première fois souvent ces divers métiers. Une vertueuse émulation qui s'était emparée des gens de Ciorani et de ceux d'un bourg voisin acheva de hâter les travaux, auxquels les jours fériés eux-mêmes n'apportaient pas d'interruption. L'Archevêque de Salerne, les assimilant à une œuvre d'urgence, avait autorisé cette dérogation à la règle; aussi le dimanche, après la première messe, l'atelier se grossissait-il d'un renfort de maçons qui arrivaient d'un lieu distant de plus de quatre milles, appelé *la Rocca di Mater Domini*, pour apporter aux missionnaires le concours de leur dévouement.

Alphonse, qui, dès le lendemain de son arrivée à Ciorani, avait tenu à ouvrir une mission, exerçait, en attendant l'achèvement de l'édifice, son ministère dans l'église paroissiale. Les Pères y confessaient sans interruption depuis le matin jusqu'au soir, et devaient néanmoins chaque jour renvoyer au lendemain une partie de leurs pénitents. Mais cette affluence incommodant le curé, fort avancé en âge, et le privant de sommeil dès les premières heures de la matinée, ils se transportèrent bientôt dans une ancienne chapelle, dédiée à sainte Sophie, qu'ils remirent en état de servir au culte. Leurs prédications eurent en peu de temps transformé le pays, et à l'abandon des cabarets, à l'amélioration des mœurs, comme aux chants des cantiques et aux salutations pieuses qui prirent place dans les habitudes publiques, il était aisé de reconnaître qu'une influence mystérieuse et bénie planait sur la contrée.

Mais il n'est pas ici-bas de lumière sans ombre. L'étendue même de ces succès devait, on a peine à le croire, porter ombrage à plusieurs. Certains curés du pays, blessés de voir les fidèles déserter leurs églises pour se porter dans la petite chapelle des missionnaires, se liguèrent avec quelques religieux envieux des aumônes recueillies par les nouveaux venus, et ils intriguèrent tellement auprès de l'Archevêque de Salerne, que celui-ci en arriva à se demander s'il ne serait pas contraint de sacrifier la Congrégation. Toutefois, devant la régénération morale du pays qui frappait les yeux les moins bienveillants, le calme se fit peu à peu dans les esprits, et le 12 décembre 1735, l'autorité diocésaine put ordonner sans contestation l'érection définitive de la maison. L'année suivante, il est vrai, une malencontreuse proposition d'André Sarnelli, qui avait imaginé de faire contribuer tous les curés à l'entretien des missionnaires, réveilla un moment les susceptibilités ; mais elles durent bientôt, et à tout jamais, se taire devant la ferme attitude de l'Archevêque.

Alphonse profita de cet apaisement pour donner encore plus libre carrière à son zèle, et il entreprit une vaste campagne apostolique, dans laquelle il fit leur part à chacun de ses disciples, sans se ménager lui-même, on le comprend. Pendant le cours de deux années il prêcha, en effet, dans le seul diocèse de Salerne, plus de vingt-huit missions [1]. Des faits extraordinaires signalèrent plusieurs d'entre elles, et donnèrent, devant les masses, à sa parole, le prestige unique dont les manifestations surnaturelles ont toujours couronné les saints. A Saint-Georges, par exemple, il eut un ravissement assez semblable à ceux qui avaient marqué son séjour à Foggia, qui l'enleva à plusieurs palmes de hauteur, et du_

---

[1] Durant l'hiver de 1736 à 1737, il visita successivement Bracigliano, Turiello, Serino, Sala, Canale, S. Biagio, S. Agata, Ribottoli, S. Lucia, S. Michele, Solofra (ville de plus de 6,000 âmes) ; à l'automne suivant, Saragnano, la Penta, la terre des Langusi, Antessano, Calvanico, Carpineti, S. Nicola, Settefichi, etc. ; en 1737, S. Angelo, Torchiato, Pandoli, Carifi, Acigliano, etc. ; enfin, en janvier 1738, Forino, la Contrada, la Penta, S. Giorgio, etc.

rant lequel un rayon, s'élançant, pour ainsi dire, d'une statue de la sainte Vierge placée en face de lui, vint illuminer son visage. A Torchiato, dans une retraite donnée au clergé, la justice de Dieu éclata d'une manière terrible. Alphonse, après avoir insisté sur la gravité du péché commis par le prêtre, qui, disait-il, agissant avec plus de lumière et plus d'ingratitude, ne mérite ni miséricorde ni pitié, terminait son discours par ces paroles de saint Jean Chrysostome : *In sacerdotio peccasti, periisti,* lorsqu'un des auditeurs s'écria assez haut pour être entendu de tous : *Nego consequentiam,* « Je nie la conséquence. » Le silence seul répondit à ce cri d'orgueil ; mais le lendemain matin, au moment où le malheureux prêtre commençait le psaume *Judica me, Deus,* il tombait mort au pied de l'autél.

Ces interventions divines, dont le caractère, tantôt consolant, tantôt redoutable, n'en était pas moins toujours saisissant pour ceux qui en étaient témoins, multipliaient autour du Saint des prodiges d'une autre nature. Partout où il prêchait, les conversions étaient innombrables, et la vie chrétienne refleurissait comme en ses plus beaux jours, à ce point qu'il était des contrées où, d'après le témoignage de Tannoia, on n'aurait pas trouvé après son passage une maison dans laquelle le Rosaire ne fût récité en famille.

Mais Salerne ne profita pas seul de la fécondité précoce de la maison de Ciorani. Deux diocèses qui avaient des droits particuliers sur le cœur d'Alphonse, celui de Castellamare, dont l'Évêque, Mgr Falcoia, avait été le bouclier de l'œuvre naissante, et celui de la Cava, gouverné alors par un oncle du Saint [1], participèrent dès cette époque à ses bienfaits. A Castellamare, petite ville màritime où la pratique du commerce était accompagnée de graves abus, des restitutions considérables furent effectuées, et certaines superstitions magiques, sur lesquelles les détails nous manquent, et qui se mêlaient à la licence des mœurs, cessèrent d'avoir cours. Dans le diocèse de la Cava, ce fut une de ces

1 Mgr de Liguori.

floraisons mystiques dont nous avons déjà parlé, que l'on vit germer sous les pas de l'apôtre. A Sainte-Lucie et à Priati, sa parole sut faire briller de si vives couleurs la couronne angélique de la virginité, que plus de cinquante jeunes filles, dont un grand nombre étaient déjà fiancées, et dont l'une devait se marier le soir même, se coupèrent les cheveux et ne voulurent plus entendre parler d'union terrestre.

Mais il nous semble utile, avant de poursuivre ce récit, d'exposer avec quelque détail en quoi consistaient d'ordinaire des exercices auxquels on devait déjà des succès si éclatants.

CHAPITRE III

Dans l'étude approfondie qu'il avait faite de l'œuvre des missions, Alphonse avait été frappé avant tout d'un danger trop fréquent, et qu'il fallait s'efforcer à tout prix d'éviter : c'était celui de n'obtenir qu'un simple accès de ferveur passagère, ou, comme il le disait, *un feu de paille*. Pour le prévenir, il n'est aucun moyen qu'il n'employât; mais celui qui lui sembla indiqué tout d'abord était de prolonger les exercices plus qu'on ne le faisait d'ordinaire, sans se fixer à l'avance de limite infranchissable, et en se réglant seulement sur les besoins de la population. Il lui arrivait donc souvent de passer quinze jours dans un bourg, vingt ou trente dans une ville, et de donner jusqu'à trois missions à la fois, si l'église était trop petite pour contenir les fidèles. A côté de cette première loi, il s'en était imposé une seconde non moins absolue : celle de ne rien demander ni rien accepter pendant ses courses apostoliques, pour lui ou pour les siens. Son motif était de ne pas risquer de compromettre le bien qu'il voulait accomplir, en indisposant le pays par la nécessité de subvenir à l'entretien des missionnaires; il se contentait donc des modiques honoraires de sa messe, c'est-à-dire d'un carlin [1], sollicitant à peine du curé un coin dans la

[1] Environ 42 centimes.

sacristie, ou au plus un morceau de pain; et si une détresse excessive l'obligeait à recourir à la charité, il ne s'adressait qu'à l'Évêque ou à des personnes riches des environs. Tous les exercices étaient en outre ordonnés d'avance avec une sagesse parfaite, et les détails extérieurs eux-mêmes réglés avec le plus grand soin. Ainsi, pour entourer dès le début la mission de prestige aux yeux de la population, Alphonse voulait que la réception des prédicateurs se fît avec une grande solennité. Le clergé allait au-devant d'eux jusqu'aux portes de la ville ou aux limites du territoire, et les cloches sonnaient à toute volée. Arrivé sur la place publique, Alphonse adressait à la foule une courte allocution, se rendait avec elle à l'église pour adorer le saint Sacrement, montait en chaire, et cherchait tout d'abord à attirer l'attention des assistants sur la nouvelle miséricorde dont Dieu allait user à leur égard; puis, pour entretenir cette impression salutaire, plusieurs des Pères parcouraient, pendant la soirée, les rues et les quartiers les plus fréquentés, portant de grands crucifix, et jetant au milieu du peuple des sentences frappantes, qu'ils appelaient pittoresquement des *svegliarini,* ou réveils [1]. Le lendemain s'ouvraient les exercices réguliers de la mission.

Toutes les journées commençaient par un sermon trèsmatinal destiné aux ouvriers que réclamaient les travaux des champs. Aussitôt après, les Pères se rendaient au confessional; les uns entendaient les hommes, les autres les femmes, et tous restaient pendant sept heures à la disposition des âmes, auxquelles ils devaient encore consacrer deux autres heures dans la soirée. Après vêpres, les femmes se réunissaient pour réciter le rosaire en italien [2]; un des missionnaires assistait à cette prière, énumérait les indulgences qui y sont attachées, en expliquait les différents mystères,

---

[1] Cette pratique se renouvelait pendant les deux jours suivants.

[2] Alphonse tenait beaucoup à ce que dans les églises on ne récitât pas le rosaire en latin, comme c'était l'usage, mais en langue vulgaire, afin que les fidèles pussent mieux comprendre ce qu'ils disaient et se familiariser avec cette sainte pratique.

et insistait sur l'utilité d'en introduire l'usage dans l'intérieur des familles. Le rosaire terminé, tout l'auditoire se rassemblait, et un autre Père, chargé de l'instruction catéchétique, exposait les différents ordres de devoirs, s'attachait à montrer les occasions dans lesquelles le prochain pouvait être offensé, recommandait certaines pratiques de piété auxquelles il conseillait aux parents d'habituer à leur tour leurs enfants ou établissait les conditions d'une bonne confession, et, s'étendant sur le malheur de ceux qui profanent le sacrement de pénitence, citait des exemples de châtiments infligés par Dieu au sacrilège. Le peuple chantait ensuite des cantiques dont presque toujours le Saint était lui-même l'auteur [1], et qui étaient suivis du grand sermon du soir [2], réservé en général au chef de la mission. Même pour ce discours solennel, Alphonse n'aimait ni les chaires ni les hautes estrades qui le contraignaient à élever trop la

---

[1] Ces cantiques, recueillis et publiés pour la première fois en 1745, étaient déjà, en 1769, à leur septième édition. Ils sont très-nombreux, et on ne peut les lire sans être touché de la foi naïve qu'ils expriment. Alphonse les chantait souvent lui-même à l'église. Un de ces cantiques, composé en l'honneur de l'enfant Jésus, et commençant par ces mots : *Tu scendi dalle stelle*, donna lieu à un curieux incident que raconte le cardinal Villecourt (T. IV, p. 226). Le saint avait écrit ce cantique au milieu d'une mission. Son hôte, don Michel Zambadelli, lui en demanda une copie qui lui fut refusée ; mais il ne se le tint pas pour dit, et, pénétrant dans la chambre d'Alphonse pendant son absence, s'empara lui-même du trésor qu'il ambitionnait. Le soir du jour où ce larcin avait été accompli, Alphonse voulut chanter son cantique ; mais la mémoire lui fit défaut. Se tournant alors vers le clerc qui l'assistait : « Allez demander à don Michel Zambadelli, qui est dans le chœur, lui dit-il, de m'apporter la copie de mon cantique qu'il a dans sa poche, afin que je puisse continuer. » Le clerc s'acquitta de sa mission ; toutefois, avant son retour, le saint avait retrouvé ses souvenirs. Quant à son hôte, il se garda bien de bouger, et, rentré chez lui, il ne se pressa pas davantage de paraître ; mais Alphonse le fit appeler, le gronda en riant de son abus de confiance et lui déclara qu'il allait entamer contre lui un procès pour vol de propriété littéraire.

[2] Les enfants ne devaient pas y assister, car ils n'auraient pu que distraire les auditeurs ; mais, réunis dans d'autres chapelles, les garçons et les filles séparément, ils avaient leurs exercices particuliers. Alphonse considérait cette œuvre comme des plus importantes, et y destinait toujours ses meilleurs ouvriers.

voix, et d'où il ne pouvait gouverner que difficilement les impressions du public : il s'asseyait d'ordinaire sur un siége assez bas, près duquel il faisait placer une statue de Notre-Dame des Sept-Douleurs. Ces sermons du soir étaient consacrés pendant les premiers jours aux sujets les plus propres à vaincre la résistance de l'auditoire. L'un d'entre eux roulait invariablement sur la nécessité et l'efficacité de la prière : c'était là, selon le Saint, un sujet indispensable à traiter, et que tout missionnaire devait se garder d'omettre. « Jésus-Christ, disait-il, a placé le salut dans la prière : pas de grâce sans elle. Si les fidèles n'en sont pas convaincus, ils n'y prendront pas goût, et se contenteront de formules qu'ils ne comprendront pas si elles sont en latin, ou qu'ils réciteront machinalement si elles sont en italien. » Là ne se bornait pas, du reste, sa sollicitude pour l'enseignement de la prière au peuple, et à la fin de chacun de ses discours il renouvelait ses recommandations, auxquelles il joignait des conseils pratiques sur le mode d'invoquer le secours divin dans les tentations et les périls. L'amour de Jésus-Christ pour les hommes, et leur ingratitude envers lui, était encore un de ses sujets de prédilection, un de ceux qu'il jugeait important de développer devant les fidèles dès le début. La conviction douloureuse de l'insensibilité des âmes devant les tendresses du Sauveur était d'ailleurs si profonde en lui, et il en présentait le tableau sous une forme si vivante, qu'il était rare que ce discours ne fût pas marqué par des triomphes de la grâce, et que des larmes ne vinssent pas trahir l'émotion générale. Enfin, le troisième ou le quatrième jour des exercices, à l'issue du sermon, et après que les femmes s'étaient retirées, on éteignait les lumières, et les hommes se donnaient la discipline. Pendant ce temps un des Pères, faisant le résumé du discours, s'efforçait d'éveiller dans les consciences la douleur du péché et le désir de l'expiation.

Dès que la grâce semblait avoir pénétré les cœurs, et qu'Alphonse jugeait l'auditoire suffisamment ébranlé, il remplaçait le sermon du soir par une instruction familière sur la pratique de la vie chrétienne, pendant laquelle il expliquait tour à tour la manière d'entendre la messe et de faire l'oraison mentale; puis il consacrait une demi-heure à méditer sur la Passion. L'expression de sa pensée devenait alors de plus en plus brûlante, et bien des âmes, embrasées d'amour à sa voix, se sentaient dès lors prêtes à tous les sacrifices. Quant aux natures plus rebelles, il essayait d'agir sur elles en faisant exposer aux regards un grand tableau qu'il avait peint lui-même, et qui représentait Jésus-Christ mort sur la croix, couvert de blessures et de sang. Ce genre d'exercice se prolongeait jusqu'à ce que la population tout entière eût eu le temps de se régénérer par la pénitence.

Trois jours avant la fin de la mission, les sermons reprenaient leur cours. Il s'agissait alors beaucoup moins de conversions à décider que de résolutions à traduire en actes; aussi d'ordinaire s'appliquait-on surtout à appeler l'attention sur l'offense faite à Dieu par le blasphème et par les querelles intestines. Alphonse exhortait les assistants au pardon des injures, et les engageait à se prosterner tous successivement au pied du crucifix, en renonçant à la vengeance et en pardonnant à leurs ennemis. Ce discours était, du reste, le moindre de ses efforts pour conquérir ce qu'il considérait comme l'un des biens les plus précieux : la paix et l'union entre les citoyens d'une même ville. Pour lui, une mission avait échoué quand elle laissait des rivalités debout. « Péchés et partis, disait-il, sont une même chose [1]. » Aussi ne négligeait-il rien pour rétablir la concorde entre les individus et les familles, surtout quand elle avait été troublée par des meurtres, trop fréquents, hélas! à cette époque. Deux Pères étaient spécialement chargés par lui de travailler à cette œuvre de miséricorde, et lui-même ne se donnait pas de repos avant que toutes les inimitiés n'eussent disparu.

Le nombre des missionnaires, toujours en rapport avec le

---

[1] On comprend qu'il ne s'agit pas ici de partis politiques constitués, mais de ceux qui pouvaient diviser alors les petites villes du royaume de Naples, c'est-à-dire des haines plutôt que des opinions.

chiffre de la population [1], leur permettait d'ailleurs de suffire à tous les besoins des consciences, et de ne renvoyer aucun de ceux qui, vers la fin de la mission, se présentaient en foule au tribunal de la pénitence. C'était même un principe très-arrêté chez Alphonse, que tous les fidèles devaient s'adresser aux missionnaires, et, dès son arrivée, il priait les prêtres du lieu de vouloir bien s'abstenir de paraître au confessionnal, afin, leur disait-il, de donner à ceux qui par fausse honte auraient pu faire des confessions sacriléges une occasion de les réparer, et de laisser aux femmes en particulier une liberté qu'un grand nombre d'entre elles craindraient de prendre, si leur directeur ne renonçait de lui-même à ses fonctions. Néanmoins il lui arrivait souvent de réclamer le concours du clergé paroissial au moment de la clôture de la mission, lorsqu'il avait lieu de supposer que tout le peuple s'était déjà réconcilié avec Dieu.

Il ne laissait personne s'approcher de la sainte table avant les communions générales, qui terminaient les exercices, et dans lesquelles régnait aussi beaucoup d'ordre et de méthode. Celle des enfants âgés de moins de quatorze ans avait lieu la première; puis celle des veuves et des jeunes filles, pour lesquelles, pendant trois jours consécutifs, des instructions avaient été faites, dans une chapelle particulière, sur le prix de la chasteté; puis encore celle des femmes mariées, qui était précédée du baiser de paix. — Celles-ci avaient entendu, également dans un lieu séparé, une conférence sur les devoirs de l'état conjugal. — Enfin venait la communion des hommes, fixée en général à un jour de fête, et précédée aussi du baiser de réconciliation. Ces différentes cérémonies, qui produisaient toujours un grand effet sur les populations, étaient accompagnées du son de l'orgue et des cloches; les Pères y assistaient, et suggéraient tout haut aux fidèles des sentiments de piété. Le soir du jour de leur communion, les hommes restaient dans l'église après

---

[1] Lorsque, dans la suite, l'œuvre eut atteint un plus grand développement, on vit Alphonse emmener avec lui dans les villes importantes jusqu'à quinze ou vingt missionnaires.

le sermon, et l'un des missionnaires, profitant de leurs dispositions ferventes, leur peignait sous les couleurs les plus vives quelques-uns des vices qui pouvaient menacer leur persévérance, tels que l'ivrognerie, l'impureté, l'amour du jeu, leur en montrait les lamentables effets, et concluait en leur donnant des conseils pour s'en préserver à à l'avenir.

La mission se fermait avec autant de solennité qu'elle s'était ouverte. C'était encore, autant que possible, un jour férié qu'on choisissait pour la clôture, afin que les fidèles pussent y assister plus facilement. Tout alors prenait un air de fête. La *Mater Dolorosa* placée près de la chaire avait disparu; une Vierge parée de riches habits occupait sa place; le saint Sacrement, précédé du clergé et des confréries, était porté en procession à l'entrée de l'église, et, pendant que toutes les cloches se mettaient joyeusement en branle, le lieu où s'était fait la mission et les campagnes voisines recevaient une triple et solennelle bénédiction; puis on ramenait le saint Sacrement à l'autel, et l'on récitait les prières en usage pour gagner les indulgences. Enfin Alphonse, prenant une dernière fois la parole, exposait les moyens de conserver la grâce, et faisait ses dernières recommandations. Le résumé de ces conseils était toujours l'usage assidu des sacrements. Réagissant avec une infatigable persévérance contre les tendances rigoristes de l'époque, il engageait les fidèles à se confesser et à communier tous les huit jours, et insistait sans relâche sur les dispositions nécessaires pour le faire avec fruit. Il ajoutait que les âmes pieuses et exemptes de péchés véniels volontaires devaient communier deux ou trois fois par semaine. « La confession et la communion sont la source de toute vie spirituelle; devant elles, les tentations passent et les passions tombent; sans elles, on s'affaiblit et on se brise, » telle était la pensée qu'il aimait à répéter et à laisser, comme une sorte de testament mystique, dans les divers lieux qu'il quittait.

Pour rattacher aussi le souvenir des **grâces** reçues pendant la mission à celui de la Passion, c'est-à-dire de la source unique de ces grâces, Alphonse ne s'éloignait jamais sans avoir fait élever un calvaire à peu de distance des habitations. Il tenait à présider et à prendre part lui-même à son érection, et partait de l'église avec quatre de ses compagnons, chargés chacun d'une des cinq croix qu'il avait l'habitude de planter en l'honneur des cinq mystères douloureux de la vie de Jésus-Christ. Il ne se considérait pas, du reste, comme accomplissant en cela une vaine cérémonie; mais, uni intérieurement au Sauveur marchant au supplice, il tenait à se réserver la croix la plus lourde : un jour même [1], le fardeau était si accablant qu'il eut l'épaule gauche meurtrie, et il lui en resta pendant longtemps une plaie douloureuse. Mais ce calvaire n'était pas le seul souvenir qu'Alphonse laissât de son passage, et plusieurs pieuses coutumes demeuraient après lui pour entretenir la ferveur des habitants. La principale était la méditation faite en commun, le matin, dans chaque paroisse; elle portait ou sur la Passion ou sur une des grandes vérités du christianisme, et le sujet en était proposé à haute voix aux fidèles par un prêtre, pendant la messe. Alphonse recommandait aussi aux curés de réunir une seconde fois leurs paroissiens, le soir à l'*Ave Maria*, pour leur faire faire tous ensemble une visite au saint Sacrement et à la sainte Vierge; car, disait-il, « si Jésus-Christ est la source de toutes les grâces, Marie en est le canal. » Cet usage se maintint longtemps dans le royaume de Naples : bien des années encore après lui, il n'y avait point d'église qui ne l'eût conservé, et presque aucun fidèle n'y manquait [2]. Il demandait également que tous les jeudis, une heure après l'*Ave Maria*, les cloches sonnassent à grande volée, et que chacun, illuminant ses fenêtres, se souvînt avec joie du don immense que Jésus-Christ avait fait au monde en lui laissant l'Eucharistie; il engageait à réciter alors cinq *Pater,* cinq *Ave,* et cinq *Gloria* à cette intention, les yeux tournés

[1] A Caposele.
[2] Tannoia, p. 232.

vers le lieu où reposait le saint Sacrement. Enfin, considérant les congrégations comme un des meilleurs moyens
d'alimenter la piété, Alphonse n'abandonnait jamais un lieu
avant d'en avoir établi une pour les personnes nobles, et
une autre pour les artisans. Il n'exigeait d'eux ni costume
particulier ni aumône spéciale, mais leur prescrivait l'éloignement des plaisirs dangereux, la visite au saint Sacrement, la récitation du Rosaire et la communion fréquente.
Ces confréries, confiées à des prêtres zélés, qui devaient
tous les dimanches entendre les confessions des associés et
leur donner des instructions, réussissaient fort bien d'ordinaire. Celle des artisans comptait parfois à elle seule jusqu'à
cent ou cent cinquante membres, dont plusieurs s'élevaient
souvent jusqu'à la sainteté. Une troisième congrégation était
érigée pour les jeunes filles, et remise entre les mains d'un
ecclésiastique d'âge et d'expérience qui, tous les huit jours,
leur faisait une conférence sur les vertus chrétiennes, et en
particulier sur celle qu'on pouvait appeler la vertu chérie
d'Alphonse, la chasteté. La communion fréquente était aussi
une des règles de cette association, et « le vin qui fait germer les vierges », achevant ce que la parole humaine seule
ne peut produire, développait parmi elles de nombreuses
vocations.

Mais le but d'Alphonse n'était pas de jeter en terre un
grain de froment et de l'abandonner ensuite aux intempéries
des saisons; il voulait l'arroser et le faire croître jusqu'à ce
qu'il fût devenu un grand arbre; aussi, pour produire ce
qu'il appelait un *rinnovamento di spirito,* c'est-à-dire un
renouvellement de ferveur, retournait-il plusieurs mois
après dans le pays où avait eu lieu la mission. Il avait coutume d'exposer alors la parabole des talents, et en prenait
occasion pour montrer la sévérité de Dieu envers les con-
tempteurs de ses grâces, les châtiments temporels et éternels
réservés au défaut de persévérance, la difficulté d'obtenir de
nouvelles lumières, et, d'autre part, les récompenses destinées à ceux qui sont demeurés fidèles. Ces missions supplé-
mentaires, inconnues jusque-là et entreprises d'abord à titre

d'essai, furent si fécondes en résultats, qu'elles prirent place
bientôt parmi les règles générales de l'institut. Tel était,
autant qu'il nous est permis d'en juger par les détails qui
nous sont parvenus, le plan adopté par Alphonse pour féconder
ses travaux; mais un dernier regard jeté sur la physionomie
particulière de son apostolat ne sera pas inutile pour
rendre ce tableau moins imparfait.

L'austérité presque excessive du saint vis-à-vis de lui-
même ne lui avait rien ôté du charme extraordinaire dont
nous parlent tous les récits du temps. « Il était toujours
gracieux et souriant, écrit un de ses historiens [1]; il avait du
miel sur les lèvres...; ses belles manières gagnaient tous les
cœurs. » — « Personne, dit un autre [2], n'était plus aimable
que lui. La bonne grâce assaisonnait ses discours. » Dieu se
plaisait, du reste, à joindre à ces dons de la nature les
grâces surnaturelles les plus rares. Au confessionnal, il lisait
dans les consciences; et nous verrons souvent les malades
qu'il visitait guéris par son ombre, par le contact de ses
habits, ou par un signe de croix. Quant à sa parole, bien qu'il
eût abdiqué depuis longtemps tout désir de succès humain
et renoncé à tout effet oratoire dirigé vers ce but, elle n'en
vibrait pas moins jusqu'au fond des âmes. Il exposait son
sujet sans aucune recherche d'éloquence, mais avec une
élégance instinctive; ses développements étaient pleins de
clarté et de précision; enfin, sa voix douce et sonore se prêtait merveilleusement à sa préoccupation constante de faire
dominer aux yeux de tous le caractère miséricordieux de la
doctrine chrétienne. Jamais il ne cessa, en effet, dans les
instructions qu'il donnait à ses missionnaires et dans la direction qu'il cherchait à imprimer à la piété des fidèles, de
combattre le système d'intimidation employé trop souvent
par les prédicateurs de son temps pour impressionner leurs
auditeurs. Il n'autorisait ni embrasement d'étoupes sur l'estrade pour représenter la vanité du monde, ni malédictions,

[1] Tannoia.
[2] Villecourt, *Vie et Institut de saint Alphonse-Marie de Liguori*, t. **VI**,
p. 15.

ni menaces d'excommunication, ni étoles jetées au milieu du peuple par démonstration affectée d'humilité, toutes choses, selon lui, propres à effrayer sans convertir. Il permettait seulement qu'à l'occasion du sermon sur la mort on exposât un crâne à la vue du peuple, et que pendant le discours sur l'enfer on promenât dans l'église l'image d'une âme damnée entourée de démons : pratiques sans doute encore fort dissemblables des nôtres, mais impossibles à juger sans tenir compte des tendances d'esprit des populations méridionales, chez lesquelles on n'obtient qu'un résultat imparfait si, se bornant à s'adresser à l'intelligence, on oublie la puissance exagérée souvent de l'imagination. Il blâmait également l'habitude propre à certains missionnaires de se flageller avec ostentation dans l'église, et ne voyait dans cet usage qu'une tentation d'orgueil pour l'orateur et une occasion d'émotions nerveuses pour le peuple, qui se précipitait souvent sur lui, afin d'arracher le fouet de ses mains. « On plaint le missionnaire, disait-il, et on ne déteste pas le péché. » Quelquefois pourtant il se frappait avec une grosse corde ; mais alors ce n'était pas pour exciter la compassion du public ; c'était pour expier réellement devant Dieu ses péchés et ceux de ses frères ; et s'il autorisait les siens à en faire autant, il voulait que l'esprit de pénitence fût aussi le seul mobile de leur conduite.

Ce que la terreur ne lui semblait pas devoir produire, la confiance dans la sainte Vierge lui paraissait au contraire destinée à l'opérer. Trop souvent absente à cette époque des prédications populaires, cette dévotion, si bien faite pour remplacer la crainte par l'espoir, n'eut pas de plus ardent propagateur. « Les novateurs, disait-il, attaquent la dévotion à Marie comme faisant injure au Seigneur, nient sa puissance et repoussent son intercession ; il importe d'autant plus que pour le bien des peuples nous fassions ressortir son pouvoir, et prouvions en même temps que Dieu se plaît à la voir recueillir nos hommages. » Il ne cessait donc de répéter, ce qu'il écrivit maintes fois dans ses ouvrages, en le démontrant par l'autorité des Pères, qu'une

8

âme tendrement attachée à la sainte Vierge ne saurait se
perdre, soit parce qu'elle obtiendra par elle les grâces nécessaires pour son salut, soit parce qu'on ne peut aimer la
Mère sans aimer le Fils; et sa confiance exerçait un tel ascendant sur ses auditeurs, que les pécheurs les plus désespérés
reprenaient courage en l'entendant.

Devant cet assemblage si remarquable de sagesse et de
zèle, et en face des fruits merveilleux produits par ses travaux, on comprend les instances dont Alphonse était l'objet
de la part des Évêques du royaume. Ils ne négligeaient rien
pour l'attirer, et recommandaient aux curés des lieux où se
donnaient les missions de l'entourer partout d'égards et de
respect. Les prêtres fervents acceptaient cet ordre avec joie
et se hâtaient de s'y conformer; mais les tièdes, et il n'y en
avait que trop, craignant de trouver en lui un censeur de
leur conduite, lui faisaient souvent un très-médiocre accueil.
Nous devons cependant à la vérité d'ajouter que l'attitude
d'Alphonse parvenait presque toujours à dissiper leurs préventions et à triompher de leurs résistances. Ils étaient,
du reste, eux-mêmes de la part du Saint l'objet des prévenances les plus délicates, et leur conversion ou leur perfectionnement était un des buts qu'il poursuivait partout
avec le plus d'ardeur. « Un ecclésiastique converti, disait-
il, procure plus de gloire à Dieu que cent laïques; car ce
que peut le prêtre, le séculier, fût-il un saint, ne peut
l'accomplir. Un ou deux prêtres ramenés à la ferveur suffisent pour sanctifier toute une population. » Aussi, lorsque pendant une mission un ecclésiastique se présentait
pour se confesser, suspendait-il en sa faveur toutes ses occupations; et il recommandait à ses disciples d'en faire autant. Il avait également pour habitude de réunir en un lieu
séparé les prêtres et les religieux qui étaient venus l'entendre, et de leur donner lui-même une retraite; enfin, s'il
en trouvait les éléments, il établissait des conférences ecclésiastiques dans lesquelles plusieurs cas de morale étaient
discutés chaque semaine. Les Évêques encourageaient toujours ces réunions, dans lesquelles ils voyaient, avec un

moyen puissant d'instruction, un stimulant précieux pour ceux qui en avaient besoin ; et, Dieu joignant ses bénédictions aux efforts de son ministre, presque partout où le Saint passait, une réforme sérieuse s'opérait dans le clergé.

Hélas ! la terre est ainsi faite que le bien y trouve dans son intensité même la cause des contradictions qu'il subit. L'œuvre d'Alphonse avait déjà passé par cette épreuve que l'histoire de l'Église pourrait nous permettre d'appeler la condition nécessaire du succès ; mais la lutte était la loi providentielle de sa vie ; nous sommes loin encore d'en avoir épuisé toutes les phases, et il est temps pour nous d'en reprendre sans plus tarder l'intéressant récit.

CHAPITRE IV

Accusations, calomnies et violences. — Abandon de la villa des Esclaves et de l'établissement de Scala. — Développement de l'œuvre des retraites. — Construction à Ciorani d'un nouveau bâtiment. — Don Joseph de Liguor se met sous la direction de son fils.

La présence des missionnaires dans le diocèse de Caiazzo gênait et indisposait vivement un certain nombre d'individus aux mœurs suspectes, parmi lesquels se trouvait un malheureux prêtre qui, traversé dans de coupables desseins, avait juré de détruire le couvent de Formicola, et qui, pour arriver à ce but, déblatérait, sous prétexte de défendre les intérêts de ses confrères, contre des étrangers venus, disait-il, pour accaparer les messes et les bénéfices, et priver ainsi de ses moyens d'existence le clergé diocésain. Rien n'était moins fondé que cette accusation, puisque le revenu total de la maison montait à quatre carlins par jour ; néanmoins le grief était bien trouvé ; il fit son chemin. Les cupidités s'éveillèrent, les esprits s'émurent ; on représenta bientôt les missionnaires comme des hypocrites avides, qui prêchaient d'une façon et vivaient d'une autre ; enfin, on eut l'effronterie de formuler contre la conduite d'Alphonse les plus atroces calomnies, et de payer pour les soutenir devant la justice une femme dont l'impudence alla jusqu'à montrer des cadeaux que le Père, disait-elle, lui avait donnés. Ces outrages dépassaient la mesure et appelaient une réparation ; aussi les missionnaires crurent-ils devoir recourir à la protection du prince de Columbrano. Mais ils furent trompés dans leur attente. Ce seigneur, prévenu contre eux, les accueillit le mépris à la bouche : « Encore ces sales ermites ! » s'écria-t-il dès qu'il les aperçut ; et il n'eut rien de plus pressé que de les congédier.

Encouragés par le succès, les adversaires de la Congrégation en vinrent promptement à la force brutale. Un matin, au moment où il allait sonner l'*Angelus*, le frère servant fut assailli dans l'église par une troupe de misérables que conduisait un des membres de la fabrique, dépouillé de ses clefs, accablé d'injures, et renvoyé au couvent. Les agresseurs fermèrent ensuite les portes, montèrent au clocher avec des armes à feu, et, menaçant de là ceux qui voulaient approcher, soumirent la maison à une sorte de blocus. Devant de telles violences, facilitées à la fois par les préventions du seigneur et par la faiblesse des magistrats, le séjour des Pères à Formicola n'était plus possible, et les amis d'Alphonse lui conseillèrent d'abandonner cette résidence. Il se résigna, non sans effort, à donner l'ordre du départ, et dans la nuit du 10 juin 1737, au milieu du deuil de tous les honnêtes gens, les missionnaires, secouant la poussière de leurs souliers, quittèrent la villa des Esclaves, et se rendirent à Caiazzo, où l'Évêque les reçut en pleurant. Ces larmes du pasteur pourraient passer pour prophétiques, car la justice de Dieu ne tarda pas à sévir contre les brebis égarées du troupeau. Tous ceux qui avaient pris part à la calomnie parurent frappés de la malédiction divine. Plusieurs moururent de mort subite ; d'autres, en proie au désespoir ; la femme qui avait soutenu avec serment l'odieuse accusation portée contre Alphonse eut la langue dévorée par un mal horrible ; et bien qu'elle se fût confessée et rétractée publiquement, elle ne put recevoir avant de mourir la sainte communion. Quant au malheureux prêtre instigateur de la persécution, après avoir vu, sans comprendre cet avertissement du Ciel, le jour même du départ des missionnaires, la foudre tomber dans sa chambre et à côté de lui, il finit par être interdit à cause de ses scandales, et on le trouva un matin mort au pied de son lit.

Mais nulle passion peut-être n'est plus contagieuse que
l'envie, et le succès, même éphémère, a une puissance d'entraînement dont l'histoire contemporaine offre, hélas! de
trop frappants exemples. Les griefs répandus à Formicola
contre la Congrégation se reproduisirent bientôt à Scala,
où, considérés jusqu'alors comme des hôtes de passage, les
missionnaires venaient d'annoncer leur intention de fonder
un établissement définitif. Là aussi on les accusa d'accaparer les messes, et la jalousie du clergé fut bientôt si vivement excitée contre eux, qu'Alphonse, sentant venir de nouveaux orages, prit la résolution de renoncer à ce second
séjour. Il rappela donc encore son petit troupeau, qui partit
le 24 août 1738, emportant, comme à Formicola, les regrets
de la meilleure partie de la population. La transformation
morale du pays était, en effet, arrêtée par le départ des
Pères au milieu même de son épanouissement, et un trait de
mœurs qui nous a été conservé suffira pour nous montrer la
dévotion qui avait remplacé chez cette population naïve les
scandales des anciens jours. Le renouvellement était si général, « qu'on voyait, nous dit-on, les *facchini* [1] se réunir par
bandes, et, chargés de leurs fardeaux, traverser les rues en
chantant le chapelet ou des cantiques qu'Alphonse leur avait
appris. » Aussi lorsque l'œuvre parut interrompue, « l'enfer
fut-il en fête, » écrit Tannoia ; et il ajoute : « Je connais, dans
un des monastères de Scala, une sainte âme favorisée de
Dieu, qui m'a affirmé que pendant la nuit qui avait suivi le
départ des missionnaires, on avait entendu dans la ville un
sabbat extraordinaire, des cris et des danses infernales. »
Mais ici encore un châtiment providentiel sembla suivre de
près la faute ; car le 28 août, cinq jours après que les Pères
eurent quitté Scala, un vent d'est détruisit toute la récolte
de châtaignes, qui avait belle apparence jusque-là, et dans
laquelle consistait d'ordinaire la principale nourriture des
pauvres gens [2].

---

[1] On désigne par ce terme, en Italie, toute une classe d'hommes de
peine, portefaix, commissionnaires, etc.

[2] La sollicitude d'Alphonse continua à veiller sur Scala, et chaque

La Congrégation n'avait plus désormais pour asile que le couvent de Ciorani. Cette maison, dont l'existence matérielle elle-même semblait tenir du miracle, quand on songe aux architectes improvisés qui l'avaient érigée [1], était, grâce au zèle du Père Rossi, son recteur, en pleine floraison. L'église était achevée, et on y avait transporté une statue de Notre-Dame-du-Patronage, chère à Alphonse par les souvenirs qu'elle lui rappelait, car c'était à ses pieds qu'il venait autrefois prier avec ses amis, à Naples, dans cette villa de Michel de'Alteris, dont nous avons parlé. Une chapelle particulière avait aussi été disposée à l'étage supérieur de l'habitation, afin de servir à l'œuvre des retraites, considérée par le fondateur comme presque aussi importante que celle des missions, et devenue un des objectifs principaux de la Congrégation.

L'hospitalité des Pères et la sainteté de leur vie grandissaient, en effet, chaque jour en renom; des étrangers de toute qualité, prêtres, sénateurs, princes, Évêques; venaient mettre leur conscience sous la direction du Père de Liguori, et l'affluence était souvent si grande, que les religieux étaient contraints de céder leurs cellules et d'aller se coucher dans la pièce où était le four, les uns sur des coffres, les autres sur la terre nue. Encore le local était-il parfois insuffisant. C'est ainsi qu'en 1737, la noblesse de San-Severino et des lieux environnants ayant demandé pour elle une retraite spéciale, Alphonse obtint du baron de Ciorani, qui

●

année il y revint ou y envoya quelques-uns des siens. Du reste, le bien qu'il avait semé était si profondément enraciné, que, deux ans après son départ, un religieux, appartenant à un autre ordre, ayant donné une mission à Scala, crut pouvoir adresser aux fidèles en les quittant ces étonnantes paroles : « Notre visite ici n'était pas nécessaire : nous n'avons pas trouvé parmi vous de péchés véniels volontaires, et quant aux pratiques que nous avons coutume d'établir, vous les suiviez déjà. » Et, faisant un retour sur le passé, il ajoutait : « C'est le fruit des travaux de ces saints missionnaires que vous avez perdus, hélas ! Malheureux ceux qui les forcèrent à s'éloigner! Malheureux surtout Scala, qui ne les possède plus ! »

1 Il miracolo, disait le Père Sportelli, si è che non rovina e si mantiene.

était alors à Naples, la permission de prêcher dans la
grande salle de son palais, et d'y loger ceux à qui la distance ne permettrait pas de regagner le soir leurs villas [1]. Ce
fut à cette retraite, fécondée par des grâces extraordinaires,
que la Congrégation dut un de ses membres les plus distingués, don André Villani, issu d'une famille illustre du
pays [2].

Cependant Alphonse était comme l'arbre de l'Écriture
que Dieu se plaît à récompenser de ses fruits en lui en demandant de nouveaux. L'année suivante [3], il fut obligé d'accepter la charge de grand pénitencier du diocèse. Aux retraitants et aux visiteurs vinrent donc s'ajouter tous ceux
qui avaient des cas réservés à lui soumettre, et l'humble
chapelle de Ciorani fut désormais comme la basilique vaticane de ce petit pays. La maison devenait évidemment trop
exiguë pour servir à tant de destinations diverses; mais sans
argent, sans ressource, fatigué peut-être du métier d'architecte, le recteur reculait devant la tâche difficile d'en élargir
les murs, et rien ne fut changé jusqu'au jour où l'Archevêque de Salerne [4] vint visiter l'établissement et pressa lui-
même les missionnaires de l'agrandir. Ce désir parut à Alphonse une manifestation de la volonté divine, et après avoir
insisté de nouveau et à plusieurs reprises auprès du Père
Rossi, qui faisait toujours les mêmes objections : « Mon
Père, lui dit-il enfin avec fermeté, ne nous laissons pas
entraîner à la remorque des gens du monde, qui commencent
par amasser l'argent, et se mettent ensuite à l'ouvrage.

[1] Voici les points principaux du règlement qui avait été dressé pour ces
retraites : Une heure et demie devait être consacrée tous les matins à la
méditation et au sermon; avant le diner, les retraitants assistaient à une
instruction pratique qui leur était donnée sous forme de catéchisme; dans
l'après-midi avaient lieu la lecture spirituelle, la visite au saint Sacrement et à la sainte Vierge, ainsi que la récitation du rosaire; enfin le soir,
à l'*Ave Maria*, la méditation comme le matin, pendant une heure et demie
à la chapelle.

[2] Les ducs del Saco e della Poca.

[3] 1738.

[4] Mgr Rossi, qui avait succédé à Mgr Fabrizio de Capoue, auquel on
devait la venue des missionnaires dans le diocèse.

Commençons d'abord par bâtir, et comptons sur la Providence pour nous fournir ce dont nous aurons besoin. » Le Père Rossi céda. Encouragé par la foi de celui qui avait entrepris la fondation même de l'institut sans autre richesse que celle de l'amour de Dieu, il mit la main à l'œuvre ayant pour tout capital un sequin [1], que lui avait prêté un des soldats du baron de Ciorani.

Alors s'ouvrit ce que nous pourrions appeler une lutte entre la confiance des missionnaires et la largesse de Dieu. L'Archevêque fut le premier pourvoyeur. Une circulaire adressée par lui au clergé de son diocèse attira d'abondantes aumônes; puis ce fut une pieuse dame de Solofra, qui apporta spontanément quatre cents ducats [2] au Père Sportelli; puis encore un jeune homme qui, après avoir sollicité la faveur d'entrer dans la Congrégation en qualité de frère lai, remit, enveloppée dans un lambeau d'étoffe, son offrande en échange d'une messe. On ouvrit le paquet, et, tandis que le donateur se dérobait à tous les regards, on y trouva cent ducats d'or. Un autre jour, la caisse est vide derechef. Alphonse rassemble les novices de la maison, et les engage à demander au Seigneur l'argent nécessaire à l'achèvement des constructions. Ils se mettent aussitôt en prières, et une requête en forme vient d'être dressée, signée et placée dans le tabernacle, lorsqu'un courrier est annoncé: la présence d'Alphonse était réclamée à Naples, pour concourir à l'admission d'un titulaire dans un ordre de chevalerie dont il avait sans doute fait partie autrefois, et où il avait conservé voix consultative. Mais c'était encore là une de ces coïncidences sous lesquelles se découvrent dans la vie des saints les dispositions et, pour ainsi dire, les attentions divines; le nouveau chevalier attacha, en effet, un haut prix à la venue du Père, et lui remit un présent qui permit de terminer le couvent. Le nouvel édifice consistait en un grand corps de bâtiment à trois étages de cellules, avec réfectoire et cuisine en sous-sol. Commencé avec une seule pièce

1 Environ 9 francs.
2 Près de 1,800 francs.

d'argent, un an et la Providence avaient suffi pour le mener
à bonne fin.

Cependant don Joseph de Liguori, dont nous avons cessé
de parler depuis longtemps, n'avait pas marché avec la même
rapidité que son fils vers les sommets de l'abnégation et du
détachement. Il ne comprenait point encore cet abandon absolu qui met sa jouissance à recevoir, pour ainsi dire miette
par miette, le pain quotidien des mains du Seigneur. Sa vanité paternelle ne pouvait se résigner à voir Alphonse passer sa vie au milieu des pâtres et des troupeaux, et les petites avanies que lui attiraient la pauvreté de sa mise et
l'humilité de son attitude retentissaient profondément dans
son cœur. Aussi, de même qu'il avait rêvé autrefois pour
son fils les plus hautes charges de l'État, aspirait-il maintenant à lui faire décerner les premières dignités de l'Église.
Il lui semblait que sa naissance, ses talents, sa réputation
devaient lui valoir un des siéges importants du royaume; il
s'agitait dans ce sens et lui en écrivait à tous moments. Alphonse, on le conçoit aisément, ne se laissait pas séduire
par ces brillantes perspectives : « Ne me parlez plus de l'é-
piscopat, mon père, lui répondait-il, si vous ne voulez pas
m'affliger. Si vous réussissiez à m'y faire élever, je refuse-
rais, fût-ce même l'archevêché de Naples, pour continuer
la grande œuvre à laquelle Jésus-Christ m'a appelé. En
l'abandonnant, je me croirais presque damné, car je renon-
cerais à la vocation que Dieu m'a fait connaître d'une manière évidente. Nous nous imposons, du reste, la loi de ne
jamais accepter ni évêchés ni dignités ; c'est pourquoi je
vous demande de ne plus parler de ce sujet, ni à moi ni à
d'autres... »

Peu de temps après avoir reçu cette lettre, don Joseph
arrivait lui-même à Ciorani. Était-ce uniquement pour y
jouir de la société de son fils, ou pour l'entretenir encore du
désir qu'il avait de le voir Évêque? L'histoire ne le dit pas.
Quoi qu'il en soit, à peine entré dans la maison, il se sentit
envahi par une impression profonde. L'atmosphère de pauvreté, de silence, de perfection qui régnait dans ce lieu,

les parfums de vertu qui s'en exhalaient, l'éloignement de la terre, le voisinage sensible du ciel, complétèrent dans son âme l'œuvre ébauchée par le premier sermon qu'il avait entendu sortir de la bouche d'Alphonse. Ce jour-là il avait compris le prêtre; cette fois, la vie religieuse se révélait à lui. Il prolongea longtemps son séjour, et son admiration croissante pour les actes dont il était témoin acheva de le transformer. L'heure vint enfin où l'on vit le brillant capitaine des galères, celui qui jadis s'irritait contre son fils parce qu'il refusait de le suivre à la cour, solliciter de lui, les larmes aux yeux, la grâce de se mettre sous sa conduite en qualité de frère servant. Mais Alphonse, non moins ému de son humilité que ferme à repousser sa prière, lui fit comprendre que telle n'était pas la volonté de Dieu, et qu'il devait, en demeurant dans le cercle où sa vie était placée, porter au milieu de sa famille les épreuves attachées à sa condition. Don Joseph retourna donc à Naples, où il vécut dès lors comme dans une véritable solitude. L'oraison et la lecture des livres saints devinrent son occupation unique; l'église fut, après son palais, le seul lieu qu'il fréquentât. Il entretenait avec Alphonse une correspondance exclusivement spirituelle, et le consultait sans cesse sur les difficultés de la vie intérieure [1]. Étrange et beau spectacle que la dignité du père s'abaissant devant la sainteté du fils, et en recevant en échange, avec les secrets de la vertu, les élans vers la vie du ciel! Sous la direction d'Alphonse, don Joseph atteignit une haute perfection, et si nous manquons malheureusement de détails sur ses derniers moments, nous savons qu'il mourut en 1746, riche en années comme en mérites, et que sa mémoire fut longtemps en vénération dans le pays.

---

[1] Don Joseph lui ayant demandé quelles étaient les vies de saints dont la lecture pourrait lui être utile, Alphonse lui conseilla celles de saint Louis de Gonzague, de saint Philippe de Néri, de saint Pascal et de saint Pierre d'Alcantara, et lui indiqua, comme livres de méditation, les *Vérités éternelles*, de Rossignoli, et les *Maximes*, de Cattaneo.

CHAPITRE V

Missions aux environs de Naples. — Les Pères prononcent leurs vœux solennels (22 juillet 1742). — Le « porte-drapeau » de la Congrégation. — Dernières œuvres du Père Sarnelli. — Sa mort.

Alphonse était né à Naples ; il y avait entendu la voix de Dieu et cueilli les premières fleurs de son apostolat ; la grande ville était donc loin de rester étrangère à son cœur. Cependant, absorbé par la fondation de ses maisons et par ses courses évangéliques, il laissa passer plusieurs années sans y paraître. Lorsqu'il y revint pour la première fois [1], après ce pénible voyage de 1733, où, abandonné de ses premiers compagnons et raillé par ses meilleurs amis, il n'avait rencontré qu'amertumes et reproches, les choses avaient bien changé. Il se trouvait à la tête d'une famille déjà nombreuse, et le succès avait conquis à l'œuvre une popularité que la foule refuse trop souvent au seul mérite ; aussi une vénération contrastant étrangement avec l'accueil du passé, l'entoura-t-elle pendant tout son séjour dans la capitale. Sa présence n'avait d'autre but qu'une mission, réclamée par le supérieur de la Propagande, pour l'église du Saint-Esprit. Encore qu'elle fût suivie d'un nombre incalculable de conversions, là se bornèrent pour le moment ses efforts, et quatre années s'écoulèrent sans qu'il fût rappelé dans sa patrie.

Mais en 1741 un champ plus vaste s'ouvrit devant lui. Le Cardinal Pignatelli était mort, et un nouvel Archevêque,

[1] En 1737.

Mgr Spinelli, occupait son siége. Un des premiers soins
de ce prélat fut de s'adresser à Alphonse pour le prier de
venir évangéliser avec lui son diocèse. Surpris de cette demande, le missionnaire s'excusa. « Les besoins de Naples,
répondit-il, étaient moins pressants que ceux des autres
diocèses, et si Son Éminence voulait des prédicateurs, elle
avait à son service plusieurs congrégations florissantes,
tandis que les autres parties du royaume en étaient si dé-
pourvues, que l'on rencontrait des domaines considérables
et des centaines de villages totalement privés de secours [1]. »
Ces raisons ne suffirent point pour convaincre le Cardinal ;
il revint à la charge, et recourant cette fois à son autorité :
« Je suis votre supérieur, écrivit-il à Alphonse, et je veux
être obéi. Mon diocèse compte plus de cent vingt mille âmes,
dont une partie aussi est dispersée dans un grand nombre
de villages et de hameaux, et ces populations ont sur vous
des droits particuliers, puisque c'est au milieu d'elles que
vous avez reçu le jour. » Cet ordre était péremptoire, et
Alphonse dut céder.

Le Cardinal avait conçu un plan complet de réforme. Il
ne désirait pas seulement procurer aux âmes qui lui étaient
confiées le bonheur d'entendre une parole persuasive et touchante ; il voulait encore perfectionner les missionnaires de
son diocèse, en les mettant sous la direction d'Alphonse.
Aussi l'autorisa-t-il à s'adjoindre, en dehors des membres
de son Institut qu'il jugerait bon d'amener, tous les prêtres
ou religieux qu'il lui plairait de choisir dans les congrégations de Naples, y compris celle de la Propagande. Il lui
laissa, du reste, le soin de régler comme il l'entendrait les
exercices de la mission, et mit à sa disposition une petite
maison de campagne située à peu de distance de la ville,
dans le lieu nommé Sant'Agnello, afin qu'il pût aller s'y reposer de temps en temps, lui et ses compagnons.

Interrompre les missions qu'il avait commencées, et se
voir placé au-dessus de tant de prêtres vénérables, en

[1] Tannoia, p. 92.

particulier d'une Congrégation dont il se regardait comme le membre le plus indigne, c'était pour la charité et l'humilité d'Alphonse un double sacrifice. L'attitude du supérieur de la Propagande vint fortifier encore cette impression. Prétendant, en effet, que la prééminence dont jouissait sa Congrégation sur toutes celles du royaume, devait lui assurer le privilége de fournir le chef et le directeur des exercices, il se montra blessé du choix fait par le Cardinal; mais celui-ci refusa de céder à ces réclamations, et mit fin au débat par ces décisives paroles : « Les missions relèvent de moi, comme tout ce qui est dans mon diocèse; c'est donc à moi à y pourvoir, et non pas à d'autres. » Cette difficulté aplanie, Alphonse désigna pour le seconder l'élite du clergé napolitain. Matthieu Testa, qui fut ensuite Archevêque de Reggio et Grand Aumônier; don Cappola, plus tard Évêque de Cassano; don Savastano, qui devint Archevêque de Brindisi, et le Père de'Alteris, son ami, figuraient au premier rang de ses auxiliaires. Quant à ses disciples, afin de ne pas nuire aux œuvres commencées, il ne prit parmi eux que les Pères Sarnelli et Villani. Ces deux religieux arrivèrent avec lui à Naples, au mois de mai 1741, et l'intention du Cardinal n'étant pas de les faire prêcher dans la ville, ils se rendirent aussitôt à Fragola, bourg important situé au nord-est de la capitale. Ce fut par là que commença la campagne. Alphonse fit donner en même temps trois retraites dans les trois églises paroissiales du lieu. Puis il passa successivement de village en village, catéchisant et instruisant le peuple, érigeant des confréries, établissant partout la régularité d'exercices que nous connaissons, et s'occupant avec sa sollicitude ordinaire du clergé, qu'il exhortait à se réunir chaque semaine pour l'examen des cas de conscience. Ces missions se prolongèrent pendant quinze mois, et ne furent suspendues que deux fois, durant les grandes chaleurs de l'été. Alphonse, congédiant alors les missionnaires napolitains, se retirait avec les siens à Sant'-Agnello, d'où il continuait à instruire et à confesser les pauvres gens du pays, et à évangéliser le dimanche les hameaux voisins. Il profitait aussi de ces mois de repos pour envoyer ses compagnons dans les villages qu'ils avaient déjà parcourus, afin d'y provoquer ce qu'il appelait *il rinnovamento di spirito*. Lui-même travaillait sans relâche à la perpétuité de son œuvre, en propageant la dévotion à la sainte Vierge et en inaugurant l'usage encore en vigueur dans les environs de Naples et la Terre de Labour, de se préparer par des neuvaines de prières à la célébration de ses fêtes.

Le Cardinal jouissait de son œuvre. Pour en consolider le succès, il rêvait même une fondation dans le Barra, c'est-à-dire au centre de son diocèse. Il en parla à Alphonse; mais celui-ci, jugeant que cet établissement serait nuisible à l'Institut, s'y refusa énergiquement. « Lorsque mes missionnaires, dit-il, se seront habitués au Barra, et qu'ils y auront pour pénitents des dames et des gentilshommes, ils ne se soucieront plus d'aller dans les hameaux et dans les montagnes, et passeront à Naples la plus grande partie de l'année. » Puis, reprenant son ancien argument, qui lui semblait irréfutable : « Votre Éminence, ajouta-t-il, est entourée d'ouvriers, tandis que les autres Évêques en manquent, et ce n'est pas de Naples qu'ils peuvent en faire venir pour les extrémités de leurs diocèses. » Le Cardinal se rendit à ces raisons, et ne parla plus de fondation.

Les besoins des églises plus pauvres et plus lointaines ne cessaient, en effet, de préoccuper et d'attrister Alphonse. Il ne restait qu'à contre-cœur dans la province de Naples, et priait Dieu d'arranger toutes choses pour qu'il pût bientôt la quitter. Enfin, au mois de juillet 1742, il obtint de l'Archevêque la permission souhaitée, et partit pour Ciorani avec le Père Villani, mais sans son autre compagnon, le Père Sarnelli, dont le séjour dans la capitale avait été expressément exigé par le Cardinal.

Le retour du maître au milieu de ses disciples fut le prélude d'un acte solennel dont la pensée l'occupait depuis plusieurs mois, et que nous avons hâte de raconter. Jusqu'alors aucun des membres de la Congrégation n'était re-

vêtu du caractère spécial qui désigne et distingue le religieux. Les missionnaires pratiquaient sans doute avec une
exactitude rigoureuse la pauvreté et l'obéissance ; mais ils
n'étaient liés par aucun vœu ; tout dans leur vie demeurait
donc en quelque sorte volontaire et facultatif. Alphonse,
cependant, avait trop d'expérience pour ne pas savoir que
dans les fondations, la ferveur, loin de croître, va d'ordinaire
en s'affaiblissant ; aussi désirait-il amener ses fils à cet
enchaînement de la volonté, qui, en la garantissant contre
son inconstance, assure et couronne la perfection. Bien
qu'il y travaillât doucement, comme un vigneron qui soigne
de jeunes pousses, il ne négligeait rien, soit dans ses conférences, soit dans ses entretiens, pour faire goûter peu à peu
son idéal. « Le Seigneur, disait-il, se complaît davantage
dans ce qu'on fait pour lui, si on le lui offre avec une volonté soustraite à la possibilité du retour. Le don d'un fruit
est agréable ; mais son prix est rehaussé si la plante l'ac-
compagne. Quand on n'est pas engagé par vœu, on ne donne
à Dieu que le fruit ; quand les vœux sont prononcés, c'est le
fruit et la plante qu'on offre. » — « Les vœux, disait-il
encore, sont entre nos mains comme un bouclier contre le
démon et contre la fragilité humaine. C'est comme une
ancre qui retient le navire, et, malgré les efforts des vents,
le garde en sécurité dans le port. »

Il trouvait, du reste, dans l'Institut peu de résistance.
Les Pères Sportelli, Mazzini, Sarnelli, Rossi et Villani,
dont nous connaissons déjà les noms, et que leurs vertus
peuvent faire regarder comme les assises sur lesquelles s'est
élevée la Congrégation du Saint-Rédempteur, loin d'enrayer
le mouvement, pressaient Alphonse de franchir le pas décisif, et encourageaient leurs compagnons à le suivre. Mais
la défaillance d'un des religieux, le Père Maiorino, fut le
dernier coup porté aux hésitations des plus timides. Ce
prêtre, d'ailleurs plein de zèle et de mérite, avait pour les
appels de sa famille une faiblesse excessive. Un soir, pendant l'oraison, cédant à la tentation, il quitta la maison
sans prévenir personne et retourna chez lui. Bientôt après,

il est vrai, il reconnut son erreur, et écrivit à Alphonse pour lui exprimer ses regrets ; mais son repentir n'alla pas jusqu'au courage du retour, et la leçon donnée par sa conduite demeura entière. Devant l'inconstance d'un homme dont la vie n'avait cessé jusque-là d'édifier ses frères, on comprit combien il importait pour la conservation de l'Institut d'opposer un frein sérieux aux entraînements du caractère, et nul ne refusa plus le sacrifice proposé.

Mais avant de prendre aucun engagement, il fallait établir nettement en quoi consisteraient les vœux, et décider d'un commun accord la formule précise des renoncements que l'on s'imposerait pour l'avenir. On fixa d'abord le sens exact qui devait être donné au vœu de pauvreté. Il fut convenu que chacun, conservant la nue propriété de son patrimoine, abdiquerait le droit d'en disposer, et que les revenus seraient abandonnés aux parents, ou déposés, si ceux-ci étaient à l'abri du besoin, entre les mains du supérieur, chargé de centraliser aussi toutes les sommes provenant de dons et d'aumônes, ou offertes aux missionnaires comme indemnités de leurs fatigues. Ces mesures, si elles n'attaquaient pas l'arbre dans sa racine, ainsi que Tosquez le voulait à Scala, en élaguaient au moins les branches. Elles devaient avoir pour résultat de fournir quelques ressources à la Congrégation, qui en manquait totalement, tout en faisant taire la cupidité et l'égoïsme individuels, et en permettant au cœur de s'épanouir dans l'atmosphère de la vraie liberté. Pour achever le sacrifice et barrer en même temps le chemin à l'ambition, on devait s'engager aussi non-seulement à ne jamais rechercher directement ou indirectement de charge, ni de bénéfice, mais encore, à moins d'un ordre formel du Pape ou du supérieur général, à refuser ceux qui seraient offerts, résolution à laquelle Alphonse tenait d'autant plus qu'il espérait par là éloigner de lui les dignités ecclésiastiques dont il redoutait le fardeau.

Le vœu d'obéissance, en unissant la volonté de tous à celle du supérieur, était destiné à mettre le sceau à l'œuvre.

« Sans obéissance, disait Alphonse, il n'y a pas d'état religieux possible ; elle seule maintient la paix dans les
cloîtres, et là où elle manque, ce qui serait un paradis
par la concorde devient un enfer par la contradiction. » Il
demanda en particulier aux membres de la Congrégation de
s'engager à se rendre partout où le supérieur le jugerait
bon, leur faisant comprendre que le but de l'Institut étant
d'évangéliser les âmes oubliées des campagnes, ils étaient
tenus par leur vocation à ne reculer devant aucun obstacle
lorsqu'il s'agirait de leur porter secours. En outre, comme
son regard, aussi large que son cœur, ne s'arrêtait pas aux
paysans de Naples, mais à l'exemple de son maître embras-
sait toutes les régions abandonnées du monde, Alphonse
voulut qu'à l'âge de trente ans tous les missionnaires fissent
vœu de travailler à la conversion des infidèles, dès que cela
leur serait imposé par le Souverain Pontife ou par le supérieur général.

Il décida enfin, avec le consentement unanime de ses compagnons, qu'aussitôt le noviciat achevé, chacun prendrait
l'engagement de vivre et de mourir dans la Congrégation,
ou de ne la quitter que lorsque des motifs graves et légitimes obligeraient à en demander l'autorisation au Pape ou
au supérieur, celui-ci restant toujours libre, au contraire,
de renvoyer les sujets dont la conduite aurait mérité des reproches. « La vie apostolique que nous avons embrassée
consiste, à proprement parler », disait le courageux fondateur, « dans un adieu solennel et complet au monde, à la
patrie, à la famille. Nous devons nous donner au Seigneur
avec une volonté ferme de ne nous rétracter jamais. Celui-
là n'est pas fait pour le royaume céleste, qui, ayant mis la
main à la charrue, regarde en arrière et tourne le dos à
la Congrégation et à Dieu. »

L'Évêque de Castellamare approuva ces résolutions, comme
il avait béni jadis la première pensée d'Alphonse, et d'accord avec lui, le 22 juillet, fête de sainte Marie Madeleine,
fut choisi pour la cérémonie des vœux, à laquelle chacun se
prépara par une retraite et par un rigoureux silence.

Le grand jour arriva enfin. Tous les religieux se réunirent dans la chapelle; Alphonse prononça une fervente exhortation, invoqua l'assistance de l'Esprit-Saint, l'intercession de Marie et la protection de la sainte pénitente devenue dès lors la patronne de la Congrégation, puis fit, avec tous ses fils, les vœux solennels de pauvreté, de chasteté, d'obéissance et de persévérance, entre les mains de Mgr Falcoia. La société n'ayant pas encore reçu l'approbation du Souverain Pontife, Alphonse n'avait, en effet, sur elle aucune autorité canonique. Néanmoins il fut reconnu comme supérieur, avec le titre de Recteur-Majeur [1]. Dès que l'holocauste fut consommé, la joie la plus vive se répandit dans ces âmes vaillantes, attristées cependant par l'absence de deux des enfants les plus aimés de la famille, dont l'un s'était envolé vers la patrie, et dont l'autre, Sarnelli, demeuré à Naples, n'était pas loin, sans qu'il le sût encore, des récompenses éternelles.

Le fruit hâtif, mais déjà savoureux, que le Maître avait cueilli sur sa vigne était Joachin Gaudiello, neveu du curé de Ciorani, entré dans la Congrégation, le 20 janvier 1738, en qualité de frère lai. Appelé par sa pureté angélique, dès l'aurore de la vie, aux noces de l'Agneau, il rendit son âme à Dieu trois ans après [2], dans un transport d'amour, en laissant à ses frères, pour dernier adieu, ces lumineuses paroles : « Io porto lo stendardo. C'est moi qui suis le porte-étendard. » Onze jours après sa mort, le désir de conserver son image fit rouvrir le tombeau dans lequel il avait été déposé; on y retrouva son corps intact et ses membres flexibles, comme si la vie ne les eût point quittés [3].

---

1 Rispoli, *Vita del B. Alfonso*, part. II, cap. VIII.

2 18 avril 1741.

3 Saint Alphonse composa pour lui l'épitaphe suivante :

« Frater Joachinus Gaudiello, virtutum omnium prædives, ad Christi assimilationem anhelans, in omnibus semetipsum formavit secundum exemplar patientia in infirmitatibus, mansuetudine in adversis, obedientia insignis, Jesu Christi vitam semper idem, omnibus manifestavit. Non in ligno crucis, sed cum crucis desiderio, et crucifixi amplexu, primus omnium præripuit cœlestis gloriæ coronam. »

Rappelons à l'occasion de ce souvenir particulièrement attendri que toutes les familles monastiques conservent au premier d'entre elles qui

Quant au Père Sarnelli, que la volonté formelle du Cardinal retenait toujours à Naples, il y poursuivait une œuvre délicate et difficile, que son zèle insatiable lui avait suggérée ; il avait entrepris la conversion des femmes de mauvaise vie, dont le nombre, qui dépassait trente mille, montre à lui seul le degré de démoralisation auquel la ville était arrivée. Non-seulement il accueillait celles qui réclamaient son assistance, mais il recherchait les autres avec soin dans tous les quartiers de la capitale, et s'efforçait de les retirer du désordre en subvenant à leurs besoins. L'argent qu'il recevait de sa famille ne suffisant pas à les secourir toutes, on le voyait même souvent aller, de porte en porte, implorer pour elles la charité publique ; ce qu'il faisait néanmoins avec tant de répugnance, et en recueillant tant d'affronts, que plus d'une fois, disait-il, il pensa en mourir de honte. Ce n'est pas tout encore : déplorant les scandales que donnaient aux femmes honnêtes ces brebis galeuses vivant au milieu du troupeau, le zélé missionnaire avait formé, de concert avec Alphonse, le hardi projet d'en purger complétement la cité. Cette grande œuvre lui coûta des travaux ardus et des dépenses considérables ; plusieurs fois même sa vie fut en danger ; mais il s'employa si activement auprès du roi Charles VII [1], qu'il finit par réussir. Un arrêté en neuf

retourne à Dieu, la touchante inscription faite de nos jours par un autre grand religieux, pour le premier et le plus jeune de ses disciples, mort aussi en Italie et en faveur duquel il exprime ce vœu :

« Ut nuntius operis ascenderet et primitiæ et numen. »

(Inscription funéraire du frère Pierre Réquédat, compagnon du Père Lacordaire, dans l'église de Sainte-Sabine à Rome.)

1 La suite de cette histoire ne nous a pas amené à parler des événements politiques survenus depuis la naissance d'Alphonse dans le royaume de Naples. Réuni à l'Empire à la suite des traités d'Utrecht et de Rastadt (1713 et 1714, ce royaume était redevenu, par la paix de Vienne (1738, l'apanage des Bourbons d'Espagne, et avait été assuré, en échange de Parme, à l'Infant Don Carlos, second fils de Philippe V, qui régna jusqu'en 1759 sous le nom de Charles VII. Appelé alors au trône d'Espagne par la mort de son frère ainé, il prit le nom de Charles III, et abandonna ses États d'Italie à son fils Ferdinand IV, ou Ferdinand Ier comme roi des Deux-Siciles.

articles, expédié au duc de Giovenazzo, président de la
première chambre, bannit de Naples toutes ces malheu-
reuses créatures, et leur enjoignit d'aller habiter hors de la
ville, dans le faubourg de Sant-Antonio. Cet ordre royal fut
rigoureusement exécuté, et les officiers de justice firent jeter
par les fenêtres les meubles de celles qui refusaient d'obéir à
la loi. Un grand nombre d'entre elles se décidèrent à embrasser une vie honnête, se marièrent ou se réfugièrent
dans des couvents; les autres se rendirent dans le quartier
qui leur était assigné ou s'enfuirent dans d'autres lieux.

Cette victoire si complète et si peu espérée couronna la
courte existence du Père Sarnelli. Il donna pourtant encore
une mission à Pausilippe; car, bien que ses souffrances
fussent très-vives, on ne pouvait le décider à se reposer.
« Je prêcherais, disait-il, jusqu'au jour du jugement. » Mais
ses forces n'étaient plus au niveau de son courage, et il dut
bientôt se mettre au lit pour ne plus se relever. Ceux qui
l'entouraient, croyant lui plaire, lui faisaient espérer une
prompte guérison; mais, le regard déjà fixé sur les splen-
deurs de la Jérusalem céleste : « Ne me parlez pas de vivre,
répondait-il; je ne veux d'autre vie que mon Dieu! » Et
s'adressant au Seigneur, il s'écriait : « Mon Père, je soupire
après le moment où je pourrai vous contempler face à face,
si tel est votre bon plaisir, toutefois; car je ne souhaite ni
vivre ni mourir : je ne veux que ce que vous voulez. Vous
savez que tout ce que j'ai fait, tout ce que j'ai pensé, tout, a
été inspiré par le désir de votre plus grande gloire. » Le jour
de sa mort, le médecin vint le visiter vers huit heures du
matin, et comme il lui promettait en le quittant d'être de
retour au bout de quelques heures : « A ce moment, répondit le malade, j'entrerai dans une douce agonie. » Le soir,
en effet, la faiblesse augmenta beaucoup; il appela le frère
lai qui le soignait, et le pria de dire avec lui le chapelet;
« car, ajouta-t-il, je voudrais mourir en le récitant. » Arrivé
à la troisième dizaine, il s'arrêta; le frère, le voyant épuisé,
fit demander un prêtre, et chercha à lui suggérer de pieuses
pensées. Mais le mourant l'interrompit : « Laissez-moi par-

ler moi-même, » s'écria-t-il ; et il commença avec Notre-Seigneur un tendre colloque, dont les assistants ne pouvaient malheureusement saisir que des mots entrecoupés. Son agonie fut douce, ainsi qu'il l'avait annoncé : pendant une demi-heure il serra entre ses doigts son crucifix avec son rosaire, et ne cessa de le baiser qu'en rendant le dernier soupir. Une beauté surnaturelle illumina aussitôt son visage ; un sourire de bienheureux s'imprima sur ses lèvres ; la plus suave odeur se répandit dans la chambre, et ce cri : *Le Saint est mort!* retentit dans tous les environs. Son corps resta exposé pendant quarante-huit heures dans l'église de Notre-Dame-du-Bon-Secours, au milieu d'une foule qui voulait couper et se partager ses habits : de toutes parts on réclamait des reliques du *Saint bien-aimé de Jésus-Christ*, et plusieurs personnes l'ayant invoqué reçurent immédiatement des grâces signalées [1].

Le lecteur nous pardonnera de nous être trop étendu peut-être sur ces premiers deuils ; mais avant de poursuivre l'histoire des travaux d'Alphonse, nous tenions à arrêter notre regard sur ces saints que Dieu lui avait permis de former, afin qu'après avoir été ses enfants sur la terre, ils devinsent ses patrons au ciel.

---

[1] Extrait de la *Notice sur le Père Janvier-Marie Sarnelli, de la Congrégation du Très-Saint-Rédempteur*, par saint Alphonse de Liguori.

CHAPITRE VI

La ville de Nocera [1] était trop voisine de Ciorani pour que le nom d'Alphonse n'y fût pas devenu célèbre. Dans un de ses faubourgs vivait un saint prêtre, Nicolas Tipaldi, qui, frappé des bienfaits répandus autour d'eux par les missionnaires du Saint-Sauveur, désirait les fixer dans son pays. Ayant appris que le curé-doyen de la paroisse, don François Contaldi, résolu de consacrer sa fortune à l'établissement d'une maison religieuse, venait d'entrer en pourparlers avec la Congrégation de Saint-Vincent-de-Paul de Naples, Tipaldi alla le trouver, intervint auprès des principaux habitants du lieu, et fit si bien que tous s'accordèrent à demander cômme essai une mission aux Pères qui avaient gagné sa confiance. Alphonse y consentit, et arriva bientôt avec plusieurs de ses compagnons à Pagani, c'était le nom du faubourg. Il se mit à l'œuvre, et là, comme à Naples,

1 Nocera (*Nucera Alfaterna*), dans la Principauté Citérieure, à quatorze kilomètres N.-O. de Salerne, ainsi appelée, s'il faut en croire quelques auteurs, en souvenir d'une princesse d'Étrurie qui y mourut, est connue aussi sous le nom de Nocera *di Pagani*, soit à cause des Arabes qui s'y fixèrent, en 915, après la défaite du pape Jean X, soit parce que Frédéric II y établit, en 1220, 20,000 Sarrasins dont le type, dit·on, se retrouve encore dans les traits de la population. Nous ne lui donnerons que son nom de Nocera, et nous réserverons celui de Pagani pour le faubourg, plus particulièrement désigné par cette appellation, où les missionnaires du Saint-Rédempteur fondèrent leur principale maison.

à Scala ou à Castellamare, des conversions merveilleuses
lui conquirent la sympathie de toutes les classes de la société. Tipaldi se félicitait du résultat de ses efforts, d'autant plus que Dieu lui-même semblait, en versant sur lui
ses grâces, l'encourager et le bénir. Il avait vu, en effet, sa
mère, atteinte depuis plusieurs mois d'affreuses douleurs
dans le bras, guérie presque subitement en enveloppant avec
foi le membre infirme dans un vêtement de son hôte. Aussi,
l'année suivante, obtint-il qu'Alphonse fût invité à revenir,
pendant la semaine sainte, pour prêcher, dans l'église *del
Corpo di Cristo,* un triduo en l'honneur du saint Sacrement.
Les succès de ces trois journées dépassèrent encore ceux de
la mission précédente, et achevèrent de préparer l'établissement définitif d'une maison à Pagani. Peu de mois après,
le Saint reçut de Contaldi des dons considérables. Le doyen
promit en outre de laisser après sa mort trois mille ducats [1]
aux missionnaires, et, en attendant que leur habitation fût
construite, leur abandonna la sienne. ne conservant d'autre
droit que celui d'y demeurer avec eux. Ces conventions si-
gnées [2], le Père Sportelli fut nommé recteur, et reçut pour
auxiliaires les Pères Mazzini et Giordani.

Jamais fondation ne se fit sous de plus heureux auspices.
Le roi, informé par l'Évêque de Nocera, Mgr de Dominicis,
donna à l'œuvre la plus complète approbation. Le marquis
Brancone, alors secrétaire d'État pour les affaires ecclésiastiques, déclara « qu'une entreprise aussi louable et aussi sainte
que celle de gagner à Dieu les âmes abandonnées, ne pouvait
manquer d'être très-agréable à Sa Majesté », et envoya le
jour même au gouverneur de Nocera l'ordre de protéger les
missionnaires en leur prêtant en toute occasion assistance
et secours ; enfin, la sanctification du diocèse semblait si
bien assurée, que l'Évêque écrivait avec enthousiasme [3] :
« Ma joie est indicible, je viens d'introduire dans la vigne du
Seigneur de nouveaux ouvriers ; j'ai obtenu l'établissement

---

[1] 13,290 francs.
[2] 13 octobre 1742.
[3] Lettre à la Congrégation des Évêques et Réguliers.

auprès de moi de prêtres du Saint-Sauveur. Chaque jour, soit dans leur église, soit dans d'autres sanctuaires, ils groupent autour d'eux les pauvres et les enfants, et leur zèle pour les instruire est admirable. »

Ce que le prélat appelait l'église des missionnaires était une grande chapelle, dédiée à saint Dominique, qu'il leur avait donnée pour y exercer leur ministère, et qui était située tout près du lieu où l'on allait bâtir la nouvelle maison. La première pierre de cet édifice fut posée solennellement par le vicaire général, le 22 juillet 1743, en présence des chanoines de la cathédrale, des quatre curés de Pagani et d'une foule enthousiaste qui remerciait Dieu à haute voix et couvrait le doyen de bénédictions, eñ faisant résonner autour de lui cette acclamation particulière à l'Italie : « *Mille anni di vita!* Mille années de vie au doyen Contaldi! » Chacune des sept communes qui composaient le district de Nocera avait voté un secours de cent ducats; des dons en argent, bijoux ou matériaux arrivaient tous les jours; enfin les habitants, et même les dames du lieu, sous la direction d'Antonia Contaldi, sœur du Doyen, ne dédaignaient pas de faire l'offrande plus précieuse encore de leurs personnes, et contribuaient pour leur part à l'avancement des travaux.

Pendant que la charité publique leur préparait ainsi un asile, les missionnaires payaient largement ce bienfait par les secours spirituels qu'ils distribuaient depuis leur arrivée à toutes les classes de la population. Occupés dès l'aube à instruire et à confesser le pauvre peuple de Pagani et des villages environnants, ils avaient reçu en outre de l'Évêque la direction des jeunes gens du séminaire, et de la noblesse du pays la charge de présider à la confrérie du Rosaire, qu'elle affectionnait particulièrement. Les paroisses des environs sollicitaient à leur tour des sermons et des triduos, tandis qu'Angri et Nocera demandaient instamment aux Pères de leur donner des retraites. Alphonse recueillit dans ces deux villes des succès dépassant toutes ses espérances : à Angri, notamment, les retours à la vie régulière, aussi bien que les aspirations à la vie parfaite, prirent des proportions assez grandes pour que les chiffres nous en aient été conservés par les historiens du temps. Tous ceux qui vivaient dans le désordre, au nombre de cent vingt-huit, firent pénitence, et plus de trois cents jeunes filles consacrèrent leur virginité à Jésus-Christ, sans que plus tard une seule défaillance ait pu faire soupçonner dans ce commun holocauste un entraînement irréfléchi ou une pression indiscrète [1]. A Nocera, la mission fut plus laborieuse ; cependant elle décida la vocation de plusieurs personnages éminents, entre autres le Primicier [2] de la cathédrale, le fils du seigneur de Nola, et un Archevêque futur de Salerne, don François Sanseverino, qui entrèrent tous les trois dans la Congrégation.

Deux faits miraculeux signalèrent aussi ces retraites. La fille d'un bourgeois d'Angri, chez lequel logeait Alphonse, Teresa Rossi, avait obtenu du frère lai qui accompagnait le Saint une paire de chaussettes portant encore des marques de ses sanglantes pénitences. Elle les conservait précieusement, lorsqu'un jour, blâmée par un religieux d'une dévotion qui s'adressait à un homme vivant, elle en fit don à un pauvre hydropique dont l'enflure avait envahi les jambes. Peu de temps après, le mendiant vint la revoir pour lui annoncer sa guérison ; et comme Teresa s'étonnait d'un si prompt changement : « Dès que j'ai eu mis les chaussettes que vous m'avez données, lui répondit l'infirme, mes jambes se sont dégonflées, et j'ai senti mon mal disparaître ; il n'y en a plus trace aujourd'hui. » Le second prodige eut lieu à Nocera. La veille du jour où devait commencer la mission, un jeune homme de la ville, sur le point de se livrer au désordre, voulut, par un reste de foi, quitter le scapulaire qu'il portait, et dont la vue troublait sa conscience. Il allait le déposer dans le creux d'une muraille, lorsqu'il sentit son bras pressé par une main invisible ; effrayé il recula, mais ne profita pas de

[1] Tannoia, p. 105.
[2] C'est ainsi qu'on désignait le premier inscrit sur les registres d'un chapitre ou d'une congrégation, de *primus in cera*, premier sur la cire ; on sait, en effet, que c'était sur des tablettes de cire que l'on écrivait dans les premiers siècles.

l'avertissement. La nuit suivante cependant, il vit la sainte Vierge en songe, et il entendit très-distinctement ces paroles, qui restèrent gravées dans son esprit :« Malheureux ! tu respectes mon scapulaire, et tu n'as pas horreur d'offenser mon Fils ! Demain, le Père de Liguori vient donner la mission ; va le trouver, confesse-toi et change de vie. » Le jeune homme ne connaissait pas même le nom du Père de Liguori ; aussi ces mots furent-ils pour luï une énigme. Croyant y trouver peut-être, selon la superstition du pays, le secret de sa fortune, il courut dès l'aurore chez un amateur de loterie pour se faire expliquer son rêve et savoir les numéros qui y correspondaient ; mais il n'avait pas encore eu le temps d'ouvrir la bouche, que son interlocuteur lui disait avec précipitation : « Vous savez la nouvelle ? Le Père de Liguori arrive dans un instant, et la mission va commencer. » Ces mots suffirent pour lui révéler tout le mystère. Les combinaisons de la loterie furent oubliées, et il ne songea plus qu'à se rendre auprès d'Alphonse pour lui raconter sans détour toute l'histoire de la nuit. « Ainsi c'est ma Mère qui vous envoie près de moi ! » s'écria, après avoir écouté son récit, le Saint, ému jusqu'aux larmes. C'était plus qu'il n'en fallait pour enflammer son cœur ; et réconciliant aussitôt le jeune homme avec Dieu, il mit le sceau à une conversion dont la persévérance devait être égale à la sincérité.

Tels furent les heureux débuts de la Congrégation à Pagani ; mais le succès ne dura guère plus longtemps pour elle que le triomphe du Sauveur à Jérusalem, et quelques mois s'étaient à peine écoulés depuis la réception enthousiaste faite aux missionnaires, que la persécution commençait.

L'Évêque leur accordait sa confiance ; les classes élevées leur témoignaient de l'estime et de la sympathie ; le peuple se pressait dans leur petite église ; c'en fut assez pour éveiller contre eux la triste jalousie dont ils avaient déjà souffert en d'autres lieux. Des curés blessés dans leur amour-propre, des confesseurs délaissés par leurs pénitents, unis à des religieux mendiants inquiets pour leurs aumônes, furent les premiers auteurs du mouvement; puis, la passion aidant, il se forma bientôt dans le clergé un véritable parti, qui crut sérieusement ses ressources et son influence compromises par la présence des Pères. « Si ces étrangers se fixent parmi nous, disait un vieux prêtre, nos jeunes ecclésiastiques sont perdus... Vous verrez qu'il n'y en aura plus que pour les missionnaires. Ils confesseront les religieuses, dirigeront les confréries; toutes les fonctions du diocèse leur seront confiées; enfin, ils envelopperont tout dans leurs filets. » Sous l'empire de cette chimérique terreur, vingt-cinq prêtres et une partie notable du clergé régulier se réunirent pour aviser aux moyens de défendre leurs droits. Le premier remède adopté fut le recours au roi. Un avocat de mérite fut chargé de rédiger un mémoire dont l'objet était, disait·on, d'exposer au souverain, avec plus de sincérité qu'on ne l'avait fait encore, la situation religieuse de Nocera. On y énumérait tous les secours spirituels dont jouissait la ville : dix églises desservies par des prêtres séculiers, quatre couvents, d'excellents religieux, des prédicateurs, des théologiens; enfin des offices, neuvaines, octaves, catéchismes autant qu'on en pouvait souhaiter. Peu de cités, concluait-on, étaient aussi bien pourvues, et il n'était pas dans tous les états de Sa Majesté de population plus développée, grâce au zèle de ses pasteurs, dans la direction du ciel. Quant aux nouveaux venus, qui ne formaient pas même une congrégation régulière, c'étaient, prenait-on soin d'ajouter, des hommes sans talent, dont tout le mérite consistait à prêcher quelques sermons populaires et à chanter des cantiques avec les enfants et les femmes, des gens de rien, de malheureux prêtres n'ayant pas de quoi manger chez eux, et venant se nourrir d'un pain qui ne leur appartenait pas; si cet état de choses continuait, les prêtres et les religieux du pays, ceux du moins qui, dépourvus de prébendes, avaient vécu jusqu'alors des honoraires de leurs messes, allaient être réduits à quitter la ville ou à mendier à la porte des confrères qu'on leur avait imposés. Aussi suppliait-on le roi de retirer une autorisation basée sur des faits mal connus, et de forcer les missionnaires, en leur interdisant de s'établir à Pagani, de retourner au lieu d'où ils étaient partis.

En même temps, l'Évêque était habilement circonvenu, et tout était calculé pour perdre la Congrégation dans son esprit; mais le prélat, sans se laisser émouvoir, ne répondit aux calomniateurs qu'en choisissant un des missionnaires pour confesseur, et deux autres pour l'accompagner dans ses visites diocésaines; il ordonna en outre au Père Sportelli de continuer à prêcher comme de coutume, lui recommandant seulement, pour ménager les susceptibilités paroissiales, d'éviter de le faire, les jours de fête, à l'heure des offices. Sa bienveillance était impuissante toutefois à protéger les Pères contre les vexations de tout genre auxquelles ils étaient journellement en butte de la part d'une bande de jeunes gens du pays, prompts à saisir les occasions de se distraire et de faire du scandale. Insultés dans les rues, ils n'étaient pas même respectés au pied de l'autel, et un matin, dans la sacristie de la paroisse, l'un d'eux se vit arracher brutalement l'amict dont il se revêtait pour dire la messe. Les frères servants étaient hués, montrés au doigt et couverts d'avanies, tantôt sur la place publique, tantôt au milieu de leurs travaux. C'est ainsi que le frère Antonio di Lauro, occupé à bêcher dans le jardin un carré de légumes, fut injurié par un passant, qui se précipita sur lui et le souffleta, tandis que l'humble frère, s'agenouillant devant Dieu, se bornait à tendre l'autre joue. Enfin la nuit, à la faveur des ténèbres, on venait crier sous les fenêtres des missionnaires, souiller leurs oreilles par d'indignes chansons, ou déclamer des sentences en contrefaisant leur manière de prêcher. A tous ces outrages, les fils d'Alphonse n'opposaient que le silence et la foi en la justice divine, laquelle voulut un jour, du reste, les venger sur l'heure, et aux yeux de tous, en frappant de mort subite un de leurs insulteurs, devant la porte même de leur maison.

Cependant le recours au roi n'avait eu aucun succès. Les armées autrichiennes menaçaient le territoire, et, malgré les

tendances ombrageuses du gouvernement en matière ecclésiastique, il ne pouvait alors s'occuper de querelles lo-
cales suscitées par l'établissement de quelques religieux
dans un coin du royaume. En vain les pétitionnaires revinrent-ils plusieurs fois à la charge, sans crainte de mettre
en cause l'Évêque de Nocera lui-même, qui avait méprisé,
disaient-ils, la volonté du souverain, en autorisant une fondation perpétuelle, une société en forme et une église publique là où le roi n'avait permis que l'érection d'une simple
maison; en vain, essayant d'irriter la jalousie du pouvoir,
accusèrent-ils le prélat d'avoir outre-passé ses droits en approuvant les règles de l'Institut sans l'examen du grand aumônier et sans l'assentiment de la chambre royale; ces diverses tentatives échouèrent l'une après l'autre, sans attiédir
toutefois la passion de ceux que nous serions presque tentés
d'appeler les conjurés.

Homme de paix avant tout, Alphonse, voyant l'intrigue
suivre sa marche accoutumée, songeait déjà, malgré la justice de sa cause, à quitter Pagani. Le conseil lui en avait
été donné à Naples, et Mgr Falcoia, qu'il alla consulter à
Castellamare, parut au premier abord de cet avis. Néanmoins, après s'être recueilli quelques instants, le pieux prélat, jetant les yeux sur une petite statue de saint Michel
qu'il avait près de lui, changea soudain de résolution, et,
comme éclairé d'un rayon d'en haut : « C'est le démon qui
vous attaque, dit-il à Alphonse; allez toujours; dédiez la
maison et l'église à saint Michel; Dieu et son Archange
vous protégeront. » Un reflet de cette lumière dont il allait
bientôt contempler l'éternel foyer, — car cet entretien de l'É-
vêque et du fondateur devait être le dernier [1], — avait sans
doute montré à Mgr Falcoia, dans ces épreuves et ces persécutions, le labeur qui précède la fécondité, l'enfantement
douloureux, condition nécessaire des grandes choses. Al-

[1] Mgr Falcoia mourut, en effet, peu de temps après, et une de ses dernières pensées fut encore pour l'œuvre d'Alphonse. « Sa cause est celle
de Dieu, répétait-il; le Seigneur bénira sa Congrégation, et elle se pro-
pagera comme l'herbe des champs. »

phonse, qui vénérait ses décisions et avait fait vœu de lui
obéir, n'hésita pas un instant : il embrassa courageusement
la croix, et, sûr de la protection divine, reprit avec sérénité
le cours de ses prédications.

Toutefois, comme il savait que la confiance en Dieu ne
dispense ni du travail ni de l'effort, il crut devoir faire appel
à ses anciennes études de jurisprudence, et combattre ses
adversaires sur le terrain même qu'ils avaient choisi. Dans
ce but, il adressa d'abord au roi un mémoire destiné à établir nettement ses droits ; puis, apprenant que ses ennemis
osaient porter plainte à Rome, et y représenter la Congrégation comme une société qui, constituée sans l'assentiment
préalable du Souverain Pontife, s'était mise en contravention
avec les canons et les décrets des Papes, il rédigea une nouvelle pièce justificative, dans laquelle il montrait que les
ordres religieux ne reçoivent d'ordinaire une approbation
formelle qu'après avoir grandi sous la protection des Évêques, et après avoir été mûris par le temps. Ces efforts parurent un moment destinés à marquer dans la lutte une
trêve favorable à la Congrégation ; Alphonse, en effet, vit
ses mémoires accueillis à Rome, comme à Naples, avec
une faveur de bon augure, et reçut en même temps à
Pagani un témoignage précieux de la confiance des populations : cinq ou six cents habitants du district, réunis à
Sant-Angelo in Grotta [1], décidèrent à l'unanimité d'entretenir à leurs frais des avocats et des procureurs pour soutenir
ses droits dans la capitale.

Mais le génie de ses adversaires était inépuisable dans ses
inventions. Chaque défaite nourrissait leur envie, et ils ne
savaient se consoler d'un échec qu'en ourdissant une nouvelle agression. Cette fois, l'attaque prit la forme d'une supplique adressée à la Congrégation des Évêques et Réguliers.
La pièce différait peu, du moins à son début, de la première
requête au roi. On s'étendait longuement sur le nombre des
ordres déjà existant à Nocera, où l'on voyait, disait-on, outre

---

[1] 30 mai 1744.

un clergé nombreux, des Carmes, des Minimes, des Cister
ciens, des frères des Écoles pies, et une association de missionnaires diocésains. On ajoutait que les honoraires des
messes étaient la source principale de leur revenu, et qu'en
les détournant à son profit, la nouvelle Congrégation allait,
sans aucun doute, les réduire à la misère; mais à cette argumentation déjà connue venait se joindre tout un ensemble
de calomnies. A entendre les auteurs de la pétition, les missionnaires du Saint-Sauveur scandalisaient le peuple par un
trafic exorbitant de crucifix et d'instruments de pénitence;
ils contraignaient de pauvres femmes à filer pour eux du lin
et du chanvre à vil prix; enfin, après le sermon, ils obli-
geaient les fidèles à transporter les pierres et les matériaux
nécessaires à la construction. Puis venait une série d'autres
griefs aussi ridicules et aussi peu fondés, qui se terminait
par la prière d'arrêter les travaux, d'interdire aux Pères de
recevoir aucune aumône, et de faire comparaître devant le
Souverain Pontife, pour y rendre compte de leur conduite,
Alphonse et ceux qui avaient encouru avec lui les censures
portées par les canons.

Cette démarche cependant fut à peine connue dans le pays,
que les amis d'Alphonse se réunirent de nouveau [1], et, se
modelant sur ce qui avait été fait à Naples, constituèrent
à Rome un avocat et un procureur chargés de défendre la
cause. En même temps, les membres du clergé qui n'avaient
pas voulu se mêler à l'intrigue [2], envoyaient directement au
Pape une adresse dans laquelle ils le suppliaient de vouloir
bien protéger une Congrégation destinée à rendre d'éminents
services à la population.

Devant ces allégations contraires, Benoît XIV fit demander des informations minutieuses à l'Évêque de Nocera.
Pour répondre à ce vœu, celui-ci dressa un tableau exact du
clergé de son diocèse, prouva que toutes les églises desservies soit par des religieux, soit par des prêtres séculiers,
étaient pourvues de rentes suffisantes à leur entretien, et

---

[1] 16 juillet 1744.
[2] Dans le seul faubourg de Pagani, on en comptait vingt-trois.

qu'à Pagani en particulier les messes fondées à perpétuité s'élevaient à un chiffre si considérable, que, dans l'impuissance de les célébrer toutes, les prêtres du lieu étaient forcés de se faire aider par des étrangers. Il réduisit à néant les calomnies absurdes relatives à la vente des objets de piété et au taux des salaires, et affirma que les travaux de construction dont on parlait avaient toujours été volontaires et spontanés. Enfin, faisant ressortir le double but de l'Institut, le secours des âmes abandonnées dans les campagnes et l'œuvre des retraites, il déclara, question capitale dans le débat, que les efforts des missionnaires étaient couronnés partout d'un merveilleux succès. « J'ai vu, entendu et touché de mes propres mains, écrivait-il, le bien indicible qui est résulté de la première mission de Nocera, bien qui dure encore, chose inouïe en ce lieu; et c'est là la raison pour laquelle j'ai voulu fixer dans mon diocèse une Congrégation dont, à l'exemple de tant d'autres prélats respectables, tels que Mgr Fabrizio de Capoue, mon prédécesseur, Mgr Rossi, Archevêque de Salerne, et le Cardinal de Naples lui-même [1], j'aime et vénère le fondateur. »

Ce témoignage fut reçu à Rome avec toute la considération que méritait le nom de son auteur : l'horizon s'éclaircissait, et la campagne n'avait abouti qu'à faire connaître au Souverain Pontife une Congrégation encore trop récemment fondée pour que le bruit de ses services fût arrivé jusqu'à lui. En présence de ce résultat inattendu, les ennemis d'Alphonse comprirent la nécessité de changer de tactique, et se décidèrent à remplacer ce qu'on pouvait appeler les moyens légaux par des procédés moins avouables, mais plus sûrs. Désespérant d'empêcher l'érection de la maison, ils résolurent de concentrer désormais leurs efforts contre l'ouverture projetée de l'église, et, s'étant procuré à force

---

1 A la même époque, l'évêque de Caiazzo écrivait au cardinal Firrau, Préfet de la Congrégation des Évêques et Réguliers : « Pendant trois ans, mon diocèse a recueilli les fruits des travaux apostoliques de ces dignes ouvriers. Ils ont sanctifié jusqu'à l'air qu'ils respiraient. Mais c'est une œuvre sainte, ajoutait-il; c'est pourquoi elle provoque des haines aussi vives que le bien produit par elle est grand. »

d'argent l'original du décret, ils arrivèrent, grâce à un employé infidèle, à faire lire : *Casa senza chiesa,* maison sans église, là où le roi avait écrit : « Une maison avec église, *una casa colla chiesa.* » Armés d'une copie de cet acte falsifié, ils allèrent trouver le représentant du gouvernement, le marquis Fragianni, et, simulant une indignation irritée, ils accusèrent violemment le Père de Liguori d'avoir donné au décret une extension qu'il ne comportait pas. Le marquis, trop crédule, se laissa convaincre, et expédia aussitôt à Nocera l'ordre de suspendre les travaux.

Alphonse se trouvait cette fois dans un grand embarras ; aussi, sans perdre de temps, dépêcha-t-il le Pere Sanseverino au secrétaire d'État, qui était, nous l'avons dit, le marquis Brancone. Celui-ci avait conservé des souvenirs précis : il se rappelait fort bien que le roi avait autorisé la construction d'une maison et d'une église, et il engagea le Père Sanseverino à se rendre lui-même à la secrétairerie afin d'y éclaircir l'affaire avec le secours de l'employé compétent, pour lequel il lui remit un billet écrit de sa propre main. Mais cet employé était précisément celui qui s'était laissé corrompre. Il se borna à présenter au Père la minute du décret, sans répondre à ses questions, et en s'écriant avec colère : « Vraiment vous perdez bien votre temps ; Sa Majesté n'accordera rien de plus à des Congrégations de cette espèce. » En proie à une profonde émotion, le Père Sanseverino revint auprès du secrétaire d'État. Le ministre s'étonna, mais ne se tint pas pour battu, et, envoyant sur l'heure quérir l'employé, il se fit remettre le document. Une inspection attentive suffit pour lui découvrir la fraude. Fixant alors sur le coupable un regard inquisiteur : « Les intentions du roi, lui dit-il, c'est moi qui les connais ; » et il rétablit aussitôt sur le parchemin le texte primitif : « Maison *avec* église ; *casa con chiesa;* » puis, pour achever la confusion du fonctionnaire infidèle, il lui ordonna d'aller en personne trouver le marquis Fragianni, et de lui révéler le véritable dispositif de l'ordonnance.

Les adversaires de la Congrégation n'étaient pas toutefois à bout de ressources. Éconduits dans leurs démarches, déjoués dans leurs trames, ils cherchèrent à exciter la cupidité de la sœur du Doyen, Antonia Contaldi, la même qui, aux beaux jours du début, enflammait le zèle des dames de Nocera pour la construction du couvent, et lui persuadèrent de revendiquer comme lui appartenant les biens que son frère avait assurés aux missionnaires, et en particulier la maison dont il leur avait momentanément abandonné la jouissance. La plainte fut déposée; sommation fut faite aux Pères de comparaître à Naples, le 20 juillet 1744, tandis que la demanderesse, afin de faire acte de possession et créer un fait accompli, s'introduisait secrètement dans la maison avec deux notaires, une demi-heure avant la citation, et faisait dresser, séance tenante, en présence d'une vingtaine de témoins amenés *ad hoc,* une reconnaissance de son droit prétendu. Quelle que fût la répugnance d'Alphonse à plaider, le procès suivit son cours : il se termina par le triomphe des missionnaires, qui se trouvèrent ainsi confirmés dans la possession de leurs biens. En vain le Doyen, dont le nom n'avait pas encore paru dans cette odieuse querelle, se laissa-t-il entraîner dans la lice et essaya-t-il à son tour de révoquer sa donation, en alléguant pour prétexte qu'il avait eu l'intention de fonder un collége ecclésiastique régulier, et non une maison de prêtres séculiers usurpant le titre de Congrégation; le conseil n'admit aucun de ses arguments, et, fidèle à sa première décision, mit à néant la réclamation. Tous ces échecs ne décourageaient point encore l'intrigue. Nous n'entrerons pas davantage cependant dans le fastidieux détail de cette scandaleuse épopée; démarches nouvelles tentées auprès du Cardinal, libelles adressés au roi, appels à Rome et à Naples, réquisitoires, pétitions, suppliques, calomnies, tout fut tenté, jusqu'à l'introduction dans la maison que faisaient construire les missionnaires de deux barils de poudre, dont l'explosion l'eût infailliblement détruite, si l'un des complices, troublé par ses remords, n'avait prévenu à temps le Père Mazzini.

Mais la patience des religieux du Saint-Sauveur était plus persévérante encore que la haine de leurs adversaires. Toujours avides de conciliation, ils prirent pour arbitre l'Évêque de Nocera, qu'une mort subite vint enlever au moment où il tentait un accommodement entre les deux parties. Cette perte, très-douloureuse pour les missionnaires, n'eut pas pour eux, il est vrai, toutes les conséquences qu'on pouvait craindre; car Msr Volpe, qui succéda à Msr de Dominicis, ne se montra pas moins favorable à leur cause que son prédécesseur, et se préoccupa comme lui des moyens de soustraire les Pères au supplice de se voir le point de mire de l'attention publique. Un arrangement à l'amiable fut donc de nouveau proposé; mais Contaldi et son entourage ne voulaient rien entendre; leur but n'était rien moins que de chasser de Pagani « cette race maudite », tel était le ton de leurs discours, « qu'on laissait s'étendre et s'engraisser. » Une si violente excitation rendait évidemment toute entente impossible, et Alphonse n'avait plus devant lui que deux solutions : attendre la décision du conseil royal, qui avait été une fois de plus saisi de l'affaire, ou renoncer complétement à ses droits. Ce dernier parti lui semblait préférable, et son amour pour la paix le lui aurait fait embrasser depuis longtemps, si l'Évêque n'avait refusé d'y consentir, et si d'un autre côté les sept communes du district n'avaient mis à défendre les missionnaires une ardeur presque égale à celle de leurs ennemis. On se résigna donc à attendre, et tout projet de départ fut abandonné.

Cependant les travaux de la nouvelle maison se poursuivant avec lenteur, les Pères demeuraient toujours condamnés à l'épreuve de vivre sous le même toit que leur principal adversaire. A tout moment ils le rencontraient dans les cours ou les corridors, et la présence habituelle de ses amis ajoutait encore aux ennuis de leur situation, car ceux-ci ne leur épargnaient ni les paroles acerbes ni les termes blessants. L'un d'eux, par exemple, auquel Alphonse se plaignait un jour des tracasseries dont il était l'objet, s'écria avec une brutalité de bas étage : « Si vous voulez faire le

métier de voleur et dépouiller les gens, que n'allez-vous
sur les grandes routes arrêter les passants? » Le Saint, sans
s'émouvoir, ne répondit que ces mots : « Dieu soit béni! j'ai
tout quitté pour lui, et je suis traité de voleur! » Il fallait,
en effet, accepter tous ces outrages et se soumettre aux desseins de la Providence, qui ne paraissait pas vouloir, cette
fois, fournir de ressources suffisantes pour activer la construction : « Je meurs d'impatience de quitter cette maison,
écrivait le Père Mazzini, et je voudrais ne me nourrir que
de l'herbe des champs, afin d'épargner quelque argent pour
avancer notre bâtisse; mais que faire? nous n'avons d'autre
revenu que les honoraires de trois messes, et notre petite provision de grains elle-même est bien médiocre. » Aussi ne
fut-ce qu'à la fin de septembre 1745, pendant la neuvaine
de l'archange saint Michel, que les missionnaires eurent la
joie de s'installer dans le couvent dont ils l'avaient déclaré
protecteur. L'église, toutefois, n'était pas encore terminée,
et les chefs de la cabale, irréconciliables jusqu'à la dernière
heure, imaginèrent d'en arrêter l'achèvement en obtenant
qu'une décision supérieure enjoignît aux religieux du Saint-
Sauveur de se tenir pour satisfaits, et de demeurer dorénavant dans le *statu quo*. Heureusement le Père Sportelli
eut vent de l'affaire, et en une nuit il fit enlever les écha-
faudages, aplanir le terrain, couvrir les murs de tentures
et dresser un autel provisoire, où le lendemain, dès la pointe
du jour, la messe fut célébrée. Cette prise de possession
précipitée, qui rappelle singulièrement l'installation de
sainte Thérèse à Medina del Campo [1], provoqua, lorsqu'elle fut connue, une scène de fureur presque grotesque,
mais facile à comprendre. Elle marquait, en effet, un progrès considérable dans la tâche ardue poursuivie depuis
trois ans, et Alphonse, retenu alors dans la Pouille, en exprima toute sa satisfaction à ses enfants, en même temps
qu'il leur recommandait de ne pas perdre un jour pour soumettre à la règle leur nouvelle conquête : « Je vous en prie,

---

1 Voir le Livre des Fondations (traduction du P. Bouix), p. 48 et 49.

écrivait-il au Recteur, établissez au plus vite l'observance dans la maison. Jusqu'à présent nous n'avions pu le faire, à cause de nos difficultés intérieures; mais il en est temps maintenant; autrement on s'habituerait à s'affranchir de la loi, et il deviendrait difficile plus tard de la remettre en vigueur. Je suis trop loin pour y veiller moi-même; j'en charge donc votre conscience. La Congrégation ne prospèrera qu'autant que l'observance y sera respectée et que nous voudrons devenir des saints; sinon tout s'évanouira en fumée. »

La phase des luttes ardentes était passée; mais l'arrêt du Conseil n'était pas rendu, et Contaldi n'avait pas renoncé d'ailleurs à l'espoir d'amener, à force de querelles quotidiennes, les missionnaires à quitter le pays. Il réussit d'abord à faire confisquer par le Délégat le revenu de huit *moggia* de terre qui leur appartenaient, et que la justice, il est vrai, leur fit bientôt rendre; puis, dans le but de provoquer un nouveau procès, il donna à un prêtre de sa famille une portion des biens qu'il leur avait octroyés. Un autre jour, le parti des opposants prit le langage de la conciliation, et, au nom des curés de la ville, vint promettre aux Pères de les laisser en paix s'ils voulaient s'engager à ne plus prêcher dans leur église. La proposition n'était pas sincère, et l'Évêque défendit de l'accepter. On imagina alors d'appeler à Pagani les missionnaires de la Propagande, pour faire concurrence à ceux du Saint-Sauveur. Enfin, on osa attaquer la vertu du Père Mazzini et d'une de ses pénitentes, aussi vénérable par son caractère que par ses années. Mais de tous ces moyens odieux aucun n'eut de succès. La petite église continua à être fréquentée par les fidèles; les exercices de piété s'y multiplièrent, à la grande satisfaction des habitants de Pagani, et la confrérie des artisans qu'on y avait érigée compta bientôt plus de cent membres. Ces résultats pénétraient de joie le cœur d'Alphonse, et il bénissait Dieu des moissons qu'avaient fait germer ses larmes. L'Évêque, de son côté, s'efforçait d'éteindre les préjugés en témoignant une affection de plus en plus marquée aux missionnaires. A tout instant il venait les consulter sur les affaires du diocèse, et leur envoyait les membres de son clergé qui avaient besoin d'être instruits sur les rubriques ou qui désiraient faire des retraites. Souvent enfin il choisissait le couvent de Saint-Michel pour y donner des audiences à Contaldi et à ses partisans, et se plaisait parfois malicieusement, dit-on, à prolonger leur embarras de se trouver dans ces murs, en les faisant attendre assez longtemps au rendez-vous. Le prélat arrivait ainsi peu à peu, à force de fermeté et de modération, à mettre fin au scandale du conflit; mais l'occasion immédiate de cet heureux dénoûment fut un événement tragique dont un des principaux adversaires de la Congrégation faillit être la victime.

Le temps fixé pour son administration étant écoulé, Contaldi avait cessé ses fonctions de Doyen [1]; mais son successeur, héritier de ses rancunes, se montrait tout aussi hostile que lui aux missionnaires. Un soir, cet ecclésiastique regagnait sa demeure, lorsqu'un jeune homme de sa paroisse, auquel il avait adressé plusieurs fois de trop justes reproches, se jeta sur lui, le couvrit de coups et de blessures, et le laissa presque mort sur la voie publique. Le pauvre Doyen, hors d'état d'être ramené chez lui, fut transporté dans le couvent des Clarisses, voisin du théâtre du crime, où les premiers soins qu'il reçut furent ceux du Père Mazzini, c'est-à-dire de l'homme qu'il considérait comme le chef de ses ennemis. Cet acte de charité eut plus de puissance que toutes les sentences judiciaires. Profondément touché d'une démarche à laquelle il n'avait pas le droit de prétendre et que suivirent bientôt de nombreuses preuves de dévouement, le malade sentit son antipathie contre les missionnaires s'évanouir devant la reconnaissance. L'adversaire de la veille ne tarda pas à devenir un chaud défenseur de la Congrégation, et, grâce à ses efforts pour lui rendre la bienveillance des supérieurs de communautés et l'estime des prêtres les plus influents, on vit en peu de temps

---

[1] Les quatre curés de Pagani remplissaient, en effet, à tour de rôle, le fonctions de Doyen.

tous les opposants, vaincus ou convaincus, renoncer au combat.

Sur ces entrefaites, le conseil royal de Naples, auprès duquel Contaldi n'avait pas encore cessé de protester, se prononça à l'unanimité [1] en faveur de la validité des donations faites aux missionnaires, et déclara qu'il n'y avait point lieu de revenir sur ce point. Le triomphe était définitif et complet; cependant Alphonse, qui depuis longtemps avait choisi la Providence pour son économe, continuait à rêver le sacrifice de ces biens dont la possession avait été pour lui, trouvait-il, trop chèrement payée. L'Évêque s'était opposé jusque-là à cette généreuse résolution ; mais, en face d'un arrêt qui lui enlevait les apparences d'une concession arrachée par la force ou consentie par la peur, il finit par y donner son assentiment. C'en fut assez pour Alphonse, qui, sans attendre davantage, rendit à l'ancien Doyen tout ce qu'il en avait reçu [2]. Il lui demanda seulement d'abandonner aux missionnaires, à titre d'aumône, le terrain sur lequel ils avaient construit leur maison, et d'acquitter une dette de neuf cents ducats contractée envers l'entrepreneur des bâtiments. Quelque temps après, Contaldi, désarmé, vint suivre une retraite dans la maison de Ciorani. Libre cette fois de toute préoccupation étrangère, il ne put résister à la séduction exercée sur lui par la vie des Pères, et ne fit plus, nous disent textuellement les historiens, « qu'un cœur et qu'une âme avec Alphonse. »

Telle fut la fin de cette longue lutte où la puissance était d'un côté et la faiblesse de l'autre, mais où la faiblesse triompha, parce qu'elle avait pour compagne la charité. L'avenir devait montrer la raison mystérieuse de cette

---

[1] Octobre 1748.

[2] Cet acte généreux de saint Alphonse a été consigné dans le procès de sa canonisation comme une preuve de son détachement héroïque des biens de ce monde. Voici le jugement qu'en a porté la sacrée Congrégation des rites : « Constat Alphonsum nulla rerum cupiditate ductum, legatum heroica liberalitate abdicasse et ipsos æmulos in sui amorem ac instituti obsequium adduxisse in fundanda domo Nucærina. » *Proc.*, vol. I, p. 316.

épreuve : la maison de Pagani, disputée pendant cinq ans et avec un acharnement sans exemple aux desseins de la Providence, devint bientôt, en effet, le centre principal de l'œuvre d'Alphonse, le foyer d'où se répandirent sur les pays d'alentour les rayons de la grâce et les ardeurs du dévouement.

CHAPITRE VII

Pendant que la Congrégation subissait à Pagani les épreuves dont nous venons de parler, elle se développait dans plusieurs provinces du royaume de Naples avec la vigueur que la persécution ˙communique d'ordinaire aux œuvres de Dieu. La fondation de deux nouvelles maisons et l'extension considérable prise par les missions, donnent à cette période une importance trop réelle pour qu'il nous soit permis de passer outre, et nous obligent à revenir sur des faits que nous avions laissés dans l'ombre afin de ne pas interrompre la suite des événements.

En 1744, Alphonse se rendait sur les bords de l'Adriatique pour prêcher une mission dans la terre de Bari, lorsqu'un chanoine du diocèse de Bovino [1] vint le trouver de la part de son Évêque pour le supplier de passer par la Pouille et de s'arrêter à Iliceto. Il y consentit, pensant qu'il ne s'agissait que d'une retraite de quelques jours ; mais quand elle fut terminée, et .qu'il eut annoncé son départ, le véritable motif de son appel lui fut dévoilé. Don Casati, c'était le nom du chanoine, qui appartenait à une famille noble de Milan, désirait consacrer son patrimoine à fonder une maison de missionnaires, et prendre pour héritiers, selon son expression, la Mère de Dieu et don Alphonse de Liguori. Il avait

---

[1] Bovino, dans la Capitanate, à vingt-huit kilomètre S.-O. de Foggia.

choisi dans ce but un petit monticule situé à un mille et demi environ d'Iliceto et à l'extrémité d'un bois connu sous le nom de *valle in vincoli*, où s'élevait une ancienne église bâtie par le bienheureux Félix de Corsano [1], sous le vocable de Notre-Dame-de-la-Consolation. Le chanoine avait une grande dévotion pour ce sanctuaire et pour l'image miraculeuse de la sainte Vierge qu'on y vénérait; mais à première vue l'église et le petit couvent adjacents semblèrent à Alphonse placés dans un site trop solitaire; aussi reçut-il sans enthousiasme les ouvertures du donateur. Une visite plus attentive des lieux changea toutefois ses dispositions. L'image miraculeuse en particulier fit sur lui une impression profonde : « Il en devint véritablement épris, » dit son chroniqueur. Dès lors il cessa de repousser les offres qui lui étaient faites, et séduit par la pensée de célébrer le même jour la naissance de la nouvelle maison et celle du divin patron de son œuvre, il s'y installa, la veille même de Noël, avec quelques-uns de ses disciples.

En étendant ses regards sur les grandes plaines d'Iliceto, qui se déroulaient à ses pieds, le Saint conçut bientôt des projets aussi vastes que leur horizon. Devant lui s'étalaient ces riches prairies de la Pouille formant le domaine désigné sous le nom de *Tavoliere reale* [2], et au milieu desquelles vivaient, dans des parcs de buffles ou de brebis et sous des huttes de paille, des milliers d'hommes perdus au sein de ces immenses pâturages, et presque aussi sauvages que leurs troupeaux. Alphonse vit là une moisson que Dieu le destinait à faire mûrir; il apprit en effet avec douleur que ces populations manquaient, pour ainsi dire, de tout secours religieux,

---

1 Le B. Félix de Corsano, religieux augustin, de la Congrégation de San-Giovanni a Carbonara, de Naples.

2 Domaine royal. Les pâturages de la Pouille appartenaient, en effet, presque tous au roi, et le droit d'entrée payé pour les troupeaux que l'on y amenait des différentes parties du royaume constituait un des revenus importants de la couronne. Ce droit de pâture était déjà perçu au temps des Romains : Varron et d'autres auteurs en font foi; mais il était tombé en désuétude, et avait été rétabli trois siècles auparavant, en 1447, par le roi Alphonse Ier.

que quelques bergers à peine entendaient la messe aux jours
de fête, et encore, pour le plus grand nombre, plutôt par un
reste d'habitude que par foi et par devoir. Dès lors son parti
fut pris, son plan fut tracé, et à peine quelques jours s'é-
taient écoulés, que les missionnaires, sillonnant ce nouveau
champ de bataille, rayonnaient dans toutes les directions :
les Pères Tortora et di Antonio partirent pour Torre Ale-
manna, ancien château des chevaliers de l'ordre Teutonique,
le Père Villani et un autre compagnon pour Ponte-Alvanito;
enfin, le Père Cafaro aborda la terre de Castelluccio de'
Sauri, plus abandonnée encore peut-être que toutes les
autres. Telle fut la première campagne; mais elle devait
être suivie de bien d'autres, car Alphonse assigna aux missionnaires d'Iliceto la Pouille comme le centre ordinaire et
permanent de leurs travaux. Il exposa en même temps au roi
le délabrement moral des populations de cette province, la
nécessité de leur venir en aide, et les efforts qu'il avait déjà
faits dans ce but. Le roi chargea le marquis Branconc de
lui transmettre, avec l'expression de sa satisfaction pour le
passé, ses encouragements pour l'avenir, et accorda immédiatement son approbation à la nouvelle maison [1].

Ces soins donnés à la fondation naissante ne faisaient pas
perdre de vue à Alphonse la terre de Bari, où il était attendu
avec une impatience qu'excitaient encore ses délais. Il s'y
rendit dès qu'il fut libre, et prêcha à Modugno, où on le
sollicitait vivement de se fixer. Mais, apprenant que le roi
venait d'autoriser les Pères de Saint-Vincent-de-Paul à
ouvrir un établissement dans la capitale de la province, il
ne voulut pas paraître élever autel contre autel. Il pria donc
l'Archevêque de reporter ses bontés sur les nouveaux venus,
et retourna visiter les disciples qu'il avait laissés dans la
Pouille, dont la situation précaire le préoccupait douloureusement. Ceux-ci étaient, en effet, dans la plus grande détresse. Privés d'une part du revenu de la propriété que don
Casati s'était réservée jusqu'à sa mort, et de l'autre des au-

---

[1] 9 janvier 1745.

mônes promises qui n'arrivaient pas, ils en étaient réduits
là encore à vivre uniquement des honoraires de quelques
messes ; et il est peu d'exemples dans l'histoire des fondations monastiques d'un plus complet dénûment. Tannoia,
qui fit partie de la maison d'Iliceto, nous en parle d'après
sa propre expérience [1] ; mais son témoignage ne saurait rien
ajouter à la peinture suivante, tracée déjà par le Père Garzilli [2], admis quelques mois avant lui dans l'Institut.

« Notre pain, raconte ce Père, était un mélange de farine
et de son mal préparé et noir comme du charbon ; parfois
même nous en manquions complétement, et nous étions
obligés de recourir à la charité d'un vieux paysan, nommé
Benvenuto Soriano, presque aussi misérable que nous, car
il habitait une cabane où il n'avait pour se nourrir que le
produit de ses chèvres et les fruits d'un petit champ situé
près de notre maison. Pour potage, nous n'avions ordinairement qu'une panade ou de la semoule à l'eau, ou bien encore
des fèves écrasées, vieilles de plusieurs années, et noires
comme le pain. Jamais nous ne voyions de viande ; tout au
plus mettait-on quelquefois un peu de lard dans la soupe, et
si par hasard un morceau de bœuf ou de mouton mort d'é-
puisement paraissait sur la table, nous croyions faire un
grand régal. Nos fruits étaient des châtaignes sauvages, des
pois grillés et des sorbes sèches, tellement dures qu'il fallait
d'abord les amollir dans de l'eau bouillante. Le peu de vin
que nous buvions était si mauvais et si mélangé, qu'il gâtait
l'estomac au lieu de lui donner des forces. Les grands jours,
on nous servait un gâteau grossier, fait avec la farine ordinaire, à laquelle on ajoutait seulement, en l'honneur de la
fête, du fromage ou de la salaison. Quant au sucre et au
poivre, c'étaient là des objets de luxe qui nous étaient inconnus. Le linge ne nous faisait pas moins défaut. Nos che-

---

1 « J'ai moi-même goûté la lie de ce calice. » *Vita ed istituto*, p. 120.
2 Don François Garzili était chanoine de Foggia avant d'entrer dans la
Congrégation. Comme il était déjà avancé en âge, le Père Cafaro s'opposait
à son admission. « Il fournira une carrière plus longue que la vôtre »,
lui répondit Alphonse. Le Père Cafaro mourut, en effet, le 13 août 1753,
et le Père Garzili trente-trois ans après, le 10 mars 1786.

mises, en particulier, avaient été tant de fois réparées, qu'on
n'en reconnaissait plus l'origine. J'en avais apporté moi-même
vingt de Foggia ; elles servirent à tous pendant quelque
temps ; mais elles étaient de toile fine et furent bientôt
en pièces. Nos vêtements de dessus étaient composés d'une
centaine de morceaux de drap achetés au *ghetto* de Naples.
Quelques vieux chiffons nous tenaient lieu de mouchoirs ;
quant aux couvertures, elles étaient devenues presque trans-
parentes à force de servir. Ce n'est pas tout : la maison, vieux
couvent supprimé sous Innocent XI, n'était que ruines et
décombres ; le vent y semblait plus froid encore qu'au dehors ; les parois étaient crevassées ou effondrées, et les pans
de murs relevés se composaient de briques placées les unes
sur les autres sans mortier. Les fenêtres, à l'exception de six
d'entre elles refaites par un des derniers habitants du lieu,
le comte Appiani, ne laissaient passer aucun rayon de soleil ; et les toits crevés, les cellules sans plafonds, permettaient à la neige de tomber parfois jusque sur nos lits...
Mais je m'arrête ; car si j'en disais davantage on se lasserait
peut-être de me croire. » Une lettre écrite par Alphonse à la
même époque confirme l'exactitude de ce récit. « Où sont,
disait-il à une personne qui l'avait engagé à s'établir dans le
pays, où sont les aumônes que vous m'annonciez? Si Dieu
ne vient à mon secours, je serai obligé de renvoyer mes
compagnons ; car ils ne peuvent continuer à vivre de la
sorte. Et encore, en ne mangeant guère que des fèves
cuites dans l'eau salée, nous avons fait soixante ducats de
dettes ! »

Les craintes du Saint n'étaient point exagérées : deux des
Pères, ne pouvant supporter davantage cette profonde misère, quittèrent la Congrégation et rentrèrent dans le monde.
Quant au pauvre frère Vito Curzio, il y succomba. Un jour
qu'il n'y avait plus rien absolument dans la maison, Alphonse se décida à l'envoyer quêter du grain dans les campagnes de la Pouille. C'était au mois d'août : le soleil était
brûlant et le pays sans ombrage. Peu habitué à la marche,
Curzio se fatigua outre mesure, et un soir, ayant vainement,

hélas! sollicité l'hospitalité à la porte d'un couvent, il se
coucha dans un champ et s'endormit. La fièvre le surprit
au milieu de son sommeil, et, trop faible pour revenir jusqu'à la maison, il fut obligé de s'arrêter chez un prêtre
d'Iliceto, dont il reçut les soins pendant les quarante-neuf
jours que dura sa maladie. Il mourut le 18 septembre 1745.
Vito Curzio était très-aimé dans le pays, et sa mort fut un
véritable deuil public. Une foule énorme suivit son cercueil,
que les chanoines d'Iliceto voulurent conduire eux-mêmes
jusqu'à la petite église de la Consolation. Le peuple proclamait tout haut la sainteté du bon frère, implorant sa protection et sollicitant des objets ayant été à son usage. Alphonse chanta la messe, mais fut interrompu plusieurs fois
par ses sanglots. C'était son Lazare qu'il pleurait, son premier frère lai, et, avec le Père Sportelli, son plus ancien
compagnon [1].

Presque aussitôt après la mort de Curzio, l'œuvre à laquelle il avait prodigué un dévouement si humble reçut
d'une circonstance spéciale une extension considérable et une
puissante impulsion. Le Pape Benoît XIV, frappé des résultats produits par les missions en divers pays chrétiens, confia par un bref spécial [2] au Cardinal Spinelli le soin d'envoyer des missionnaires dans tous les diocèses du royaume
de Naples. A cette nouvelle, le nom d'Alphonse fut dans
toutes les bouches, et, répondant au vœu général, le Cardinal
lui assigna le premier rôle dans ce vaste apostolat. Son zèle
n'était pas, il est inutile de le dire, au-dessous de la tâche
qu'on lui imposait; aussi, dès que les vendanges furent
terminées, il se mit en route. Il parcourut d'abord le diocèse de Bovino, où il se trouvait; puis celui de Troia, et se

[1] La vénération qu'inspirait Vito Curzio ne s'effaça pas de longtemps.
L'Évêque de Lacedogna, Mgr Amato, demanda son crâne comme une
relique précieuse et le conserva pendant plus de vingt ans sur son
prie-Dieu; après la mort du prélat, les Pères du Saint-Rédempteur le
réclamèrent, et le déposèrent dans le chœur de l'église d'Iliceto. Nous
possédons une vie abrégée de Vito Curzio écrite par saint Alphonse lui-
même.
[2] En date du 8 septembre 1745.

rendit enfin à Foggia, où les souvenirs qu'il avait laissés étaient à eux seuls un gage de succès. Il y ouvrit simultanément quatre missions dans les principales églises de la ville, et des retraites particulières pour la noblesse et le barreau, pour les employés de l'État, pour les artisans et pour les prisonniers. Les conversions furent innombrables, et ceux mêmes qui résistèrent à l'appel de Dieu subirent comme un temps d'arrêt forcé dans la licence; un jeune homme avoua qu'ayant une nuit, pendant la mission, parcouru toute la ville avec des intentions de désordre, il n'avait pu trouver nulle part l'occasion de s'y livrer. Mais Foggia n'était pas seulement pour Alphonse un champ presque inépuisable en moissons, il semblait encore destiné à devenir son Thabor. Un soir, en effet, pendant que le saint prêtre prêchait devant une vieille peinture connue sous le nom. d'*Icona vetera,* ou de la Madone aux Sept-Voiles, dont nous avons déjà parlé, et répandait son âme en effusions sur les gloires de la sainte Vierge, on vit tout à coup se renouveler le prodige qui. quatorze ans auparavant, lui avait été accordé dans le même lieu. Un rayon de lumière partant de la figure de Marie vint illuminer son visage, et plongé dans l'extase, il apparut aux yeux de tous élevé de trois palmes audessus de la chaire. A ce spectacle, auquel assistèrent plus de quatre mille personnes, le peuple poussa de tels cris, rapporte le biographe, que dans la ville on crut à une émeute : les religieuses d'un couvent voisin coururent tout en émoi aux grilles de leurs fenêtres, et une foule de curieux se précipita vers l'église pour savoir ce qui s'y passait.

Un autre trait de la puissance divine, aussi terrible que celui-là était consolant, fut pour quelques âmes rebelles le coup irrésistible de la grâce. Le Père chargé, selon l'usage, de parcourir les rues et les places pour inviter le peuple à se rendre à l'église, passant devant une taverne, aperçut des buveurs qu'il convoqua à venir entendre le sermon. Mais un de ces malheureux lui montrant son verre, lui répondit effrontément : « Père, voici ma mission ! » et il s'apprêtait à boire, lorsqu'il tomba sans vie sur le sol. L'émotion fut

grande autour de lui, et le silence de la mort, plus éloquent que tous les discours, ramena à Dieu plusieurs des
assistants.

Alphonse s'occupa aussi activement à Foggia du clergé,
sur lequel il ne manquait jamais de concentrer ses efforts, et
prêcha dans tous les couvents de femmes, entre autres dans
deux monastères de Franciscaines et dans le Conservatoire
du Saint-Sauveur [1], destiné à l'éducation des jeunes filles
nobles, où il retrouva la sainte religieuse dont les lumières
surnaturelles l'avaient confirmé jadis dans sa vocation. Partout il établit une plus fidèle observance des constitutions et
une pratique plus assidue de l'oraison et de la communion.
Chez les Franciscaines, en particulier, il supprima plusieurs
graves abus : par exemple, l'usage de chanter en musique
avec l'accompagnement d'un maître qui venait donner des
leçons à la grille, et celui de confier successivement à chacune
des professes l'entretien de la sacristie à ses frais, coutume
qui préoccupait souvent les religieuses et leurs familles pendant plusieurs années avant l'époque où elles entraient en
fonction.

Foggia, cependant, ne pouvait se lasser de l'entendre, et
Alphonse ne savait rien lui refuser ; aussi, après quelques
courses au dehors, et malgré la fièvre violente qui usait ses
forces, y revint-il de nouveau en mars 1746, pour prendre
part à des prières publiques destinées à obtenir la cessation
d'une longue et cruelle sécheresse. Il prêcha, intercéda,
s'immola, et n'avait pas encore terminé la neuvaine lorsque
des pluies salutaires vinrent mettre fin aux angoisses de la
population. Ce bienfait, attribué aux prières du Saint, accrut
encore la reconnaissance et l'attachement que les habitants
de la Pouille lui avaient voués. Lui-même, du reste, paraissait
éprouver aussi pour eux une affection spéciale, qu'il leur témoigna en accompagnant souvent les pacifiques cohortes
envoyées chaque année par la maison d'Iliceto, non-seulement

---

[1] On désigne en Italie sous le nom de Conservatoire (*Conservatorio*)
des maisons d'éducation destinées en général à des jeunes filles sans fortune.

dans le *Tavoliere reale*, mais encore dans les provinces voisines, le Comtat de Molise et la Basilicate. Une année, entre autres, il se rendit avec ses disciples dans la ville de Melfi, dont l'un des plus riches habitants abandonna ses biens et entra dans la ·Congrégation en qualité de frère servant, et visita les terres de Rionero et de Ripacandida, qui lui semblaient être les plus délaissées de cette région. Les habitants de Rionero étaient un amalgame de gens de tous pays, en particulier d'Illyriens et d'Albanais, attirés par l'exemption d'impôts dont on jouissait en ce lieu ; cette diversité d'origines, qui mettait sans cesse en présence des mœurs aussi dissemblables que l'étaient eux-mêmes les caractères, multipliait les occasions de rivalités et de dissensions. Alphonse, frappé des besoins spirituels de cette population, et jugeant d'ailleurs le terrain bien préparé, songea un moment à établir dans le pays une maison de l'Institut ; il ne put malheureusement réaliser ce projet ; mais il eut la satisfaction de ne pas s'éloigner avant d'avoir obtenu l'ouverture de quatre églises, que l'étendue du district et l'éloignement de la paroisse rendaient nécessaires. A Ripacandida, au contraire, le Saint eut la surprise et la joie de trouver un monastère de Carmélites vivant dans une si étroite observance que, loin d'exciter leur zèle, il fut obligé de modérer leurs austérités et de leur prescrire des adoucissements, spécialement sous le rapport de la nourriture : « Je n'aurais jamais cru, disait-il plein d'admiration pour la sainteté qui régnait dans ce lieu, sur un rocher si sauvage trouver une si belle fleur. »

Mais avant d'achever le récit de l'apostolat d'Alphonse dans cette partie du royaume, nous ne pouvons passer sous silence un service considérable qu'il rendit aux âmes, et dans lequel se révèlent une fois de plus la lucidité de son esprit et la prudence de sa doctrine. En parcourant ces régions, il avait remarqué, parmi les grossièretés de langage de la population, l'usage de maudire les morts. Cette habitude était si invétérée que les Évêques, pour essayer de la déraciner, en avaient fait un cas réservé. Le Saint chercha avec soin

à découvrir l'intention de ceux qui prononçaient ces blasphèmes, et y reconnut beaucoup moins de haine contre les
morts que de colère contre leurs parents vivants. Doutant
donc que la faute fût toujours mortelle, il s'affligea de la
voir présentée avec un caractère aussi terrible ; car beaucoup de personnes, malgré la gravité attribuée à ce péché,
y retombaient sans cesse et restaient pendant plusieurs mois
éloignées des sacrements. Il fit part de ses réflexions aux
Congrégations de Naples, et en particulier à la Propagande,
qui se rangea tout entière à son avis. « Votre mémoire a
été lu en assemblée générale, lui écrivit le secrétaire. Tous
l'ont approuvé et ont jugé qu'il était irréfutable ; aussi la
Congrégation croit-elle nécessaire, tout en usant de prudence
à l'égard des Évêques qui se sont réservé le cas, d'éclairer
la conscience des fidèles et de leur expliquer que la faute
n'est grave et ne tombe sous le coup des dispositions épiscopales, que lorsque celui qui profère la malédiction a bien
réellement l'intention de l'appliquer aux âmes des morts. Il
va sans dire, du reste, que tout ceci doit être répandu avec
circonspection et respect pour l'autorité, afin qu'il n'en res-
sorte que le bien des fidèles et la gloire de Dieu. » Quelque
concluante que fût cette réponse, la conscience d'Alphonse
ne s'en contenta pas, et il ne voulut rien faire sans recourir
à Rome, dont la décision fut d'ailleurs identique en tous
points. Ainsi confirmé dans son opinion, il crut devoir adresser quelques recommandations aux curés et aux confesseurs
du pays. Mais le bien ne se fait jamais sans peine. Malgré
ses précautions pour n'offenser personne, un religieux de la
Pouille, offusqué de ses observations, l'attaqua dans un
langage dont l'apostrophe suivante suffit pour donner une
juste idée. « Qui es-tu, lui écrivait-il, toi qui, sortant d'un
bois, veux faire le docteur et imposer la loi aux autres? »
Puis, négligeant toute discussion sérieuse, il n'en arrivait
rien moins qu'à le traiter d'hérétique, parce que ses missionnaires introduisaient dans les paroisses l'usage de faire
la méditation en commun, ce qui équivalait, selon lui, au
mépris de la prière vocale. En face de ces injures et de ces

calomnies, Alphonse imita le Sauveur, qui, taxé de Samaritain et de possédé, passa sous silence la première imputation et ne répondit qu'à la seconde. Il laissa de côté l'outrage dirigé contre sa personne, et ne chercha à se justifier que du reproche concernant sa doctrine. Pour atteindre ce but, il se borna à révéler qu'il avait fait vœu de réciter tous les jours le rosaire, à rappeler que dans chaque mission un Père était désigné par lui pour le dire avec les fidèles, et que l'introduction de cette coutume dans les familles était au nombre de ses constantes recommandations; cette réponse calme et péremptoire mit fin à toute polémique et lui permit de reprendre en paix le cours de ses travaux.

A quelque temps de là, se trouvant encore dans la Pouille, il reçut une proposition destinée, s'il l'acceptait, à ouvrir devant lui une nouvelle sphère d'action, et à porter à quatre le nombre des maisons de l'Institut. Ses travaux s'étendaient déjà sur les bords de la Méditerranée et sur ceux de l'Adriatique; c'était maintenant au pied des montagnes formant le centre du royaume qu'on lui demandait de fonder un établissement. Cette prière émanait de l'Archevêque de Conza [1], qui appelait à son secours les missionnaires, en leur offrant une petite église située au milieu de la terre de Caposele, et dédiée à la sainte Vierge, sous le vocable de *Mater Domini*. Alphonse s'excusa d'abord, car ni le lieu ni le temps ne lui paraissaient favorables à une fondation; toutefois, sur les instances du Père Villani, il se décida à y prêcher au moins une station, et s'y rendit le 22 mai 1746.

Dès le lendemain, il voulut offrir ses hommages à l'Archevêque, et, monté comme de coutume sur sa mule, il partit pour Calabritto, où le prélat se trouvait en tournée diocésaine. Mgr Nicolaï, — c'était son nom, — logeait chez une famille riche du pays, au palais del Plato. Alphonse s'y pré-

---

[1] Le diocèse de Conza est situé à l'extrémité de la Principauté ultérieure, entre la Pouille et la Basilicate. La ville, qui est à 13 kilomètres sud-est d'Avellino, est l'ancienne Compsa. Fondée vers l'an 275 avant Jésus-Christ, elle avait été en grande partie détruite par un tremblement de terre en 1694. Depuis lors, elle n'a jamais été rebâtie complétement.

senta sans se nommer ; mais ayant reçu pour réponse que
c'était le moment du repas, il entra pour se reposer dans la
chapelle attenante à l'habitation. Il y récitait tranquillement
son office, lorsqu'un des jeunes gens de la famille, Xavier del
Plato, vint pour en fermer les portes. A la vue de cet étranger portant une barbe inculte et des habits en mauvais état,
le jeune homme conçut d'injurieux soupçons, et l'engagea
brusquement à se retirer. « Ne voudriez-vous pas me permettre, demanda Alphonse, d'achever les Complies? — Je
vous répète de sortir, reprit Xavier. Hier, on nous a volé
une nappe, et il n'y en a plus de trop aujourd'hui. » Le
Saint s'éloigna en silence, et termina son office dans la rue ;
puis, comme l'heure s'avançait, il gravit l'escalier du palais, et, se faisant connaître cette fois, demanda si l'Archevêque pouvait le recevoir. Au nom d'Alphonse, Mgr Nicolaï
se leva avec empressement, s'avança à sa rencontre et lui
prodigua les marques de la plus ardente vénération. Xavier·
del Plato, présent à l'entrevue, s'étonnait de cet accueil ;
mais sa surprise se changea en confusion, lorsqu'il apprit
qui était le mendiant vis-à-vis duquel il avait été si dur.
Quant au Saint, il paraissait ne se souvenir de rien, et,
après avoir pris rendez-vous avec le prélat, il retourna à
Caposele, où il ouvrit la mission, sans se laisser arrêter par
d'affreuses névralgies qui le torturèrent pendant toute la station. Un soir même, il ne put dissimuler ses souffrances à
son auditoire ; loin pourtant de descendre de la chaire : « Que
m'importe, dit-il, ce que je sens, pourvu que vous sachiez ce
que je veux ! » et durant deux heures il poursuivit sa pensée
avec un élan qui ne fléchit pas.

Quelques jours cependant avant la clôture des exercices,
Alphonse alla visiter le sanctuaire de la *Mater Domini*. La
position lui parut plus centrale qu'il ne l'avait cru d'abord ;
l'église, d'ailleurs, était belle et spacieuse ; aussi, revenant
sur son impression première, se détermina-t-il à entreprendre la fondation ; mais, à peine cette décision fut-elle
connue, que le clergé, se méfiant, là encore, d'un empiétement sur ses droits, éleva des protestations auprès de l'Ar-

chevêque, lequel, sans y céder complétement, déclara toutefois son intention de laisser pendant quelque temps les missionnaires à l'œuvre avant de rien promettre pour leur entretien. Cette rente en espoir était trop incertaine pour suffire
à Alphonse, et la pensée d'avoir bientôt une nouvelle lutte à
soutenir l'effrayait plus encore. Il préféra donc renoncer à la
fondation, et prévint l'Archevêque de sa résolution de quitter
le pays. Mais Dieu se réservait d'aplanir les obstacles : déjà
l'on n'attendait plus que le départ des Pères, lorsque l'archiprêtre de la cathédrale, vieillard à cheveux blancs, vint
se précipiter en larmes aux pieds de l'Archevêque, et le conjurer de ne pas permettre que son diocèse fût frappé d'un tel
malheur. Le prélat, profondément ému, promit de faire tout
ce qui serait en son pouvoir pour retenir les missionnaires, et,
commençant par lever la plus grosse difficulté, il compléta
immédiatement le revenu indispensable à leur subsistance.

La certitude de voir les Pères demeurer à Caposele y répandit une allégresse que le peuple célébra bruyamment.
Illuminations, décharges d'arquebuses, feux de joie dans les
rues, rien ne fut épargné ; la municipalité s'associa à ces
démonstrations, et les seigneurs du lieu, le prince Innico
Rota et la princesse Cornélia San-Felice, mirent leurs forêts
ainsi que les matériaux qui se trouvaient dans leurs terres à
la disposition du Saint, pour la construction du couvent.
Cette fondation, en effet, accomplissait à la fois un de leurs
plus vifs désirs et une ancienne promesse de saint Jean - Joseph de la Croix [1], qui, à leur proposition de lui bâtir un
monastère près de l'église de la *Mater Domini*, avait fait
cette réponse pour ainsi dire prophétique : « Dieu ne nous
veut pas dans ce lieu ; mais, d'ici à vingt ans, il sera habité
par d'autres religieux très-dévoués à sa gloire et au salut des
âmes. »

---

[1] Saint Jean - Joseph de la Croix, né à Ischia en 1654, entra en 1669
dans l'ordre de Saint-François, réformé par saint Pierre d'Alcantara,
dont il fut nommé plusieurs fois supérieur ; fit un grand nombre de prophéties et de miracles, et mourut en 1734. Il a été canonisé en même temps
que saint Alphonse, le 26 mai 1839.

L'affaire était à peine conclue que les compagnons d'Alphonse se répandaient dans tous les environs. Quant à lui,
il prit en quelque sorte possession de la *Mater Domini* en y
prêchant la neuvaine de la Nativité de la sainte Vierge; puis
il acheva de régler avec l'Archevêque les intérêts de la
future maison, et désigna le Père Sportelli pour recteur.
Malgré l'accueil joyeux qui lui était fait, la fondation,
comme presque toutes ses devancières, du reste, commença
très-pauvrement; cependant les dons [1] et les aumônes ne
manquèrent pas pour la construction du couvent, et le travail gratuit de la population fit le reste. Le matin, nous est-il
raconté, plusieurs paysans parcouraient les alentours en
jouant du chalumeau; chacun se levait, se rendait à l'ouvrage, et ceux qui en étaient empêchés se faisaient remplacer; scènes gracieuses et naïves que nous avons déjà plusieurs fois rencontrées, qui rappelaient la ferveur des anciens
jours, et où le doigt de la Providence ne pouvait être méconnu.

Un trait frappant de miséricorde allait bientôt d'ailleurs
manifester plus ouvertement encore la protection spéciale
dont la sainte Vierge voulait couvrir, dès son origine, la

1 Un prêtre du lieu avait donné une somme de trente ducats; un autre,
nommé Margotta, abandonna tous ses biens à la maison de Caposele et
entra dans la Congrégation. Il en devint deux ans après le Procureur général et remplit saintement ces fonctions jusqu'à sa mort, arrivée en 1764.
Le cardinal Villecourt raconte à son sujet un événement très-extraordinaire, dont il ne cite pas la source, mais dont la vérité, dit-il, a été
attestée par plusieurs témoins oculaires. A l'âge de trente ans, François
Margotta tomba gravement malade; son confesseur, don Giuliani, fut
aussitôt appelé, mais, retardé par la neige, il apprit en arrivant que son
pénitent était mort, et qu'on se disposait à l'ensevelir. Sa foi cependant
était de celles qui transportent les montagnes. « Si Jésus-Christ vous
rendait votre fils, dit-il à la mère de Margotta, consentiriez-vous à le lui
consacrer? » Et, sur sa réponse affirmative, se jetant sur le corps du jeune
homme, il s'écria : « Mon Jésus, je le veux en vie pour votre gloire. Oui,
je le veux ; c'est une grâce que vous demande Giuliani, et vous ne pouvez
la lui refuser; » et il ne cessa de répéter ces paroles que lorsque
Margotta, se soulevant, ouvrit les yeux et revint à la vie. Fidèle à la
promesse de sa mère, Margotta quitta la magistrature, dont il faisait
partie, et embrassa l'état ecclésiastique. (Voir le cardinal Villecourt,
Vie et Institut de saint Alphonse-Marie de Liguori, t. I.)

nouvelle maison. Dans le village de Pescopagano, voisin de Caposele, qui fut un des premiers points évangélisés par les missionnaires, vivait un homme enraciné depuis longtemps dans le crime. Malade et obsédé par ses remords, il se croyait chaque nuit sous la puissance du démon, qui serrait sa gorge, disait-il, au point de l'étouffer. Un matin, cependant, s'étant éveillé avant le jour, il vit sa chambre tout illuminée et la sainte Vierge apparaître accompagnée de deux anges. « Mon fils, lui dit-elle, comment as-tu le cou-« rage de rester encore dans le péché? Hâte-toi de te « convertir. Demain, *mes enfants de la Mater Domini* « viendront ici; confesse-toi, repens-toi, et mon Fils te « pardonnera. » La vision s'évanouit, laissant le malade tout ému et anxieux de découvrir le sens de ces paroles; car il n'avait entendu parler ni des Pères ni de leur venue prochaine à Pescopagano; mais lorsque le lendemain le son joyeux des cloches lui eut appris l'ouverture de la station, il comprit tout en un instant et témoigna le désir de voir sans délai un des missionnaires. Le Père Matteo Criscoli fut appelé; aussitôt il lui raconta le miracle dont il avait été l'objet, confessa, au milieu d'un déluge de larmes, toutes les fautes de sa vie; et comme le religieux, rempli d'admiration devant la bonté de la sainte Vierge, lui demandait s'il n'avait pas, malgré ses égarements, conservé quelque souvenir d'elle : « Oui, répondit-il, j'avais fait vœu de réciter tous les jours le chapelet, et je n'y ai jamais manqué. » Quelques jours après, le malade, qui n'avait cessé de donner des marques évidentes de repentir et de conversion, rendait pieusement son âme à Dieu.

Ceux que la Vierge appelait *ses enfants de la Mater Domini* transformèrent en peu d'années le diocèse de Conza, dont leur charité expansive franchissait même les limites pour ranimer la ferveur dans les diocèses voisins. Alphonse revenait souvent visiter, encourager, aider ses fils et leur apporter, avec la joie de sa présence, la bénédiction attachée à tous les travaux qu'il partageait. « Son zèle et ses austé-rités couvraient de confusion ceux qu'éclairait sa parole, et

plus encore que ses discours, leur servaient d'aiguillon pour
avancer dans le bien. » Tel était le jugement porté sur lui
par deux membres du clergé d'Avellino auquel il avait
donné une retraite, et qui résumait en effet le caractère de
cet humble et vaillant apostolat, dont le théâtre, s'agran-
dissant chaque jour, s'étendait maintenant dans toute la
région comprise entre les deux mers, de la Terre de Labour
à la Terre de Bari.

CHAPITRE VIII

Création d'un noviciat. — Alphonse et les novices. — Missions à Salerne
et aux environs. — Double présence.

La Congrégation avait envoyé à Dieu ses prémices, et plusieurs de ses enfants avaient déjà reçu leur récompense. Cependant, comme ses rangs ne se peuplaient au ciel que grâce aux pertes mêmes qu'elle subissait sur la terre, il fallait de toute nécessité combler les vides laissés par les départs, et assurer à l'œuvre un caractère de perpétuité qui lui faisait encore défaut. Jusqu'alors, en effet, le seul mode de noviciat imposé aux missionnaires était l'imitation de leur chef, qu'ils suivaient de village en village; mais ce système ne permettait d'accueillir dans l'Institut que des hommes dont la maturité et la vertu étaient déjà éprouvées, et qui avaient été jugés dignes de recevoir au moins le sous-diaconat. Pourtant l'expérience de chaque jour apprenait à Alphonse que les jeunes hommes dont le cœur n'a pas encore été gâté par le monde sont les plus souples et les plus accessibles aux impressions de la grâce. Il résolut donc d'admettre désormais ceux qui se présenteraient dès l'âge de dix-huit ans, et créa à leur intention un noviciat qu'il installa à Iliceto [1], sous la direction du Père Cafaro, dont la sagesse lui inspirait une confiance absolue [2]. Malheureusement le couvent de la Pouille était, comme on le sait, dans un grand dénûment, et les privations qu'on y endurait étaient parfois si rigoureuses

[1] 1747.
[2] Après la mort de Mgr Falcoia, Alphonse avait choisi le Père Cafaro pour confesseur, et s'était engagé *sub gravi* à lui obéir.

que plusieurs des novices, succombant à leur faiblesse sans oser en faire l'aveu, prirent secrètement la fuite. Alphonse comprit alors que le terrain était trop dur pour des plantes encore aussi délicates, et il transporta le noviciat à Ciorani, dont la maison était moins incommode et moins dépourvue de ressources. En même temps, pour mieux affermir les bases spirituelles de la Congrégation, le Saint établit en principe que, pendant la première année d'épreuve, les novices ne s'appliqueraient à aucune étude littéraire, et se con-.sacreraient exclusivement au grand travail de leur perfection. Dès lors tout réussit à souhait. Les sujets atteignirent en peu de mois le nombre de vingt, et, sous la conduite du Père Villani, devinrent bientôt des modèles de régularité et de ferveur.

Cette portion de son troupeau fut toujours particulièrement chère à Alphonse; il s'en occupait avec bonheur lorsqu'il était à Ciorani, et le vœu qu'il avait fait de ne jamais perdre un moment [1] ne l'empêchait pas de paraître envers eux prodigue de son temps. C'est ainsi que, pour avoir l'occasion de causer plus intimement avec les novices, et de mieux connaître leurs caractères et leurs dispositions, il se chargeait souvent de diriger lui-même les promenades. Il s'asseyait alors avec eux à l'ombre d'un arbre, leur faisait une lecture ou leur expliquait un chapitre de l'*Imitation*, et, tout joyeux d'être entouré de ses enfants, poussait la bonté jusqu'à évoquer les souvenirs de ses études musicales d'autrefois pour leur enseigner les airs des cantiques qui se chantaient dans les missions. Cette familiarité lui gagnait tous les cœurs et lui permettait d'y déposer la semence qui devait plus tard se transformer en moisson. Ce qu'il cherchait surtout à inspirer aux novices, c'était l'estime de leur voca-

---

[1] On croit qu'Alphonse avait fait ce vœu dès l'époque où il fonda sa Congrégation. Le procès de sa béatification fait ressortir la nouveauté et le prix de cet engagement, et ajoute qu'il suffit pour caractériser celui qui l'avait contracté et le rendre digne d'éternelles louanges : *O præcla· rissimum votum, ac utpote novum et Alphonsi caracteristicum laudibus celebrandum.*

tion et la reconnaissance pour le Dieu qui, dès l'aurore
de la vie, avant tout contact avec le monde, leur avait ouvert
la porte de son temple; « grâce de choix, disait-il, la plus
grande après celle de la création et de la rédemption, qui
en faisant d'eux un jour les continuateurs de Jésus-Christ
auprès des âmes devait devenir la source vive de leur
salut. » — « Quelle consolation pour vous, mes enfants,
s'écriait-il parfois, de voir à l'heure de votre mort, rangées
autour de votre lit, des centaines d'âmes qui vous diront
avec allégresse : *Opera tua sumus!* C'est à toi que nous
devons la vie! » Puis, après avoir exalté devant eux l'honneur et le prix de l'apostolat, il leur montrait les secours
qu'ils trouveraient dans la vie religieuse, l'appui que leur
donneraient la prière, la règle, les bons exemples, toutes
choses qui dans le monde ne se rencontrent guere. Sans
doute toute tentation ne leur serait pas épargnée; mais ils
ressembleraient à des navigateurs essuyant à l'abri d'une
rade les tempêtes que d'autres affrontent en pleine mer,
n'ayant que la fragilité de leur barque entre eux et l'abîme.
« Courage donc! ne se lassait-il pas de répéter... Vocation
et prédestination sont une même chose...; mais vocation et
persévérance sont deux grâces distinctes, et si Dieu a pu
vous prendre au milieu de vos infidélités pour vous donner
la première, il n'accordera la seconde qu'à vos prières et à
vos efforts. Le démon, sachez-le bien, vous disputera cette
couronne; mais pour le vaincre trois dispositions vous
suffiront : l'humilité, qui en vous révélant votre misère vous
rendra tout-puissants; l'obéissance, qui vous empêchera de
perdre la route; enfin l'ouverture du cœur, un des épouvan-
tails de l'esprit de ténèbres, dont l'orgueil ne supporte pas
de voir découvrir ses artifices par un être de boue tel que
l'homme. »

Ces entretiens paternels n'étaient pas seulement pour les
novices un secours précieux, ils offraient encore au Saint une
diversion utile à ses travaux. Il n'est pas de grand homme,
en effet, qui n'ait besoin de temps à autre de la détente à
laquelle le Sauveur semblait convier ses apôtres, lorsqu'il

leur disait : « Venez à l'écart dans un lieu désert, et reposez-vous quelque peu [1]. » Ce repos, Alphonse, quand ses occupations le lui permettaient, aimait à le chercher à Ciorani ; mais il n'était jamais long ; car bientôt les sollicitations abondaient, et quel que fût l'épuisement de ses forces, jamais le Saint n'avait le courage du refus. Les deux passions de sa vie, l'amour de la gloire de Dieu et le désir de sauver les âmes abandonnées, étaient toujours là comme deux torches ardentes qui le consumaient et le forçaient à s'immoler, lorsqu'un champ nouveau s'ouvrait devant lui. En vain essayait-on parfois de le modérer. « Que faisons-nous dans ce monde, et surtout dans la Congrégation, répondait-il, si nous ne sommes les sentinelles perdues de Jésus-Christ, l'avant-garde qui doit faire face à l'ennemi, sans se soucier de la vie ni de la mort ? » Et il ajoutait, dans la simplicité de son langage : « L'amour de Jésus-Christ nous presse et nous met au pied du mur ; si nous ne l'aimons pas, qui donc l'aimera ; si nous ne poursuivons pas le péché, qui donc lui fera la guerre ? » Aussi n'était-il sacrifice dont il ne fût capable pour empêcher, fût-ce même une seule fois, une âme d'offenser Dieu.

Cependant, bien que son zèle eût voulu embrasser toutes les provinces du royaume de Naples, le diocèse de Salerne fut celui de tous où il prêcha le plus souvent ; car, dans l'espace de vingt ans [2], il n'y donna pas moins de quatre-vingts missions. Peut-être à cause de l'hospitalité et de la protection accordées par ses prédécesseurs à la maison de Ciorani, la plus ancienne de toutes, l'Archevêque se croyait des droits particuliers aux services d'Alphonse, et de son côté la population, qui le voyait à l'œuvre depuis si longtemps, semblait vouloir confirmer par sa vénération exceptionnelle la pensée de son premier pasteur. Dès qu'il arrivait, on n'entendait parler, en effet, que de pénitents accourant de dix-sept milles de distance, et restant ainsi deux ou trois jours hors de chez eux, afin d'avoir le bonheur de se confesser à lui ; et quand il devait prêcher il n'était pas rare que les fidèles

---

[1] Venite seorsum in desertum locum et requiescite pusillum. Marc. vi, 31.
[2] De 1733 à 1758.

passassent la nuit dans l'église pour être sûrs d'y trouver place le lendemain.

Nous renonçons à suivre jusqu'au bout Tannoia dans le long détail des missions données par Alphonse dans le diocèse de Salerne et aux environs [1]. Ceux qui voudront recourir à ses mémoires y verront se multiplier sans cesse les traits que nous avons si souvent indiqués, et spécialement les réformes

[1] Voici les noms des différents lieux du diocèse de Salerne et des diocèses les plus rapprochés, Nocera, la Cava, Sarno, Lettere et Amalfi, où, de 1738 à 1755, Alphonse donna des missions :

1738 : Castiglione, Saint-Michel et Ornito (dans la vallée de Gifoni), Saint-Marc, Lanzaro, Fisciano, Gifoni, Vignale, Filetti, Saint-Cyprien, Prepezzano, Capotignano.

1739 : Ogliara, Sieti, San-Magno, le marché de Gifoni, Calvanico Coperchia, Fisciano.

1740 : Eboli (où il fut accompagné par onze missionnaires), Salitte, Ariana, Monticello, Sainte-Thècle, Pugliano et Saint-Martin (dans l'État de Montecorvino. Là il s'occupa en particulier des gardiens des troupeaux de buffles qui paissent dans ces campagnes), le Pont de Cagnano, Acquarola, la vallée de Gifoni, Gauro, Pasciano (plusieurs de ces villages, dit Tannoia, n'avaient probablement jamais vu de missionnaires), Bracigliano, la Terra de Serino, Sala, Canale, Saint-Blaise, Ribottoli, Sainte-Lucie, Saint-Michel, Solofra, Saint-Égide.

1741 : Saragnano, Langusi, Antessano, Montuori.

1742 : Saint-Pierre, Piazza di Pannola.

1743 : Corbara, Saint-Laurent, Sainte-Marie d'Ogliara, Antessano, Saint-Michel (bourg de 3,000 âmes), Fioccano, Pareti, Spiano, Conca, Angri.

1747 : Torello, Saint-Ange.

1748 : Saint-Cyprien de Gifoni.

1749 : Saint-Michel, Vietri, Raito, Pasciano, Pregiato, Piazza della Cava.

1750 : Sieti di Gifoni, Saint-Cyprien, Vignale, San-Manco, Sarno, Poggio-Marino, Striano, Pescopio, Saint-Valentin, Saint-Marzano, Sainte-Marie-Majeure, Saint-Égide, Corbara, Torchiati (où l'église paroissiale se trouvant trop petite pour l'affluence du peuple, Alphonse dut prêcher dans l'église des Pères de l'Observance), Bracigliano.

1751 : Carifi près Ciorani, le marché de Gifoni, Sava, Molina, Sainte-Lucie, Corbara, Pasciano, Pregiati, Molina, Saint-Césaire, Piazza della Cava, Canale, Coperchia, Gaiano, Penta, Langusi.

1752 : Gragnano.

1753 : Saragnano.

1755 : Ciorani.

1756 : Amalfi.

1758 : Salerne, Amalfi (102 missions)

opérées dans les habitudes commerciales [1], les conversions en masse des pécheresses publiques, enfin, comme pour expier les fautes les plus nombreuses peut-être de ce temps, le développement merveilleux de la vie virginale. Nous ne saurions, cependant, malgré l'extension que ces récits ont déjà pris sous notre plume, nous dispenser de signaler encore quelques faits extraordinaires sans lesquels l'œuvre principale de la vie de saint Alphonse ne nous apparaîtrait pas dans tout son jour. C'est ainsi que, pendant la mission de Bracigliano, le seigneur du lieu [2] demanda publiquement pardon à tous ceux qu'il avait offensés, à la grande joie du saint missionnaire, dont une des préoccupations était toujours de ramener au bien les hommes que leur position sociale mettait en évidence. « La moralité publique, disait-il souvent, dépend presque toujours des grands; le peuple regarde et imite. » A Vietri, une autre conversion, qui ne fit pas moins de bruit, fut celle d'un esprit fort de la ville, qui, entré dans l'église non pour s'instruire, mais pour critiquer, en sortit tout ému. « Les autres prédicateurs parlent aussi, dit-il à un de ses amis; mais, — se frappant le front, — leurs paroles s'arrêtent là. Quant au Père Alphonse, c'est jusque-là, ajouta-t-il en mettant la main sur son cœur, que pénètrent ses discours. » Le cœur avait été atteint, en effet, car il se donna à Dieu et persévéra dans la bonne voie. A Gragnano [3], où Alphonse s'était rendu avec vingt-deux missionnaires, il se produisit aussi un mouvement religieux qui s'étendit jusqu'aux couches les plus inaccessibles en apparence de la population. Des assassins et des brigands de grands chemins vinrent, en signe de repentir, déposer leurs stylets au pied de l'autel de la sainte Vierge, et l'on vit

[1] A Coperchia, bourg populeux et riche des environs de Salerne, il se faisait un grand commerce de draps. Alphonse dut s'y occuper spécialement des contrats, dont il proscrivit un certain nombre qu'il considérait comme illicites. Il en fit autant à Fisciano, renommé pour la préparation du cuivre destiné à être émaillé ou incrusté.

[2] Don Mattia Miroballo, prince de Castellaneta, colonel du régiment de la Principauté Citérieure.

[3] Dans le diocèse de Lettere.

notamment le jour de la procession solennelle qui accompagnait chaque mission, paraître tout à coup un sicaire fameux et redouté, chargé d'une des croix qu'on allait planter. Devant ce spectacle, les assistants ne purent retenir leurs larmes ni dominer leur émotion plus profonde encore lorsque le larron pénitent s'écria, en faisant allusion à ses péchés : « C'est à moi surtout de pleurer, moi qui porte sur mes épaules tout le poids du Calvaire ! »

Ainsi que nous l'avons dit ailleurs, des prodiges matériels, dont plusieurs rappellent les grandes scènes de la Bible ou de l'Évangile, venaient souvent accroître le prestige du Saint et appuyer sa parole. Une année, la terre de San-Severino souffrait d'une sécheresse si grande, que les arbres eux-mêmes, brûlés et flétris, étaient menacés de périr. Affligés de cette calamité, et voulant attirer sur eux la pitié du ciel, les habitants du bourg d'Aquarola demandèrent à Alphonse de leur prêcher une mission. Elle fut suivie avec une grande ferveur, et le Saint, divinement inspiré, leur promit qu'à un jour indiqué par lui d'avance, la pluie tant désirée comblerait leurs vœux. Rien ne pouvait alors la faire prévoir. Cependant, au jour prédit, une légère vapeur s'éleva du côté de Salerne, et l'on vit Alphonse étendre ses bras vers elle, comme pour l'appeler. L'air, en effet, s'obscurcit presque aussitôt; une grosse pluie survint, qui tomba sans interruption durant cinq heures, et tous les villages d'alentour ne doutèrent pas qu'ils ne dussent à l'intercession d'un nouvel Élie cette miséricorde du ciel. Une autre fois, le Saint, se rendant en barque à Conca, rencontra plusieurs bateaux de pêcheurs qui venaient de jeter leurs filets pour prendre des thons. Ces pauvres gens se lamentèrent devant lui d'avoir travaillé longtemps sans succès, et le prièrent de leur donner sa bénédiction. Alphonse eut compassion de leur chagrin; il bénit la mer, et à peine se fut-il éloigné, que les pêcheurs firent une prise extraordinaire; leur bonheur fut au comble, et l'envoi d'une partie de leur pêche à la maison de Pagani témoigna de leur reconnaissance comme de leur foi. Enfin un jour, à Sara-

gnano, où Alphonse prêchait une neuvaine, on vit se renouveler, pour ainsi dire, le miracle de la multiplication des
pains. C'était l'heure du dîner; le Saint allait se mettre à
table avec son hôte, le docteur Mari, lorsqu'ils furent surpris par l'arrivée inattendue de douze missionnaires des environs. « Ne vous tourmentez pas, » dit Alphonse au docteur
tout ému de ce surcroît de convives. « Donnez ce que vous
avez, et Dieu pourvoira au reste. » Il y pourvut si bien, en
effet, que, malgré l'insuffisance des apprêts et l'impossibilité
d'y suppléer à cette heure tardive, tout le monde fut largement servi, et qu'il y eut encore des restes. L'hôte paraissait confondu; mais le Père, avec sa simplicité ordinaire,
reprit en souriant : « Don François, dans nos embarras, re-
courons toujours au Seigneur [1]. »

Cependant si cette douce et maternelle Providence qu'Alphonse avait invoquée n'abandonne jamais ses enfants, elle
n'en permet pas moins quelquefois que leur constance soit
mise à de rudes épreuves. Le Saint était souvent mal accueilli ou même repoussé par le clergé des campagnes. Dans
une de ses tournées de missions, aux environs de Salerne,
par exemple, le supérieur d'une maison religieuse, auquel
l'Archevêque avait commandé de le recevoir, lui intima, dès
que la station fut terminée, l'ordre de partir au plus vite,
malgré la fièvre dont il était atteint. Un autre jour, à Sainte-
Thècle, où il allait prêcher, le curé accourut à sa rencontre,
et pour tout souhait de bienvenue lui lança cette apostrophe :
« Il n'y a pas ici de place pour vous. » Celui de la ville de
Conca, où il s'était rendu sur la demande formelle de M\ger Rossi,
refusa également de le loger, sans lasser, il est vrai, sa per-

---

[1] Le premier auteur qui parle de ces miracles et de ceux que nous raconterons tout à l'heure est celui-là même auquel nous devons presque toutes
les sources historiques de la vie de saint Alphonse, c'est-à-dire le Père
Tannoia, qui, il faut s'en souvenir, après avoir passé environ quarante
ans avec lui, écrivait quelques années seulement après sa mort et dans
le centre même où les faits s'étaient accomplis. Les auteurs subséquents
les ont répétés; mais nous tenons à renvoyer au document primitif, en
engageant nos lecteurs à consulter l'ouvrage déjà souvent mentionné :
Della vita ed istituto di S. Alfonso Maria de Liguori, p. 184 et suiv.

sévérance ni nuire à ses succès; car, lorsque Alphonse quitta
le pays, il fut, comme autrefois saint Paul à Milet, accompagné jusqu'à la mer par les fidèles, qui répétaient au milieu
de leurs larmes ce cri déchirant : « Père, pourquoi nous
abandonnez-vous? » C'est ainsi que le sentiment des populations le dédommageait souvent de la malveillance de certains pasteurs; aussi, impassible devant les obstacles que
lui opposaient ceux mêmes qui auraient dû bénir son concours, continuait-il à préférer à toute autre œuvre l'humble
et populaire apostolat des campagnes. Il ne put cependant
s'en tenir toujours exclusivement à cette vocation spéciale
qui l'attirait vers les pauvres et les ignorants du monde, et
dut à plusieurs reprises consentir à prêcher dans les grandes
villes, et en particulier à Salerne, la métropole du diocèse
dont il avait parcouru, peut-on dire, presque tous les hameaux.

Cette ville avait, en effet, grand besoin d'être régénérée
par sa parole : les divisions et les querelles de la noblesse y
faisaient le scandale du peuple, et les femmes portaient jusque dans le lieu saint la légèreté de leurs habitudes. Le rétablissement de la paix sociale fut le premier résultat sensible des travaux d'Alphonse et de ses compagnons. Pour la
rendre durable, ils enrôlèrent les chefs des partis hostiles
dans une même congrégation, dont les exercices devaient
avoir lieu chaque semaine, sous la direction des fils de
saint Ignace. La pénitence et la prière pour les morts étaient
le lien de cette société dont la ferveur persévéra jusqu'à
l'époque de la suppression de la Compagnie de Jésus. Quant
aux femmes, piquées d'abord au vif par les reproches qu'Alphonse leur avait adressés en chaire, elles poussèrent la
hardiesse jusqu'à le lui faire savoir; mais cela ne l'empêcha pas, le lendemain, de revenir à la charge. « Je n'ai
eu, dit-il, l'intention de blesser personne; je me suis borné
à vous signaler des péchés graves qui crient vengeance et ne
trouvent pas d'excuses devant Dieu... Au nom de Jésus-
Christ, ajouta-t-il avec feu, et pour le salut des âmes, mettez
fin à ces scandales. » Cette fois le coup porta, et à partir de
ce jour le progrès ne se démentit pas.

A l'ouest du diocèse de Salerne, il en est un autre que sa
position topographique destinait à devenir également un des
centres de l'apostolat d'Alphonse, et auquel des désordres
extraordinaires donnaient, hélas! le droit d'occuper une place
importante dans les sollicitudes du missionnaire : c'était
celui d'Amalfi, dont deux faubourgs entiers étaient habités
par des courtisanes. Tannoia rapporte, d'après la déposition
de plusieurs personnes dignes de foi [1], que ces malheu-
reuses créatures se convertirent toutes sans exception à la
suite des discours d'Alphonse, et menèrent depuis lors une
vie irréprochable. La plus connue par ses excès, Angiola
Bonita, devint la plus fervente; miracle, disait-on dans le
public, qui valait à lui seul tous ceux que le Père de Liguori
avait faits ailleurs. D'autre part, les femmes mêmes dont la
conduite était régulière aux yeux du monde donnaient
l'exemple d'un déplorable laisser aller : elles se rendaient
à l'église avec des mises que n'excusaient pas les ardeurs
du climat, et les plus jeunes d'entre elles se livraient dans
les rues, au son de la guitare et des tambours de basque,
à des danses bruyantes avec les jeunes gens de la ville.
Alphonse s'éleva avec tant de vigueur contre ces coutumes,
qu'elles disparurent. Les jeunes gens allumèrent devant la
cathédrale un bûcher sur lequel ils brûlèrent publiquement
leurs instruments de musique, et quant aux jeunes filles,
l'Archevêque leur rendait à quelques temps de là ce témoignage : « Lorsque je suis arrivé ici, elles me semblaient des
cavales indomptées; le Père Alphonse en a fait des brebis
obéissantes. » Enfin, grâce au Saint, le pays tout entier
subit une transformation si complète qu'un religieux d'une
autre Congrégation, appelé peu de temps après à y prêcher,
s'écriait avec admiration : « Nous avons parcouru beaucoup
de lieux dans le royaume; mais jamais nous n'avons trouvé
de ville aussi régulière que celle-ci. Remerciez-en Dieu et le
Père de Liguori. »
Les missions d'Amalfi offrirent d'ailleurs jusqu'à la fin

---

[1] Entre autres du curé de la paroisse, don François de Stefano.

une série de merveilles. Un de ces prodiges nous a été conservé par le curé de la ville lui-même qui y assistait, et
dont nous ne pouvons mieux faire que de citer ici le témoignage. « Le Père Alphonse prêchait, dit-il, dans notre
cathédrale. J'avais suivi tous les exercices de la mission,
qui touchait à son terme. Un soir qu'il cherchait à exciter
parmi ses auditeurs une grande dévotion à la sainte Vierge,
il s'écria tout à coup : « Mes frères, vous êtes trop froids
« envers cette tendre Mère... Vous ne savez pas la prier. Eh
« bien! moi je vais le faire pour vous... ; » et il se mit à
genoux. A ce moment, tout le peuple le vit, et je le vis moi-
même entrer en extase; ses yeux se fixèrent sur le ciel, son
corps s'éleva au-dessus de terre, et son visage, tourné vers
la statue de la Madone qu'il avait à côté de lui, parut en
feu. On remarqua, et je l'observai aussi, que la figure de la
Vierge devenait toute resplendissante, et que les rayons qui
s'en échappaient se reflétaient sur les traits du Saint. Il demeura ainsi cinq ou six minutes sans dire une parole; puis le
peuple, n'ayant pu retenir ses exclamations et ses pleurs, il
revint à lui, s'écria d'une voix forte : « Réjouissez-vous;
« Marie m'a exaucé en votre faveur! » et acheva son sermon. »
Ce fait se renouvela à quelques années de là, à la suite d'un
autre discours pendant lequel il avait demandé aux fidèles
de solliciter une grâce particulière dont il avait besoin, tandis
que lui-même se mettrait en prières pour eux; il parut
comme la première fois, ainsi que l'affirmèrent de nombreux
témoins, suspendu dans les airs et revêtu d'un éclat surnaturel. Enfin un autre jour, les fidèles rassemblés dans l'église
écoutaient la péroraison de son discours, lorsqu'un homme
arrivant du dehors s'écria tout à coup : « Eh quoi! le Père
Alphonse est en deux endroits à la fois : il prêche ici et con-
fesse chez lui! » On s'émut d'une assertion aussi extraordinaire; mais on ne tarda pas à constater, en effet, que le
Saint avait bien réellement été présent dans sa maison, et
y avait confessé plusieurs personnes à l'heure même où
on l'avait entendu prêcher dans l'église. « On peut croire,
dit son pieux biographe, que Dieu avait envoyé un ange

prendre sa place dans la chaire, pour lui laisser le temps
d'exercer au confessionnal son zèle envers les pêcheurs [1]. »

Deux ans après cette dernière mission, Alphonse revint
à Amalfi ; cette ville était alors cruellement ravagée par une
épidémie de fièvres malignes ; mais on ne tarda pas à s'apercevoir que les malades, même ceux dont le cas semblait
mortel, étaient tous guéris au simple contact de ses vêtements ; aussi ne pouvait-il sortir pour se rendre à l'église
sans être assailli par la foule, qui se précipitait sur lui, afin
de couper des parcelles de ses habits, et les prêtres de la
cathédrale étaient-ils obligés de lui faire un rempart de leurs
corps pour le protéger contre cette indiscrète vénération.

Des larcins du même genre se renouvelaient souvent, du
reste. C'est ainsi que dans un monastère qu'il visitait, une
des élèves parvint à tailler, sans qu'il s'en aperçût, un grand
morceau de son manteau. Le soir, comme il avait froid, il
voulut étendre sur son lit ce vêtement, mais le trouvant
singulièrement raccourci : « Cette cape, dit-il au Père Galtieri, son compagnon, est-elle à moi ou à vous ? — C'est
la vôtre, » répondit le Père. — « Comment, la mienne ! il
en manque la moitié. — Allez la demander aux religieuses, »
reprit le Père Galtieri en éclatant de rire. — « Ah ! s'écria
Alphonse, voilà donc pourquoi il y avait une petite fille
(*una picciottola*) qui était toujours à tourner autour de moi. »
Et son humeur joyeuse l'emportant sur sa contrariété : « Le
fait est, ajouta-t-il en riant à son tour, que la moitié du
ghetto ne suffira pas pour me raccommoder. »

Peu de saints, assurément, ont inspiré plus d'enthousiasme, et, dans un cercle relativement restreint, ont exercé
sur les masses plus d'influence ; aussi ne saurait-on dire jusqu'à quel degré l'Italie méridionale aurait ressenti les bienfaits de la puissance régénératrice qu'il avait reçue, s'il n'avait
rencontré, presque à chaque heure de son existence, des difficultés et des obstacles dont les chapitres suivants vont nous
fournir malheureusement des preuves trop abondantes.

[1] Tannoia, p. 202.

CHAPITRE IX

Alphonse sollicite la reconnaissance légale de sa Congrégation. — Audience
du roi. — Rapport du grand aumônier. — L'archevêché de Palerme
est offert à Alphonse. — Le marquis Tanucci. — Benoît XIV approuve
la règle et l'institut auquel il donne le nom du Saint-Rédempteur.

Les bienfaits qu'elle répandait autour d'elle et les humbles
vertus de ses membres ne mettaient pas la Congrégation du
Saint-Sauveur à l'abri du danger de compter, auprès de nombreux admirateurs, un groupe considérable d'ennemis. La
persécution de Pagani n'avait pas été seulement, en effet, le
résultat d'une opposition locale, mais encore, l'histoire que
nous avons retracée suffit pour le prouver, la manifestation
la plus éclatante d'un procès de tendance et d'une hostilité
systématique contre l'institut lui-même. Le sage fondateur
l'avait compris dès le début ; aussi, pendant que ses adversaires s'en prenaient à la partie pour détruire le tout, se pré-
occupait-il bien moins de consolider une maison en particulier que d'affermir la Congrégation tout entière. Or, n'ignorant pas que le défaut d'existence légale de la société jus-
tifiait aux yeux d'un grand nombre les attaques dirigées
contre elle, il résolut d'employer tous ses efforts à la faire
reconnaître comme un corps régulièrement constitué, et
entama à ce sujet une négociation dont le récit montrera
une fois de plus les étranges jalousies et les méfiances trop
fréquentes des pouvoirs publics à l'égard des institutions les
mieux faites cependant pour développer dans le peuple le
respect et la fidélité.

La première démarche d'Alphonse pour obtenir cette reconnaissance fut un voyage à Naples, où il se rendit en juin 1747, afin d'y consulter un des secrétaires d'État, le marquis Brancone, qui déjà en plusieurs circonstances avait témoigné un véritable intérêt à son œuvre. A peine le ministre eut-il aperçu le missionnaire, que, sans lui laisser le temps de parler : « Don Alphonse, lui dit-il, je vais faire de vous un Évêque! » et il n'y eut raison humaine ni divine qu'il n'alléguât pour le persuader. Mais tout fut inutile; et le Saint le supplia de borner sa bienveillance à le seconder dans les affaires concernant la Congrégation. Il obtint ensuite par l'entremise d'un ancien ami, alors gentilhomme de la chambre, une audience du roi, devant lequel il ne craignit pas de se présenter avec sa barbe longue et son manteau rapiécé. Il lui dépeignit sous les plus vives couleurs l'ignorance profonde à laquelle étaient réduits les habitants des campagnes, les tristes conséquences de cette ignorance au point de vue spirituel et social, et la nécessité pressante d'y remédier; puis, rappelant au prince les preuves de dévouement données par ses compagnons et le bien qu'ils avaient fait dans plusieurs provinces, il le conjura, pour toute récompense, d'assurer l'existence de sa Congrégation, en reconnaissant dans les quatre maisons des diocèses de Salerne, Nocera, Bovino et Conza, les éléments d'un seul et même institut, fondé sur le modèle des Pères de Saint-Vincent-de-Paul, et sous la dépendance des Évêques et du souverain. Le roi fut ému par les paroles d'Alphonse, et volontiers il aurait exaucé sur l'heure sa demande, s'il n'eût été arrêté par les formalités administratives ordinaires en pareille occurrence. Il n'en accueillit pas moins avec bonté sa supplique et la copie de sa règle, et les envoya, accompagnées d'un billet de sa main, à son grand aumônier, avec l'ordre de les étudier et de lui présenter un rapport.

Alphonse attendait patiemment le résultat de cet examen, lorsque des circonstances qui, à première vue, semblaient faites pour servir ses desseins, vinrent au contraire compliquer sa situation. Pour bien les comprendre, il faut revenir en arrière et reporter notre attention sur deux personnages

séparés de la Congrégation dès son origine, mais qui depuis
lors ne cessaient de lui porter un intérêt dont toute arrière-
pensée, il est vrai, n'était pas absente.

Tosquez et Mandarini, ces disciples des premiers jours,
n'avaient pas tardé, on s'en souvient peut-être, à reconnaître les suites fâcheuses de la division qu'ils avaient provoquée. Se rencontrant tous deux à Rome [1], peu d'années
après [2], ils confessèrent leurs torts au Pape Clément XII, et
rendirent hautement justice devant lui au Père de Liguori.
Le Souverain Pontife parut frappé de leur récit, et la bonne
volonté qu'il témoigna pour le développement de l'œuvre
des missions engagea Mandarini à en faire part à Alphonse; de plus, jugeant le moment propice pour reprendre
un projet qui était toujours au fond de son esprit : « Puisque
le chef de l'Église semble si favorable à notre œuvre, ajouta-
t-il, je vous en prie, et mes compagnons vous en conjurent
avec moi, daignez recevoir dans le bercail les brebis disper-
sées. Réunis, nous pourrons travailler à la gloire de Jésus-
Christ et au bien des âmes avec plus d'efficacité. » Cette lettre
surprit Alphonse. Il se réjouit des dispositions du Pape ;
mais, ne croyant pas à l'opportunité d'un rapprochement
avec Mandarini, il répondit d'une manière évasive à sa proposition.

L'année suivante [3], Mandarini réitéra ses instances. « Il
me semble évident, disait-il, que le Seigneur veut se servir
de Tosquez et de son crédit auprès du Pape pour faire avancer
nos affaires, et que nous ne devons pas laisser échapper une
occasion aussi propice. Si tout manque par notre faute, nous
en rendrons compte un jour à Dieu. Réfléchissez bien et dé-

---

[1] La mort d'un frère, ministre résidant à Vienne, avait donné occasion à Tosquez de se rendre en Autriche et d'y déployer une telle aptitude
pour les questions politiques et économiques, qu'à son retour le Pape
Clément XII l'avait retenu à Rome et nommé « Inspecteur des ports de
l'Adriatique ». Cette charge lui conférait le droit d'opiner au conseil des
Cardinaux chargés des affaires civiles et d'être reçu toutes les semaines en
audience privée par le Saint-Père.

[2] 1735.

[3] Le 10 août 1736.

cidez-vous pour ce qui vous paraîtra le plus sage. J'ai été avec Tosquez à Pérouse ; l'Évêque nous a proposé une maison et une église. A Rome aussi, nous pourrions faire une fondation... Quant aux règles, si elles ne sont pas encore terminées, on pourrait ne demander l'approbation du Pape que pour la Congrégation. Saint Gaëtan fit approuver son institut [1] par Clément VII, et plus tard sa règle par Clément VIII. Il en fut de même pour les Conventuels d'Allemagne sous Innocent XI, et pour le Père Ripa sous Benoît XIII. » ... « Nous avons paru séparés de vous devant le monde, écrivait-il encore quelques mois après ; mais nous ne l'avons jamais été devant Dieu, car vous avez toujours eu votre place dans nos prières, vous et vos compagnons. Mettant donc ma confiance en Dieu et en Marie, je vous exprime de nouveau mon désir, celui de Tosquez et de tous les nôtres, de nous réunir à vous ; je tiens, en effet, à ne pas être accusé devant Dieu d'avoir manqué en cette affaire, et je désire qu'il nous pardonne au contraire notre conduite d'autrefois. Si donc vous voulez bien y consentir, nous ferons table rase du passé. ». Et comme Tosquez avait contribué autant que lui au moins à consommer la division, il ajoutait plus loin, en guise de justification ou d'éloge : « Voici plus de deux ans que je vois Tosquez de près, et que son genre de vie me confond et me fait rentrer en moi-même. Si je n'avais pas reconnu en lui l'Esprit de Dieu, je l'aurais abandonné, car je ne cherche que mon salut et le triomphe de Jésus-Christ... Enfin, si ce sont mes péchés qui font obstacle à la réunion, qu'on me jette à la mer comme un nouveau Jonas, et que la tempête s'apaise ! »

Toutefois, à l'empressement de Mandarini Alphonse opposait la prudence et la lenteur. Connaissant par expérience l'humeur assez mobile de son compagnon de Scala, il espérait peu de promesses dont il mettait en doute, non la sincérité, mais la constance. « Les premières impressions ne s'effacent guère, disait-il ; ce qu'on rétracte un jour, on le

---

[1] L'ordre des Théatins, fondé en 1524.

répète le lendemain, et ce qu'on promet dans un moment
d'enthousiasme s'oublie lorsque l'ardeur est calmée. » Il
était d'ailleurs soutenu dans sa résistance par le souvenir
du Cardinal Pignatelli, qui lui avait conseillé jadis de n'avoir
rien de commun avec ses anciens amis, surtout avec Tosquez, lequel, malgré la sainteté de sa vie, manquait absolument d'équilibre et de jugement ; aussi, pressé de donner
enfin sa solution, répondit-il par un refus.

Tout n'était pas fini cependant. Dix ans après [1], c'est-
à-dire à l'époque où nous en sommes de ce récit, Mandarini, ayant appris le bon accueil que le roi avait fait à Alphonse, se décida à venir cette fois le trouver en personne ;
et, bien que sa propre Congrégation fût constituée et comptât
déjà plusieurs maisons, il lui offrit de nouveau, au nom de
tous ses compagnons, d'embrasser sans condition ni réserve
la règle du Saint-Sauveur, et de le reconnaître comme leur
supérieur. Alphonse fut touché de son humilité et de son
désintéressement auxquels il rendit hommage ; mais il per-
sista à répondre que la réunion serait fatale pour tous, et
qu'il n'y fallait pas songer. Mandarini pourtant n'en persévéra pas moins dans ses projets ; n'ignorant pas l'influence
que le grand aumônier pouvait exercer dans cette affaire, il
s'adressa à lui, et fit ressortir si bien les raisons militant à
ses yeux pour la fusion des deux Congrégations, que le prélat
se prononça en faveur de la réunion. Alphonse se vit alors
dans une cruelle perplexité : contredire le grand aumônier,
c'était, en effet, l'indisposer à coup sûr contre lui et les
siens ; et, d'autre part, c'était à son sens manquer de fidélité à sa conscience que de céder à la pression. Il essaya
toutefois de faire valoir doucement les motifs sur lesquels se
basait son opinion ; mais le prélat coupa court à l'entretien
par ces paroles brèves et despotiques : « *Cosi voglio*, Je le
veux ! » Alphonse n'insista pas sur l'heure. Sans opiniâtreté
dans sa résistance, — car il écrivait à plusieurs de ses
disciples : « Cherchons avant tout la volonté de Dieu et non

[1] 1747.

la nôtre; s'il veut la réunion, nous devons l'accepter; » — il n'en persévéra pas moins, avec toute l'énergie de son caractère, à recruter des protecteurs dont le crédit auprès du roi pût contre-balancer celui du grand aumônier. « On le voyait, raconte le Père de Robertis, son compagnon de voyage à Naples, pendant les heures les plus chaudes du mois d'août, parcourir les rues, tout ruisselant de sueur, allant d'un palais à l'autre sans se permettre aucun repos; il ne se plaignait pas pourtant, et un jour qu'accablé de lassitude il revenait sous les ardeurs du soleil de midi d'une audience que lui avait donnée le marquis Brancone, « Mon Jésus, s'écria-t-il, vous me faites souffrir; mais vous avez bien raison! »

Aux fatigues du corps se joignaient souvent, en effet, des épreuves morales de toute nature, et si quelques-uns des plus grands personnages lui donnaient les marques extérieures d'une particulière estime, les refus et les affronts tenaient de beaucoup la place principale dans l'accueil qu'il recevait du monde aristocratique, où les premiers débuts de sa jeunesse lui avaient conquis tant de succès. Les uns, peu soucieux de favoriser l'établissement d'une nouvelle congrégation religieuse, le recevaient froidement; d'autres lui fermaient leur porte; d'autres enfin raillaient la pauvreté de son costume; mais toutes ces alternatives ne troublaient pas sa paix; et, qu'il passât par la gloire ou par le mépris, *per bonam famam aut infamiam,* il demeurait toujours serein et content.

Pendant ce temps, le grand aumônier, étudiant les choses de plus près, se sentait, si l'on peut employer cette expression vulgaire, entre l'enclume et le marteau. L'œuvre des missions lui paraissait bonne, utile et même nécessaire; mais, malgré son caractère sacerdotal, il hésitait à aller à l'encontre des défiances qui avaient cours alors dans toutes les régions gouvernementales; aussi, quoique rien ne fût encore public, apprit-on bientôt que ses conclusions étaient contraires à la reconnaissance de l'institut. Dès qu'Alphonse fut instruit de cette nouvelle, il se rendit, sans perdre un

instant, chez le prélat, plaida, insista et mit en œuvre avec
tant de talent tout ce que son cœur lui fournit d'élans et son
esprit d'arguments, que son juge, vaincu par sa persévérance, lui promit d'adresser au roi un rapport en sa faveur.

Il tint parole, tout en enveloppant son mémoire de réti-
cences et de réserves destinées peut-être dans sa pensée à
faire admettre plus facilement l'ensemble de ses conclusions.
En principe, en effet, il louait le dévouement du fondateur
et l'utilité de l'œuvre pour civiliser « les populations presque
sauvages » de plusieurs provinces du royaume, telles que la
Calabre, la Basilicate et le Cilento ; il avouait les succès des
missionnaires dans ce genre de travaux, et rendait hommage
à leur vie exemplaire. « Mais, Sire, ajoutait-il, toutes les
Congrégations et tous les ordres ont été aussi très-utiles et
très-exemplaires à leurs débuts ; puis leur ferveur a décru ;
et peu après ils sont devenus stériles et à charge à l'État.
L'expérience du passé, cette grande maîtresse de l'avenir, fait craindre qu'il n'en soit de même pour la nouvelle
Congrégation, et qu'après la mort des fondateurs, l'œuvre
pieuse et méritoire à laquelle ils se sont dévoués jusqu'ici
avec un zèle louable ne vienne à tomber en décadence. N'a-
vous-nous pas vu d'autres instituts analogues, destinés aussi
à l'instruction des gens de la campagne et des orphelins, se
transporter au sein des villes, et s'occuper de tout autre
chose que du but principal de leur fondation ? » Puis il s'é-
tendait sur les raisons économiques déjà en vogue à cette
époque : « Une Congrégation ou un ordre, disait-il, c'est tout
un du moment où l'une et l'autre se multiplient et peuvent
acquérir des biens qui, retirés de la circulation, tombent
dans le domaine de la main-morte. L'autorisation demandée
par les missionnaires de s'ériger en une Congrégation gou-
vernée par un supérieur et soumise à des règles spéciales,
leur donnera le droit d'acquérir et de posséder, qu'ils n'ont
pas maintenant... Aussi, tout bien considéré, et attendu
surtout que les maisons religieuses sont déjà trop nombreuses
dans le royaume, j'estimerais, écrivait-il en terminant, en

tant que cela ne sera pas contraire aux vues de Votre Majesté, qu'il ne faut accorder le *bene placito* au Père de Liguori qu'avec de grandes restrictions. »

Ces restrictions étaient l'obligation imposée aux missionnaires de ne pas fonder de nouveaux établissements sans la permission du roi, la défense de posséder pour chaque maison plus de mille ducats de revenu, l'invalidation des legs qui leur seraient faits, lorsque le donateur laisserait des parents dans l'indigence, et la stipulation que, s'ils venaient à s'écarter du but de leur institut, ils seraient supprimés *ipso facto,* sans même attendre l'autorisation du Pape. La réunion des deux Congrégations du Saint-Sauveur et du Saint-Sacrement était en outre, aux yeux du grand aumônier, une condition absolue dont il jugeait superflu de démontrer la convenance. Enfin, pour introduire, disait-il, les nouveaux religieux dans certains lieux où ils pourraient rendre plus de services que les Congrégations existantes, il proposait de leur donner divers couvents de la province du Cilento qu'il qualifiait d'inutiles, assurant, d'ailleurs, que l'expression formelle de la volonté royale obtiendrait facilement le désistement des possesseurs, et que tous les Évêques en particulier y prêteraient la main.

Tel fut en résumé ce rapport, qui, malgré ses réserves, ne sut trouver grâce devant le conseil d'État chargé de l'examiner. Ce conseil déclara qu'on ne pouvait charger le pays d'un nouveau corps moral, lorsque d'autre part on cherchait à diminuer le nombre des religieux. Les restrictions proposées par le grand aumônier ne furent pas jugées suffisantes, et, le roi craignant d'ailleurs que leur nouveauté n'offensât le Pape, il fut décidé, le 23 août 1747, que les choses demeureraient dans leur état primitif. Mais en même temps, et comme pour adoucir la rigueur de cette décision, le marquis Brancone reçut l'ordre d'assurer le Père de Liguori de la bienveillance du monarque, et de l'engager à lui demander tout ce dont il aurait besoin.

En apprenant deux jours après cette conclusion, Alphonse baissa la tête et ne put dire que ces mots : *Fiat voluntas*

tua! Cependant sa désolation fut telle, à en croire le Père
de Robertis, qu'il passa la nuit suivante sans fermer l'œil. Une
violente tentation vint même l'assaillir. Pendant qu'il disait
la messe dans l'église des Pères de l'Oratoire, le refus du
roi se présenta à son esprit comme la destruction radicale
de tout l'édifice élevé par lui avec tant d'efforts ; la maison de
Pagani en particulier, dont les débuts avaient été si difficiles, allait, pensait-il, voir recommencer ses épreuves, et
les trois autres établissements subiraient l'un après l'autre
le même sort. Aussi, dès que sa messe fut achevée, cou-
rut-il en toute hâte chez le secrétaire d'État, afin de lui faire
part de ses craintes avant l'expédition de la dépêche royale.
Le ministre chercha d'abord à le rassurer en lui démontrant
que les décrets antérieurs suffisaient pour garantir l'existence de ses maisons, ajoutant que d'ailleurs l'affaire n'était
pas désespérée, et que certainement la piété du roi lui sug-
gèrerait un expédient pour assurer la stabilité de la Congrégation ; mais l'angoisse d'Alphonse ne se calmait pas, et le
marquis Brancone impatienté laissa échapper ces mots :
« Qu'avez-vous donc ! on croirait vraiment qu'il y a là pour
vous une question d'intérêt personnel. » Cette exclamation le
fit rentrer en lui-même. Il reconnut qu'il était le jouet d'une
tentation, éleva son cœur a Dieu et retrouva la paix.

Le Saint ne fut pas plus heureux dans la démarche qu'il
se résigna alors à faire pour intéresser le roi par le tableau
du dénûment de ses compagnons, et pour obtenir de lui
quelque secours qui leur permît d'évangéliser des lieux où,
faute de ressources, ils n'avaient pu se rendre jusque-là. Ce
n'est pas que le prince ne se montrât bien disposé. Sincèrement chrétien, il était animé de l'amour du bien ; mais la
nature même de son esprit ne le mettait pas assez en garde
contre des influences trompeuses qui neutralisèrent encore
une bonne volonté dont il crut sans doute donner une preuve
suffisante en offrant au saint fondateur le siége de Palerme.
Cette proposition fut pour Alphonse, on le devine, un contre-
temps plus douloureux que ses échecs. Il représenta de
nouveau au marquis Brancone, les larmes aux yeux, le scan-

dale qu'il causerait à tous les siens en brisant les liens communs et en manquant à son vœu de n'accepter aucune dignité, lui dépeignit le dommage qui en résulterait pour son œuvre et le supplia, au nom de son amitié, de faire revenir le roi sur sa résolution. Ces arguments et ces prières trouvèrent le monarque inébranlable : « Les meilleurs Évêques, répondit-il, sont ceux qui refusent de l'être, et je ne connais pas d'engagement dont le Pape ne puisse dispenser ; » aussi persista-t-il un mois entier dans sa détermination, tandis qu'Alphonse, sans cesse sur des charbons ardents, conjurait Dieu d'éloigner de lui le calice, et s'imposait, pour être plus sûrement exaucé, un surcroît de pénitences. Au bout de ce temps, néanmoins, considérant qu'après tout Alphonse ferait peut-être moins de bien à Palerme sous sa mitre que dans tout le royaume par ses prédications, le prince finit par céder, et renonça à son projet. Le désintéressement est une vertu trop haute pour être comprise des esprits vulgaires. Le refus du Saint fut généralement blâmé à Naples, et des hommes politiques, des prélats même l'abordaient pour lui en témoigner leur étonnement. « Que voulez-vous ? les évêchés ne me sont pas destinés, leur répondait l'humble prêtre. Faire de moi le chef d'une église ! mais je suis à peine bon pour donner un coup de main dans une mission ! » Quant au roi, appréciant différemment le sentiment qui l'avait guidé, il se sentit de plus en plus d'estime pour lui et pour sa Congrégation, et résolut de chercher du moins parmi ses compagnons des sujets propres à l'épiscopat ; mais là encore il devait rencontrer la résistance du fondateur, qui le supplia de ne pas porter un coup funeste à son œuvre, en y faisant naître un sentiment jusqu'alors inconnu, l'ambition.

Tout en poursuivant ses négociations avec la cour, Alphonse ne perdait pas de vue un instant l'apostolat de miséricorde qui était avant tout le but de sa vie. L'affermissement de son institut lui tenait à cœur sans doute, parce qu'il y voyait l'œuvre de Dieu ; mais il n'ignorait pas que les âmes ramenées ou sanctifiées par lui seraient des protectrices plus efficaces que les meilleurs avocats auprès du

roi. Aussi le temps qu'il passa à Naples fut-il sans exagération une mission non interrompue. Séminaires, couvents,
colléges, le réclamaient à l'envi; c'étaient tantôt des neuvaines, tantôt des retraites; à peine avait-il le temps
parfois de réciter son office; néanmoins il ne refusait personne : « Qui sait, disait-il, ce que Dieu veut faire par mon
ministère, et s'il n'a pas attaché la prédestination d'une âme
à l'un de mes discours? »

Sa santé toutefois ne put résister longtemps à des fatigues
si multipliées. Souffrant tour à tour de névralgies aiguës [1]
et de violentes crises d'asthme, il fut même durant quelques
jours en danger de mort, et resta pendant près de trois semaines sans pouvoir parler ni dire la messe. Mais la volonté,
qui chez lui, on peut le dire, était bien la reine du logis, ne
tarda pas à reprendre le dessus, et dès qu'une légère amélioration se fut manifestée, il revint à ses habitudes d'activité. Obligé encore de garder le lit, il n'en recevait pas
moins tous ceux qui désiraient le consulter, et la maison de
son frère, Hercule de Liguori, chez lequel il demeurait,
était presque aussi fréquentée que sa cellule pendant une
grande mission.

Aussitôt qu'il put se lever, il recommença à prêcher, et
donna successivement, pendant les trois premiers mois de
l'année 1748, dans les principaux sanctuaires de Naples [2],
huit retraites qui demeurèrent célèbres par les conversions
innombrables dont elles furent l'occasion. « En quelques semaines, dit gracieusement son principal biographe, il y eut
bien des pêches miraculeuses, et beaucoup de poissons qu'on
n'avait pas encore vus dans ces parages furent pris dans le
filet. » Cependant certains de ses auditeurs n'étaient pas ani-

---

[1] L'extraction d'une dent étant devenue nécessaire, il refusa de faire
venir chez lui un chirurgien, voulut se rendre à pied jusqu'à la place du
château, et entra dans une échoppe où il se fit opérer; puis s'étant aperçu
que le frère François Tartaglione avait conservé sa dent, il la lui demanda comme pour l'examiner, et la jeta dans le fossé du château.

[2] Sainte-Marie-des-Vierges, Saint-Jean-le-Majeur, qui avait alors pour
curé don Joseph Porpora, son ami de jeunesse, Sainte-Anne-du-Palais,
Saint-Janvier, l'église du Saint-Esprit et celle des Pèlerins.

més, paraît-il, d'aussi saintes préoccupations; car un de ces discours, tant admirés d'ordinaire, provoqua un incident qui semblerait peu croyable si notre temps ne nous apprenait, hélas! que rien n'est impossible quand il s'agit des ombrages que la liberté évangélique inspire au pouvoir. Un jour, Alphonse, s'étendant sur la bonté du Sauveur pour les hommes, avait commenté un passage de sainte Thérèse où elle insiste sur l'alliance merveilleuse que l'on rencontre dans la personne de Jésus entre la familiarité et la puissance, et avait terminé par cette simple réflexion : « Quelle différence, mes frères, avec les rois de la terre ! Leurs audiences sont rares, et combien n'en coûte-t-il pas pour les obtenir ! Jouit-on jamais, auprès d'eux, de cette liberté que Notre-Seigneur autorise dans l'eucharistie, où il nous donne le droit de lui dire tout ce que nous avons sur le cœur, de lui exposer avec abandon tous nos besoins, de lui parler, enfin, comme un ami à son ami ? » Qui croirait que des paroles aussi naturelles et aussi innocentes pussent être mal interprétées ? Ainsi en fut-il pourtant, et l'on osa rapporter au premier ministre, le fameux marquis Tanucci [1], que le Père de Liguori avait représenté dans un de ses sermons le roi sous les traits d'un prince dur, sévère et d'un abord difficile. Aussitôt, et avant d'avoir vérifié l'exactitude du fait, le ministre entra dans un violent accès de colère, et il eût fait expulser de Naples celui qu'il appelait un prêtre insolent, si le Cardinal et le marquis Brancone ne s'étaient empressés d'apaiser une affaire où le ridicule eût disputé la palme à l'odieux.

Peu de temps après cette crise, Alphonse obtint du roi une nouvelle audience. Pour la seconde fois, il le supplia d'approuver sa Congrégation, et, sachant qu'un des prétextes invoqués contre ses disciples était la crainte du relâchement

---

[1] Le marquis Tanucci, qui exerçait alors une influence si funeste aux intérêts de l'Église, était né à Stice (Toscane) en 1698, et avait suivi à la conquête de Naples l'Infant don Carlos, dont il était devenu le premier ministre. Il conserva le pouvoir pendant une partie du règne de Ferdinand IV.

auquel pourrait les conduire la richesse, il lui proposa de fixer lui-même le taux de leur revenu. Le roi l'écouta avec intérêt, lui témoigna une grande bienveillance, et lui laissa en le quittant ces mots pleins d'espoir : « Courage! ne doutez pas de ma protection... et en attendant, priez Dieu pour moi et pour la famille royale. » Mais la protection promise n'amena aucun résultat, et bientôt le saint, ne découvrant aucune probabilité de changement dans la politique ministérielle, prit le parti de retourner à Ciorani [1].

L'échec qu'il venait de subir n'avait pas toutefois abattu son énergie. Ses efforts s'étaient brisés à Naples devant les défiances de l'autorité civile; mais rien de pareil n'était à craindre à Rome; aussi jugea-t-il le moment opportun pour y solliciter ce qui était à ses yeux la sanction suprême de son œuvre, l'approbation du Souverain Pontife. Cependant, effrayé de l'accueil trop flatteur qu'il pourrait y recevoir, et, prétextant le mauvais état de sa santé, il se borna à adresser au Pape une supplique et envoya le Père Villani suivre l'affaire à sa place dans la Ville éternelle [2].

Benoît XIV était depuis longtemps déjà favorablement disposé pour Alphonse; mais, avant de se prononcer, il voulut recueillir des informations plus précises encore sur l'œuvre qu'on lui demandait de consacrer, et chargea le Cardinal Gentili, alors préfet de la Congrégation du Concile, de faire une enquête auprès de l'Archevêque de Naples. Celui-ci, on s'en souvient peut-être, avait reçu une mission analogue plusieurs années auparavant, à l'occasion des luttes soutenues par les missionnaires à Pagani. L'esprit et les constitutions de l'institut lui étaient donc bien connus; néanmoins il voulut, en face du nouvel appel qui lui était adressé, soumettre les règles à un dernier examen, et, usant de son autorité, y apporter s'il y avait lieu quelques modifications. Le caractère général de sagesse dont elles portaient l'empreinte, la manière dont l'autorité était constituée et la répartition des

1 9 avril 1748.
2 Novembre 1748.

charges frappèrent une fois de plus son attention ; mais il
crut devoir restreindre au nombre de six les consulteurs généraux qu'Alphonse avait portés à douze en souvenir des
apôtres, et modérer les pénitences, qui lui parurent excessives pour des hommes dont la vie était une suite de fatigues presque ininterrompues ; c'est ainsi qu'il supprima le
jeûne du vendredi et adoucit l'abstinence de l'Avent et de la
neuvaine précédant la Pentecôte, en imposant durant ce
temps l'usage du saindoux et en exigeant que la collation du
soir fût plus abondante que celle des jours de jeûne prescrits
par l'Église.

Pendant que le Cardinal préparait son rapport, un effort
général se produisait en faveur de la Congrégation : d'une
part, c'étaient les Évêques des quatre diocèses où étaient
situées ses maisons [1] qui adressaient au Pape des lettres pressantes pour lui représenter le mérite de l'œuvre et l'harmonie parfaite qui existait entre elle et les besoins du pays ;
de l'autre, c'étaient des recommandations puissantes, éma-
nées de divers points du royaume, qui affluaient à Rome, où
Alphonse comptait encore parmi ses auxiliaires ou ses amis
le Cardinal Orsini, le duc de Sora, le supérieur des Pères de
Saint-Vincent-de-Paul, disposé même à lui faire le sacrifice
d'un établissement à Sublac ; enfin un religieux alors fort en
crédit au Vatican, mais dont la sympathie pour l'institut
était le premier anneau d'une chaîne qui devait être lourde à
porter.

Ce fut avec ce cortége imposant de protecteurs que l'affaire
arriva devant la Congrégation du Concile, dont un des membres les plus estimés, le Cardinal Bisozzi, fut nommé rapporteur. Quelques changements peu importants furent encore
apportés à la règle, tels que l'élévation à quinze cents ducats
pour les maisons simples, et à deux mille pour les noviciats
ou les colléges [2], du revenu qu'Alphonse avait fixé à douze
cents pour chaque établissement, et la suppression comme

1 M*r Rossi, évêque de Salerne ; M*r Nicolaï, évêque de Conza ; M*r Volpe,
évêque de Nocera ; et le V. Antonio Lucci, évêque de Bovino.
2 Les colléges appelés *Studentati* étaient les maisons où les novices de-

superflu du quatrième vœu, par lequel les sujets se mettaient à la disposition du Pape pour aller, si tel était son désir, évangéliser les infidèles; car, firent observer les Cardinaux, il n'est pas un religieux qui, en dehors de tout engagement spécial, ne doive être prêt à obéir au premier signe du Saint-Père. La Congrégation fut d'ailleurs unanime à louer la sagesse des autres dispositions, et en particulier le retour obligé des missionnaires dans les lieux où ils avaient prêché [1]. Le rapporteur, notamment, qui appartenait lui-même à un ordre monastique, ne tarissait pas d'éloges, et dans son enthousiasme se déclarait prêt « à sacrifier pour l'œuvre nouvelle son sang et sa vie! »

Tout allait donc à souhait, malgré les efforts d'une communauté napolitaine, envieuse des progrès de l'institut, qui avait envoyé successivement à Rome deux de ses membres pour empêcher, s'il en était temps encore, la reconnaissance définitive de la Congrégation, et bien qu'une interprétation erronée d'une phrase de l'Archevêque de Naples eût failli faire restreindre au royaume seul l'approbation sollicitée. Alphonse se félicitait du succès de ses démarches, et il jouissait d'avance d'un bonheur qui, cette fois, lui apparaissait sans mélange, lorsqu'une nouvelle inattendue vint troubler sa joie et en voiler tout l'éclat. Une lettre du Père Villani lui apprit que le désir du Pape était de le nommer supérieur perpétuel de la Congrégation. En vain en appela-t-il à toutes les ressources réunies de son éloquence et de son humilité, rien n'y fit : « Le bon Dieu veut que Votre Paternité porte cette croix jusqu'à la mort, lui répondit le Père Villani; s'y opposer serait, à mon sens, agir d'une manière directe-

vaient faire leurs études. Le noviciat et le *Studentato,* réunis encore à cette époque, étaient établis à Ciorani depuis deux ans.

[1] Voici le texte même des paroles du Cardinal à propos de cette innovation, dont l'importance lui semblait suffisante pour mériter à la Congrégation l'approbation sollicitée par elle : *Cum... operam ponant in Christi-fidelibus, præcipue vero rusticis, qui fame verbi Dei laborare solent, ad viam salutis reducendis, nec semel tantum, sed iterum post paucos menses loca adeundo id efficere conentur (quod sane singulare est hujus instituti medium), censerem proinde eamdem Congregationem approbari posse.*

ment contraire à sa volonté; » et il ajoutait, un autre jour :
« Croyez-moi, mon Père; n'y pensez plus; tout est dit, et
j'estime qu'il y a là pour vous un devoir basé sur la justice
et la reconnaissance. » Le 31 janvier 1749, en effet, les dernières formalités furent accomplies, et le Cardinal Orsini
annonça au Père Villani, par un billet autographe, que le
décret approuvant les règles de la Congrégation était rendu.

Peu de jours après, le Père Villani se présenta chez le
Pape pour le remercier. « Où est le décret? » dit Benoît XIV;
et le religieux lui ayant répondu qu'il était joint à la règle :
« C'est précisément tout cela, reprit le Pape, que je veux
voir. » On s'empressa d'apporter les pièces, que le savant
Pontife relut avec attention. Il applaudit en particulier à l'article des constitutions qui établissait un Recteur-Majeur et
des Consulteurs à vie, « excellent moyen, dit-il, de prévenir les divisions et les intrigues si fréquentes dans les
communautés. » Mais voyant que la Congrégation prenait le
titre de Saint-Sauveur, et se souvenant qu'il y avait à Venise une société de Chanoines réguliers qui portait déjà ce
nom, il voulut, pour empêcher toute confusion et tout litige, que la Congrégation échangeât son vocable contre celui
du Très-Saint-Rédempteur, et célébrât sa fête au mois de
juillet. L'accueil du Pape fut d'ailleurs si paternel, que le
Père Villani, préoccupé un peu trop peut-être de ménager
les ressources de son institut, crut pouvoir glaner encore
une dernière faveur, et pria le Souverain Pontife de vouloir
bien charger de l'acte le secrétaire des brefs *ad Principes*,
qui était son compatriote et son ami. « Dans quel but? demanda Benoît XIV. — Pour me faire faire quelques épar-
gnes, répondit naïvement le Père, car notre Congrégation est
pauvre. — Pauvre! reprit le Pape en riant; nous sommes
tous pauvres, et le Pape est plus pauvre encore que tous les
autres. » Les choses suivirent donc leur cours, et un Cardinal fut chargé de veiller à la rédaction.

Le succès était complet, et pourtant un des délégués de la
communauté rivale dont nous avons parlé tenta un suprême
effort. Il gagna le secrétaire du Cardinal, nommé Fiore, au-

quel était confiée l'exécution de la pièce, et obtint de lui que, falsifiant par l'adjonction d'un mot la décision de la Congrégation, il limitât l'approbation à la règle en la refusant à l'institut. En effet, au lieu de la formule légitime : *regulam et institutum,* le secrétaire infidèle écrivit : *regulam et non institutum* dans l'expédition officielle du bref; subtilité misérable, à l'aide de laquelle on espérait encore arrêter l'épanouissement d'une œuvre dont plusieurs persistaient à méconnaître le providentiel développement. Cependant le changement ne pouvait échapper aux intéressés, et le Cardinal averti demanda compte à Fiore des motifs de sa rédaction. Celui-ci répondit avec aplomb qu'il n'avait fait que se conformer à la coutume du Saint-Siége; qu'on approuvait toujours la règle avant l'institut, et que peu de temps auparavant on avait agi de la sorte avec les Pères Passionistes. Mais le prélat, comme jadis le ministre des affaires ecclésiastiques, reconnut la fraude, et déjoua, en rétablissant le texte, cette astuce *in extremis.* La reconnaissance de la Congrégation était désormais un fait accompli, et l'institut, comme la règle, était bien réellement approuvé, non-seulement dans le royaume de Naples, mais dans toute la chrétienté [1].

Pendant que se négociait à Rome cette inscription d'une nouvelle milice dans les rangs de l'Église, Alphonse et ses compagnons attendaient d'heure en heure le courrier qui devait mettre un terme à leurs incertitudes, et les moments leur semblaient longs. Il parut enfin. La lettre qu'il portait fut aussitôt remise à Alphonse, et celui-ci, contrairement à son usage, la décacheta solennellement et la déplia avec lenteur. *Gloria Patri,* tel en était le début, *la Congrégation est approuvée...* Il ne put en lire davantage, tomba à genoux tout en larmes au milieu des siens, et resta ainsi prosterné pendant quelques instants. Puis il réunit la petite communauté à l'église, entonna le *Te Deum,* et développant sous forme de prière cette parole : *Visita, Domine, vineam*

---

[1] 25 février 1749.

istam et perfice eam quam plantavit dextera tua, il exhorta ses enfants à correspondre aux miséricordes divines par leur reconnaissance et leur fidélité. Une partie de sa tâche, il le comprenait, était accomplie; la vigne du Seigneur était plantée : à Dieu seul dorénavant appartenait le soin de la rendre féconde.

CHAPITRE X

Dès que le bref sanctionnant l'existence de la Congrégation du Saint-Rédempteur fut connu en Italie, il s'y produisit en faveur de l'institut un mouvement de sympathie dont
un des principaux foyers était la capitale même du monde
chrétien. De nombreuses demandes d'admission furent adressées, en effet, à Alphonse par des membres du clergé de
Rome, où l'on vit notamment deux curés renoncer à leurs
paroisses, et le Père Abbé dont nous avons parlé plus haut,
mais dont nous regrettons qu'un scrupule charitable ait fait
disparaître le nom, solliciter son entrée dans la Congrégation.
Il avait été arrêté qu'aucun religieux, et même aucun séculier ayant vécu dans l'intérieur d'une communauté, ne serait
reçu dans l'institut; mais le mérite de ce prêtre, sa science
peu commune, ses succès dans le ministère et la reconnaissance qu'on devait à ses services décidèrent Alphonse à
faire pour lui une exception que le Saint-Père approuva
d'ailleurs, en le dispensant par un bref de ses premiers
engagements. L'Abbé échangea donc avec joie les vêtements de son ordre contre ceux des missionnaires, prononça
ses vœux dans la basilique de Saint-Pierre, entre les mains
du Cardinal Orsini, et vola à Ciorani, entraînant par cet
exemple le général des basiliens[1], auquel l'estime dont il
jouissait obtint la même faveur, mais que Dieu rappela à

---

[1] L'abbé del Pozzi.

lui au moment où il allait se donner à Alphonse. A Naples,
l'élan fut au moins aussi vif, et un des plus grands seigneurs du temps, le prince de Castellaneta, implora à diverses reprises, mais sans plus de succès que Mandarini,
dont les instances s'étaient encore renouvelées, le bonheur
d'être admis parmi les missionnaires. Tel fut également le
sort de plusieurs autres membres de la Congrégation du Saint-
Sacrement, qui, ayant perdu tout espoir de fusion entre les
deux instituts, tentèrent de se faire recevoir individuelle-
ment dans celui du Saint-Rédempteur. Alphonse les eût
accueillis d'autant plus volontiers, qu'il y avait parmi eux
un de ses premiers et plus vaillants compagnons [1]; mais la
crainte de frapper à mort une société à laquelle il ne voulait
d'ailleurs que du bien, l'empêcha d'exaucer leurs vœux.

Le devoir de recruter des ouvriers pour une œuvre dont
les perspectives grandissaient, n'était pas le seul, du reste,
qui s'imposât en ce moment au saint fondateur. Il importait encore de lui assurer par des élections régulières une
administration en harmonie avec les changements qu'avaient
subis les constitutions; aussi un chapitre général, auquel se
rendirent presque tous les membres de la Congrégation,
fut-il convoqué à Ciorani, au mois d'octobre de l'année 1749.

Le premier acte d'Alphonse, dès que l'assemblée eut été
constituée, fut d'inviter les dignitaires à se démettre tous de
leurs fonctions. Lui-même, voulant leur en donner l'exemple,
et bien qu'il eût été confirmé par le Pape dans son titre de
Recteur-Majeur, résigna ses pouvoirs, et demanda pardon à
genoux au milieu de ses frères des fautes qu'il avait pu commettre pendant l'exercice de sa charge. Puis il proposa de
faire précéder les élections générales d'une retraite de trois
jours, et, après avoir mis tout en œuvre pour éloigner de
lui le fardeau de l'autorité, insista sur le devoir d'écarter
toute considération humaine dans le choix du futur supérieur, et de voter pour le plus digne. La nomination du président du chapitre, la lecture de la règle et le renouvelle-

1 Le Père Jérôme Manfredi, V. page 71.

ment des vœux suivirent ce début, et occupèrent la séance
d'ouverture après laquelle l'assemblée se sépara pour ne
plus se réunir que le cinquième jour, où les élections commencèrent. Alphonse, comme on pouvait s'y attendre, fut
nommé au premier tour du scrutin Recteur-Majeur à l'unanimité des voix, et confirmé à perpétuité dans sa charge.
On choisit ensuite pour procureur général le Père François
Margotta, qui, entré depuis peu dans la Congrégation, y
donnait déjà des preuves d'une expérience consommée; enfin
le Père Villani, un des vétérans de l'institut, fut désigné
comme admoniteur et consulteur, et se vit adjoindre dans
cette dernière charge les Pères Sportelli [1], Rossi et Mazzini,
ainsi que le Père Abbé, que tous jugèrent digne de cette
marque d'estime et de confiance. Plusieurs dispositions, qui
tendaient surtout à maintenir la pauvreté et la vie commune, vinrent compléter l'œuvre tracée à cette première
assemblée, dont le but spécial avait été l'inauguration de la
règle nouvelle. Elle ne voulut pas se séparer toutefois avant
d'avoir tranché certaines questions de principes relatives
à l'organisation des études; et à la suite d'une délibération,
dont il est d'autant plus fâcheux pour nous d'ignorer les

---

[1] Le Père Sportelli, qui devait bientôt quitter ce monde, était déjà alors
très-gravement malade. Frappé l'année précédente d'une attaque d'apoplexie, il avait conservé un tremblement dans tous les membres qui le
rendait incapable de prêcher. Il mourut, le 19 avril 1750, après avoir prédit à diverses reprises le jour et l'heure où il retournerait à Dieu et en
entonnant lui-même le psaume *In exitu Israel*. C'était un homme de
mœurs douces et conciliantes, dont l'humilité s'appliquait toujours à dissimuler les grâces que le Seigneur lui prodiguait. Un jour cependant, à
Caposele, il ne put empêcher un frère lai qui entra tout à coup dans sa
cellule, de l'y trouver élevé de terre, à la hauteur de plusieurs palmes,
et entouré d'une clarté éblouissante. Ses reliques et ses images opérèrent
un grand nombre de miracles; près de quatre ans après sa mort, son corps
fut retrouvé entier, flexible et encore beau comme pendant sa vie; son
sang était limpide, et une odeur délicieuse s'exhalait de son cercueil. (*V.*
Notice sur le Père César Sportelli, de la Compagnie du Très-Saint-
Rédempteur, par le Père Joseph Lande.) Sur la demande de saint Alphonse,
la cause de la béatification et de la canonisation du saint religieux fut introduite. Les choses n'ont pas été plus loin; toutefois l'institut du Saint-
Rédempteur n'a pas perdu l'espérance de lui rendre, un jour, un culte
public. (Villecourt, t. I, p. 339.)

détails qu'elle fut sans doute conduite par celui auquel l'Église a décerné récemment le titre de Docteur, le système à suivre dans l'enseignement de la philosophie et de la théologie fut nettement déterminé, et saint Thomas choisi pour guide dans les questions dogmatiques.

Cette décision était d'autant plus opportune, qu'au moment où elle venait d'être prise, les notables du diocèse de Nocera exprimaient à Alphonse leur vœu de voir la maison de Pagani devenir le centre des études, et appuyaient leur proposition par la promesse d'entretenir l'établissement à leurs frais. Des sommes importantes étaient souscrites, en effet, par divers bienfaiteurs, entre autres par le doyen, Domenico di Maio, dont nos lecteurs ne doivent pas avoir perdu le souvenir, et l'Évêque lui-même couronnait toutes les bonnes volontés par la libéralité de ses dons. L'offre fut accueillie avec la plus vive gratitude. Un des membres du chapitre, le Père Fiocchi, fut député pour remercier les donateurs, et peu de temps après, laissant à Ciorani l'ensemble des classes moyennes, Alphonse installait les études supérieures à Pagani.

Le *studentato* s'ouvrit sous les plus heureux auspices. L'enseignement comprenait la culture sérieuse de la langue latine, des notions suffisantes de grec pour permettre aux élèves de comprendre ces Pères de la primitive Église qui leur étaient souvent présentés comme modèles, des cours d'histoire sacrée et profane, enfin des leçons de philosophie et de théologie, confiées au Père Abbé, que l'autorité et le prestige de son érudition désignaient d'avance au choix d'Alphonse. Lui-même, appréciant l'importance de cette période de la vie pendant laquelle l'esprit prend, pour ainsi dire, sa forme et sa mesure, n'épargnait ses conseils ni aux maîtres ni aux élèves. Dans les leçons de philosophie, il recommanda de se servir des auteurs les plus accrédités, sans enchaîner l'enseignement à aucun système et sans s'occuper des questions inutiles ou surannées agitées autrefois dans l'école; et, dans les cours de morale, tout en laissant au professeur sa liberté d'appréciation, il engagea à

éviter certaines doctrines qui, pour être tolérées, n'en étaient
pas moins difficiles à concilier avec l'Évangile et les canons.
Il insista aussi pour que les leçons ne fussent jamais
dictées, estimant que les élèves faisaient plus de progrès
en étudiant dans les livres, gagnaient ainsi du temps,
et se trouvaient délivrés de l'incommodité d'écrire, souvent
préjudiciable à leur santé. Rien n'était négligé, du reste,
pour inspirer le goût du travail et pour entretenir l'émulation. Une ou deux fois par mois les élèves soutenaient
dans la chapelle de la maison des thèses philosophiques,
auxquelles des religieux de divers ordres venaient souvent
assister, et, les jours de fêtes solennelles, ils prenaient part à
des séances académiques, dont les compositions récitées
en latin, en grec, ou même en hébreu, étaient un des
attraits principaux. Ces succès comblaient d'une joie sans
ombre les compagnons d'Alphonse, lequel, plus prévoyant,
ne cessait, tout en bénissant ces efforts, d'exhorter les
élèves à la sobriété jusque dans leur amour pour la science,
et leur proposait à ce sujet les trois règles de conduite
suivantes : N'apprendre que ce qu'il leur importait de
savoir; l'étudier avec modération; ne pas faire parade,
enfin, de plus d'érudition qu'ils n'en possédaient. Il n'aimait
les voir ni effleurer un grand nombre d'auteurs, ni consulter ceux qui n'étaient pas admis dans l'école, ni feuilleter
des livres pendant les cours dans le but de se faire un recueil
de matériaux pour leurs sermons de l'avenir. « La leçon qui
vous est donnée, leur disait-il, doit concentrer toute votre
attention; vous êtes des enfants; ce n'est donc pas à vous,
c'est au Maître qu'appartient le soin de vous nourrir et de
placer sur vos lèvres la bouchée que vous devez manger. »
Mais ce que le Saint demandait par-dessus tout à ses jeunes
disciples, c'était de ne pas laisser la passion pour l'étude dominer l'attention qu'ils portaient à leur avancement spirituel.
S'il voulait, en effet, qu'ils grandissent en savoir, il désirait
plus encore que leurs succès dans les lettres ne retardassent
pas leurs progrès dans la science du salut. « La vraie sagesse, leur répétait-il souvent, est de bien connaître Jé-

sus - Christ, et la science ne doit servir qu'à trouver Dieu. N'étudiez donc pas, mes petits enfants, pour satisfaire votre ambition ou votre vanité, et soyez détachés de tout, même des jouissances de l'esprit. L'étude doit se faire dans le seul but de plaire au Seigneur ; autrement elle ne nous vaudrait que les peines du purgatoire, pour ne pas dire davantage. Que la gloire de Dieu et le bien des âmes soient toujours votre point de mire principal. »

Le Père Mazzini, nommé aux fonctions de préfet des études, était sur ce point en parfaite harmonie avec le fondateur ; mais, bien que sa conduite eût été jusque-là d'une régularité irréprochable, le professeur de philosophie n'inspirait pas à tous pour l'avenir la même sécurité. Les anciennes habitudes, comme les premières impressions, se perdent rarement, en effet, et elles reparaissent parfois plus vivantes au moment où on les croyait vaincues. Accoutumé depuis de longues années aux traditions d'un autre ordre, le Père Abbé eut peine, lorsque l'enthousiasme des débuts fut refroidi, à se soumettre à la discipline de la Congrégation. Les entraves constantes qu'une obligation supérieure imposait à sa liberté lui devinrent un tourment insupportable qui troublait absolument la sérénité de son esprit. Ses conversations avec les étudiants ne tardèrent pas à en donner la preuve. Tantôt, en effet, il blâmait un usage ; tantôt il appelait une réforme. Il critiquait certaines pénitences adoptées par les Pères, telles que de baiser la terre ou les pieds de ses compagnons au réfectoire, de manger à genoux ou de se tenir les bras en croix, et, oubliant que ces pratiques, entièrement facultatives d'ailleurs, avaient été jadis hautement approuvées par lui, et reconnues utiles pour avancer dans l'humilité, il les taxait de simulacres dérisoires. Informé par les élèves du changement survenu dans le langage de l'ancien Abbé et de ses attaques contre certaines règles de la Congrégation, le Père Mazzini crut devoir lui faire d'amicales observations ; mais il les reçut fort mal, continua à soutenir ses opinions, et chercha même à les défendre par l'autorité de saint Thomas et d'autres théologiens fameux : de là des altercations assez vives dont l'écho parvint bientôt à Ciorani. Alphonse, désolé, chercha d'abord à calmer les esprits. Au professeur, il représenta le scandale que produit toujours la divergence de sentiments dans une Congrégation naissante, et prêcha au préfet l'indulgence et la modération. Puis, voyant que l'harmonie ne se rétablissait pas entre eux, il envoya, quoique avec regret, le Père Mazzini dans la maison de Caposèle.

La paix, toutefois, n'était pas faite parmi les étudiants, qui, divisés dès lors en deux partis également agressifs, renouvelaient chaque jour des luttes de parole où les cœurs finissaient par s'aigrir. Il était indispensable de mettre fin à ces conflits et de prendre des moyens plus énergiques pour remédier au mal. Alphonse le comprit. Mandant à Ciorani le Père Abbé, il l'invita à prêcher la retraite préparatoire aux ordinations de décembre, et le prévint en même temps qu'il cesserait ses cours et ne retournerait pas à Pagani. Cette double injonction déplut au professeur ; il résista et força le supérieur à lui dire avec autorité : « Obéissez, sinon vous êtes libre de nous quitter. » Mais la perspective d'une séparation ne parut pas l'effrayer, et bien que, la nuit ayant modifié quelque peu ses dispositions, il se déclarât le lendemain prêt à donner la retraite, il n'en annonça pas moins formellement l'intention de sortir de l'institut.

Cette résolution, bientôt connue, mit en émoi toute la maison. « J'étais très-jeune alors, raconte Tannoia, et pourtant je me mêlai à l'affaire. Le Père Fiocchi [1] et moi nous entreprîmes de défendre le Père Abbé, d'expliquer ses pensées, d'excuser ses actes, et nous condamnâmes les clercs comme ayant mal interprété ses paroles. Les Pères Villani et Cafora, qui prêchaient une mission dans le voisinage, intercédèrent à leur tour en sa faveur ; enfin il rentra en lui-même et fit sa soumission. Alphonse n'en demandait pas davantage. Croyant à sa sincérité et ne voulant pas le discréditer devant le public, il le renvoya à Pagani chargé des mêmes fonc-

[1] Alors recteur de Pagani.

tions. Ce fut une trêve; mais ce ne fut pas la paix. Dès
que le Père eut repris ses conférences, on vit renaître avec
elles les divisions dans son entourage; l'unité des esprits
était brisée, et parmi les clercs les uns continuaient à se
dire à *Paul*, et les autres à *Apollon*. »

Alphonse essaya alors d'un dernier moyen, qui, en conci-
liant la dignité du maître avec l'intérêt des élèves, pouvait
encore tout sauver: c'était de charger l'Abbé d'une fondation
à Rome. Cette pensée, approuvée par les Consulteurs, ne
déplut pas à l'intéressé, et l'on décida que le 15 octobre [1] il
se mettrait en route accompagné d'un autre religieux. Hélas!
l'orage apaisé en apparence allait éclater plus violent. Le
Père Abbé ne tarda pas, en effet, à comprendre que cette
fondation avait surtout pour but de l'éloigner de Pagani. La
fougue de son caractère reprit aussitôt le dessus, et sans
retard son plan fut dressé. Décidé à pousser tout à l'extrême,
il réunit les étudiants de son parti, attaqua, vilipenda devant
eux l'institut du Saint-Rédempteur, et leur communiqua son
intention de mettre à profit son voyage à Rome pour y établir, sur une base toute différente, une Congrégation de
missionnaires qui apporterait à l'Église, disait-il, un concours bien autrement précieux. Quatre de ses élèves, séduits
par ses offres, promirent de le suivre; et comme depuis longtemps ils témoignaient le désir d'aller prêcher aux infidèles,
l'Abbé les désigna incontinent pour les missions de la Chine
et du Paraguay. Ce ne fut pas tout encore. Pressé de
mettre à exécution son projet, il rédigea sous main un mémoire où diverses accusations calomnieuses étaient portées
contre l'institut, le fit signer par ses quatre complices, et
convint avec eux que, quelque temps après son arrivée à
Rome, il feindrait de le recevoir de Pagani. Le résultat de
cette tactique devait être, à ses yeux, de confirmer les assertions qu'il aurait eu soin de produire d'avance, et d'appuyer
le recours qu'il comptait adresser au Souverain Pontife, afin
d'obtenir pour lui et pour ses adhérents la dispense des
vœux qui les liaient à la Congrégation.

[1] 1751.

Tout était prêt, et le succès paraissait assuré, lorsque la veille de son départ, avec une spontanéité qu'un instinct surnaturel peut seul expliquer, le Saint changea soudain d'avis, et, rassemblant son conseil, proposa l'expulsion de l'Abbé. L'émotion fut grande dans l'assemblée; les protestations s'élevèrent de toutes parts, et l'un des Pères alla jusqu'à prétendre qu'on ne pouvait renvoyer un Consulteur général sans le consentement des autres. Telle n'était pas l'opinion d'Alphonse, qui, n'accordant aux Consulteurs que voix délibérative, maintint énergiquement l'étendue de son pouvoir. La discussion fut chaude. Elle n'était pas terminée quand l'*Ave Maria* força de la remettre au lendemain. Mais ce jour-là les faits, plus éloquents que les discours, ne vinrent justifier que trop la rigueur apparente du supérieur. En effet, la méditation était à peine achevée, que les quatre étudiants gagnés par l'Abbé parurent, le bâton à la main, le manteau sur le bras, et sans être instruits pourtant de ce qui s'était passé la veille au conseil, demandèrent à partir et à être déliés de leurs vœux. Le Saint se jeta à leurs pieds en pleurant, s'efforça de les éclairer, de les dissuader, leur offrit trois jours de réflexion; les autres Pères joignirent leurs instances aux siennes; tout fut inutile. Leur parti était pris. La dispense promise par l'Abbé leur semblait même déjà une éventualité trop lointaine; ils insistèrent insolemment sur leur volonté absolue de quitter la maison, menaçant le Recteur, en cas de refus, de se plaindre au roi de la violence qui leur serait faite; et bientôt, sans avoir obtenu une autorisation qu'Alphonse ne pouvait leur donner, ils reprirent tous les quatre à pied la route de Naples.

Il ne fallait pas un grand effort d'esprit pour comprendre à quelle influence fâcheuse cette conduite étrange devait être attribuée. Devant ce nouveau scandale, la résistance des Consulteurs cessa aussitôt, et le Recteur de Pagani reçut l'ordre d'annoncer *immédiatement et en quelque lieu où il se trouvât*, au Père Abbé, qu'il ne faisait plus partie de la Congrégation. Le malheureux professeur apprit cette décision à Nocera, où il était allé prendre congé de l'Évêque, et s'éloigna incontinent, sans même réclamer ses papiers, demeurés dans le tiroir de sa table, parmi lesquels on trouva le mémoire odieux qu'il avait rédigé contre l'institut. Ainsi se termina ce douloureux épisode, moins cruel encore cependant que si les transfuges avaient pu mener jusqu'au bout leur complot. La découverte en ayant eu lieu entre les premières et les secondes vêpres de sainte Thérèse, Alphonse attribua cette marque de la protection divine à l'intercession de sa patronne de choix, à laquelle toute la Congrégation voua dès lors la plus tendre reconnaissance.

A quelque temps de là, deux des étudiants coupables vinrent se jeter, désabusés et repentants, aux pieds du Saint. Alphonse les reçut, comme le père de l'enfant prodigue, les bras ouverts ; mais il attendit vainement, hélas ! leurs deux autres compagnons. Persévérant dans leur égarement, ils restèrent jusqu'au bout pour Alphonse l'objet d'une tristesse poignante, et leur exemple lui servit plus d'une fois d'occasion pour adresser des avertissements salutaires aux jeunes gens du noviciat : « Mes chers enfants, leur disait-il, ayez toujours une conscience simple et ouverte. Si ces pauvres égarés avaient laissé voir à leurs supérieurs l'état de leur âme, ils ne seraient pas maintenant où ils sont. Ne vous confiez pas au premier venu, mais à celui qui tient auprès de vous la place de Dieu : vous savez qu'il ne veut pas vous tromper... Gardez-vous aussi, mes chers amis, de rien décider au milieu du trouble de la tentation, pas même ce qui vous paraîtrait bon. Lorsque le démon se présente à nous, c'est en s'enveloppant de voiles et en mettant sur nos yeux comme des verres colorés qui nous font voir les choses non pas telles qu'elles sont, mais telles que nos passions nous les représentent. Pour éviter ce piége, il faut se recommander à Dieu et s'abandonner entre ses mains. C'est difficile, très-difficile, j'en conviens ; aussi ne devons-nous pas attendre que la tentation se présente pour nous offrir à Dieu sans cesse pendant l'oraison, comme une terre maniable destinée à être cultivée à son gré. Quand une âme s'est ainsi donnée de bon cœur au Seigneur, les tentations les plus fortes ne peuvent l'ébranler. » Et il ajoutait encore : « Mes enfants, tourner le dos à Dieu sans tenir compte de son appel, c'est une faute qu'il châtie rigoureusement, même en ce monde. Un continuel remords poursuit jusqu'au tombeau ces âmes coupables, dont un grand nombre, j'ose le dire, se sont damnées parce qu'elles sont sorties de leur voie. Quand la chaîne des grâces vient à se rompre, tout est perdu !... Ne croyez donc pas l'ennemi s'il vient à vous dire que vous pourriez faire le même bien chez vous, et que vous y jouiriez d'une vie plus tranquille. Quel bien feriez-vous parmi les vôtres ? Nul n'est prophète dans son pays. Vous sauverez plus d'âmes et vous acquerrez plus de mérites dans la Congrégation pendant un an en pratiquant l'obéissance, que pendant dix ans en vivant à votre gré. »

Le départ de l'Abbé fut pour Alphonse l'occasion de diverses réformes dans la maison d'études. L'ancien professeur avait poussé ses élèves à une recherche d'érudition absolument inutile à des missionnaires ; le Saint les fit rentrer dans la vérité de leur vocation en insistant sur la piété, qui devait être pendant leur carrière leur arme principale. « Je ne vous reprocherai jamais, leur disait-il à ce propos, de retrancher quelque chose au travail en faveur de la prière ; je m'en réjouirai, au contraire ; car, appelés surtout à secourir les âmes abandonnées des campagnes, nous avons plus grand besoin encore de sainteté que de science. »

Enfin, comme un certain découragement, semblable à la démoralisation qui gagne les soldats après une déroute, s'était glissé jusque parmi les Pères, Alphonse, anxieux de relever les courages, adressa à ses quatre maisons une circulaire qui commençait en ces termes :

« Mes très-chers Frères,

« J'apprends sans amertume le départ de l'un d'entre vous pour l'autre vie ; je ressens le chagrin de cette perte, parce que je suis de chair ; mais je m'en console aussi, parce que j'espère que tous les membres de notre Congrégation seront sauvés. Je ne m'afflige pas non plus lorsque quelques-uns nous quittent par suite de leurs défauts, et je me réjouis plutôt de sentir notre troupeau délivré d'une brebis malade, qui aurait pu gâter les autres. Enfin les persécutions ne m'effraient pas; loin de là, elles augmentent mon ardeur, car je sais que si nous nous comportons saintement, Dieu ne nous abandonnera pas. Mais ce qui m'épouvante, c'est d'entendre dire que plusieurs d'entre vous éprouvent de la répugnance à obéir et négligent l'observance de la règle.

« Mes frères, ajoutait-il, vous le savez déjà, il en est qui ont été des nôtres, et qui nous ont volontairement abandonnés. Quelle sera leur fin? je l'ignore; ce que je sais, du moins, c'est que, infidèles à leur vocation, ils seront poursuivis par le trouble, vivront inquiets et mourront malheureux. Ils sont partis pour chercher ailleurs plus de bien-être et plus de tranquillité; mais la pensée qu'ils ont quitté Dieu pour leur caprice ne leur laissera pas un jour de repos. Elle les assiégera pendant l'oraison; elle la leur rendra amère; peut-être même les en dégoûtera-t-elle tout à fait; et Dieu sait alors vers quel abîme ils marcheront. Je vous en conjure, coupez le mal dès sa racine; » et il terminait par cette réflexion dont l'avenir allait justifier la portée : « Quand le coupable s'amende après la correction, il n'y a pas lieu de craindre pour lui; mais quand il ne change pas, le démon avance et travaille à lui enlever sa vocation; c'est là la voie par laquelle tant de religieux se perdent. »

Il semble en effet qu'en écrivant ces lignes Alphonse eût eu comme un pressentiment de la nouvelle douleur qui l'attendait, et dont l'occasion fut le départ d'un des anciens Pères, particulièrement aimé de lui, qui, offensé par une réprimande du recteur de Ciorani, quitta le couvent sans en prévenir personne, et rentra dans sa famille. Tout ce qu'essaya Alphonse, tout ce que tentèrent les Pères pour le rappeler fut inutile. L'orgueil avait envahi son âme, et rien ne put l'amener à faire sa soumission. Cette lâche dé-

sertion, qui répandit dans l'institut une consternation plus
profonde encore que la première, décida Alphonse à écrire,
pour combattre la contagion de l'exemple, une seconde
lettre [1], où, sous la chaleur du style, on sent cette sainte colère dont parle l'Écriture, et par laquelle nous terminerons
ce triste chapitre des défections.

> « Aux Pères et aux Frères de la Congrégation du
> Très-Saint-Rédempteur.

« Vivent Jésus, Marie, Joseph et Thérèse!

« Mes Pères et mes Frères bien-aimés en Jésus-Christ, je
prie Dieu qu'il chasse au plus tôt de nos maisons ces esprits
superbes qui ne peuvent et ne veulent supporter ni les
réprimandes du supérieur ni les avertissements de leurs
inférieurs ou de leurs égaux, et je lui demande de m'expulser, moi tout le premier, si jamais je succombe à cet
orgueil. Pauvre Père..., il n'a pas su s'en garantir. Remerciez le Seigneur cependant qu'il nous ait quittés; car ces
sujets-là ruinent les Congrégations et sont des obstacles qui
arrêtent les bénédictions divines. Celui qui ne veut pas se
considérer comme de l'argile destinée à être foulée aux
pieds n'a qu'à partir sans délai! Le Seigneur préférera à
mille ouvriers imparfaits deux ou trois serviteurs vraiment
humbles et sacrifiés. Pourquoi serions-nous venus dans la
Congrégation, si nous ne voulions pas supporter quelques
humiliations pour l'amour de Jésus-Christ; et comment
oserions-nous prêcher au peuple l'humilité, si nous avions
nous-mêmes en horreur les affronts? Je vous prie donc, mes
frères, et, pour que vous vous souveniez mieux de mes
paroles, je vous commande au nom de l'obéissance de demander tous les jours, pendant l'oraison ou l'action de
grâces, à Jésus-Christ méprisé, de vous donner la force de
supporter les mépris avec paix et allégresse. Les plus fer-

---

[1] Cette lettre est datée du 27 juillet 1751.

vents imploreront la faveur d'être bafoués pour son amour ; et quant à ceux qui ne s'élèveraient pas même jusqu'à la première de ces prières, et ne la feraient pas de tout leur cœur, avec un désir sincère d'être exaucés, qu'ils craignent, en châtiment de leur orgueil, d'être un jour chassés de la Congrégation, comme cela est arrivé déjà à plusieurs !...

« Votre très-affectionné frère,

« ALPHONSE-MARIE,

« Du Très-Saint-Rédempteur. »

CHAPITRE XI

Le droit de cité acquis dans l'Église par la Congrégation du Saint-Rédempteur n'avait pas régularisé sa situation vis-à-vis de l'État. Tolérée seulement par l'autorité, elle demeurait soumise à la fois aux fluctuations de l'opinion et aux caprices ministériels : tout était à craindre pour elle, et une complication fortuite ou un prétexte ingénieux pouvait suffire pour troubler sa paix et compromettre sa sécurité. La mort du chanoine qui avait été le bienfaiteur de la maison d'Iliceto fit surgir tout d'un coup, en effet, pour les missionnaires des embarras aussi graves qu'inattendus. Le legs fait par lui à la Congrégation était mince : il ne produisait qu'une rente de trois cents ducats, dont une partie considérable était absorbée par les charges; mais la rumeur populaire en grossit extraordinairement l'importance, et le roi, qui vers la fin de janvier 1751 vint chasser dans le voisinage, en entendit un jour évaluer le montant à soixante mille ducats au moins. Surpris, mécontent, et supposant sans doute que les autres maisons avaient dû faire des bénéfices analogues : « Comment, s'écria-t-il, ces gens-là ne valent donc pas mieux que les autres : à peine fondés, et déjà riches ! » Il s'en tint là; mais l'exclamation ne fut pas perdue : exploitée aussitôt par les adversaires des ordres religieux, elle devint l'occasion d'attaques nouvelles, qui provoquèrent à leur tour l'envoi de messagers chargés de

s'enquérir auprès des syndics de Pagani, de Conza et de Caposele, des revenus des missionnaires en ces différents lieux ;
l'attention publique fut une fois de plus surexcitée, et le
bruit de la suppression de la Congrégation se répandit dans
la capitale.

Alphonse pourtant ne se laissa pas troubler par cette
menace. « Le Seigneur ne veut pas que nous grandissions
par le crédit des princes et la faveur des rois, mais au
milieu des mépris et des persécutions, de la pauvreté et de
la souffrance, » dit-il à ses compagnons ; et il leur proposa
comme modèle saint Ignace, dont la joie croissait avec les
difficultés ou les épreuves. Il leur recommanda cependant
de prier et de faire pénitence, et, pour attirer la protection
divine, ordonna dans chaque couvent la récitation le soir,
à l'église, du psaume *Qui habitat,* la discipline tous les
lundis, un surcroît d'aumônes, enfin des messes et des neuvaines en l'honneur de saint Joseph et de sainte Thérèse.
Lui-même, s'assignant la part principale dans ces expiations,
se chargea de cilices ou de chaînes de fer, et redoubla ses
flagellations. Puis, fort de sa conscience, et sans se préoccuper des absurdités qui avaient cours au sujet des richesses
fantastiques dont on dotait déjà les missionnaires, il se
rendit à Naples, où son premier soin fut de faire placer sous
les yeux du roi un tableau des rentes dont jouissait chacune
de ses maisons. Ce relevé accusait pour la maison d'Iliceto
trois cents ducats de revenu, que des charges nombreuses
réduisaient presque à néant, cinq cents pour Ciorani, et
autant pour Caposele ; quant à Pagani, il était aisé de
prouver que ses murailles et une petite pièce de terre servant de jardin constituaient tout son avoir. Les rapports
des syndics, qui attribuaient à chacun de ces établissements
un revenu inférieur aux affirmations d'Alphonse, vinrent
bientôt d'ailleurs fournir un élément de contrôle à ceux qui
auraient pu douter de sa véracité. Le roi fut frappé de cette
conclusion inattendue de l'enquête, et l'incident n'eut d'autre
résultat que de l'affermir dans ses sentiments d'estime et de
sympathie pour l'homme de Dieu.

La calomnie détruite, Alphonse quitta Naples. Tout n'é-
tait pas fini cependant ; le débat avait servi de prétexte pour
remettre en question l'existence même de l'Institut, et pour
rajeunir les vieux arguments tirés du trop grand nombre
de maisons religieuses et du péril des biens de main-morte.
Tous les ministres, à l'exception du marquis de Brancone,
partageaient ces préjugés. Le roi, de son côté, bien que
moins absolu dans sa manière de voir, subissait dans une
certaine mesure l'opinion de son conseil et n'osait approuver
la Congrégation ; cependant, connaissant les besoins des
campagnes et le bien accompli par les missionnaires, il ne
pouvait se décider non plus à les condamner : son désir eût
été de concilier toutes les exigences et de tourner tous les
obstacles. Aussi, peu de mois après avoir quitté Naples [1],
Alphonse reçut-il une lettre du marquis Brancone qui l'engageait à y revenir. Le ministre lui apprenait que, de concert
avec le souverain, il avait cherché « les moyens par lesquels
on pourrait s'accommoder aux nécessités de la situation ».
« Hâtez-vous d'apporter votre règle, ajoutait-il, le roi veut
l'examiner ; nous en causerons à tête reposée, et nous adopte-
rons, sans porter atteinte aux lois, les expédients que Dieu
nous suggèrera. »

Ces paroles suffirent pour relever l'espoir du saint et pour
le ramener dans la capitale. Reçu presque aussitôt par le
roi, il lui exposa de nouveau les travaux qu'il avait entrepris
depuis dix-neuf ans, ses courses apostoliques à travers les
villages et les hameaux, ses explorations au milieu des cabanes et des parcs du *Tavogliere reale,* où des milliers de
pâtres étaient venus écouter ses instructions. Chaque année,
fit-il remarquer au prince, lui et ses compagnons avaient
donné plus de quarante missions [2], et l'on pouvait évaluer
à trente ou quarante mille le nombre de ceux qu'ils avaient
ramenés ou affermis dans la voie du salut. Puis, rappelant
que le Saint-Père, sur la demande de plusieurs Évêques,

---

[1] 25 mars 1752.

[2] En calculant sur cette base, on arrive presque au chiffre énorme
de 800 missions depuis le commencement de la fondation.

avait daigné consacrer l'existence de l'Institut, et que pour consolider l'œuvre il ne manquait plus que l'approbation royale, il offrait, afin de rassurer ceux dont l'opposition avait pour base la crainte de voir les Pères s'enrichir, de stipuler que le revenu de chacun d'eux ne pourrait dépasser treize grains [1] par jour. Le roi rendit hommage à son désintéressement, mais ne se prononça pas sur le fond de la question.

Les hautes sphères administratives continuaient, en effet, à être dominées par leurs chimériques terreurs : « Ils feront comme les Jésuites ; ils commenceront avec peu, et puis ils deviendront insatiables, » dit un jour, le marquis Fragianni, président de la chambre de Sainte-Claire, un des corps les plus élevés du royaume, à l'Évêque de Bovino, qui lui répondit en souriant : « Insatiables ! et de quoi ? des poux qu'ils recueilleront dans les cabanes ! » — « Est-ce donc à moi que vous venez débiter ces sornettes, s'écriait de son côté, en s'adressant à Alphonse lui-même, un des ministres qu'il cherchait à convertir à ses idées. Allez plutôt les conter aux vieilles dévotes ! » Et comme le Saint ajoutait en se retirant : « Monsieur le marquis, je vous recommande la cause de Jésus-Christ. — Jésus-Christ n'a pas de cause pendante devant le Chambre royale, » répliqua sèchement l'homme d'État. Cependant le marquis Brancone imagina un terme moyen : c'était d'approuver l'Institut et de permettre aux missionnaires de conserver en partie du moins la jouissance de leurs biens, tout en prohibant les acquisitions nouvelles. Cette proposition fut trouvée acceptable par le conseil, et, le 9 novembre 1752, parut un décret où se reconnaît facilement le double courant que nous avons indiqué, et dont les préliminaires étaient ainsi conçus : « Sa Majesté, appréciant l'utilité des missions entreprises par plusieurs prêtres séculiers, sous la direction de don Alphonse de Liguori, n'a pas cru devoir priver son peuple de ce bienfait; mais guidé par la piété qui lui est naturelle, et désirant maintenir l'œuvre dans sa perfection primitive, en même

---

[1] Environ soixante-quatre centimes.

temps que sauvegarder l'intérêt public, le roi a fixé des conditions dont la copie est remise par ses ordres sur le bureau
de la Chambre. » Ces conditions, fort arbitraires, comme on
va le voir, se résumaient dans les dispositions suivantes : Le
roi ne reconnaissait comme société ou collége ecclésiastique
aucune des maisons de la Congrégation; en conséquence,
l'acquisition et la possession en commun de biens-fonds
ou de rentes, de quelque nature qu'ils fussent, était interdite aux missionnaires, et les legs ou donations qui leur
seraient faits, non pas comme individus, mais comme
membres de la communauté, devaient être annulés. Quant
aux biens qu'ils possédaient déjà, l'administration en était
confiée aux Évêques des différents diocèses, lesquels étaient
chargés d'attribuer une somme de deux carlins [1] par jour
à chaque prêtre et à chaque frère pour son entretien, et de
distribuer le surplus aux pauvres du lieu.

Lorsque Alphonse reçut communication de ce décret, son
inquiétude fut grande. Le roi refusant d'élever les maisons
de l'Institut au rang de communauté ou de collége, il en
conclut que devant l'État sa Congrégation ne formait point
un corps compacte et homogène. En vain le marquis Brancone lui déclara-t-il que cet article n'avait d'autre but
que d'empêcher la société d'acquérir; Alphonse ne put se
rassurer. Il revint à la charge et continua ses efforts pour
obtenir une approbation définitive de l'Institut en lui-même,
jusqu'à ce que, rebuté par des obstacles dans lesquels son
humilité lui montrait le châtiment de ses fautes, il perdit
enfin tout espoir, comme nous l'apprend un passage de la
lettre adressée par lui à cette époque à la mère Marie-Angèle,
prieure des Carmélites de Capoue : « Je crois et je répète,
lui disait-il tristement, que le Seigneur veut humilier mon orgueil, et si je ne meurs, l'approbation ne sera pas accordée.
Dominus est, quod bonum est in oculis suis hoc faciat. [2] »

Le décret cependant, malgré son insuffisance, assurait

---

[1] Quatre-vingt-quatre centimes.
[2] L'approbation définitive ne fut, en effet, accordée qu'après la mort
d'Alphonse, par le roi Ferdinand IV.

dans une certaine mesure l'existence de l'Institut, et son résultat immédiat fut à la fois de faire taire les malveillants et de susciter parmi les populations de plusieurs diocèses la pensée d'établir chez elles des maisons du Saint-Rédempteur; mais, soit par délicatesse pour d'autres Congrégations dont on lui offrait les couvents, soit parce que ses disciples ne lui paraissaient pas encore assez nombreux, le prudent fondateur refusa de céder à ces sollicitations. Un moment toutefois, il put croire que son désintéressement allait sur l'heure même recevoir sa récompense. Le roi continuait à lui vouloir du bien, et ne tarissait pas d'éloge sur sa conduite et sur celle de ses compagnons. « Ce sont là, disait-il souvent, des missionnaires modèles, toujours actifs, ne se ménageant jamais, et ne courant ni après la terre ni après l'argent. » Aussi, désireux de leur donner une marque publique de sa confiance, fit-il proposer à Alphonse de se charger de la réforme d'un ordre religieux tombé à cette époque dans un grand relâchement. Il pensait que les Pères du Saint-Rédempteur, sans abandonner leur règle, pourraient revêtir l'habit et prendre le nom de ces moines, auxquels on imposerait l'obligation d'accepter la nouvelle direction, à moins qu'ils ne préférassent se retirer dans d'autres couvents; l'approbation du Pape était, selon lui, certaine, et l'œuvre des missions prendrait ainsi un développement plus vaste à l'ombre de la protection royale.

Le marquis Brancone communiqua cette idée à Alphonse, qui, malgré le désir du roi de ne pas ébruiter le projet, obtint le droit d'en conférer avec ses plus anciens compagnons. L'offre du souverain fut l'objet de la gratitude de tous; mais les difficultés de l'entreprise, le préjudice qu'elle devait porter aux missions des campagnes, la position fausse où tout changement dans les hautes régions politiques pouvait placer la Congrégation, enfin la crainte d'Alphonse de voir diminuer chez les siens l'attachement à leur règle empêchèrent d'accepter la proposition. Le roi, et la reine, qui avait eu la première inspiration de cette réforme, reconnurent eux-mêmes la valeur de ses arguments et renoncèrent à leur dessein. Mais ils ne devaient pas tarder à solliciter de nouveau sa coopération pour une autre œuvre dont l'urgence était plus grande encore.

La ville de Gaëte possédait un Refuge relevant de l'hospice *dell' Annunziata* de Naples[1], et dont la destination était de servir d'asile aux jeunes filles que la misère mettait en péril ; mais, privée depuis longtemps de toute direction régulière, cette maison, qui comptait quatre cents pensionnaires, était tombée dans un état déplorable d'abandon. Les plus âgées, qui s'étaient instituées maîtresses de leur propre autorité, exerçaient une domination absolue, accaparant les vivres envoyés par l'*Annunziata,* et distribuant à peine à leurs compagnes le strict nécessaire. Il en était de même pour les vêtements; les plus jeunes portaient des haillons tout au plus suffisants pour les couvrir et couchaient par terre sur de la paille. Sous le rapport des mœurs, l'établissement n'était ni mieux surveillé ni mieux tenu. La plupart des élèves ne s'étaient jamais confessés, et ignoraient jusqu'aux premiers éléments du catéchisme. Les portes du reste étaient ouvertes sans scrupule à tout venant, et, dégradé par cette incurie croissante, l'asile de la charité n'était plus guère, hélas ! qu'un réceptacle de vices. Plusieurs saints prêtres avaient à diverses reprises, mais toujours sans succès, tenté de mettre fin à ce scandale permanent. Le roi, enfin, en fut instruit, s'en émut, et fit prier Alphonse de se charger de la réforme, lui laissant d'ailleurs toute latitude pour agir comme il l'entendrait. Cette fois, le Saint accepta sans hésiter et envoya à Gaëte trois de ses compagnons choisis parmi les plus prudents et les plus dévoués, les Pères Mazzini, Fiocchi et Cajano, que devaient aider dans leur tâche quatre religieuses du Conservatoire de Saint-Vincent venues de Naples à cet effet.

On se mit à l'œuvre sans retard en commençant par murer les portes et les fenêtres qui pouvaient être des occasions de

---

[1] L'hospice de l'Annunziata, un des plus vastes établissements charitables de l'Italie, a été fondé au xiv⁰ siècle et doté au xv⁰ par la reine Jeanne II, dont le corps repose dans l'église.

désordre, et par en ouvrir d'autres nécessaires pour assainir la maison. En même temps on fit habiller décemment les jeunes filles, traiter celles dont la santé avait souffert de l'abandon où elles étaient si longtemps demeurées, et apporter de Naples des lits et des paillasses pour les coucher. Tout alla bien jusque-là. Mais lorsqu'on annonça que les repas seraient pris désormais en commun au réfectoire, les esprits commencèrent à s'agiter; les *maîtresses*, se voyant enlever les bénéfices que leur procurait la distribution des vivres, montèrent la tête des plus jeunes : « Nous ne voulons pas de la gamelle, » répétait toute la bande, en poussant des cris désespérés. Cette innovation faillit tout compromettre; cependant, comme la table était bien apprêtée et largement servie, les réclamations s'apaisèrent peu à peu, et le calme se rétablit; bientôt même les pensionnaires se civilisèrent au point de consentir à suivre un cours d'instruction religieuse fait par les Pères, et une retraite dont elles furent si vivement impressionnées, que toutes voulurent la terminer par la confession. Au bout de quelques mois, l'établissement put être mis sur le pied ordinaire des refuges; l'emploi des journées, les heures de travail, les exercices de piété furent déterminés, et des prêtres respectables désignés pour faire chaque semaine la visite de la maison. Quant aux missionnaires, ils revinrent pendant plusieurs années à Gaëte pour y consolider leur œuvre, et ne voulurent l'abandonner que lorsqu'ils eurent la joie de voir enfin le silence, le recueillement, et même l'oraison et la communion fréquente, régner définitivement en un lieu où ils n'avaient trouvé jadis que dissipation et scandale.

CHAPITRE XII

La Congrégation du Saint-Rédempteur n'était pas encore sortie du royaume de Naples, lorsqu'en 1753 l'Archevêque de Bénévent fit exprimer à Alphonse son désir de la voir s'établir dans son diocèse, et le pria de lui envoyer quelqu'un des siens pour en traiter avec lui. Avant de répondre, le Saint, selon sa coutume, consulta l'Évêque de La Cava, qui approuva le projet, et s'offrit même pour accompagner le Père Villani à Bénévent[1]. Tous deux se mirent en route par une belle matinée de décembre, et marchèrent sans s'arrêter jusqu'au terme de leur voyage, malgré un orage inattendu pendant lequel le tonnerre tomba deux fois à leurs pieds, et où leur foi se plut à reconnaître le dernier effort d'une puissance à la veille d'être vaincue. Aussitôt arrivé, le Père Villani se présenta devant l'Archevêque. La négociation ne fut pas longue : on décida d'un commun accord que la fondation se ferait dans le fief ecclésiastique de Sant'Angelo a Cupola, et que, pour prévenir tout retard, les missionnaires s'installeraient provisoirement dans un casino habité par Benoît XIII, lorsqu'il n'était encore qu'Archevêque de Bénévent. Ces conditions réglées, plusieurs Pères rejoignirent le Père Villani,

---

[1] Bénévent, fondé par les Grecs, détruit par les Goths, restauré par les Lombards, avait été cédé, en 1053, au pape Léon IX par l'empereur Henri III, en échange de Bamberg en Franconie, qui était un fief de l'Église ; il formait une enclave dans la Principauté Ultérieure.

et le 6 avril 1755, la première maison romaine était fondée.

Une retraite donnée au clergé, la réforme du séminaire, et une mission dans la cathédrale inaugurèrent les travaux des Pères à Bénévent. Au séminaire, ils modifièrent l'enseignement de la théologie et de la philosophie, et firent entrer dans le plan d'études la géométrie et la métaphysique. A la cathédrale, leur succès fut tel, que trois mille personnes s'approchèrent le même jour de la sainte table. Les espérances de l'Archevêque étaient surpassées. Cédant à l'impulsion de son cœur de père, il se rendit lui-même à Pagani, afin de remercier Alphonse, lui offrit toutes les ressources dont il pouvait disposer pour le développement de la Congrégation, et le conjura de venir en personne visiter son diocèse. Le Saint ne put résister à ces sollicitations, et partit peu de temps après, accompagné de vingt de ses disciples.

En traversant Naples, il s'arrêta pour voir sa mère, qu'il trouva dangereusement malade. Comblée d'années et de mérites, et délivrée des peines intérieures au milieu desquelles son âme avait achevé de se purifier, donna Anna, dont la vie, comme celle de Marie, s'était écoulée dans le silence et l'admiration des vertus de son fils, voyait sans défaillance approcher l'heure de la séparation suprême. Pendant trois jours, elle eut le bonheur de conserver Alphonse auprès d'elle, de recevoir ses conseils et de jouir de sa tendresse. Elle se confessa à lui ; puis, bénissant, comme à son entrée dans le monde, celui qui la bénissait à son tour afin de l'aider à en sortir, elle le laissa voler à la conquête des âmes, pour l'amour du Dieu dont elle sentait déjà l'appel. Ce double sacrifice était à lui seul un gage de fécondité ; aussi le séjour du Saint à Bénévent y laissa-t-il des traces profondes. Les fidèles accoururent pour l'entendre en si grand nombre, que les nefs de la cathédrale ne suffisaient plus à les contenir, et qu'une partie d'entre eux devait rester à ciel ouvert. Ce n'étaient pas les moins impressionnés peut-être, car si la voix d'Alphonse était déjà affaiblie par l'âge et la fatigue, il sortait de sa personne comme une vertu qui, sans le secours de la parole, pénétrait jusqu'au fond des cœurs. « Eh quoi ! »

disait un jour un passant à un homme qui, perdu au milieu
d'un des groupes trop éloignés pour profiter du discours,
n'en fondait pas moins en larmes, en se frappant la poitrine
à coups redoublés; « vous pleurez sans savoir ce qu'on
dit! — Comment ne pleurerais-je pas, répondit le pénitent,
quand je vois ce saint prêtre se consumer pour obtenir ma
conversion? » Les traits de ce genre abondèrent pendant
cette mission, dont le bruit arriva jusqu'au Vatican. « J'ai
été mardi chez le Pape, écrivait en effet à Alphonse le Cardinal Orsini. Il m'a fait l'éloge de votre personne, de votre
piété, de votre doctrine, de la belle mission que vous avez
prêchée à Bénévent, et m'a dit qu'il vous recommanderait
chaudement au duc de Cerisano, pour obtenir que le roi
donne enfin l'*exequatur* au bref confirmant votre Congrégation [1]. »

Nulle promesse ne pouvait être plus douce au cœur du
Saint; car, avec une persévérance qu'aucun échec ne parvenait à lasser, il avait continué de loin son rôle ingrat de solliciteur. Encouragé par la lettre du Cardinal, il retourna
l'année suivante à Naples, et recommença ses démarches.
Mais leur résultat ne fut pas plus heureux que les années
précédentes : l'opinion émise jadis par le grand aumônier
demeura celle du conseil, et sous prétexte que le roi, s'il
accordait l'*exequatur* de la bulle, ne serait plus libre de
supprimer la Congrégation dans le cas où elle viendrait à
dégénérer, la demande du fondateur fut encore une fois re-
jetée [2].

Cette obstination du monde officiel n'empêchait pas cependant le développement de l'œuvre. Une seule région,
celle des Calabres, n'avait point encore eu part à ses travaux, et Alphonse, qui connaissait l'abandon dans lequel
languissaient depuis longtemps ces provinces, situées à la
pointe extrême de la péninsule, priait Dieu sans cesse de lui
ouvrir, avant sa mort, une route pour aller les secourir. Ses

---

[1] Nul bref pontifical ne pouvait être publié dans le royaume de Naples
sans l'*exequatur* royal.
[2] 1756.

vœux furent enfin exaucés. Un médecin de Naples, nommé Carmine Ventapane, et un grand seigneur du pays, le prince Filomarino, lui demandèrent successivement d'entreprendre des missions, le premier dans la Calabre citérieure, le second dans la Calabre ultérieure, où il possédait de vastes domaines, lui promettant l'un et l'autre de se charger des frais. Alphonse accepta ces propositions avec reconnaissance, et envoya dans chacune des deux provinces un détachement de ses meilleurs soldats. Partout l'accueil dépassa l'attente, et ce fut vraiment, dans toute l'étendue du terme, avec des transports de joie que les missionnaires furent reçus par des populations « qui avaient faim et soif de la divine parole, et ne trouvaient personne pour la leur distribuer ». Des manifestations inouïes, même dans la série des faits auxquels étaient accoutumés les Pères, se produisirent en plusieurs lieux. Il y eut notamment des bourgs où les habitants, dans leur enthousiasme, passèrent deux jours dans l'église sans manger autre chose qu'un peu de pain, et où des femmes se cachèrent durant des nuits entières derrière les piliers, pour être les premières à se confesser le lendemain. A Saraceno, le prêtre qui devait prêcher le carême s'étant refusé à céder la place aux missionnaires, au moins pour la prédication du soir, eut à subir un véritable siége ; le peuple se précipita sur la chaire dans laquelle il était monté, en enleva l'escalier et le força ainsi à se rendre. Un spectacle plus curieux encore fut donné à Policastro, fief du prince de la Rocca : les Pères ayant annoncé qu'ils allaient suspendre la mission à cause d'un scandale éclatant qui avait eu lieu dans le pays, virent arriver à eux le clergé, le syndic et la noblesse, pour les supplier de ńe point exécuter leur menace, et leur promettre une éclatante réparation. Les coupables furent conduits, en effet, dans les rues de la ville, chargés de cordes et couronnés d'épines, et contraints à demander publiquement pardon de leur crime. Cette scène étrange fut suivie d'un élan de conversion presque aussi extraordinaire, et dont un des plus merveilleux effets fut la remise d'une dette collective de quatre mille ducats.

Instruit de ces triomphes, Alphonse s'empressa d'envoyer à ses fils un renfort dans la personne du Père Galtieri, lui-même originaire de Calabre, et dont le voyage fut signalé par un incident digne de remarque. Il avait retenu sa place sur un bateau qui partait le lendemain, lorsque le Saint l'engagea à ne pas prendre la mer : « Dans peu de jours, ajouta-t-il, nous verrons sans doute arriver quelque prêtre de votre pays, et vous pourrez profiter du retour de sa voiture. » Ces paroles se vérifièrent à la lettre; trois jours après, un prêtre venant de Marmanno, c'est-à-dire du lieu même où se rendait le Pere Galtieri, lui proposa de l'emmener, tandis que, par une coincidence qui frappa tous les esprits, la barque sur laquelle il avait dû faire le trajet se perdait dans le golfe de Policastro. Grâce à l'appui de cet ouvrier de la onzième heure, les missions calabraises reprirent leur cours avec une nouvelle ardeur, et ne se terminèrent qu'en juin 1758, quand la chaleur en eut rendu la continuation impossible [1]. Le départ des Pères fut un deuil universel : la population tout entière chercha pendant long-temps à obtenir l'établissement définitif d'une maison, même au prix des plus grands sacrifices; mais ses instances auprès de la cour furent infructueuses, et le projet ne put se réaliser.

Pendant que les siens travaillaient en Calabre, Alphonse ne restait pas oisif, et il venait de prêcher à Naples, à Salerne et à Amalfi, lorsque l'Évêque de Nole [2], Mgr Caracciolo, l'appela pour lui confier une importante mission. Le séminaire de cette ville, jadis plein de ferveur, était tombé dans un relâchement tel que l'un des supérieurs, ayant voulu y faire quelques réformes, provoqua par cette

---

1 Les Pères avaient prêché à Vigianello, Ossomarzo, Cepollino, Verbicaro, San-Domenico, Saraceno, Cività, San-Basile, Lungro et Ferino, hameaux peuplés par des Albanais du rite grec, et situés dans la Calabre citérieure; puis à Cutri, Policastro, Cotronei, Rocca-Bernardo, fiefs du prince della Rocca, dans la Calabre ultérieure; enfin à San-Giovanni in Fiore, dans le diocèse de Cosenza.

2 Nole, ville de l'ancienne Campanie, est située dans la Terre de Labour, à 34 kilomètres S.-E. de Capoue.

tentative un soulèvement général à la suite duquel plusieurs
des jeunes clercs, comme on l'apprit plus tard, allèrent
même jusqu'à former le projet inoui d'attenter à sa vie.
L'Évêque ne pénétrait pas toute la gravité de la situation;
néanmoins il en était affligé, et ne crut pouvoir mieux faire
que de réclamer les conseils et la coopération du Saint.
Mieux éclairé, Alphonse comprit bientôt d'où venait le mal,
et, avec une liberté tout apostolique : « Monseigneur, dit-il
au prélat, vous ne savez pas le nombre des Évêques qui se
damnent à cause de leur séminaire ! Si vous ne voulez pas
que cela vous arrive, votre premier soin doit être de changer envers le vôtre de système et de direction. » Quant à
lui, il se mit à l'œuvre et ouvrit une retraite. Durant plusieurs jours, il prêcha dans le désert; les vérités les plus
sérieuses ne provoquaient que les plaisanteries des auditeurs, qui dans leurs conversations rivalisaient en railleries sur le prédicateur, dont ils contrefaisaient tour à tour la
voix et les gestes, et la station qui touchait à son terme semblait n'avoir produit aucun résultat, lorsqu'une terreur inattendue et inexpliquée se répandit tout à coup parmi les
élèves. Quatre de ceux qui avaient conspiré contre le supérieur prirent la fuite; plusieurs autres quittèrent le séminaire, et ceux qui y demeurèrent ne tardèrent pas à
témoigner un profond repentir. Que s'était-il passé entre
Dieu et Alphonse, et par quel prodige de supplication ou
de pénitence avait-il obtenu ce miracle? C'est le secret du
Ciel. Quoi qu'il en soit, la réforme fut complète. Le saint
Sacrement put reprendre possession de la chapelle; des
exercices réguliers furent rétablis, et l'on vit ceux-là mêmes
qui avaient donné les plus grands scandales s'approcher
de la sainte table plusieurs fois chaque semaine. Avec les
bonnes mœurs, les belles-lettres refleurirent dans l'établissement. Les élèves se signalèrent bientôt dans toutes les
facultés, et aucun séminaire ne fut désormais plus fécond
que celui de Nole en grands serviteurs de l'Église et de
la patrie. Alphonse conserva d'ailleurs pendant toute sa
vie comme une puissance particulière sur cette maison,

et se plut à y retourner à diverses reprises, non plus pour y semer la crainte, mais pour y développer l'amour. La ville de Nole, elle-même, subit l'ascendant de ses vertus, et il y a peu de temps encore, on y avait conservé l'usage introduit par lui de sonner les cloches [1] le jeudi, une heure après l'*Ave Maria*, tandis qu'on illuminait les fenêtres en action de grâces du grand don de l'Eucharistie.

A cette époque, diverses communautés nestoriennes d'Asie, ouvrant les yeux à la vérité, demandèrent au pape Clément XIII de leur envoyer des missionnaires pour les instruire dans la foi catholique. Cette requête fut accueillie avec l'empressement qu'elle méritait, et le désir des religieux du Saint-Rédempteur d'être employés à des missions lointaines étant connu depuis longtemps, cette œuvre nouvelle leur fut proposée. Alphonse n'hésita pas, et se hâta de faire part à ses enfants de son consentement, en leur adressant une circulaire où son âme se peignait tout entière.

« Mes Pères et mes Frères en Jésus-Christ, disait-il, voici un vaste champ qui s'ouvre devant nous, une moisson déjà mûre, n'attendant plus que les ouvriers. Regardez ces pauvres peuples qui, suppliants et baignés de larmes, élèvent la voix vers Dieu pour qu'il daigne nous envoyer à eux. Leurs bras sont tendus pour vous recevoir, et ce qu'ils vous demandent, c'est de détruire l'ignorance dans laquelle, pour le malheur de tant d'âmes, ils vivent depuis plus de treize siècles. Cessant de recourir à leurs chefs, de crainte d'être encore trompés, ils s'adressent à vous, qu'ils considèrent comme les vrais ministres de la Sagesse divine. Leur seul vœu, c'est d'obtenir ce qui est nécessaire pour rentrer dans le sein de l'Église, c'est-à-dire les grâces données avec profusion à tant d'autres, et dont jusqu'ici ils ont été privés. Ils vous conjurent de ne pas faire moins de cas de leurs âmes que des vôtres. Leur origine n'est-elle pas la même en effet?

---

[1] Nole est, selon une opinion très-répandue, la patrie des cloches, inventées au vᵉ siècle par l'évêque saint Paulin et appelées *Campanæ*, du nom de la province. Ce souvenir se retrouve dans les armoiries de la ville, qui porte une cloche sur son blason.

ne doivent-ils pas autant que nous avoir part au sang de
Jésus-Christ? enfin une sorte de justice ne doit-elle pas
nous porter à rendre à ces contrées la lumière que nous en
avons reçue? Si le voyage vous effraie, un accueil plein
d'amour vous est annoncé; si les difficultés vous font peur,
une récolte surabondante vous est promise, et, pour prix de
vos fatigues, la récompense éternelle vous attend. Comment
ne pas voler à cette conquête, mes Pères et mes Frères?
Plusieurs d'entre vous, j'en suis sûr, me témoigneront le
désir de ne pas laisser tomber cette couronne que le Seigneur leur offre, et dont, pour ma part, je voudrais vous voir
tous parés dans la céleste patrie... »

Alphonse ne se trompait pas sur le cœur de ses enfants.
Il n'y en avait pas un qui ne fût prêt à partir. Plus de trente
jeunes gens notamment se présentèrent, demandant comme
une grâce d'être désignés pour ce lointain apostolat, et quelques-uns d'entre eux écrivirent leur requête avec leur sang.
Heureux de ce zèle, le Saint ne cherchait qu'à le purifier en
l'activant, lorsque des circonstances sur lesquelles les documents du temps ne nous fournissent malheureusement aucune lumière, mirent fin à l'entreprise avant qu'on eût commencé à la réaliser.

Cependant la Providence réservait alors à la Congrégation
une mission moins éloignée et plus facile, dont une aventure, peu favorable en apparence, fut indirectement l'occasion. Un chevalier d'industrie napolitain imagina de s'af-
fubler du nom vénéré d'Alphonse, et d'écrire à plusieurs
prélats d'Italie ou de Sicile, pour les quêter en faveur de
ses prétendues fondations. L'expédient réussit; et les of-
frandes affluèrent entre les mains du faux missionnaire, qui
ne manquait pas d'aller, chaque matin, à la poste pour
les réclamer. Un jour pourtant, il était en retard, et une
lettre qui l'attendait fut remise au Père Tartaglione, alors à
Naples pour les affaires de la Congrégation. Ce pli venait
de l'Évêque de Girgenti, lequel annonçait à Alphonse un
prochain envoi de vingt écus. Grand fut l'étonnement du
Saint, qui s'empressa d'écrire au prélat, pour le remercier

d'une bonté d'autant plus touchante et plus appréciée, disait-il, qu'il n'avait jamais songé à la solliciter. Ce singulier incident amena la découverte de la fraude; mais il eut encore pour l'œuvre les résultats les plus importants. La correspondance entamée d'une façon si bizarre entre Alphonse et l'Évêque ne s'arrêta pas là, en effet, et celui-ci, heureux d'être entré en rapports avec les Pères, leur proposa, peu de temps après, une grande et belle maison avec des revenus considérables, s'ils consentaient à s'établir dans son diocèse. L'offre fut acceptée sans hésitation, et, vers le milieu de septembre 1761, avec le consentement du Conseil de régence qui gouvernait alors le royaume[1], un des membres le plus éminents de la Congrégation, le Père Blasucci[2], partit pour la Sicile, accompagné de trois autres religieux.

Le voyage fut difficile et semé des péripéties les plus émouvantes. En vue de Palerme, et presque au moment d'aborder, le navire fut assailli par une tempête furieuse qui le rejeta dans le golfe de Naples. Les flots apaisés, il se remit en route; mais un second ouragan le surprit en face du port, et le relança dans le détroit de Procida, où il manqua de périr; enfin, une troisième tentative de débarquement semblait devoir réussir, lorsque la tempête se déchaîna de nouveau, et repoussa le vaisseau entre les îles de Corse et de Sardaigne, où, ses voiles en pièces et sa quille brisée, il fut sur le point de sombrer. Pendant cette tourmente, qui dura plus de vingt-quatre heures, Alphonse paraissait sous le coup d'une cruelle angoisse. Il soupirait, s'approchait de la fenêtre, consultait l'horizon, et répétait

---

[1] Ce conseil avait été nommé par Charles III au moment où, appelé à la couronne d'Espagne, il avait laissé le royaume des Deux-Siciles à son fils Ferdinand, alors âgé de neuf ans. Chacun de ses membres était chargé d'une partie de l'administration du royaume.

[2] Le Père Blasucci devint, après la mort de saint Alphonse, recteur-majeur de la Congrégation, qu'il gouverna pendant vingt-quatre ans avec un rare mérite, justifiant ainsi une prédiction du saint fondateur, qui lui avait annoncé, lorsqu'il était encore simple étudiant à Iliceto, que Dieu, par son entremise, opérerait de grandes choses.

toujours d'une voix entrecoupée, et les yeux pleins de larmes : « Pauvres enfants ! pauvres enfants ! » Ceux qui l'entouraient ne pouvaient pénétrer la cause de ses alarmes, et soutenaient que les voyageurs devaient être depuis longtemps au port ; mais il n'écoutait personne, et, continuant à s'affliger, il redisait sans cesse : « Mes pauvres enfants ! » Le troisième jour cependant, le vaisseau relâcha à Baia, et, plus morts que vifs, les missionnaires arrivèrent eux-mêmes à Pagani. La joie du Père fut grande en revoyant ses fils sains et saufs. Il ne leur laissa toutefois que le temps nécessaire pour se reposer, et leur fit prendre de nouveau la route de Sicile, en les engageant à suivre, pour abréger la traversée, la direction de la Calabre. Mais, là encore, un obstacle d'une autre nature allait barrer le chemin aux envoyés divins. Deux navires du Levant venaient en effet de faire naufrage dans le détroit de Messine ; les habitants de la côte d'Italie avaient recueilli leurs dépouilles, et les Siciliens, craignant que la peste n'eût été à bord de ces bâtiments, avaient suspendu toute communication avec leurs voisins et interdit l'accès de l'île aux passagers venant de la Calabre. Il semblait vraiment qu'une puissance mystérieuse voulût tenir les missionnaires éloignés de ce rivage, et l'Évêque de Girgenti avait en quelque sorte le droit d'écrire à Alphonse : « Tous les démons de l'enfer, sachant le bien qu'elle doit procurer à mon diocèse, s'opposent à cette fondation : obstacles par terre, périls sur mer, rien n'est épargné à vos disciples... Mais, vive Dieu ! ajoutait-il, je ne laisserai pas de le prier, et je suis sûr qu'il finira par m'exaucer. »

Une dernière épreuve, et ce ne fut pas la moins douloureuse, était encore réservée pourtant aux futurs apôtres de la Sicile. L'un d'entre eux, le Père Pentimalli, avait engagé ses compagnons à profiter du délai qui leur était imposé pour passer quelques jours dans une petite ville du littoral, nommée Sainte-Euphémie, dont il était originaire ; mais à peine y fut-il lui-même arrivé, qu'une fièvre ardente le saisit et l'emporta en trois jours. C'était un des prédicateurs les plus distingués de la Congrégation,

qui avait reçu de Dieu des dons exceptionnels et un art
de persuasion auquel il était difficile de résister. Enfin,
après toutes ces tribulations, le 10 décembre 1761, les trois
missionnaires survivants arrivèrent à Girgenti, où les angoisses de la route s'effacèrent devant l'accueil enthousiaste
qu'ils reçurent du clergé et de la population.

CHAPITRE XIII

Situation morale de Naples au xviiie siècle. — Apostolat d'Alphonse auprès de la jeunesse, du clergé et des soldats.

Les intérêts de la Congrégation avaient, on le sait, conduit plusieurs fois Alphonse à Naples entre les années 1747 et 1752, c'est-à-dire depuis le moment où il avait entrepris de solliciter l'approbation royale, jusqu'au jour où avait été rendu le décret qui, sans répondre à ses désirs, donnait au moins à son œuvre, devant la loi, un commencement d'existence. A partir de cette époque, ses séjours dans la capitale furent plus rares et plus courts; il y revint pourtant encore à deux reprises en 1756, et y prêcha quatre fois le Carême, de 1757 à 1761. Mais pour pouvoir apprécier justement à la fois les besoins de la grande cité méridionale et les secours qu'elle reçut d'Alphonse, il est indispensable de jeter un regard sur l'état des esprits dans le sud de la Péninsule, pendant la seconde moitié du siècle dernier. Des périls de diverse nature, quoique également graves peut-être, y menaçaient alors la vie des âmes et la liberté de l'Église. D'une part, c'était ce rigorisme étroit et morose, frère du jansénisme, peut-on dire sans crainte, que les efforts de saint Alphonse contribuèrent puissamment à déraciner; de l'autre c'était le réseau des tendances et des lois régaliennes, auxquelles le marquis Tanucci attacha son nom en fondant une école de légistes dont la séve n'est point encore épuisée. Enfin des systèmes philosophiques, aussi destructeurs que contradictoires, commençaient à se répandre dans le royaume. Le déisme et le matérialisme y

étaient aux prises avec la foi traditionnelle des populations, et Naples, un des centres politiques les plus influents
de l'Italie, subissait déjà l'invasion de ces doctrines rivales
mais liguées contre l'Église. Alphonse ne pouvait voir sans
frémir la littérature impie qui s'y développait chaque jour,
entraînant à sa suite le dévergondage des mœurs, son inévitable corollaire; il gémissait sur l'avenir douloureux qui
s'ouvrait devant sa ville natale, et l'on rapporte que le
Père Corsano, son compagnon de chambre, l'entendit répéter pendant une nuit entière : « *Povero Napoli! povero
Napoli! io ti piango.* Naples ! pauvre Naples! je pleure sur
toi. » Comme le Sauveur embrassant du regard Jérusalem,
Alphonse pleurait sur le sort de sa patrie; mais, à son
exemple aussi, il ne laissait pas ses prévisions refroidir
son zèle; ses larmes étaient déjà une prière, et la prière,
chez lui, était mère de l'action.

Il ne s'agissait plus là seulement, il est vrai, d'éclairer l'ignorance de pâtres et de montagnards; il fallait se
livrer à l'œuvre bien autrement difficile d'opposer une
barrière à l'entraînement des intelligences, et de détruire
la fausse science dans les esprits où elle avait pénétré ;
cependant, malgré l'humilité apparente des travaux auxquels Alphonse s'était consacré depuis si longtemps, il ne
se trouva pas au-dessous de sa tâche, lorsque la grande
polémique philosophique le réclama. Formé à l'art d'écrire
par les nombreux ouvrages qu'il avait publiés[1], il prit la
plume, et rédigea un traité destiné à réfuter à la fois les
deux erreurs principales qui se disputaient alors les âmes :
le matérialisme de Spinosa et l'idéalisme de Berclay et
de Wolf. Sous une forme populaire, cet opuscule offrait
une argumentation facile à saisir; aussi eut-il un succès

---

1 Les principaux ouvrages déjà publiés par l'illustre Docteur étaient,
outre un très-grand nombre d'opuscules : *Les Visites au saint Sacrement
et à la sainte Vierge* (probablement en 1747); *les Gloires de Marie* (1750);
les Réflexions et Affections sur la passion de Notre-Seigneur Jésus-Christ
(1761), et quatre éditions de la *Théologie morale*, la plus importante de
ses œuvres.

considérable. Mais les efforts de l'apôtre ne s'arrêtèrent pas
là, et il ne négligea pour arrêter le mal aucune des ressources que sa parole et sa situation pouvaient lui fournir.
Tantôt, recourant aux moyens pratiques, et entrant dans
les détails, il taxait en chaire de faute grave le libraire qui
vendait un des livres corrupteurs répandus alors dans la
ville ou le propriétaire qui le conservait dans sa demeure;
tantôt, cherchant à communiquer ses craintes, il en entre-
ténait en particulier le cardinal[1], et le suppliait d'insister à
son tour auprès des ministres sur les dangers d'une littérature qui, si l'on n'y prenait garde, menaçait d'envahir
entièrement le pays.

Tout en paraissant d'ailleurs n'être à Naples que par accident, et souvent pour des motifs personnels, il s'y dé-
vouait activement à la propagande religieuse; et il n'était
pas une seule des classes de la population qui n'eût part
successivement aux effusions de son zèle. Cependant, en
face des séductions du présent et des craintes de l'avenir,
l'œuvre la plus importante à ses yeux était toujours l'évangélisation des jeunes gens. « Le sort de la capitale et des
provinces est entre leurs mains, disait-il, et leur perte
entraînerait celle du monde entier. » Aussi tenait-il essen·
tiellement au maintien des associations qui pouvaient conserver parmi eux la foi et la pratique religieuse, et s'indi-
gnait-il de ne pas toujours rencontrer dans le clergé assez
de zèle pour ce genre d'apostolat. Quant à lui, il prêchait,
presque chaque année, dans les divers collèges de Naples,
et entre autres dans le vaste établissement *degli Studi*. Les
retraites qu'il y donnait étaient fréquentées parfois par plus
de mille jeunes hommes, heureux de s'y retremper dans la
ferveur, et dont quelques-uns même, entendant alors l'appel
du Seigneur, virent s'ouvrir devant eux les portes de la
Congrégation.

Mais c'était surtout à la jeunesse sacerdotale qu'Alphonse
aimait à s'adresser. Chaque semaine, lorsqu'il était à Naples,

---

[1] Le siége de Naples était occupé depuis 1754 par le cardinal Sersale,
dont le prédécesseur, le cardinal Spinelli, s'était retiré à Rome.

et souvent plusieurs jours de suite, il visitait les séminaires
de la ville et du diocèse, et en particulier le collége des
Chinois, auquel il portait un intérêt spécial, moins encore
en souvenir du passé, que parce que l'avenir lui montrait
dans chacun des membres de cette phalange sacrée comme
autant d'apôtres, et peut-être de martyrs. Il se plaisait à
les fortifier dans leur sublime vocation, dépeignait devant
eux en traits de flamme la gloire que Dieu trouve dans l'expansion de la foi sur la terre, et, leur rappelant la pureté
immaculée nécessaire à la victime, insistait pour qu'ils ne
passassent aucun jour sans méditer les souffrances de Jésus-
Christ. Une de ses retraites au jeune clergé demeura surtout
fameuse. Il avait rassemblé, cette année-là, dans la plus
vaste salle du palais archiépiscopal, tout le personnel du
séminaire de Naples, auquel un grand nombre de prêtres,
de chanoines et des communautés religieuses entières avaient
demandé la faveur de s'adjoindre. Dans cet auditoire, composé de près de onze cents personnes consacrées à Dieu par
état, l'impression fut extraordinaire, et d'autant plus précieuse que tous étaient loin d'avoir compris encore la su-
blimité de leur vocation. Un jeune clerc, éloigné depuis trois
ans des sacrements, reprit confiance en entendant Alphonse
exalter le crédit de celle que la piété chrétienne a nommée la
Toute-Puissance suppliante, lui fit un aveu complet de ses
fautes, et lui demanda comme un hommage de gratitude de
proclamer en chaire le changement que l'invocation de Marie
avait opéré dans son âme; deux autres, descendus jusqu'aux
derniers abaissements, voulurent aussi que leurs crimes
fussent rendus publics, afin de servir de témoignage à la
miséricorde divine; enfin cette retraite, dont les bienfaits
s'étendirent jusqu'aux gens de service du séminaire et de
l'archevêché, qu'Alphonse réunissait dans l'intervalle des
exercices, détermina plusieurs prêtres séculiers à entrer dans
les ordres religieux les plus austères, pour y dévouer leur
vie à la pénitence et à la charité.

Après la milice sacerdotale ou l'armée du Seigneur par
excellence, Alphonse s'occupa, à diverses reprises, des offi-

ciers et des soldats du roi. Une mission, entre autres, qu'il donna, sur sa demande, à la garnison de Pizzofalcone, lui conquit dans ce nouveau milieu une popularité égale à celle qui l'accueillait partout. Aux officiers comme aux soldats, qu'il évangélisait à part, et ordinairement pendant deux heures consécutives, sa méthode était de dire avec une liberté absolue la vérité tout entière, et rien ne caractérise mieux ses discours que cette exclamation cavalière d'un capitaine espagnol : « En voilà un au moins qui ne se gêne pas. » Cette franche simplicité qui allait droit au but réussit auprès de tous, et pour ne citer que deux des faits les plus dignes de remarque, on vit les soldats chasser eux-mêmes de leurs quartiers les femmes de mauvaise vie, et cinq officiers, fascinés par l'attrait de la perfection évangélique, demander au roi la permission de quitter l'armée pour le cloître. Mais ce fut en abordant une tâche plus difficile encore, et en prêchant avec un succès dont toute la ville retentit dans ce faubourg Saint-Antoine, où, l'on s'en souvient, le Père Sarnelli avait fait reléguer les pécheresses publiques, qu'Alphonse acheva la série des œuvres apostoliques grâces auxquelles son esprit avait pénétré les unes après les autres toutes les couches de l'ordre social.

Ces apostolats spéciaux ne l'avaient pas empêché d'ailleurs de consacrer encore une grande partie de son temps aux prédications plus générales des paroisses. Curés et recteurs l'accablaient de sollicitations; souvent il ne savait auquel entendre; mais il se multipliait pour les satisfaire tous. Il prêcha des missions complètes en diverses églises, telles que la Misericordiella, qui avait été dotée par la famille de Liguori, la Pietà de'Turchini et le Saint-Esprit, où son passage fut marqué par un incident que nous ne saurions nous dispenser de rappeler. Un soir, il était en chaire, lorsque soudain, saisi de l'esprit prophétique, et se tournant vers la porte de l'église : « O toi qui entres en ce moment, s'écria-t-il au grand étonnement de tous, et qui te flattes de pouvoir te sauver aussi facilement dans le monde que dans l'état religieux, pauvre malheureux, prends-y garde!

Dans peu de temps, tu feras une triste mort. » Celui dont, sans le connaître, il pénétrait alors les secrets et qui franchissait à ce moment même le seuil du temple, était un jeune homme, originaire de la Calabre, d'autant mieux disposé, hélas! à comprendre ces sinistres paroles, que depuis longtemps déjà, comme il l'avoua plus tard, sa conscience les lui adressait; mais il n'eut pas le courage de se rendre à l'appel divin, et un mois ne s'était pas écoulé, qu'il expirait inopinément, après avoir confié à un ami la prédiction dont il n'avait pu chasser le souvenir.

Cependant, tout en dépensant ses forces au service des âmes exposées dans le monde au vent d'impiété qui commençait dès lors à souffler, Alphonse n'en cherchait pas avec moins de zèle à former, parmi celles que protégeaient les murs des cloîtres, des continuatrices de son œuvre, des réparatrices et des victimes. Déclinant invariablement les invitations dont la seule politesse lui semblait être le mobile, il se rendait au contraire avec empressement dans les maisons religieuses, les couvents ou les refuges, lorsque sa présence pouvait y être fructueuse. Les retraites qu'il donna dans plusieurs monastères, entre autres ceux de Saint-André, de la Madeleine, de Regina-Cœli, de Bethléhem et de Saint-Gaudisio, où une fiole contenant du sang de saint Étienne [1] se liquéfia pendant qu'il la vénérait, y provoquèrent, en effet, un véritable épanouissement de ferveur et de pénitence. Un autre couvent, celui de Saint-Marcellin, fut témoin d'un de ses miracles les plus avérés. Appelé à l'infirmerie pour y bénir une jeune élève, Catherine Spinelli, qui semblait à l'agonie : « Catherine, lui demanda-t-il, voulez-vous vivre ou mourir? — Je veux

---

[1] Cette ampoule avait été, dit-on, apportée de Jérusalem en Afrique par Orose, au commencement du v⁰ siècle, et l'évêque saint Gaudisio, fuyant devant les Vandales, l'avait à son tour emportée à Naples, où il fonda, en 438, pour lui et ses compagnons le monastère dans lequel il devait finir ses jours. (*Historia della città e regno di Napoli*, par Summonte. MDCLXXXV.) Le couvent de Saint-Gaudisio possédait en outre les corps de saint Gaudisio et de saint Quod vult Deus, évêques, de Fortunata, vierge et martyre, et de ses trois frères, martyrs comme elle.

vivre, répondit-elle. — Eh bien! vous vivrez, reprit-il en
faisant sur elle le signe de la croix; mais il faut que vous
deveniez une sainte. » L'amélioration fut soudaine, la guérison parfaite, et la vertu du Saint s'étendit jusqu'à l'âme
de la jeune fille, qui, prenant bientôt le voile, marcha à
grands pas dans les sentiers de la perfection.

Tel est, avec diverses missions dans les environs de
Naples, à Marianella, lieu de sa naissance, et à Resina, où
les tenanciers de la couronne composèrent presque exclusivement son auditoire, le résumé des efforts d'Alphonse, arrivé à l'apogée de sa vie apostolique, pour régénérer la
grande ville qui avait été l'objet de ses premiers labeurs.
Pendant longtemps ballotté par l'opinion, traité tour à tour
de saint et de fou, il avait dédaigné pour vaincre les préjugés tout autre moyen que la fidélité à sa vocation, et
maintenant, par un retour providentiel des esprits, son
unique souci était d'échapper à la vénération universelle,
qui, malgré lui, venait l'assaillir. Mais en vain son humilité
et sa soif d'abaissement croissaient-elles avec les hommages; en vain redoublait-il de subterfuges, tantôt en refusant un objet neuf qu'on lui offrait pour obtenir celui dont il
faisait usage, tantôt en s'enveloppant dans son manteau
jusqu'à cacher ses traits afin de soustraire sa main aux em-
pressements de la multitude, sa popularité grandissait en
raison même de ses efforts pour la fuir. La petite maison
qu'il habitait en face de l'église des Vierges, et qui était attenante au palais Liguori, était fréquentée du matin au soir
par tout un monde de magistrats, de sénateurs, de religieux
et de prélats avides de le voir et de le consulter, et dont
plusieurs parfois, malheureux dans leurs démarches, le suivaient sans se lasser d'église en église, pendant une journée entière, jusqu'à ce qu'ils eussent conquis une audience
de quelques instants. Alphonse, cependant, trouvait dans
cette importunité même une occasion de plus de se conformer à son divin Modèle. Prolongeant, pour ainsi dire, cette
apparition vivante de Jésus-Christ qui est le suprême besoin
du monde, la charité du disciple était, au milieu des foules

de Naples et sur les bords de ces flots qui ont porté l'Évangile, l'image et l'instrument de celle du Maître. A l'exemple du Sauveur, il savait se faire tout à tous et se donner aux âmes sans mesure, les écouter ou les plaindre, les relever ou les soutenir, les bénir ou les consoler. Enfin, tout en épuisant à Naples jusqu'à la dernière goutte, comme la liqueur sacrée répandue jadis sur l'autel, sa vie de chaque jour pour ramener les brebis égarées, il continuait, par une faveur extraordinaire de Dieu, à veiller sur la persévérance de celles qu'il abritait dans d'autres bercails. Les religieux de Pagani en recueillirent une preuve touchante dans un fait où, sous une réalité historique, se cachait un symbole. Pendant un de ses séjours dans la capitale, ils virent, en effet, se renouveler dans leur maison un prodige analogue à celui qui avait eu lieu quelque temps auparavant à Amalfi, et dont nous avons parlé plus haut. Une pauvre femme qu'Alphonse avait retirée du désordre, et à laquelle il donnait chaque semaine un secours pour sa subsistance, s'était présentée comme de coutume au seuil du couvent. Désolée d'apprendre que son bienfaiteur était absent, elle était entrée dans l'église et y priait tristement, lorsque, levant les yeux vers l'autel, elle aperçut à la porte de la sacristie le Saint, qui lui faisait signe d'approcher; elle s'avança avec empressement, reçut avec reconnaissance l'offrande et les conseils qu'elle était venue chercher, puis s'éloigna, non sans reprocher au portier d'avoir voulu la tromper : « Comment, lui dit-elle, vous qui passez pour des saints, osez-vous mentir de la sorte? Don Alphonse est ici; je l'ai vu, et voici ce qu'il m'a donné, » ajouta-t-elle en montrant l'argent qu'elle avait encore dans la main. Le portier, stupéfait, courut chercher le Recteur, lequel, après avoir interrogé la mendiante, demeura convaincu avec les autres Pères qu'Alphonse, tout en étant à Naples, ne laissait pas d'être présent en esprit parmi eux et de veiller sur les besoins de ses enfants.

Celui pour lequel il n'y a pas de distances avait voulu qu'elles s'effaçassent aussi ce jour-là devant la charité sans limites de son serviteur.

CHAPITRE XIV

Trente-cinq années de ministère, les missions qu'il avait prêchées dans toute l'étendue du royaume, et plus encore sa réputation de sainteté, avaient mis Alphonse en rapports directs et intimes avec un grand nombre d'âmes ; aussi avait-il acquis pour les conduire à Dieu une rare expérience. Ses disciples, qui se plaisaient souvent à y recourir, lui demandèrent un jour quelle devait être selon lui la loi principale de la direction : « Je n'ai aucun doute à ce sujet, leur répondit-il, le caractère propre de la direction et le plus conforme à l'esprit de Dieu et de l'Évangile est la douceur. Dieu ne s'est-il pas montré miséricordieux envers Adam prévaricateur, et Jésus-Christ, qui a dit : *Apprenez de moi que je suis doux et humble de cœur,* n'a-t-il pas supporté patiemment les défauts de ses apôtres, sans en excepter Judas ? » Et il ajouta : « Jugez en vous-mêmes d'ailleurs ; quel bien ont produit les jansénistes en France, en faisant apparaître le Seigneur comme un tyran ? »

La douceur fut, en effet, pendant toute sa vie, le caractère distinctif de sa direction. Par elle, mieux que par la rigidité, pensait-il, on affermissait les âmes ; de même qu'on les attirait plus certainement à Dieu en le leur faisant aimer qu'en le leur faisant craindre. « Les conversions dont la peur est l'unique principe ne sont pas durables, disait-il, et l'effroi

16

ne saurait triompher là où l'amour a été vaincu. » Aussi, se
considérant en sa qualité de prêtre et de missionnaire comme
l'organe de l'amour de Jésus-Christ envers les hommes,
déclarait-il sans hésiter qu'il valait encore mieux, pour répondre aux intentions divines, excéder dans la miséricorde
que dans la sévérité[1]. Beaucoup d'indulgence de la part du
confesseur et beaucoup de fidélité de la part du pénitent lui
semblait la règle de l'un et de l'autre ; et, plus convaincu de
la fécondité de ce principe à mesure qu'il avançait en âge,
il ne se souvenait pas, assurait il dans sa vieillesse, d'avoir
renvoyé une seule âme sans l'avoir mise en état de recevoir
l'absolution[2].

Il avait été doué, pour accomplir cette œuvre, d'un talent
si extraordinaire de persuasion, que ses compagnons s'entendaient pour lui renvoyer toujours les pécheurs les plus
désespérés. Lui-même, d'ailleurs, les y encourageait souvent : « Quand il se présentera à vous, leur disait-il en souriant, quelque gros monstre couvert d'écailles dont, comme
le jeune Tobie, vous serez épouvantés, adressez-le-moi afin
que de son fiel j'offre un sacrifice à Jésus-Christ. » Et le
secret sur lequel il comptait pour gagner ce pécheur n'était
encore que la douceur. Il l'accueillait d'abord avec une bonté
et des appellations vraiment paternelles, comme la chère et
unique brebis pour laquelle le pasteur doit quitter les quatre-
vingt-dix-neuf autres ; il s'attendrissait sur sa misère, le
plaignait avec effusion et, sans avoir jamais à la bouche ni
un mot acerbe ni une parole blessante, lui facilitait l'ouverture de son âme et diminuait par des interrogations discrètes
l'amertume de ses aveux. Parfois même, éclairé d'une lumière surnaturelle, il lui révélait, avant de les entendre,
les crimes de sa vie ; puis, lui représentant sans dureté,
mais aussi sans faiblesse, le triste état de sa conscience,
la patience du Seigneur et l'ingratitude de sa conduite, il
répandait l'onction de sa parole jusqu'au fond de ce cœur

---

[1] Villecourt, *Vie et Institut de saint Alphonse-Marie de Liguori*, t. IV,
p. 5.

[2] *Ibid.*, p. 200.

meurtri, qui éclatait souvent en un torrent de larmes. Enfin, après l'avoir convaincu que sans efforts personnels il n'était pas de guérison possible, il lui prescrivait des lectures, des prières ou quelques actes de charité à accomplir plusieurs jours de suite, pendant lesquels lui-même priait et châtiait son corps à l'intention de l'âme qu'il fallait racheter. Cette mansuétude triomphait d'ordinaire des dernières résistances et entraînait même des pécheurs qui paraissaient à peine ébranlés. Tannoia dit avoir connu un gentilhomme fort avancé en âge et en sainteté, qui attribuait sa conversion à un mot d'Alphonse. Un jour, dans sa jeunesse, racontait-il, plutôt par habitude que par devoir, il avait été trouver le Saint, lui avait fait d'un ton dégagé le récit des plus énormes fautes, et avait couronné le tout par ces paroles : « Je n'ai rien que cela à vous dire. — *Rien que cela !* » reprit Alphonse... « Il ne vous manquerait qu'un turban pour être Turc ! *Rien que cela !* mais que voudriez-vous de plus, et quel mal vous avait donc fait Jésus-Christ...? » Cette simple exclamation, ajoutait le vieillard, avait été prononcée avec un accent si ému, qu'elle avait suffi pour transformer son cœur.

Jamais on n'entendait Aphonse se plaindre de la foule ou de l'indiscrétion de ses pénitents ; jamais on ne le voyait témoigner d'ennui ou de lassitude. Les plus grossiers et les plus ignorants étaient peut-être même les mieux reçus, parce qu'il trouvait dans la confession une occasion de les instruire. Ceux qui ne répondaient pas à ses soins ne le rebutaient pas davantage ; et un prêtre lui ayant dit un jour qu'il fallait abandonner les âmes indociles comme le médecin quitte le malade rebelle à ses conseils, il s'écria avec feu : « Les abandonner ! Mais ce sont précisément ceux-là qu'on ne doit jamais perdre de vue ni laisser en repos, fallût-il pour cela s'assujettir à des souffrances de toute sorte. Avez-vous donc oublié la parole de saint Bonaventure : « Si dans un terrain « stérile et pierreux les fruits sont moins abondants, la « récompense de l'ouvrier est plus grande? » Sa sollicitude poursuivait d'ailleurs sans relâche tous ceux qu'il était arrivé

à réconcilier avec Dieu. Selon l'expression des saints Livres,
son cœur veillait même pendant son sommeil : *Ego dormio,
sed cor meum vigilat*[1], et il n'était pas rare qu'on l'entendît
la nuit continuer dans ses songes ses exhortations.

Si pourtant il était des âmes qui excitassent plus spécialement sa compassion, c'étaient celles que le Seigneur faisait passer par des épreuves intérieures. Il avait composé
lui-même à leur intention un choix des textes de l'Écriture
les plus propres à porter à la confiance et à dilater le cœur,
et ne reculait devant aucun effort pour leur rendre, par ses
paroles ou par ses lettres, la sérénité qu'elles avaient perdue.
« J'ai lu tout ce que vous m'avez écrit au sujet de vos peines,
répondait-il à une personne abreuvée d'amertumes spirituelles..... Mais soyez assuré que Dieu accepte plus volontiers le peu que vous pouvez au milieu de tant d'angoisses,
que tout ce que vous lui donneriez dans un océan de douceur
et de consolations. Vous avez accompli cette année de vrais
progrès. Je bénis le Seigneur, qui vous en a accordé la force.
C'est lui aussi qui veut aujourd'hui que vous surmontiez ces
difficultés, et que vous le serviez au milieu des ennuis et
des sécheresses. Allez donc vous placer dans le côté du Sauveur. N'en doutez pas, Jésus et Marie vous aiment ; c'est moi
qui vous en donne l'assurance. » Dans ces heures difficiles,
il recommandait d'être plus soumis que jamais à la volonté de
Dieu : « L'unique remède dans les tribulations, » disait-il à
une religieuse également éprouvée par des souffrances de
toute nature, « est de se conformer et de s'abandonner à la
volonté divine, sans désirer ni la santé ni la consolation.
Par là vous trouverez la plus grande paix que puissent obtenir sur la terre les âmes qui aiment Dieu. Que votre cri
dans toutes vos désolations soit donc sans cesse : Mon Dieu,
je ne veux pas autre chose que ce qui vous plaît ; donnez-
moi votre amour. »

Ces paroles et d'autres semblables, toujours empreintes
d'une sagesse miséricordieuse et accompagnées d'une onc-

---

[1] Cant, v. 11.

tion céleste, avaient une vertu singulière pour tranquilliser les consciences. Dans une de ses missions à Amalfi, par exemple, il se trouva en rapport avec une dame dont aucun directeur n'avait pu jusque-là calmer les scrupules. Un entretien avec le Saint suffit pour lui rendre une paix qu'elle ne connaissait plus, et ces simples mots prononcés lorsque la tentation se représentait : « Le Père Alphonse m'a ordonné de n'y plus penser, » eurent depuis lors la puissance de chasser toutes ses inquiétudes.

Mais si son indulgence était grande pour tous ceux qu'il fallait tirer de l'abîme ou consoler dans l'épreuve, sa sollicitude devenait d'une délicatesse minutieuse pour les âmes qu'il voyait appelées à la perfection. Plus exigeant à mesure que leur vertu se fortifiait, il n'épargnait rien pour seconder en elles la grâce, et réclamait de leur part des efforts toujours croissants. « Le Seigneur, disait-il, vous convie à la sainteté. Veillez pour vous préserver de la tiédeur, car lorsque ceux que Dieu attire à lui par un amour spécial et qu'il veut faire marcher dans le sentier étroit s'abandonnent à une vie imparfaite, ils sont en grand danger de se perdre. » A ces âmes choisies, il apprenait que « le paradis s'achète par les mépris, et non par les caresses »; et il ne ménageait ni les conseils énergiques ni parfois les remontrances les plus sévères. Une religieuse, celle-là même dont Dieu s'était autrefois servi pour imprimer une direction définitive à sa vie, s'était écartée de ses avis, pour suivre pendant quelque temps une voie qui n'était pas dépourvue d'illusions. Tremblant pour son avenir, il lui écrivit une lettre où l'on croit lire les reproches enflammés adressés par saint Ambroise à une vierge qui avait laissé ternir l'éclat de sa vertu. Il reprend son « esprit altier », la blâme de s'attacher à son jugement propre, et lui rappelle cette parole d'un saint : « Celui qui met sa confiance en lui-même n'a pas besoin que les démons le tentent. » — « Comment vos yeux se sont-ils laissé fasciner? ajoute-t-il. Qu'est devenue votre ancienne et admirable obéissance? Où est cette précieuse humilité qui vous faisait désirer d'être repoussée et blâmée par le monde

entier?... Comment a pu se consommer une pareille ruine [1]?»
Jamais pourtant son zèle pour la perfection ne le faisait
sortir des limites nécessaires de la sagesse et de la prudence.
Il n'approuvait rien qui pût compromettre la santé, ne permettait que rarement, par exemple, aux jeunes gens de se
priver de sommeil, et n'autorisait pas les novices à jeûner au
pain et à l'eau plus d'un jour par semaine. Sa discrétion
éclata aussi tout particulièrement dans la conduite qu'il tint
vis-à-vis d'une religieuse du monastère de Saint-Marcellin,
qui, se sentant pressée de mener une vie plus sévère, demandait à entrer chez les Ermites perpétuelles [2]. Alphonse exa-
mina soigneusement son attrait, et y reconnut la touche de
Dieu ; mais comme les supérieurs du monastère et l'archevêque de Naples lui-même s'y montraient fort opposés, il
voulut que sa pénitente se soumît paisiblement à leur refus,
et l'assura que si elle avait fait la volonté du Maître en ma-
nifestant son appel et en se disposant à le suivre, elle ne
l'accomplirait pas moins en se résignant aux obstacles sus-
cités à sa vocation.

Une dernière leçon enfin donnée par Alphonse aux personnes qu'il dirigeait était celle d'un détachement absolu à son
égard. A peine s'apercevait-il qu'une âme prenait un grand
intérêt à sa santé, ou avait un extrême désir de le voir, qu'il
réprimait avec vigueur ces tendances trop humaines. « Cela
n'est pas dans l'ordre, » écrivait-il à l'une de ses pénitentes
qui s'affligeait de le savoir souffrant. « Toute affection pour
les créatures, quand elle est excessive, alors même qu'elle
est honnête, nuit à l'amour que l'on doit à Jésus-Christ.

---

[1] Ces avertissements, dont la sévérité paraîtrait excessive si l'on ne
savait que les exigences de Dieu sont proportionnées à ses dons, ne furent
pas inutiles. La sœur Marie-Céleste revint promptement d'un moment
d'erreur ; elle réforma le conservatoire de Foggia et y mourut en odeur
de sainteté, le 14 septembre 1755.

[2] Cet ordre avait été fondé en Italie par la bienheureuse Ursule Benincasa, à laquelle, le 2 février 1616, la sainte Vierge était apparue et avait
ordonné de revêtir ses filles d'un scapulaire bleu, lui promettant de
protéger d'une manière spéciale tous ceux qui, en l'honneur de son
Immaculée Conception, porteraient cette livrée. — Telle est l'origine
du scapulaire bleu, approuvé par le Pape Clément X, en 1671.

Vous devez donc vous détacher de toute affection; autrement vous ne seriez pas entièrement à Dieu. Ne pensez plus à ma santé; qu'elle soit bonne ou mauvaise, il doit vous suffire d'être bien avec Jésus-Christ, qui mérite tout votre amour. » Et comme cette même personne lui avait exprimé la peine qu'elle ressentait de ne pas le voir quand il venait à Naples : « Je veux, lui dit-il encore, que votre affection soit pour ce Bien immense qui seul y a droit. Lorsque je viens à Naples, j'y suis chargé d'affaires, et je cherche à m'en éloigner le plus promptement possible. Je m'abstiens même de voir mes parents et mes amis. »

La correspondance spirituelle du Saint était d'ailleurs très-étendue; elle s'adressait à des personnes de toute condition : ecclésiastiques, religieuses, séculiers, souvent même du rang le plus obscur; car la charité, qui ne lui permettait aucune distinction parmi les âmes, le porta à entretenir long-temps une correspondance avec un pauvre soldat de Came-rino, lequel, ayant entendu parler dans son pays des vertus et du savoir du Père Alphonse, lui avait écrit pour lui poser différentes questions relatives à son salut. Ces lettres, qui répondent ordinairement à des besoins particuliers, sont publiées depuis longtemps, et le cadre de ce récit ne nous permet pas de nous y arrêter; nous en citerons une cependant, adressée à une de ses pénitentes, religieuse du monas-tère de Camigliano, qui ne se trouve point dans le recueil italien, et qui résume tout l'esprit de sa direction [1] :

« Je suis confus, écrit-il, en apprenant combien Jésus-Christ s'est servi de mes lettres pour faire avancer votre âme dans le chemin de la perfection, et quoique je doive bientôt quitter ce lieu, je me ferai un plaisir, je vous le dis avec joie, de continuer à vous aider de mes conseils. Pour vous, appliquez-vous désormais à ne plus vous laisser abattre à la vue de vos misères... Tenez-vous en paix et jetez-vous avec abandon dans les bras de l'amour; car votre confiance n'a pas pour base vos œuvres, mais la bonté infinie de Dieu,

---

[1] Cette lettre a été publiée pour la première fois par le cardinal Vil-lecourt. Op. cit., t. IV, page 203.

qui ne repousse jamais une âme lorsqu'elle le cherche sincèrement. Quant à l'oraison, n'ayez aucune inquiétude sur vos
distractions; bornez-vous, dès que vous les apercevrez, à vous
tourner vers Dieu avec suavité et sans vous tourmenter. Ef-
forcez-vous de vous unir à lui par la volonté, et toujours
doucement et sans violence. Lisez un peu ; puis laissez le
livre, et contentez-vous de marcher par le chemin de la foi
obscure. C'est là le plus sûr moyen d'arriver à la sainteté.
Ne cherchez pas à trouver Dieu par les sens; il suffit de le
trouver avec le pur amour et avec la volonté. Dans l'oraison,
recommandez toujours à Dieu les pécheurs; et que ce soit là
surtout votre prière quand vous êtes désolée. Parlez-lui aussi
des âmes du purgatoire, et en particulier de celles qui ont
été le plus dévouées au saint Sacrement et à la sainte Vierge.
Je ne puis me rendre auprès de vous dans ce moment; soumettez-vous à la volonté divine, d'autant mieux que je ne
crois pas ma venue nécessaire à vos besoins spirituels. Je
sais bien qu'elle pourrait vous procurer quelques consolations sensibles; mais vous devez sacrifier ces consolations à
l'amour de Jésus-Christ, qui n'en eut point sur la terre... »
La lettre se termine par diverses recommandations relatives
aux fonctions de maîtresse des novices dont la religieuse de
Camigliano était revêtue. Grâce à ces conseils, cette pieuse
femme parvint à une vertu éminente ; ce qui fut du reste
l'apanage d'un grand nombre des âmes dirigées par Alphonse, lequel, n'ambitionnant pas d'autre récompense, pouvait redire avec non moins de vérité que l'Apôtre : *Majorem
horum non habeo gratiam, quam ut audiam filios meos in
veritate ambulare.* « Je n'ai pas de plus grande joie que
d'entendre dire que mes enfants marchent dans la vérité [1]. »

Joan. Ep. III, 4.   •

CHAPITRE XV

Nous sommes arrivés à une époque solennelle de l'histoire d'Alphonse ; mais avant de quitter avec lui cette cellule de Pagani où depuis plusieurs années il avait fixé sa résidence, pour le suivre dans la phase nouvelle qui va s'ouvrir, il nous semble important de jeter un dernier regard sur la vie du missionnaire, telle qu'il l'avait conçue et réglée, et telle qu'il eût continué à la mener au milieu des siens, si l'obéissance, qui en était le principal mobile, n'en eût décidé autrement. Cette vie, d'ailleurs, renferme en elle-même le secret de sa fécondité, et peut seule expliquer les succès merveilleux parfois monotones, peut-être à force d'être persévérants, dont les détails ont, pour ainsi dire, exclusivement rempli la partie de ce livre, qui touche à sa fin. Essayons donc, grâce aux renseignements épars dans les documents du temps, d'indiquer le plan que le fondateur avait tracé à sa Congrégation et de mettre en lumière les vertus destinées, à ses yeux, à lui servir plus spécialement de parure et de sauvegarde.

« Que tout soit pauvre : nos demeures, nos vêtements, nos paroles, nos pensées et nos désirs, » disait, deux siècles auparavant, sainte Thérèse à ses filles ; et elle ajoutait : « Gardez-vous surtout de jamais élever de bâtiments magnifiques ; je vous le demande pour l'amour de Dieu et par le précieux sang de Jésus-Christ. Si cela vous arrivait, le vœu que je forme en conscience est qu'ils s'écroulent le jour même où

ils seront achevés [1]. » Non moins préoccupé que la grande
réformatrice espagnole d'imprimer sur tout ce qui était à
l'usage de ses enfants le sceau de cette vertu de pauvreté,
« mère et nourrice des autres vertus, » d'après saint Ambroise; « mur de défense de la vie religieuse, » selon saint
Ignace, Alphonse avait soumis tous les détails extérieurs de
leur vie à un ensemble de règles qui semblaient presque ressusciter dans les campagnes de Naples l'austérité de la Thé-
baïde. La physionomie sévère des bâtiments annonçait déjà
par elle-même le détachement auquel s'étaient engagés ses
habitants. Tout ornement, fût-ce même un balcon ou un
grillage de fer, en était banni, et la rigidité du Saint sur ce
point était telle qu'ayant remarqué un jour dans la maison
de Caposele des appuis de fenêtre en pierres et non en briques, il s'en affligea comme d'une recherche trop somp-
tueuse, et qu'il fit détruire à Pagani un modeste entable-
ment par lequel les constructeurs avaient voulu corriger en
quelque chose la nudité de l'édifice. Le même esprit se retrouvait à l'intérieur des couvents. Les corridors ne devaient
pas avoir plus de cinq palmes [2] de large, et toute tenture,
comme toute peinture sur les murailles, était défendue. Les
cellules avaient environ dix palmes de long sur douze, et les
fenêtres destinées à les éclairer n'étaient garnies d'abord que
par des châssis où les vitres étaient remplacées soit par un
gros canevas en toile, soit par du papier huilé ; ce ne fut
que plus tard, lorsqu'il en eut reconnu la nécessité, qu'Alphonse permit de placer dans chaque chambre quatre petits
carreaux, larges d'un palme chacun.

L'ameublement était en rapport avec le local. Une table
munie d'un tiroir sans serrure, un lit composé seulement
d'une paillasse et d'un oreiller de laine, trois ou quatre
chaises, quelques images en papier, un exemplaire des Livres saints et une lampe de terre constituaient tout le mobilier. En vain un des Pères proposa-t-il, comme mesure

---

[1] *Chemin de la perfection*, ch. II.
[2] Le palme représente vingt-cinq centimètres.

économique, de substituer à ces lampes, qui se brisaient facilement et laissaient tomber l'huile, des lampes de cuivre, Alphonse répondit que cette innovation rappellerait trop le luxe, et s'y refusa. Il n'approuva pas non plus l'achat de plats d'étain fait par un autre Père pour la maison d'Iliceto, et, malgré les représentations du Recteur, qui insistait sur la fragilité de la faïence et l'éloignement du potier, il ordonna de revenir sur ce point encore aux anciennes traditions. Tous les mois, du reste, le Recteur devait visiter les cellules, et s'il y trouvait un meuble superflu ou provisoirement inutile, le faire enlever aussitôt, sans autoriser la conservation même temporaire des objets en apparence les plus nécessaires, tels qu'une aiguille ou un peloton de fil, qu'on se bornait à mettre à la disposition de tous dans un lieu déterminé de la maison.

Le linge des missionnaires, confié à la garde d'un frère, était en toile grossière et uniforme, et portait la marque de chaque couvent; simple mesure d'ordre d'ailleurs, car la règle voulait que lorsque des religieux appartenant à plusieurs maisons se trouvaient réunis, tout fût commun entre eux. Quant aux soutanes et aux manteaux, les supérieurs devaient veiller à ce qu'ils fussent raccommodés aussi longtemps que possible. « La Congrégation serait perdue, disait Alphonse, le jour où ses membres rougiraient de paraître avec un habit rapiécé! » Aussi quelques Pères ayant essayé de lui persuader que le drap commun, trop vite usé, ne favorisait pas l'esprit de pauvreté, et que les maisons gagneraient à acheter de meilleure étoffe : « Ce ne sont pas les maisons, répondit-il, qui ont fait vœu de pauvreté, c'est nous; et c'est nous aussi qui devons en subir les conséquences. Le drap ordinaire humilie et abaisse, et une tenue de grand seigneur n'édifierait pas dans un religieux. » Cependant, s'il recommandait la pauvreté du costume, il n'autorisait ni le désordre ni la négligence ; et l'on raconte qu'ayant rencontré un jour un jeune clerc dont la chaussure était tout usée, il jeta à la fois aux souliers et au Recteur, un regard qui, à lui seul, était une leçon. La prévoyance assidue des supérieurs lui paraissait, en effet, le contre-poids indispensable de l'oubli de soi et du détachement absolu exigé de chacun des religieux, et il entendait, notamment lorsqu'on les faisait passer d'un couvent dans un autre, qu'elle s'exerçât scrupuleusement sur leurs besoins.

Les missionnaires n'abandonnaient pas cependant, en entrant dans la Congrégation, la propriété de leur patrimoine; mais ils renonçaient à leurs revenus, qui étaient affectés à la maison dont ils faisaient partie, et ne conservaient rien à eux, pas même un livre. Il n'était pas jusqu'aux humbles souvenirs que les habitants de la campagne les contraignaient parfois d'accepter, des mouchoirs par exemple ou une tabatière de bois (car le métal était proscrit), qu'ils ne dussent remettre à la communauté, chargée de leur fournir, en cas de nécessité, d'autres objets de même nature. Toute somme donnée à un prédicateur à titre d'aumône, ou de rémunération pour ses peines, de même que toute offrande d'un pénitent désireux de suppléer par une bonne œuvre à une restitution devenue impossible, devait être aussi apportée au Recteur, qui en fixait l'emploi. Alphonse exposa longuement dans ses circulaires l'esprit qui présidait à ces précautions minutieuses, auxquelles il attachait beaucoup de prix pour conserver chez ses disciples la pauvreté primitive dans toute sa pureté. Son amour pour cette vertu allait si loin d'ailleurs, que lorsqu'elle lui paraissait menacée l'agneau se transformait presque en lion. C'est ainsi qu'il avait eu un moment la pensée d'inscrire dans la règle que tout Recteur convaincu de ne pas maintenir scrupuleusement la pauvreté devait être chassé de la Congrégation, ou du moins, s'il s'agissait du Recteur-Majeur, déposé de sa charge et privé pour toujours de voix délibérative dans les chapitres généraux et particuliers. Mais le Cardinal Spinelli, désigné par le Pape pour examiner les Constitutions de l'Institut, estimant que cette clause pouvait devenir une source de difficultés et de divisions, refusa de l'approuver, et proposa de la remplacer par l'engagement solennel imposé aux Rec-

teurs, lors de leur entrée en fonctions, de ne jamais permettre, à quelque degré que ce fût, l'usage de la propriété
individuelle. Alphonse crut voir dans ce serment une garantie suffisante contre le relâchement, et y consentit [1].

Cette abnégation absolue exigée de chacun s'étendait à
toute distinction, aussi bien qu'à tout privilége dans l'emploi
du temps. La règle, en effet, n'autorisait aucun religieux à
se soustraire aux exercices de la vie commune, qu'Alphonse
appelait « la gardienne de la pauvreté », et les astreignait
tous sans exception à une occupation perpétuelle, même à
l'intérieur du couvent. « Une âme oisive, disait le Saint, est
une place ouverte et sans défense. Il n'y a pas d'ennemis qui
n'y puissent entrer, et le soir elle s'en trouve pleine sans
qu'on sache comment. » Le Père ministre et le Recteur balayaient donc leur chambre, arrangeaient leur lit, lavaient
la vaisselle à la cuisine, servaient à table, comme les autres
Pères, et pas plus qu'eux ne pouvaient rester inactifs ou sortir de leur cellule sans raison.

La succession des exercices religieux était réglée d'ailleurs
de manière à ne pas nuire à la diversité des fonctions, tout
en assurant à la vie des missionnaires une part d'unité. Le

---

[1] Voici quelle était la formule de cet engagement : « Moi..., Recteur de
la maison..., je promets à Dieu par serment, et je m'engage, sous peine
grave, à ne permettre à aucun sujet de cette maison, pour quelque
motif que ce puisse être, de garder pour son usage et à sa libre disposition une somme d'argent, quelle qu'elle soit; à ne permettre non plus à
personne de conserver dans sa chambre aucun comestible, tel que fruits,
gâteaux, sirops, chocolat, pâtisseries, tabac ou autres choses semblables,
lesquelles, en cas de nécessité, seront fournies par l'infirmier ou un autre
préposé à cet emploi. Je m'oblige encore, par ce serment, à ne conserver
pour mon propre usage aucune des choses susdites et à remettre à la
communauté tout don fait à moi ou à un autre après qu'il aura été
accepté. Ce serment ne me lie pas pour le temps que les sujets passeront hors de la maison à prêcher des missions, des neuvaines ou autres
exercices; car, s'il est vrai qu'ils doivent alors continuer à vivre selon
la règle et la pauvreté professées dans l'Institut, c'est aux supérieurs
pro tempore qu'incombe l'obligation de veiller à l'exactitude de cette observance. Enfin, dans le cas où les religieux devraient sortir de la
maison pour vaquer à quelque autre soin, je m'oblige à ne leur permettre aucune dépense qui ne soit absolument nécessaire. Dieu me soit
en aide et ses saints Évangiles! »

premier devoir que l'on remplissait en commun était l'oraison mentale à la chapelle. Alphonse tenait beaucoup à ce que personne n'y manquât, pas même les frères lais, sans une raison très-grave, et ayant remarqué un jour, à **Pagani**, que plusieurs religieux, sous prétexte d'insomnies ou de malaises, se dispensaient de venir au chœur, il imagina, pour les corriger de leur paresse, de leur défendre de se lever avant la visite du médecin et de prendre autre chose qu'une tasse de tisane toutes les heures. Ce remède réussit à souhait : les malades furent guéris, et dans la conférence du samedi suivant, Alphonse put insister avec la certitude que l'allusion serait comprise sur la nécessité de ne pas abandonner l'oraison. Outre l'exercice du matin, les Pères faisaient encore, avec une lecture tirée de la *Vie des Saints*, deux demi-heures de méditation, l'une après vêpres, dans leur cellule, l'autre le soir, au chœur, et se rendaient au moins une fois, dans le courant de la journée, devant le saint Sacrement et devant l'autel de la sainte Vierge, en l'honneur de laquelle le rosaire était récité. La messe, comme l'action de grâces, devait durer une demi-heure; telle était la règle, et en même temps la limite qui ne pouvait être franchie; car si la plus grande douleur d'Alphonse était de voir un prêtre célébrer à la hâte et sans piété, il ne voulait pas non plus que la longueur du sacrifice lassât la dévotion des assistants. Enfin, deux fois par jour, le matin avant le dîner, et le soir avant de se coucher, chacun était tenu d'établir sa conscience sur la pratique d'une vertu proposée aux efforts de tous au commencement du mois. Cet examen était, dans la pensée du Saint, un des instruments les plus utiles de la perfection, et il y voyait le coup de vent qui, lorsqu'il est souffle pur et net, découvre encore des lieux de poussière à disperser.

Afin de mener loin l'esprit de pieux recueillement, la règle des silences dûment à ménager, il avait prescrit deux grands silences, l'un la nuit et le matin, dans lequel chacun était tenu de ne pas d'interrompre pour dire que dans le cas où passa la nécessité y contraignait; la seconde qui, commençant le soir à l'*Ave Maria*, se prolongeait, l'heure de la récréation exceptée, jusqu'après l'oraison du lendemain, et pendant laquelle il était défendu d'ouvrir la bouche à qui que ce fût sans une autorisation du supérieur. Cette obligation du silence aussi attachée à toute heure à certains lieux de la maison, tels que les corridors, la cuisine et le réfectoire, semblait en effet à Alphonse une des garanties les plus efficaces contre les distractions ou l'ennui qui, aux âmes tièdes, rendent pesant le devoir de la prière. « Les religieux dissipés, disait-il, vont à l'office comme ils iraient au supplice; chaque moment leur paraît un siècle : privés du monde et ne goûtant pas le Seigneur, ils mènent, je le reconnais, une vie malheureuse; mais, ajoutait-il, qu'ils essayent de parler moins aux hommes et plus à Dieu, il changera de conduite à leur égard, et les élèvera à la sainteté en peu de temps. » Les récréations qui suivaient les repas n'étaient pas de nature, du reste, à troubler cette vie de recueillement; car les conversations roulaient d'ordinaire sur les pensées les plus intéressantes qu'avaient offertes les lectures du jour. Une fois par semaine, il est vrai, la Règle accordait quelques heures de plus de loisir; mais ce repos, destiné à détendre l'esprit et à permettre à chacun de reprendre ensuite avec plus d'ardeur ses occupations ou ses études, devait exclure tout divertissement indigne de l'état religieux, comme la chasse, le jeu ou autres exercices de ce genre. Enfin, une journée de solitude par mois et dix jours de retraite chaque année, remplacés pour les frères lais par trois jours de récollection spirituelle à l'époque des quatre-temps, complétaient avec la pénitence, compagne de la prière et du recueillement, le cadre de ces existences austères et fortes. Les Pères faisaient usage de la discipline les mercredis et les vendredis, et, outre les jours prescrits par l'Église, jeûnaient la veille des sept principales fêtes de la Vierge, et, avec quelques adoucissements, pendant l'Avent et la neuvaine de la Pentecôte. Toute autre mortification extérieure faite sans l'aveu du Confesseur et du Recteur de la maison était défendue. En revanche, les mortifications de l'esprit étaient conseillées sans restriction comme le moyen le plus sûr de vaincre ses passions et de briser sa volonté.

Telle était, dans ses principaux traits, cette règle essentiellement sainte et sage, qui s'est perpétuée jusqu'à nos jours; mais il ne suffisait pas à son fondateur de l'avoir établie, il fallait en inspirer l'amour et en assurer le maintien ; c'était là surtout le but auquel il tendait de toutes les forces de son âme. « Puisque nous nous sommes engagés volontairement et que nous avons promis à Dieu d'observer la règle, répétait-il souvent, ce serait une sorte de parjure que d'y manquer. Gardons-la, et elle nous gardera. Lorsque le démon veut nous faire commettre une grande faute, il commence toujours par nous proposer une légère violation à la règle... Or toute action qui s'en écarte, quelque bonne même qu'elle puisse paraître, est nécessairement mauvaise. » Les avertissements ne suffisant pas toutefois, Alphonse avait pris des mesures qui achevaient de montrer la préoccupation de son esprit. Tous les samedis, le Père Recteur, ou à son défaut un autre Père, faisait sur l'exacte observance des Constitutions une conférence, à la suite de laquelle chacun s'accusait des infidélités commises durant la semaine. Il y avait en outre, dans les diverses maisons, un zélateur chargé d'examiner l'attitude de chacun pendant les exercices généraux de la communauté. Le lundi, après le dîner, en face de tous les religieux debout au milieu du réfectoire, il formulait ses observations, et chaque Père nommé par lui, s'agenouillant aussitôt, recevait avec humilité, et sans chercher d'excuse, la pénitence infligée par le Recteur. Celui-ci avait lui même un Père admoniteur, dont la mission était de l'avertir lorsqu'il commettait une faute, et, s'il ne se corrigeait pas, d'en donner avis au Recteur. Enfin, pour couronner toutes ces garanties, le Saint prescrivait aux religieux les plus fervents de le prévenir des irrégularités qui se commettaient autour d'eux, en ayant soin toutefois, afin qu'on ne pût soupçonner ceux qui remplissaient cet office, de recommander à tous de lui adresser chaque mois une lettre qui, si la matière faisait défaut, pouvait n'être qu'une feuille blanche. Il ne manquait pas, du reste, lorsqu'un Père, ou même un simple frère lai, venait le visiter, d'examiner avec lui si quelque abus ne s'était pas glissé dans la communauté, si l'harmonie régnait entre tous et si le Recteur, ne se permettant aucun adoucissement, était le premier à obéir à la règle en tout point. L'amour de l'observance et la vigueur pour reprendre ceux qui y manquaient formaient, en effet, un des traits spéciaux du caractère d'Alphonse. Plusieurs fois, surtout dans les débuts de l'Institut, la crainte de ne pas voir, faute d'un nombre assez grand de sujets, la règle strictement gardée, suffit pour lui faire refuser de nouvelles fondations ; et à ceux qui revenaient à la charge : « Il importe beaucoup moins, disait-il, d'augmenter le nombre des maisons, que d'accroître la ferveur dans celles qui sont établies. » Réponse dont la sagesse laisse pressentir la sollicitude ardente avec laquelle il présidait à la culture de ces vertus intimes de l'âme qui constituent à proprement parler la perfection. On nous permettra de nous arrêter, nous aussi, quelques instants encore sur ce sujet ; car si les religieux sont, par leur état, plus strictement tenus à fixer leur tente sur ces sommets de la vie morale, tous nous devons, dans la mesure de notre vocation, nous efforcer de les gravir, avec la foi pour lumière, l'amour pour viatique et pour guide commun Jésus-Christ.

En prenant l'habit de la Congrégation, les missionnaires avaient dit adieu à toutes les préoccupations temporelles : il importait qu'ils ne se laissassent pas entraver par de nouveaux liens. Dans ce but, le fondateur leur défendait de s'ingérer dans des affaires étrangères à leur vocation, de se mêler, par exemple, de mariages, de contrats, de testaments, ou même d'accepter, avec la charge de parrain, la responsabilité que ce titre impose. Il allait plus loin encore, et leur rappelant les vœux qui leur donnaient pour famille tous les délaissés du monde, il insistait pour « qu'aucun lien d'affection domestique exagérée ne vînt enchaîner leur dévouement à Dieu et au prochain ». « Laissons, disait-il à ce propos dans ses conférences, laissons les morts ensevelir leurs morts; et ne nous inquiétons pas de la situation de fortune des nôtres : florissante, elle pourrait nous éloigner de la pauvreté, peut-être même de notre vocation; gênée, elle nous oppresserait le cœur et nous détournerait de notre état, en nous faisant croire que nous pourrions encore leur être utiles. » Il n'approuvait donc pas la pensée de certains Pères qui, en face de revers subis par leurs familles, voulaient, pour les secourir, se soustraire au service des misères bien autrement profondes dont le soulagement était devenu leur lot le jour où ils s'étaient consacrés aux âmes. Cependant il compatissait à leur tristesse, et leur permettait de disposer en faveur de leurs parents des honoraires de leurs messes, auxquels il s'efforçait souvent, malgré sa pauvreté personnelle, d'ajouter lui-même quelque offrande, répondant à ceux qui, vu la situation précaire de l'Institut, trouvaient alors sa générosité excessive : « Rappelez-vous que dans la charité il n'y a jamais d'excès; car ce qui sort par une porte, Dieu le fait rentrer par une autre. »

Cette défense de retourner dans leurs familles s'étendait jusqu'aux simples visites; les missionnaires ne pouvaient faire d'exception que pour leur père et leur mère, et seulement lorsque ceux-ci étaient en danger de mort. Quant à leur propre santé, Alphonse n'y voyait pas une raison suffisante pour déroger à la loi. « La maison de nos parents, disait-il, n'est pas un pays qui, comme le Pérou, distille des baumes nécessaires à la santé. Dieu a mis d'ailleurs à notre disposition autant de climats différents que nous avons de maisons dans la Congrégation; si l'un ne nous est pas favorable, un autre le sera; enfin celui qui est entré parmi nous n'est pas venu pour jouir, mais pour souffrir et mourir en saint. » Ce qui était refusé aux parents ne pouvait, à plus forte raison, être accordé aux amis; aussi, encouragés à les aider dans leurs besoins spirituels, et autorisés à les recevoir au parloir, les religieux ne devaient ni les introduire dans leurs cellules ni entretenir avec eux, au couvent comme en mission, de liaisons trop familières. C'est ainsi qu'un avocat de Pagani chargé des affaires de la Congrégation, et par là même un des visiteurs assidus de la maison, ayant demandé un jour la permission de dîner dans une chambre particulière avec un des missionnaires, Alphonse y vit un abus et n'y voulut pas consentir. Sa rigidité n'était pas moins grande en ce qui touchait la correspondance : le Recteur ne pouvait permettre aucun échange de lettres qui n'eût pas un motif sérieux, et devait, sinon les lire, au moins se les faire toutes apporter, et les ouvrir avant de les remettre ou de les expédier. Ce détachement des affections extérieures n'était du reste que l'expression d'un dépouillement plus intime, et par cela même plus difficile, le brisement de l'amour-propre par l'obéissance et l'humilité. « L'humilité, disait Alphonse, doit être notre vertu dominante ; c'est elle qui distingue le catholique du protestant, et c'est pour l'avoir abdiquée que Lucifer est devenu l'esprit des ténèbres... Redoutez l'amour-propre comme un fléau ; il perd tous les jours tant de laïques, de prêtres et de religieux, que si je voyais un des nôtres désirer d'être estimé, je croirais rencontrer un damné, et je demande à Dieu de détruire la Congrégation plutôt que de laisser introduire dans son sein un pareil désordre. » Aussi, logique jusqu'au bout avec lui-même, s'efforçait-il d'écarter de ses fils toute occasion d'orgueil, non-seulement en leur défendant, comme nous l'avons dit, d'accepter, sans un ordre formel du Pape ou du Recteur-Majeur, de bénéfice et de dignité en dehors de la Congrégation, mais encore en réprimant énergiquement chez eux la préoccupation de s'élever et de paraître. Il suffisait que quelqu'un cherchât à se produire pour qu'Alphonse le laissât dès lors complétement dans l'ombre. Un religieux se plaignit un jour, en mission, de n'avoir pas été chargé depuis longtemps du sermon du soir : c'en fut assez pour que le Saint cessât absolument de le faire prêcher. Un autre s'oublia jusqu'à réclamer « ce qu'exigeait son honneur » ; ces mots furent pour Alphonse l'équivalent d'un blasphème. Il en fit le sujet de la conférence du samedi suivant, et, répétant plusieurs fois avec une émotion croissante l'expression qui l'indignait : « Notre honneur, s'écria-t-il, notre honneur, c'est d'être bafoués, vilipendés, de devenir, comme Jésus-Christ, l'opprobre des hommes et l'abjection du peuple! »

Mais l'humilité et la déférence étaient imposées avant tout dans les rapports avec le Recteur, dont les volontés devaient être exécutées rapidement, sans murmure au dehors, sous peine de faute grave, et sans murmure au dedans, afin de conserver la sérénité du cœur. Du jour où ils étaient entrés dans l'Institut, les Pères avaient remis leur volonté entre les mains de leurs supérieurs; jamais ils ne devaient revenir sur ce sacrifice primordial et irrévocable. « Ne sommes-nous pas ici, leur disait Alphonse, pour plaire à Dieu et faire sa volonté? Or, comment pourrions-nous lui plaire et lui obéir, si nous refusions de nous soumettre à ceux qui sont ici-bas ses représentants?... » — « C'est peu de m'obéir, disait-il encore, je veux qu'on montre une égale soumission à tout membre présidant un exercice, quel que soit son mérite; car il tient la place du Supérieur... Obéissez donc au dernier frère lai, si ses fonctions du moment lui donnent le droit de vous commander. » La crainte de voir ses enfants manquer à cette vertu était une de ses préoccupations constantes, et, quoique la Congrégation laissât peu à désirer sous ce rapport, il ne cessait de se plaindre qu'on n'y pratiquât pas avec assez de perfection la soumission. « Il se commet des fautes contre l'obéissance, écrivait-il...; on dit que les supérieurs sont obligés de répéter plusieurs fois la même chose avant d'être obéis... Est-ce là l'obéissance que Jésus-Christ désire de vous?... Répliquer n'est pas seulement une imperfection : le plus petit manquement sur ce point est un péché grave, digne d'être sévèrement puni... Je ne sais comment on peut y trouver d'excuse; pour moi, je crains que ces fautes ne nous attirent quelque grand châtiment de Dieu. Il n'y a pas plus de vingt-quatre ans que la Congrégation est fondée; si cela continue, que sera-ce dans cent ans? » — « La nouvelle de votre réta-

blissement m'a fait plaisir, » écrivait-il encore à un Père
qui, tourmenté parfois d'une humeur chagrine, avait blâmé,
quelques dispositions prises par le Recteur; « mais j'ai été
fâché d'apprendre la réponse peu convenable que vous avez
faite au Supérieur de la mission. Beaucoup de choses paraissaient stériles, qui sont fécondes quand elles nous sont
dictées par l'obéissance. Ayez donc soin, lorsque les choses
ne vous paraîtront pas telles qu'elles doivent être..., ou quand
le Supérieur n'aura pas prévu la difficulté, de lui exposer
simplement votre avis, avec l'intention de ne jamais lui résister...; laissez-le faire; soumettez-vous à ce qui sera commandé, et, s'il y a lieu, prévenez-moi. » — « J'ai ressenti
beaucoup de peine, » lit-on dans une autre lettre [1], « en
apprenant les résistances que vous avez faites pour ne pas
exercer la charge de ministre, et, ce qui m'a le plus blessé,
c'est que ceux auxquels vous vous êtes adressé aient prétendu que vous n'étiez pas obligé de vous soumettre. Je ne
connais que le péché auquel ne s'applique pas le vœu d'o-
béissance. Vraiment j'admire qu'il y ait dans la Congrégation des Consulteurs aussi sages... Méditez devant le saint
Sacrement, et Jésus-Christ vous fera changer d'avis. »

La soumission, pour être parfaite, devait s'étendre jusqu'à l'intention même du Supérieur, quand elle était connue.
« J'étais jeune, maladif, raconte Tannoia, et la charge de
maître des novices me pesait. Une absence que je dus faire
m'obligea à suspendre mes fonctions; mais Alphonse ne
m'en avait pas délivré, et il comptait que dès mon retour à
Pagani je reprendrais de moi-même la direction du noviciat.
Je n'en fis rien cependant, et, malgré les sollicitations du
Père qui me remplaçait, je persistai à m'excuser, en disant
que je n'avais pas reçu d'ordre. A la fin, Alphonse me fit venir et me gronda sévèrement de ce que, n'ayant pu ignorer
ses volontés, je ne m'y fusse pas conformé. Je lui répondis
que j'avais consulté le Père Ferrara, et qu'il m'avait conseillé
d'attendre. Il se tut; mais le Père fut mandé à son tour et

---

[1] Au Père Criuscoli, sans date.

repris avec chaleur de m'avoir donné un semblable avis,
lorsqu'il savait que la charge de maître des novices ne
m'avait pas été retirée, et que la volonté du Recteur-Majeur
sur ce point ne pouvait être mise en doute. »

Si des réprimandes ne manquaient jamais de corriger ces
infidélités à l'esprit de la règle, des châtiments rigoureux
suivaient toujours les infractions sérieuses à l'obéissance.
Plusieurs frères servants s'étaient plaints publiquement de
la suppression de leur sieste de l'hiver : Alphonse leur fit
quitter pour un temps l'habit religieux [1], les condamna
à dîner à genoux, à se priver de viande et à ne recevoir
la communion que tous les huit jours au plus [2]. Un Père
s'était rendu, malgré sa défense, à Scala, où il avait promis sa visite à un couvent de religieuses ; le Saint, sans
lui laisser le temps de rentrer à la maison, lui écrivit qu'il
était exclu de la Congrégation. Un autre Père, enfin, avait
refusé de se rendre à Pagani, ainsi qu'il en avait reçu l'ordre.
« Mandez au Père Grassi, écrivit Alphonse, qu'en raison de
ses résistances je ne le considère plus comme faisant partie
de l'Institut, et prions Dieu que s'il y a encore de semblables
sujets, ils nous quittent au plus tôt. »

L'obéissance ainsi comprise pouvait cependant avoir parfois des amertumes ; mais la charité était là pour les adoucir.
Si elle devait, en effet, présider à toutes les relations des
missionnaires entre eux, bannir l'esprit de discorde et faire
d'eux autant de frères, elle devait surtout établir entre les
supérieurs et les religieux cet échange de tendresse et de
confiance qui règne entre le père et ses enfants. Pour maintenir cette nécessaire harmonie, Alphonse multipliait les
conseils tantôt aux religieux qui devaient chaque mois ouvrir
leur conscience au Recteur, lui exposer avec une simplicité

---

[1] Les frères lais, après six mois de probation, étaient autorisés à revêtir un habit de toile noire sans collet. Un an après, on leur accordait
l'habit de la congrégation, plus court d'un palme que ceux des Pères, et la
permission de prononcer les vœux ordinaires.

[2] Les frères, qui devaient se confesser deux fois par semaine, communiaient d'ordinaire le mercredi, le vendredi, le dimanche et tous les jours
de fêtes d'obligation.

filiale leurs besoins, leurs répugnances et leurs tentations à son égard ; tantôt aux étudiants et aux novices, astreints au même devoir, les premiers tous les quinze jours envers leur préfet, et les seconds toutes les semaines envers le Père-Maître. Mais il ne recommandait pas moins instamment aux supérieurs de répondre avec amour à ces ouvertures, de ne jamais infliger de châtiments sous l'empire de l'émotion, et de témoigner aux religieux, jusque dans les détails concernant leur bien-être et leur santé, un intérêt tout paternel. Il insistait spécialement sur les égards dus aux frères lais, qu'il comparait aux matelots chargés de ramer pendant que les autres vaquaient aux occupations de leur trafic. « Ils veillent au pain du corps, aimait-il à dire, et attendent de notre charité fraternelle le pain de l'âme que nous devons leur fournir en retour [1]. »

Cependant, dans le champ du père de famille, l'ivraie sera toujours mêlée aux épis. Malgré toute sa vigilance, Alphonse ne pouvait empêcher que des membres imparfaits et tièdes ne vinssent parfois, comme une note discordante, troubler l'harmonie de son œuvre. Il n'était alors aucun avertissement qu'il négligeât pour leur faire comprendre les dangers de leur état. « Celui qui ne veut pas être saint, disait-il, ne peut rester parmi nous. Le Seigneur, qui aime la Congrégation, l'en chassera lui-même ; il veut que les premières assises de son édifice soient de force à soutenir celles qui leur succéderont, et qu'elles servent

---

1 Les Annales de l'Institut conservent religieusement le souvenir des vertus admirables de plusieurs de ces frères Nous avons déjà parlé de Gaudiello et de Curzio, et nommé François Tartaglione. Nous ne saurions oublier non plus Gérard Majella, que Tannoia appelle « le thaumaturge de la Congrégation », et dont la vie, en effet, ne fut qu'une suite non interrompue de prodiges. Né en 1726, il fut dès ses premières années comblé des grâces les plus merveilleuses par le Seigneur, qui se manifestait à lui sous la forme d'un enfant. Il entra dans la Congrégation du Saint-Rédempteur en 1745, et y mourut en 1753. Son histoire a été écrite par le Père Tannoia, à la suite d'un vœu fait pendant une maladie, et publiée comme appendice aux Mémoires sur la vie et la Congrégation de saint Alphonse de Liguori. — Gaume, 1842. — La cause de la béatification du frère Gérard a été introduite en 1816.

d'appui aux pierres qui doivent les couronner [1]. » Aussi, lorsqu'une faute grave avait été commise en public, prenait-il immédiatement l'initiative de la séparation. Dans les autres cas, il adoptait vis-à-vis des coupables une attitude sévère, et les soumettait à des épreuves dont une des plus sensibles pour eux était souvent de rester, oubliés en apparence, sans exercer aucune œuvre extérieure, dans une des maisons les plus reculées de la Congrégation. Ce système, s'il ne ramenait pas toujours les religieux à leur devoir, avait du moins pour résultat ordinaire de décourager les âmes molles, et de les décider à quitter spontanément une vie qui ne leur offrait plus désormais aucun attrait. Alphonse respirait en voyant l'arbre débarrassé de ces branches mortes. « Remerciez Dieu, s'écriait-il, car il nous protége visiblement en brisant de sa propre main ce que, tôt ou tard, nous eussions été obligés de briser. »

Comme il savait du reste par expérience qu'une infidélité à la vocation, fût-elle seulement temporaire, amenait souvent la perte de la vocation elle-même, ou, pour employer sa comparaison favorite, « qu'une pierre qui a vacillé dans l'édifice ne saurait être vraiment raffermie, » nul repentir n'était assez vif, nulle supplication n'était assez pressante pour le faire consentir à laisser rentrer dans l'Institut les déserteurs ou les bannis. Un de ces malheureux, sachant qu'il ne refusait jamais les demandes qu'on lui adressait au nom de la sainte Vierge, le conjura de lui faire grâce pour l'amour d'elle; mais le Saint ne s'y laissa pas prendre et lui répondit aussitôt avec énergie : « La sainte Vierge ne veut pas que j'aille en enfer pour vous. » Ces mesures de rigueur, qui répugnaient à son caractère, mais dont il se reprochait de n'avoir pas usé assez tôt dans une circonstance fameuse toujours présente à sa mémoire [2], contribuaient à entretenir dans l'Institut une ferveur sans décroissance. Le double lien de l'unité du but et de l'unité de l'effort réunissait

[1] Lettre circulaire adressée aux différentes maisons de l'Institut et datée du 8 août 1754.

[2] Voir au chapitre XI.

entre eux tous les membres de la Congrégation. La charité
facilitait l'obéissance; l'obéissance affermissait l'humilité;
enfin le détachement de soi-même s'unissait au détachement
du monde pour faire des fils d'Alphonse ce qu'il avait demandé à Dieu en les suscitant: des hommes nouveaux, c'est-
à-dire « des apôtres et des saints ».

CHAPITRE XVI

La Congrégation du Saint-Rédempteur, dont nous venons,
si l'on peut ainsi dire, de tracer l'ébauche, avait avant tout
pour but, on le sait, de former des missionnaires ; l'évangélisation des campagnes reculées était l'objectif spécial et
constant proposé à ses efforts [1] ; aussi, après avoir considéré
les disciples d'Alphonse dans le foyer où ils se formaient à
l'action, est-il important, pour compléter l'étude de la règle,
de voir les préceptes qu'ils devaient observer pendant leurs
voyages hors du couvent.

Ces voyages à travers les campagnes et à travers les âmes,
le saint fondateur avait tout disposé pour qu'ils occupassent
la plus large part possible du temps des Pères. Il leur avait
défendu notamment d'accepter aucune charge qui dût les
retenir au loin, telle que la conduite d'un séminaire ou la
direction de religieuses. « Les séminaires, disait-il, nous
prendraient nos meilleurs sujets ; ceux-ci, en s'attachant à
leurs nouvelles fonctions, cesseraient d'aimer la Congrégation, et la liberté dont ils jouiraient leur ferait perdre bientôt
leur vocation. Quant aux couvents, ils absorberaient tout
notre temps : une religieuse est capable d'occuper à elle seule

1 La formule d'Alphonse était celle-ci : « Si l'on vous demandait en
même temps une mission pour Naples et une autre pour un hameau
de bergers, et que le petit nombre des sujets ne vous permit pas de les
entreprendre toutes les deux à la fois, allez d'abord aux bergers, et ne
revenez à Naples qu'après. »

un prêtre, sans qu'il puisse encore venir à bout de la satisfaire. » Et, agissant dans le même esprit, il posa en principe
que les Pères ne donneraient pas de retraites dans ces maisons, à moins qu'ils n'eussent été appelés aux environs par
une mission. Il arrêta aussi qu'ils ne prêcheraient pas de
carêmes, « afin que les études exigées par une longue suite
de discours ne vinssent pas empiéter sur leurs travaux ordinaires, et que les habitudes d'indépendance prises hors du
couvent ne missent pas en péril la vie commune, tandis que
les quelques ducats rapportés par eux compromettraient leur
humilité. » Dès le mercredi des Cendres, les religieux devaient donc rentrer dans leurs couvents pour s'y retremper par
la prière jusqu'aux fêtes de la Résurrection. Sauf cette suspension de quarante jours, les missions duraient chaque année
sept ou huit mois, depuis le milieu d'octobre, époque à laquelle, après une retraite de dix jours, les Pères se mettaient
en campagne, jusqu'au mois de mai inclusivement; et dans
les régions où la température est le moins élevée, elles se
prolongeaient même pendant une grande partie de juin.

Le nombre des missionnaires, nous l'avons dit, était proportionné aux nécessités des populations qu'ils allaient évangéliser, et variait de deux à vingt. Jamais un Père ne pouvait
aller seul; il fallait qu'il fût escorté au moins d'un frère lai.
Ni l'âge ni l'ancienneté ne suffisait du reste pour donner
le droit de diriger la mission : Alphonse autorisait à mettre
à sa tête le plus jeune des religieux, si on lui reconnaissait
plus de mérites qu'aux autres, et il réprimanda un jour fortement un de ses plus anciens compagnons, qui réclamait
en qualité de doyen la prérogative du commandement. Cette
liberté du choix lui paraissait indispensable pour maintenir
l'ordre et la discipline dans la Congrégation; « car il est des
caractères, disait-il, impropres à exercer l'autorité, fût-ce
une heure seulement. »

Aussitôt après la désignation du Supérieur, et avant le
départ de la caravane, les Recteurs devaient lui assigner ses
étapes et la pourvoir de tout ce qui lui était nécessaire, de
manière à ne rien laisser à l'imprévu des circonstances ou au

caprice des individus. Le voyage se faisait à pied, ou à cheval
si la distance était trop considérable; mais la voiture, regardée comme un objet de luxe, n'était permise que dans le
cas de nécessité absolue. Quant au fondateur, lorsqu'il accompagnait les siens, il se réservait toujours une si mauvaise monture, que le peuple le prenait souvent pour le
serviteur des missionnaires, et qu'une fois, entre autres,
dans un village du diocèse de Salerne, où il venait d'ouvrir
la mission, on entendit les gens de la campagne, ravis de
son discours, se demander entre eux : « Que diront donc les
autres, si le Père cuisinier parle si bien? » Son costume
était tel, du reste, que plus d'un mendiant se fût refusé à
l'endosser. Sa soutane et son manteau se composaient d'un
nombre de morceaux incalculable, et sa barbe inculte, qu'il
coupait de temps à autre avec des ciseaux, ne voyait jamais
le rasoir. L'Évêque de Sarno ne put un jour s'empêcher
d'en rire. « Père Alphonse, dit-il, vous n'avez donc pas deux
sous dans votre bourse pour vous faire raser? eh bien! je
paierai pour vous. » Et il fit signe à son majordome d'appeler le barbier. Alphonse se laissa faire; mais il y avait dix-
huit ans au moins que pareille chose ne lui était arrivée [1].
Cette pauvreté du maître rejaillissait, nous le savons déjà,
sur ses disciples, qui, suivant à la lettre le conseil de
l'Évangile [2], ne possédaient ni double manteau ni aucun
autre vêtement superflu; toutefois, en vue des courses d'hiver, et après avoir hésité longtemps, le Saint leur permit en
mission l'usage de guêtres, tandis qu'il autorisait le Supérieur à emporter une montre de cuivre pour faciliter l'exactitude et le bon emploi du temps.

Arrivés au lieu de leur destination, les Pères devaient
commencer leurs prédications par celle de l'exemple, « plus
puissante, selon l'expression d'Alphonse, que cent sermons

---

1 On n'a souvenir que de quatre circonstances dans lesquelles Alphonse
se soit fait raser : à Rome, quand il se présenta devant Clément XIII; à
Naples, quand il dîna à la table de Ferdinand IV, et deux fois pour obéir
à des Évêques.

2 Matth., x, 10.

étudiés; » aussi leur premier devoir était-il d'accepter sans murmure, et quel qu'il pût être, le genre de vie imposé par les circonstances : le logement, par exemple, était-il resserré ou incommode, personne n'avait le droit de s'en plaindre. Le Saint, d'ailleurs, était sur ce point, comme en toutes choses, un modèle permanent de détachement parfait. Mais, s'il s'attribuait toujours la dernière place, comme à Casal-Nuovo, près de Salerne, où, après avoir installé ses compagnons dans trois petites pièces mises à sa disposition par le seigneur du lieu, il se réfugia dans un réduit abandonné, dont les murs couverts de pariétaires laissaient suinter l'eau de toutes parts [1], il voulait, quand il ne s'agissait pas de sa personne, qu'on distinguât ce qui était nuisible de ce qui était seulement incommode, et, tout en recommandant de supporter avec joie les inconvénients de la vie apostolique, il insistait pour qu'on évitât absolument ce qui pouvait compromettre la santé. « C'est, disait-il, la fortune du missionnaire, et sa faillite est certaine dès qu'elle vient à manquer. » Aussi les Pères devaient-ils avoir, en mission comme au couvent, sept heures de sommeil, et l'un d'entre eux qui, pendant la mission de Nole, s'était levé un matin avant le signal et avait dérangé ses compagnons, fut-il condamné pour sa pénitence à dîner à genoux. C'était dans la nourriture surtout que devait se rencontrer l'austérité. Selon le récit des plus anciens Pères, le Saint jeûnait toujours le samedi au pain et à l'eau, et le reste du temps son dîner consistait en quelques châtaignes ou fruits verts, mangés d'ordinaire à la hâte dans le coin d'une sacristie; ce qui faisait regarder par le public sa vie comme un miracle [2]. Les autres missionnaires,

1 Ces détails furent donnés au Père Tannoia par un vieux médecin de Casalonuovo, don Gennaro Visconti. La maison, qui déjà alors tombait en ruines, a complétement disparu; mais l'emplacement est encore désigné par les paysans comme le lieu qui fut habité par saint Alphonse.

2 « Le Père Cafaro, son confesseur, remarquant dans la suite qu'il s'affaiblissait beaucoup, et qu'il souffrait de la tête, l'obligea à prendre du potage et quelques onces de viande; toutefois c'était si peu de chose, qu'Alphonse trompait son palais plutôt qu'il ne soulageait son corps. » (Tannoia.)

il est vrai, n'étaient pas soumis au même régime, et il leur
était accordé de la soupe et du bouilli à raison d'un *rotolo* [1]
pour six; mais toute alimentation recherchée, volaille, gi-
bier, pâtisserie ou poisson de prix, leur était sévèrement interdite, et le Père Villani ayant partagé un jour avec ses
compagnons une *pizza* ou gâteau grossier que lui avait
donné une religieuse, sa parente, fut puni comme d'une infraction à la règle. Les missionnaires qui logeaient chez des
particuliers ne devaient pas s'accorder plus de douceurs.
« On insistera, on priera, disait le Saint; on paraîtra mécontent de votre résistance; mais persévérez dans vos refus :
vos hôtes finiront par être édifiés de votre fermeté, tandis
qu'ils seraient peut-être étonnés de votre condescendance.
Pour frapper les hommes du monde, il faut encore plus
d'actes que de discours. » Les repas, du reste, étaient aussi
graves dans leur tenue que simples dans leur composition ;
nul étranger ne pouvait y être admis, sauf par exception un
bienfaiteur ou un personnage haut placé, et aucun prétexte
ne devait faire supprimer la lecture.

La sollicitude qui avait présidé à cette réglementation
minutieuse de la vie commune, se retrouvait enfin dans les
conseils donnés aux missionnaires sur l'attitude à garder en
face des autorités et de la population du pays. Alphonse leur
recommandait avant tout une grande déférence et une soumission parfaite envers l'autorité ecclésiastique. « Dieu ne
saurait bénir nos missions, disait-il, si nous manquions de respect et d'humilité à l'égard des chefs de l'Église, et si nous ne
nous mettions pas entièrement sous leur dépendance. » Ce
précepte ne souffrait pas pour lui d'exception, et il obligea un
jour l'un des siens qui, par un zèle mal entendu, avait cru
devoir faire des observations à un Évêque, d'aller se jeter à
ses pieds pour lui en demander pardon [2]. Il n'estimait pas
non plus que les missionnaires fussent dans leur rôle en

---

1 Deux livres et demie.
2 Voici comment le fait est raconté dans les Mémoires de Tannoia :
« Le Père Jean Rizzi, emporté par son zèle, avait cru devoir écrire à un
Évêque pour l'avertir que son diocèse était mécontent de lui et pour lui

prévenant les Évêques des discordes qui régnaient au sein
de leur clergé. L'accusation d'espionnage pouvait suffire
pour compromettre gravement la situation de l'œuvre, et il
fallait l'éviter à tout prix. On devait mettre au contraire
tous ses soins à vivre dans un parfait accord avec les curés
des diverses églises, et ne laisser après soi que des souvenirs d'harmonie et de paix. Du reste, à moins d'un motif urgent, toute visite, et surtout toute relation intime avec les
laïques et toute ingérence dans les affaires temporelles,
étaient strictement défendues. Les Pères devaient se montrer
affables, respectueux, humbles même envers tous, saluer les
premiers jusqu'aux plus simples villageois qu'ils rencontraient en chemin, mais aussi provoquer le respect par la
gravité de leurs manières et éviter toute familiarité avec qui
que ce fût. « Le public nous considère comme des saints,
leur disait Alphonse; si nous lui laissons prendre trop de
libertés, il verra que nous ne sommes que des hommes...
En nous répandant trop en conversations avec les gens
du monde, et en discourant sur les choses qui n'intéressent pas les âmes, nous leur laisserons apercevoir mille
défauts, et ils ne retireront de leurs rapports avec nous aucun profit... Dès que le peuple remarque dans le missionnaire des traces d'imperfection, la mission est manquée. »
Cependant, durant la matinée du premier jour, il était permis
de rendre visite au gouverneur, aux membres du chapitre et
aux personnes considérables du lieu [1]. On devait même les

rappeler ses devoirs. L'Évêque avait mal accueilli ses conseils, et avait
depuis témoigné moins d'intérêt à la Congrégation. Lorsque Alphonse eut
appris ce qui venait de se passer, il m'écrivit (car j'étais alors Recteur
de cette maison) : « Vous direz au Père Rizzi qu'il a eu tort. Il a agi par
« zèle; mais il a oublié qu'il nous est défendu de nous mêler de ce qui ne
« nous regarde pas. Pour l'amour de Dieu, qu'il s'abstienne dorénavant
« d'une telle sollicitude! qu'il dise trois *Ave Maria* pour pénitence, et,
« lorsque Monseigneur viendra à la maison, qu'il aille en particulier se jeter
« à ses pieds, pour confesser son indiscrétion, et lui en demander pardon. »
  [1] « Toutefois qu'on ne fasse pas de visite aux femmes, excepté peut-
être à la dame principale de l'endroit, chez laquelle le supérieur
pourra se rendre accompagné d'un autre Père. » (Lettre circulaire,
novembre 1776.)

prier d'assister aux exercices, « parler d'eux avec **déférence**
dans les prédications, » leur témoigner enfin un respect et
une estime qui, payés de réciprocité, ne pouvaient que tourner à l'avantage de la mission. Mu par la même pensée, Alphonse étendit l'autorisation qu'il avait donnée, dès le début
de la Congrégation, d'accepter une fois à dîner chez l'É-
vêque, à la maison d'un personnage important des environs,
moyennant que cette latitude n'entraînât aucune perte de
temps. La période consacrée aux missions était en effet
celle du travail, et nulle promenade destinée au délassement
ne pouvait y trouver place ; la journée de recueillement que
les Pères devaient passer chaque mois dans une maison religieuse à leur portée, était le seul repos qui leur fût permis ; mais en retour le fondateur tenait absolument à ce
qu'ils n'y manquassent jamais : « Dévouons-nous, leur disait-il, mais ne nous livrons pas au point de nous perdre
nous-mêmes. Il souffle au milieu du monde un vent qui
soulève la poussière, et dont il faut de temps en temps
réparer les dégâts... Si nous ne faisons pas usage de la
brosse, les vers ne manqueront pas de se loger dans nos
habits et de les ronger. D'ailleurs, comment communiquer
une sainteté que soi-même on ne chercherait pas à acquérir ? » Aussi, afin de couronner le travail par le perfectionnement des ouvriers, le supérieur réunissait-il les missionnaires immédiatement après la clôture des exercices, pour
leur signaler les imperfections qu'il avait observées dans
leur conduite, et leur faire à tous ses recommandations [1].
Ces avertissements paternels servaient de contre-poids à des
succès trop souvent éclatants pour n'être pas tentateurs, et
l'humilité qui les accueillait ajoutait à ces victoires sur le
monde ce triomphe sur soi-même, plus rare et plus grand,
selon l'Écriture, que celui des athlètes et des conquérants.

---

[1] « En mission, que l'on ne manque jamais de tenir le chapitre des
coulpes. Que le supérieur punisse les défauts notables, dût-il même renvoyer à la maison le sujet défectueux ; surtout qu'il punisse les fautes
contre l'obéissance, et qu'il en fasse son rapport à moi ou au Père Vicaire général. »
(Lettre circulaire de saint Alphonse à la **Congrégation**.)

CHAPITRE XVII

La parole publique et l'apostolat individuel, ou, pour parler plus simplement, la chaire et le tribunal de la pénitence, occupaient presque exclusivement les journées dont nous venons de décrire la plénitude et l'austérité ; il nous semble donc nécessaire de revenir encore sur le soin que prenait Alphonse pour former ses disciples à ces deux ministères redoutables de la vie sacerdotale.

L'étude sérieuse et approfondie de l'éloquence sacrée était pour lui une des bases indispensables de l'éducation du missionnaire. « Ne croyez pas, disait-il, qu'il faille moins de talent pour un sermon populaire que pour un discours d'apparat. Dans celui-ci l'éloquence s'étale ; dans celui-là elle se cache : voilà la seule différence, et tout juge compétent avouera même qu'il faut plus d'art pour parler simplement que pour discourir avec pompe. » — « Pour bien manier le style simple et apostolique, ajoutait-il encore, il faut avoir fait une bonne rhétorique. Si les Pères grecs et latins savaient adapter leur langage à tous les esprits et à toutes les circonstances, c'est qu'ils étaient passés maîtres dans cet art. Celui qui l'ignore ne fera qu'un sermon sec et sans charme, et ennuiera son auditoire, au lieu de l'instruire et de le toucher. » Tannoia raconte à ce sujet un souvenir personnel qui n'est pas sans intérêt. « Dans ma jeunesse, écrit-

18

il, je m'exerçais à la parole comme les autres élèves, et je cherchais à rendre mes pensées avec toute l'élégance dont j'étais capable; mais un de mes compagnons, le Père Bernard-Marie Apice, critiquait ma manière de faire et ne cessait de me blâmer. Se trouvant un jour avec moi, pendant les vacances, à Ciorani, il en profita pour me prendre à partie et m'accuser devant Alphonse de m'écarter du vrai but de la Congrégation. « C'est un *Segneri* [1], dit-il, tant il est harmonieux et poli. » Tous croyaient que j'allais recevoir une bonne correction, et moi-même je m'y préparais déjà. Il n'en fut rien cependant, et loin de paraître fâché, notre Père m'approuva entièrement. « Lorsqu'on fait ses études, nous dit-il, on doit viser à acquérir tout le talent possible, car il en coûte beaucoup pour monter, et peu pour descendre. Je trouve donc très-bon que vous fassiez votre rhétorique avec soin et selon toutes les règles; plus tard, quand il en sera temps, vous vous habituerez à notre style apostolique, et vous saurez concilier l'art avec le respect dû à la parole de Dieu. » Ce travail, auquel étaient conviés les jeunes gens, si plus tard il changeait de forme, ne devait jamais du reste, dans la pensée d'Alphonse, se ralentir ou s'arrêter. Il n'hésitait pas à condamner l'imprudence de ceux qui montaient en chaire sans avoir étudié leur sujet : « Ces improvisations avilissent la parole sainte et éloignent les fidèles, disait-il, et Dieu, qui n'est pas obligé de faire des miracles, les punit en leur refusant à la fois tout prestige et toute fécondité. » Aussi les jeunes Pères devaient-ils, tant qu'ils n'avaient pas acquis un style clair et correct et une expérience suffisante de la parole, écrire leurs discours, les lui soumettre, et, après les avoir appris par cœur, les prononcer au réfectoire devant leurs compagnons.

La lucidité et la simplicité étaient, dans ces compositions, les qualités principales auxquelles Alphonse leur recommandait de viser. A cette occasion encore, il leur donnait pour modèles les Pères de l'Église, dont il s'était lui-même si

---

[1] Le P. Segneri, de la compagnie de Jésus, prédicateur et écrivain distingué, né en 1624, mort en 1694.

bien approprié la méthode que ses discours revêtaient tout naturellement la forme populaire habituelle dans les premiers siècles. Il comparait au contraire à des « ballons remplis d'air ceux qui, enflés de leur mérite, prononçaient des discours pompeux, inintelligibles pour leur auditoire », et ne craignait pas de les signaler hautement comme des hommes dont il fallait fuir l'exemple. « Ne faites pas comme le Père ***, » disait-il un jour dans un séminaire de Naples, en désignant un prédicateur de renom mort depuis peu de temps; « vous perdriez votre peine, car je ne sache pas que les âmes aient retiré aucun profit de ses sermons. Ce qu'il faut imiter, c'est la simplicité des saints. Puisse le Père ***, pour avoir fardé la parole divine, ne pas pleurer sa vanité en purgatoire jusqu'au jour du jugement!... Lorsque le démon ne peut empêcher la prédication de la vérité, il se sert de ces hommes-là pour en paralyser les effets... Pour moi, j'aurai à rendre compte à Dieu de l'avoir offensé en beaucoup de choses, mais non dans ma manière de prêcher. J'ai toujours parlé de façon à être compris de tous. »

C'est sous l'empire des mêmes idées que, s'il consentait volontiers à ce que les missionnaires prêchassent à l'occasion des fêtes des saints, il ne les autorisait pas à adopter le genre alors en vogue des panégyriques [1], exigeant, là comme partout, des sermons solides, substantiels, où les vertus des saints fussent présentées d'une manière assez nette et assez pratique pour que la femme du peuple la plus simple se sentît portée à les imiter. C'était là le succès auquel on devait prétendre, quelle que pût être, du reste, la distinction de certaines parties de l'auditoire. Peu de temps après leur établissement à Caposele, un des Pères, chargé de faire un discours sur saint Erbert, patron du diocèse, demanda à Alphonse si, en considération de l'Évêque, qui allait entendre pour la

---

1 « Avant d'être prêtre, dit-il une fois, j'assistais à ces sortes de discours; mais je ne me souviens pas qu'ils m'aient jamais fait de bien. Je sortais de l'église comme d'une académie, et je puis même dire que j'ai souvent retiré plus de fruit d'une pièce sacrée jouée au théâtre. »

première fois prêcher un des missionnaires, il ne ferait pas
bien de donner à son style un tour plus recherché : « Soyez
plus clair qu'à l'ordinaire, » telle fut la seule réponse du Saint.

Ceux qui s'éloignaient de cette simplicité exigée dans la
prédication, s'exposaient à recevoir de rudes avertissements.
« Un jour, écrit le Père Caione, je fus mis à genoux, *ad au-
diendum verbum*, et je reçus, pour avoir prêché avec trop
d'apparat, une remontrance dont je me souvins pendant
longtemps. » La leçon donnée à un autre religieux, le Père
Alexandre de Meo, de la maison de Pagani, fut plus sévère
encore. Obligé, un samedi, de remplacer Alphonse, qui avait
été pris d'un accès de fièvre au moment où, selon sa coutume, il allait prêcher en l'honneur de la sainte Vierge, ce
jeune missionnaire, chez lequel une ferveur peu commune
n'avait pas encore étouffé tout germe de vanité, en profita pour se livrer à des considérations érudites, et chercha
à démontrer que la Mère de Dieu avait été honorée avant sa
naissance, par les Druides, les Égyptiens et même les Argo-
nautes et les Sibylles. Alphonse, malgré sa fièvre, s'était
rendu au chœur, et assistait agenouillé au sermon. Il crut
d'abord qu'il s'agissait seulement d'une digression préalable;
toutefois, voyant que le discours se prolongeait sur le même
ton, et que l'auditoire ne devait rien y comprendre, il commença à s'agiter. « Ah! c'est comme cela qu'on prêche ici? »
dit-il en s'adressant aux autres, et, agacé, il quitta sa place
pour aller s'asseoir plus loin. Cependant le prédicateur ne se
lassait pas de faire apparaître des personnages héroïques, et
le mécontentement d'Alphonse croissait à vue d'œil. En vain
retourna-t-il s'agenouiller, son émotion ne se calmait pas, et
on l'entendait se répéter à lui-même : « C'en est trop : je vais
le faire descendre! » En effet, bientôt il ne put plus se contenir, et appelant un des religieux, il le chargea d'ordonner de
sa part au Père de Meo de quitter la chaire à l'instant. L'orateur obéit, et interrompit son discours, qui fut remplacé, au
grand étonnement des fidèles, par le chant du *Tantum ergo* [1].

---

[1] Ce fait n'est pas unique dans l'histoire des saints : saint Philippe de
Néri fit aussi descendre de chaire plusieurs de ses religieux, parce que,

Remontant ensuite tout confus l'escalier de la maison, il rencontra Alphonse, et lui demanda pardon à genoux ; mais le Saint, non content de l'humiliation publique qu'il lui avait infligée, le reprit vivement de l'inconvenance de son discours, et lui imposa comme expiation de garder le silence et de s'abstenir de célébrer la messe pendant trois jours. Cette sévérité porta ses fruits : le Père Alexandre changea de style, et nulle parole dans la Congrégation ne fut à l'avenir plus entraînante et plus féconde [1].

Si Alphonse prohibait les idées recherchées et les figures extraordinaires, il aimait cependant qu'imitant l'Évangile, on empruntât à la vie usuelle des exemples et des comparaisons. « Jésus-Christ, disait-il, était plus fort que nous en rhétorique; or les images qu'il a choisies pour se faire comprendre des foules ont toutes un caractère simple et familier. » Les récits tirés de la vie de saints personnages, les traits frappants ou touchants « qu'on retient, et qu'on raconte ensuite en famille », étaient aussi des moyens d'action qu'il se plaisait à employer. Enfin il donnait pour base à ses démonstrations le témoignage de l'Écriture ou des Pères, qu'il avait toujours soin de mettre au niveau des intelligences les moins développées. Il évitait d'ailleurs scrupuleusement les invectives amères ou les termes offensants à l'usage de certains orateurs du temps, aussi bien que les expressions triviales et sans dignité. « Mes enfants! mes

sans consulter les besoins de leur auditoire, ils traitaient des sujets au-dessus de sa portée.

[1] Le Père Alexandre de Meo, né en 1726, entra à l'âge de dix-neuf ans dans la Congrégation du Saint-Rédempteur. Doué d'aptitudes exceptionnelles pour le travail, il excella, non-seulement dans la théologie et l'étude du droit civil et canonique, mais encore dans les sciences historiques, la numismatique, la paléographie, la diplomatique, etc. Il se livra à de profondes recherches et en publia les résultats dans plusieurs ouvrages importants, dont le plus connu est intitulé : *Annales du royaume de Naples*. Son talent pour la prédication n'était pas moins remarquable, et l'on raconte qu'un soir, à l'issue d'une retraite dans l'église de la Piété de Naples, les chantres furent tellement impressionnés de son discours, qu'ils ne purent accomplir leur office, et mêlèrent leurs sanglots à ceux de la foule. Le Père Tannoia a écrit sur lui une notice dans laquelle il montre que sa sainteté n'était pas au-dessous de ses talents.

frères! » ou encore : « Pauvres pécheurs! » telles étaient les
appellations dont il se servait d'ordinaire. Les locutions ar-
chaïques et abstraites, alors de mode dans la Péninsule,
ne se retrouvaient jamais non plus dans ses discours : « Ce
qui est à sa place dans Boccace, disait-il, ne sied pas aux
prédicateurs de l'Évangile, et beaucoup de ceux qui re-
cherchent les fleurs du Dante iront l'expier dans le purgatoire... Quel bien recueillent les paysans et les pauvres
femmes, dont est composé généralement un auditoire de
missions, des raffinements de ce langage toscan?... de
ces périodes artistement tressées... si longues et si con-
tournées, qu'à moins d'en refaire plusieurs fois la construction, on n'en saurait comprendre le sens?... Je ne voudrais pas répondre, ajoutait-il, qu'il n'y eût pas là une
faute grave. » Les missionnaires devaient donc se servir de
phrases courtes, entrecoupées de temps à autre de pauses
destinées à mieux faire sentir la distinction des preuves
en laissant à la vérité le temps de s'infiltrer dans les esprits. « Les eaux qui se précipitent avec impétuosité, disait
Alphonse, ne pénètrent pas comme une pluie fine qui tombe
doucement. » Les orateurs devaient aussi étudier avec soin
les inflexions de leur voix, baisser le ton, par exemple, dans
les passages familiers, pour réveiller l'attention, mais en se
gardant, là encore, de l'affectation, « toujours impuissante
à augmenter l'effet d'une période. » Quant à celui qui leur
donnait ces conseils, bien qu'il fût le premier à éviter toute
recherche de langage, ses paroles, selon le témoignage de
l'Archevêque de Bénévent, étaient autant de traits trans-
perçant les ames. Il n'était pas rare de voir son auditoire
éclater en sanglots; mais alors, loin d'imiter les prédicateurs du temps, dont la méthode était d'entretenir, au lieu
de les réprimer, des manifestations qu'ils prenaient pour des
victoires, il agitait une petite sonnette, imposait le silence,
et s'arrêtait jusqu'à ce que le calme fût rétabli. Toutefois, il
avait à peine recommencé à parler, que l'émotion reprenait son
cours, sans que des discours souvent prolongés pendant deux
heures parvinssent à fatiguer l'esprit ou à lasser l'attention.

L'ensemble des préceptes que nous venons d'analyser ne visait pas seulement les prédications solennelles, mais devait aussi s'appliquer aux instructions familières données au peuple sous-forme de catéchismes, pendant les missions. Pénétré de l'utilité de ces exercices, Alphonse multipliait à leur sujet des recommandations qui nous révèlent encore sur ce point un des abus du temps : « Qu'on profite, disait-il, de certaines saillies qui naissent naturellement d'un apologue instructif, j'y consens ; mais qu'on ne s'efforce pas d'exciter les rires des assistants, en faisant du catéchisme une scène de comédie ; car cela ne peut s'accorder ni avec le respect dû au saint lieu, ni avec la dignité inhérente à la chaire de vérité. Celui qui agit ainsi se trompe et assume le rôle d'un acteur, en oubliant le caractère d'un ministre de Jésus-Christ. La gaieté qu'il répandra dans son auditoire en éloignera la contrition ; on se souviendra du fait, et l'on oubliera la leçon. » Tel était en résumé l'idéal auquel il poussait ses fils ; mais aussitôt après cette vocation publique, dont la parole est le principal instrument, il leur montrait au premier rang des devoirs du missionnaire le ministère des consciences, cette mission à l'intérieur, si on peut ainsi l'appeler, où l'homme reçoit de Dieu le don de sonder les âmes et la puissance de les ressusciter.

La science, dont le prédicateur ne saurait se passer pour présenter la vérité dans sa beauté et dans sa lumière, était également aux yeux d'Alphonse une des bases fondamentales de cet apostolat ; aussi cherchait-il à convaincre l'esprit de ses jeunes disciples de la nécessité de se préparer par un travail sérieux à devenir, suivant son expression, autant de juges dont les décisions seraient sans appel. Dans ce but, il avait réglé que deux années entières seraient consacrées, sous la direction de professeurs spéciaux, à l'étude de la morale. Aucun système n'était d'ailleurs imposé aux élèves, et chacun était libre d'adopter le point de vue qui lui semblait le plus juste. Il leur était même recommandé de ne jamais embrasser aveuglément une opinion, fût-elle appuyée de noms respectables, et, partout où la loi n'était pas claire, de préférer à l'autorité des auteurs le bon sens [1].

Ces études terminées et couronnées par la réception de l'onction sainte, Alphonse, avant d'autoriser le jeune prêtre à entendre les confessions, tenait à l'examiner lui-même. Cet interrogatoire durait parfois jusqu'à dix ou douze jours. Passant alors en revue ce qu'il avait appris, le Saint, sans se borner à une épreuve de mémoire, pesait avant tout la valeur de son jugement, et si cette faculté ne lui paraissait pas assez développée, ou s'il se montrait trop pressé d'exercer son ministère, lui refusait invariablement des pouvoirs dont, à son avis, il n'était pas digne encore.

Du reste, lors même que l'examen avait été satisfaisant, le candidat ne devait pas considérer son éducation intellectuelle comme achevée, mais se rappeler que l'étude de la morale se prolongeait autant que la vie. Les vétérans de l'Institut étaient tenus, en effet, de revoir sans cesse les matières apprises dans leur jeunesse, et d'assister chaque semaine à une conférence, ou plutôt à un exercice pratique dans lequel un des membres prenait le rôle de confesseur, et un autre celui de pénitent. « Quelques-uns, disait Alphonse en insistant pour le maintien de cet usage, sont forts sur la théorie, mais absurdes dans l'application. Lorsqu'on les interroge, ils répondent avec justesse, et on les prendrait pour des docteurs; mais lorsqu'ils commencent à confesser, ils ne savent plus que dire, s'embarrassent, et mettent à la torture leurs pénitents. »

Cependant la science et la doctrine n'étaient, pour ainsi dire, que des conditions préparatoires, et d'autres qualités essentielles étaient exigées par Alphonse de ceux auxquels il donnait charge d'âmes. La première était un grand respect et une profonde estime de leurs fonctions. « Le confessional, répétait-il, est la pierre de touche du véritable apôtre. Celui qui n'aime pas le confessional n'aime pas les âmes ; car c'est là qu'on leur applique le sang de Jésus-Christ, et

---

[1] *Vita ed Istituto*, p. 245.

qu'on les rétablit dans la grâce. En chaire, on fait du bien aussi ; mais un souffle de vanité peut enlever au prédicateur ses mérites, et le laisser les mains vides. Il n'en est pas de même au confessionnal: la vanité n'y entre pas; la patience s'y exerce, et le prêtre s'y perfectionne comme le pénitent. » L'assiduité devait être la conséquence naturelle et pratique de ce respect du ministère. Aussi, en mission, la règle obligeait-elle les Pères à passer sept heures au confessionnal, sans que les courses et surtout les visites pussent empiéter sur des instants regardés comme sacrés.

Un autre devoir non moins strict du confesseur était d'accueillir avec le même amour toutes les brebis que Dieu lui envoyait. Alphonse condamnait les distinctions ou les priviléges accordés à des pénitents en considération de leur position sociale; il ne permettait pas, par exemple, qu'on sortît du confessionnal pour aller entendre ailleurs un personnage de distinction. « Quant aux dames, ajoutait-il, elles se font faire place elles-mêmes, et ce n'est pas à nous à prendre ce soin. » Il ne faisait d'exception que pour les prêtres, et voulait que si l'un d'eux demandait à parler au missionnaire, celui-ci s'empressât d'aller le recevoir dans un lieu convenable et retiré.

Après l'assiduité et l'égalité dans la charité, Alphonse insistait sur la nécessité de garder une juste mesure entre deux extrêmes également capables, disait-il, d'entraîner la perte des âmes : la rigueur indiscrète et le relâchement [1]. Apprenait-il qu'un confesseur péchait par trop d'indulgence, il le faisait venir et le blâmait énergiquement; mais il n'était pas moins fortement opposé à ce « zèle rigide qui détruit au lieu d'élever ». « Le Seigneur, disait-il à ce propos, n'entend pas qu'on travaille à sa gloire en rendant le joug de sa loi plus pesant qu'il ne l'a fait lui-même... Si le relâchement porte préjudice aux âmes, la sévérité excessive ne leur est pas moins fatale... Nous sommes dans un temps où, pour paraître chrétien, l'on croit devoir ne parler que de

1 *Vita ed Istituto*, p. 245.

rigueur, bien que fort peu en veuillent user pour eux-
mêmes ; on se trompe étrangement... L'esprit âpre et amer,
qui distingue ces novateurs, et leur doctrine janséniste font
bien du mal. Certes, ce ne fut pas là l'esprit de Jésus-Christ
ni de ces hommes apostoliques que nous vénérons sur les
autels. Nous devons témoigner de la haine pour le péché,
mais une grande indulgence pour le pécheur. Parfois, sans
doute, il faut se servir de termes accentués pour lui faire
connaître l'étendue de son mal ; mais si ces expressions sont
énergiques, qu'elles n'aillent jamais jusqu'à la dureté, et
qu'au contraire de douces et affectueuses paroles les accompagnent toujours [1]... Jeter les pécheurs dans le désespoir, en faisant dominer à leurs yeux la justice de Dieu
sur sa miséricorde, c'est tomber dans une grave erreur.
S'ils se croient dans une situation désespérée, au lieu de
recourir au Seigneur, ils se livreront de plus en plus au
péché et se plongeront dans l'enfer... Dieu cependant veut
nous sauver tous, et la damnation éternelle n'est réservée
qu'aux endurcis. » Il conseillait même aux Pères de sortir
du confessionnal lorsqu'ils se sentaient surexcités ou de
mauvaise humeur, de crainte que, rebutant les âmes faibles
par leur « fâcheuse disposition », ils ne « fissent commettre
plus de sacriléges qu'ils n'absolveraient de pénitents »; ils
devaient alors dire au supérieur qu'ils étaient souffrants, ce
qui ne serait en aucune façon manquer à la vérité, assurait-
il, car « un hypocondriaque est plus malade que qui que ce
soit ». Loin donc de jamais décourager le pénitent, il fallait,
à force de bonté et de douceur, gagner sa confiance, l'amener à découvrir toutes ses misères, et lui montrer seulement
lorsque la confession était terminée la gravité de ses fautes,
pour lui faire accepter de bon cœur la pénitence qu'il avait
méritée [2].

Mais la miséricorde a une sœur, sans laquelle elle ne peut
jamais s'exercer utilement, la prudence. Alphonse exhortait les confesseurs à réfléchir mûrement avant d'absoudre

1 *Vita ed Istituto*, p. 243.
2 *Ibid.*, p. 244.

les pécheurs habitués aux rechutes, et les mettait en garde
contre l'illusion « de larmes, disait-il, souvent trompeuses[1] » ;
mais il recommandait néanmoins, « lors même qu'on ne peut
leur donner l'absolution, d'accueillir ces âmes avec charité,
de leur signaler le danger de leur état, en leur persuadant
qu'elles peuvent en sortir, et de les encourager à revenir au
confessionnal. » Il n'admettait pas, du reste, qu'à moins de
circonstances exceptionnelles, des confesseurs pussent, sous
le spécieux prétexte d'éprouver leur constance ou d'attendre
leur avancement, imposer à leurs pénitents de longs délais
avant de les admettre aux sacrements. Au lieu d'accélérer
leur marche, c'était risquer, selon lui, de lasser leur persévérance, et peut-être même les éloigner du but.

D'autres rapports étaient encore pour Alphonse l'objet de
plus de sollicitude et de plus de circonspection. Il n'accordait
pas avant trente ans la permission de confesser les femmes,
en exigeait quarante, avec des qualités spéciales, pour entendre les religieuses, et lorsqu'il voyait un confesseur trop
entouré et trop recherché, en particulier par les jeunes filles,
le faisait invariablement changer de maison. Une de ses
maximes habituelles était que ce qui paraît d'abord zèle et
charité devient souvent avec le temps passion et désordre :
« Les femmes sont comme la glu, disait-il ; si l'on n'y prend
garde, on peut facilement passer de l'esprit à la chair. »
Aussi les Pères devaient-ils éviter soigneusement toute démonstration inutile, toute ombre de familiarité, conserver
une gravité soutenue, congédier leurs pénitentes aussitôt
l'absolution donnée, et quand ils allaient confesser chez
elles des femmes malades, laisser la porte de la chambre
entr'ouverte, de manière à pouvoir toujours être vus de leur
compagnon. Alphonse, enfin, ne demandait pas moins de
prudence et de tact pour la confession des enfants. Il défendait de les entendre ailleurs qu'à l'église ou dans un lieu public, et de leur faire aucune caresse. « Ce sont des anges,
répétait-il ; mais si on leur en donne l'occasion, ils peuvent

[1] *Vita ed Istituto*, p. 244.

devenir des démons. » Il exhortait à être très-circonspect en
ce qui concerne le sixième commandement, surtout avec les
petites filles, et à ne point faire de questions trop multipliées, dans la crainte d'enseigner aux enfants ce qu'ils ne
connaissaient pas. « Dans ces matières, disait-il, de la science
à l'acte il n'y a qu'un pas. Il vaut mieux les laisser simples et
ignorantes que de les instruire trop bien. Il suffit de leur faire
concevoir en général de l'amour pour la pureté et de l'horreur
pour le vice opposé. »

Savoir, assiduité, charité, douceur, prudence, telles
étaient donc, d'après Alphonse, les vertus principales du
confesseur. Des recommandations plus précises encore relatives à la pénitence sacramentelle et à la communion complétaient son enseignement sur cette partie du ministère
sacré. Il voulait que les pénitences fussent courtes, afin d'é-
carter, avec la tentation de les omettre, le danger de transformer l'expiation elle-même en une nouvelle cause de
chute, et aux défenseurs de l'opinion opposée, il répondait
« qu'une pénitence est suffisante dès qu'il s'y joint pour
le pécheur la condamnation intérieure de sa conscience ».
Celles qu'il préférait étaient l'assistance à la messe, la visite
au saint Sacrement ou à une image de la sainte Vierge, la
lecture ou la méditation des vérités éternelles et surtout de
la Passion. Il trouvait bon aussi que l'on engageât à pratiquer avec discrétion certaines mortifications corporelles,
tout en défendant d'en faire une obligation. Quant à la communion, le moyen le plus puissant à ses yeux d'assurer la
persévérance et le progrès, il désirait ardemment la voir reprendre parmi les pratiques chrétiennes la place qu'elle occupait aux premiers âges, et encourageait de toutes manières
les efforts dans ce sens qui commençaient dès lors à se manifester autour de lui. « Il y a quelque temps, écrivait-il en
le déplorant, l'usage de la communion était tellement restreint que l'on s'étonnait quand des laïques, même ceux qui
menaient une vie sainte, communiaient tous les huit jours;
aujourd'hui cette habitude n'excite plus aucun étonnement... L'expérience a démontré clairement que celui qui

reçoit la communion toutes les semaines, ou au moins tous les quinze jours, tombe difficilement dans le péché mortel, tandis qu'en retour celui qui la diffère plus longtemps se maintient avec peine dans la grâce de Dieu [1]. » — « Le concile de Trente, ajoute-t-il ailleurs, appelle ce sacrement l'antidote qui nous délivre des fautes quotidiennes et nous préserve des péchés mortels. C'était certainement aussi pour les préserver des rechutes que les apôtres accordaient la communion quotidienne aux premiers chrétiens, bien qu'il y eût sans doute parmi eux des âmes imparfaites..., comme il ressort des épîtres de saint Paul et de saint Jacques. L'Église, dans ses prières, demande que tout ce qu'il y a de vicieux en nous soit guéri par la vertu de ce sacrement [2]; ne devons-nous pas en conclure que la communion a été aussi instituée pour les imparfaits, afin que par la puissance de cette nourriture ils obtiennent leur guérison? [3] » Il blâmait donc énergiquement certains confesseurs du royaume de Naples qui, entachés de jansénisme, requéraient de leurs pénitents des dispositions dont il serait à souhaiter, disait-il, « qu'ils eussent eux-mêmes la moitié, et qui mettaient leurs soins à écarter les fidèles de la communion, oubliant que pour aller à Dieu la voie la meilleure ne pouvait être de s'éloigner de lui ». Ces pauvres âmes si fatalement dirigées lui inspiraient une grande compassion, et il les comparait à une ville assiégée forcée de se rendre parce que ses aqueducs ont été rompus. Tout autre, en effet, était son système, et, convaincu de l'efficacité de la communion, il ne se croyait pas autorisé à la refuser une fois par semaine, même aux personnes dont l'attache au péché véniel n'était pas détruit [4]. La communion hebdomadaire ne méritait pas du reste, selon

---

1 *Réponse apologétique sur la communion fréquente*, Rome, 1762.

2 In postcomm. Dom. xxiii p. Pent.

3 Voir *Instruction et pratique pour les confesseurs*, 3 vol. in-8°, publiés par saint Alphonse en 1755.

4 « Quant aux personnes qui commettent ordinairement des péchés véniels délibérés, sans qu'on voie en elles ni amendement ni désir de s'amender, il sera bon de ne pas leur permettre la communion plus d'une fois par semaine. » (*Réponse apologétique sur la communion fréquente*,

lui, le nom de communion fréquente. « Il est vrai, disait-il, que lorsqu'une personne engagée dans les affaires du monde communie tous les dimanches, on a coutume de dire qu'elle *fréquente* les sacrements; mais, absolument parlant, la communion fréquente est celle qui se fait plusieurs fois par semaine[1]. » C'était à ce salutaire usage, et même à la communion quotidienne[2], qu'il désirait amener les âmes fidèles; cependant une semblable grâce ne pouvant être accordée indistinctement à toute personne exempte de péché, et exigeant des dispositions spéciales, il voulait que le confesseur se réglât dans la concession de cette faveur sur les fruits recueillis par ses pénitents; mais il ajoutait que, quant à lui, il constatait d'ordinaire que les progrès étaient en raison même de l'augmentation des communions[3].

On reconnaît dans ces conseils l'esprit de sagesse et de prudence qui, présidant depuis près de trente ans au gouvernement de la Congrégation, l'avait aidée à surmonter tant d'obstacles et à vaincre tant d'ennemis. Si nous jetons un regard en arrière, que de progrès, en effet, ne voyons-nous pas accomplis, depuis le jour où Alphonse s'installait avec quelques amis dans le petit couvent abandonné de Scala! Cent vingt religieux, parmi lesquels des hommes d'un talent remarquable et d'une sainteté éprouvée, se groupaient maintenant autour de lui; un nombre considérable d'étudiants, sous la conduite de maîtres habiles, promettait à l'Institut un avenir plus prospère encore; enfin, et c'était là surtout ce qui réjouissait le fondateur, ses enfants recueillaient dans toutes les régions du royaume d'abondantes moissons. En

Rome, 1762.) .. « Tout ce qu'on pourra leur permettre sera de communier tous les huit jours, afin qu'elles reçoivent au moins les forces suffisantes pour ne pas tomber dans des péchés graves. » (*La Véritable Épouse de Jésus-Christ*, ch. XVIII.)

[1] Voir l'appendice à l'*Instruction pour les confesseurs*, 6ᵉ édition, Naples, 1705.

[2] « Excepté pour l'ordinaire un jour de la semaine, selon la coutume de plusieurs bons directeurs. » (Appendice à l'*Instruction pour les confesseurs*.)

[3] *Réponse apologétique*, Rome, 1762.

effet, les maisons de Pagani et de Ciorani envoyaient des missionnaires dans la Principauté Citérieure, dans presque tous les diocèses de la *Campagna*, et dans la ville même de Naples; la *Consolazione* d'Iliceto évangélisait, outre les villages et les métairies du *Tavoliere reale*, la Capitanate, la province de Bari et celle d'Otrante; la *Mater Domini* de Caposele étendait son action sur la Basilicate et la Principauté Ultérieure; le couvent de *Sant-Angelo*, près de Bénévent, pourvoyait aux besoins d'une partie de la Terre de Labour et des Abruzzes; tandis que celui de Girgenti était un foyer de salut pour la Sicile, et que ces six maisons réunies fournissaient tour à tour des apôtres aux Calabres.

La confiance qu'inspiraient les Pères était en rapport avec ce développement si longtemps inespéré. On ne pouvait suffire à toutes les demandes des Évêques ou des monastères qui sollicitaient des missions ou des retraites, et le roi lui-même en réclamait de temps à autre pour l'école militaire, où le Père de Meo vit plusieurs fois, à la suite de ses sermons, des jeunes gens de familles nobles renoncer, pour se faire religieux, aux espérances d'un brillant avenir.

L'apostolat intérieur était aussi en pleine floraison. A Ciorani seulement, on comptait chaque année, à l'époque des Quatre-Temps, de cent trente à cent cinquante séminaristes qui venaient de quatorze diocèses des environs pour s'y préparer aux ordinations. Les Évêques du voisinage[1], tantôt seuls, tantôt accompagnés par la moitié de leur clergé, que l'autre moitié ne tardait pas à remplacer, des religieux de tous ordres, des grands seigneurs, des princes, des militaires de haut rang se retiraient, à différentes époques, dans l'une ou l'autre des maisons de l'Institut pour y faire des retraites. Enfin, ce qui achève de peindre la situation morale des Pères devant l'opinion, le roi, lorsqu'il avait à se plaindre de quelque personnage important, ecclésiastique ou séculier, ne trouvait rien de meilleur pour lui inspirer de salutaires réflexions que de l'envoyer faire un séjour plus ou

---

[1] Les Évêques de Sanseverino, de Nocera, della Cava, de Trevico, d'Ostuni, de Lacedogna, de Melfi, etc.

moins long chez les missionnaires. L'impression produite par
les exercices auxquels on s'y livrait était, en effet, immense,
prodigieuse, peut-on dire, et opérait souvent les plus extraordinaires transformations. On vit tour à tour, par exemple,
de jeunes séminaristes, au moment de recevoir les ordres,
déposer, après avoir entendu parler de devoirs dont ils
n'avaient pas jusque-là compris toute la gravité, l'habit
ecclésiastique dont ils étaient déjà revêtus, reconnaissant
qu'ils n'étaient pas appelés à un état aussi parfait ; un Évêque [1] prendre, à l'issue d'une retraite, la résolution coura-
geuse d'abandonner son siége pour entrer dans un ordre
spécialement voué à l'expiation ; un religieux bénédictin,
sous l'empire d'une émotion non moins vive, faire tout haut,
devant une centaine de témoins, la confession de ses fautes ;
enfin un autre, de l'ordre des Augustins, qui avait d'abord
raillé cet acte d'humilité, bientôt contraint par la grâce à le
suivre et à l'imiter : triomphes de la foi, dont la vertu des
fils d'Alphonse était, après la miséricorde divine, la source
et l'inspiration !

Tel était l'état de la Congrégation et l'ensemble de ses
travaux au moment où la couronne épiscopale, décernée
malgré lui à son fondateur, par le pasteur suprême de l'É-
glise, allait faire rejaillir sur elle un nouvel éclat.

---

[1] M⁅ʳ Barta, évêque de Melfi. Le Père Cafaro, qui était son confesseur,
s'opposa à ce dessein, plus généreux que réfléchi.

LIVRE III

DEPUIS L'ÉLÉVATION D'ALPHONSE A L'ÉPISCOPAT JUSQU'A SON RETOUR

DANS LA CONGRÉGATION

1762-1775

CHAPITRE I

Sainte-Agathe-des-Goths est une petite ville de la Principauté Ultérieure, située aux confins de la Terre de Labour, près du mont Taburno, entre Bénévent et Capoue. Fort obscure et ignorée aujourd'hui, elle n'en a pas moins son histoire, comme chacune des parties de cette péninsule italienne dont on a pu dire avec vérité que toutes les mottes de terre étaient illustres. Elle s'élève, en effet, sur les ruines de l'ancienne Saticola, patrie, s'il faut en croire Virgile, d'un peuple farouche [1], et champ de bataille des Romains·dans leur guerre contre les Samnites, sous le consulat de Valerius et de Cornelius [2]. Rasée sous la dictature de Sylla, elle fut reconstruite et repeuplée par des colonies samnites, et, selon une tradition qui n'est pas sans valeur, reçut, comme Bénévent et Capoue, de saint Pierre arrivant d'Orient les premiers rayons de l'Évangile. Au v⁰ siècle, les Goths, trouvant la position favorable, s'y établirent et lui donnèrent le nom qu'elle porte aujourd'hui [3]. Les Lombards, qui vinrent

1 *Énéide*, liv. VII.

2 *Tite-Live*, liv. VII, ch 32.

3 Les Goths semblent avoir eu pour sainte Agathe une vénération spéciale dont il est assez difficile d'établir l'origine. Peut-être d'ailleurs n'a-t-elle d'autre point de départ que les prétendus droits élevés par les Goths à la possession de l'église de Sainte-Agathe *in Suburra*, à Rome, que Ricimer, gendre de l'empereur Anthemius et consul en 459, avait réparée et ornée. Cette église resta, en effet, au pouvoir des ariens pendant tout

après, la fortifièrent à leur tour, afin qu'elle servît de défense à Bénévent, un de leurs principaux centres; mais, au
xiie siècle, sous la domination normande, Roger II, pour la
punir d'avoir embrassé le parti du comte d'Averse, son com-
pétiteur, détruisit ses murs et son château; Charles d'Anjou
enfin s'en empara au moment d'attaquer Manfred, et l'on
désigne encore l'église de Saint-Menna comme le lieu où il
vint demander à Dieu la victoire. Dès 971, Sainte-Agathe
fut érigée en siége épiscopal. Madelfido, prêtre de Bénévent,
en fut le premier Évêque et inaugura la série de pontifes
parmi lesquels devaient figurer deux hommes illustres à
des titres divers, Sixte-Quint et saint Alphonse de Liguori.
A l'époque dont nous nous occupons, ce siége était vacant
depuis près de cinq mois, et le Pape Clément XIII avait
d'autant plus de peine à faire un choix parmi les soixante
candidats qui, dit-on, étaient en présence, que les plus puissamment protégés ne lui paraissaient pas les plus dignes.
Dans cet embarras, il eut recours à l'ancien Archevêque de
Naples, le Cardinal Spinelli, qui l'engagea à désigner un
personnage dont les mérites exceptionnels feraient cesser
toutes les compétitions, et lui proposa le Père de Liguori.
Le Pape, sans hésiter, adopta cette pensée, s'empressa de
la communiquer au nonce accrédité auprès de la cour des
Deux-Siciles, et ordonna à l'un des prélats de son entourage, Mgr Negroni, d'annoncer au Recteur des missionnaires du Saint-Rédempteur sa nomination à l'évêché de
Sainte-Agathe.

Pendant ce temps, Alphonse était à Pagani, et bien loin
assurément de prévoir le sort qui l'attendait; car un jour,
au moment même où l'affaire se traitait au Vatican, causant
avec l'Évêque de la Cava de son bonheur d'avoir embrassé la
vie religieuse : « Dieu m'a fait la grâce, lui disait-il, d'échapper par là à un péril que j'aurais difficilement évité en restant dans ma famille, celui de l'épiscopat; » et il ajoutait que

le temps de leur domination à Rome, et ce fut le pape saint Grégoire qui
y rétablit le culte catholique. Elle est encore désignée aujourd'hui sous
le nom de Sainte-Agathe-*des-Goths*. (*Boll.*, feb. I, p. 6?6, édit. Palmé.)

le Père Pagano, le confesseur de sa jeunesse, aurait été le premier à le pousser dans cette voie. Quelles ne furent donc pas sa surprise et sa douleur lorsque, dans la matinée du 9 mars 1762, on lui remit deux dépêches, l'une du nonce de Naples, et l'autre de M⁸ʳ Negroni, qui le prévenaient de son élévation au siége de Sainte-Agathe! Confondu, atterré, il fondit en larmes, sans pouvoir adresser une parole à la communauté accourue auprès de lui, ni exprimer autrement que par son agitation la douleur qui envahissait son âme. Bientôt cependant il reprit ses sens, et ne voulant voir dans cette nomination qu'une marque de l'estime du Saint-Père, il espéra qu'un simple refus suffirait pour conjurer le danger. Telle était aussi la pensée de ses compagnons. « Rassurez-vous, lui disait notamment le Père Ferrara; on accepte facilement les renonciations de ce genre. Souvenez-vous de ce qui a eu lieu pour Palerme; vous avez décliné l'offre, et on vous a laissé en repos. » Alphonse se consola donc, et sans tarder davantage prit la plume pour demander à M⁸ʳ Negroni de vouloir bien exposer au Pape, en lui transmettant ses plus humbles remercîments, son incapacité, son grand âge, son vœu de n'accepter aucune dignité, le scandale qu'il causerait en manquant à cet engagement, tous les motifs enfin sur lesquels devait, selon lui, se baser son refus; cela fait, il expédia le message, et demeura si calme et si confiant, qu'il dit en riant à l'un des Pères : « Voyez donc! cette bourrasque m'a enlevé une heure de mon temps et quatre ducats de ma bourse! » Puis, après un instant de silence : « Je n'échangerais pas, reprit-il, la Congrégation contre tous les États du Grand Turc! »

Le même jour, du reste, afin de ne négliger aucun moyen de succès, il écrivit au Cardinal Spinelli, lui raconta ce qui s'était passé, et, insistant particulièrement sur son vœu, lui développa les raisons qui avaient dicté sa réponse : « Si je voyais un des nôtres accepter un évêché, disait-il, j'en verserais des larmes de sang! Quelle honte serait-ce donc si j'en donnais moi-même l'exemple? Je croirais mon salut compromis, et je me considèrerais comme déjà châtié à cause de

mes péchés et de mon excessif orgueil. » Mais cette lettre se
croisa avec un autre pli qui devait jeter Alphonse dans une
angoisse nouvelle. Le lendemain, en effet, il recevait une
missive de celui à qui il venait de confier ses douleurs, c'est-à-
dire du Cardinal lui-même qui, après un exposé sommaire
des difficultés dont le Saint-Père avait été si longtemps
assiégé, lui exprimait la joie du Pontife d'être enfin arrivé à
la plus heureuse solution : « Plus tard, continuait le prélat,
ces complications n'existeront plus, et vous serez libre de
conserver ou d'abandonner l'évêché, comme vous le jugerez ·
bon. »

Ce fut alors seulement qu'Alphonse comprit les oppositions dont il faudrait triompher; aussi, ne comptant plus
que sur la prière, multiplia-t-il ses oraisons, ses veilles et ses
jeûnes, et conjura-t-il ses enfants d'intercéder à leur tour,
afin d'apaiser le Seigneur, irrité sans doute contre lui. Il
attendait avec une impatience fébrile la réponse de Rome,
tout en redoutant de plus en plus le retour du courrier. « Si
vous le voyez paraître, disait-il aux Pères Mazzini et Ferrara, ne me le montrez pas; je croirais voir le bourreau, sa
hache en main. » Mais son amour pour la volonté divine
dominait toujours ses répugnances, car le Père Mazzini lui
ayant demandé un jour : « Que ferez-vous si le Pape vous
commande? — J'obéirai! répondit-il en baissant la tête;
fiat voluntas Dei! » Et il écrivait en même temps à son frère
Hercule : « J'attends que Dieu me montre sa volonté. Je suis
prêt à la faire et à lui consacrer, selon qu'il lui plaira, le
peu de jours qui me restent à passer sur la terre. »

Cependant le diocèse de Sainte-Agathe n'avait pas moins
hâte peut-être de connaître la décision du Saint-Siége au
sujet du choix de son premier pasteur. L'attente était générale, et le vicaire capitulaire [1] faisait célébrer solennellement dans chaque église des triduo auxquels le peuple accourait en foule, lorsque le bruit se répandit dans le pays
que le Pape avait désigné pour évêque le Père de Liguori.

[1] Don Rainone.

La joie fut indicible; mais non moins grande fut la consternation quand on apprit que l'humble missionnaire, déclinant l'honneur de l'épiscopat, avait envoyé à Rome des instances devant lesquelles le désir du Pape était au moment de fléchir. En effet, cédant aux prières du Cardinal Spinelli lui-même, que les raisons d'Alphonse avaient convaincu, Clément XIII, fort mécontent d'abord du refus qui lui était opposé, finit par se résigner à choisir pour Sainte-Agathe un autre pasteur. Cette disposition d'esprit ne fut pas, il est vrai, de longue durée : deux jours s'étaient à peine écoulés que le Pape faisait appeler le Cardinal, et lui disait, sans que rien pût expliquer la cause de ce changement : « Décidément mon parti est pris, et j'ordonne au Père de Liguori d'accepter. » Aussitôt après, il enjoignit à Mgr Negroni d'expédier dans la soirée les lettres de commandement. Vainement celui-ci voulut-il essayer une observation : « J'entends que ce soit, » répondit Clément XIII d'un ton d'autorité. Tout céda devant cette affirmation réitérée de la volonté pontificale, dans laquelle le Cardinal Spinelli reconnut la voix de Dieu [1].

Ce fut le 18 mars 1762, vers six heures du soir, qu'on vit reparaître à Pagani le messager dont la venue y avait causé, quelques jours auparavant, tant d'émotion. Il fut reçu par les Pères Ferrara et Mazzini, qui, selon les instructions données par Alphonse, ouvrirent le pli dont il était porteur. C'était la lettre de Mgr Negroni. Le prélat y transmettait au Père de Liguori les félicitations du Souverain Pontife pour la sollicitude qu'il témoignait à sa Congrégation; mais

[1] Voici comment le secrétaire du cardinal Spinelli, l'abbé Bruni, racontait à l'évêque de la Cava ce remarquable incident : « Le Pape paraissait décidé *tempore habili* à recevoir la renonciation; mais hier matin, *ex se et quo Spiritu ductus*, sans que nous sachions la cause de ce changement, il ordonna à Mgr l'Auditeur d'expédier les lettres de commandement, ce qui a été exécuté ce soir par l'entremise de Mgr le Nonce. L'Auditeur, ayant fait au Pape je ne sais quelle réflexion, *Lo voglio et quidem*, a-t-il répondu d'un ton d'autorité. Le cardinal Spinelli, ne comprenant rien à tout ceci, a baissé la tête en disant : « Dieu le veut; la voix du Pape est la voix de Dieu. » Du reste, la lettre de l'Auditeur sera conçue en des termes dignes d'un religieux aussi savant et d'une aussi haute naissanc que le Père de Liguori. »

il lui annonçait en même temps que ses raisons n'avaient point paru suffisantes pour motiver un changement dans les résolutions du Saint-Père, lequel, le déliant de son vœu de n'accepter aucune dignité ecclésiastique, lui enjoignait de se soumettre sans délai à sa nouvelle mission. « Je suis chargé, disait-il en se résumant, de vous informer que la ferme intention du Saint-Père est que, faisant trêve à toute objection ou toute excuse nouvelle, vous acceptiez la charge qu'il vous impose. Votre zèle y trouvera un vaste champ pour s'exercer, et vous pourrez non moins utilement que dans votre Congrégation travailler au service de Dieu et au salut des âmes. »

Le cœur brisé par la lecture de cette dépêche, les deux religieux se rendirent chez Alphonse, et, sans avoir encore le courage de lui dévoiler la vérité : « Mon Père, lui dirent-ils, récitons ensemble l'*Ave Maria.* » Alphonse s'agenouilla ; mais, la prière terminée, il demanda avec émotion si le courrier était revenu. « Hélas ! oui, répondirent les Pères, et le Pape vous commande d'accepter. » A ces mots, levant les yeux au ciel : « *Obmutui quoniam tu fecisti,* s'écria le Saint. C'est la volonté de Dieu. Mes fautes ont comblé la mesure. Il me chasse de la Congrégation. » Et se tournant vers les religieux : « Oh ! mes frères, ajouta-t-il, vous ne m'oublierez point, n'est-ce pas ?... Fallait-il donc nous séparer après nous être aimés pendant trente ans ! » Il n'en put dire davantage ; la voix lui manqua, et ses larmes se mirent à couler. En vain les Pères Mazzini et Ferrara cherchèrent-ils à lui faire entrevoir encore la possibilité d'échapper à l'épiscopat par le crédit de ses amis de Rome : « Il n'y a plus rien à faire, reprit-il. Le Pape a parlé en termes trop absolus ; je dois obéir. » Son angoisse était telle pourtant qu'en achevant ces paroles il perdit connaissance, et ne revint à lui que plus de cinq heures après ; mais son sacrifice était fait : il n'hésita plus, et, prenant la plume, écrivit à Naples et à Rome qu'il était prêt à se soumettre à tous les désirs du Souverain Pontife.

Don Hercule de Liguori en fut bientôt informé ; fier pour

sa maison de voir son frère monter sur le trône épiscopal, il s'empressa de lui exprimer sa joie et ses félicitations. La réponse d'Alphonse contenait, on le croira sans peine, l'écho de sentiments fort différents : « Mon cher Hercule, disait-il, je suis encore comme étourdi de l'ordre que m'a donné le Pape, et mes idées m'abandonnent en songeant que je dois me séparer de la Congrégation dans laquelle j'ai vécu pendant trente ans. Quant à l'offre que vous me faites de m'avancer de l'argent, je vous en remercie. J'avais pensé, il est vrai, à écrire au Saint-Père que je ne saurais comment pourvoir aux bulles et aux autres dépenses de première nécessité, et qui sait si ma pauvreté ne m'aurait pas délivré de l'épiscopat? J'avais demandé aussi au Cardinal Spinelli qu'il m'aidât à me décharger de ce fardeau; mais il a fait tout le contraire. Que voulez-vous que je dise?... Vous vous réjouissez, et moi je pleure; j'ai perdu le sommeil et l'appétit; je n'ai même plus l'usage de mes sens. Ce matin, la fièvre m'a repris, et ce soir, pendant que je vous écris, je la sens encore... Je me demande d'où vient que l'épiscopat était réservé à ma vieillesse, et comment il se fait que le Pape m'ait imposé une loi à laquelle d'ordinaire il ne soumet personne; mais que la volonté de Dieu soit faite, et puisqu'il exige que mes dernières années soient un martyre, je me sacrifie à son bon plaisir. »

Cependant cette fièvre dont parlait Alphonse, et qu'on avait crue d'abord sans gravité, se compliqua de symptômes alarmants. Les Évêques de Nocera et de la Cava, accourus près de lui, multipliaient leurs soins et leur dévouement; mais, si la cause de sa souffrance ne leur paraissait pas douteuse, le remède leur était inconnu. Le mal qui pesait sur le Saint était de ceux devant lesquels viennent échouer à la fois la science et l'amitié. « Justes jugements de Dieu! répétait-il sans cesse, le Seigneur me chasse de la Congrégation à cause de mes péchés! » et la seule pensée qui pût calmer quelque peu son tourment était l'espoir de revenir un jour habiter au milieu de ses enfants. « Oui, Dieu s'apaisera, disait-il à l'Évêque de Nocera; dans quelques années peut-

être il inspirera au Pape la pensée de choisir un bon
Évêque pour Sainte-Agathe, et plaise alors à sa miséricorde
de me renvoyer mourir dans ces murs dont je vais maintenant m'éloigner! » Le mal pourtant augmentait toujours, et
la mort semblait imminente. Les religieux de Ciorani se rendirent en toute hâte près de leur Père; mais celui-ci, sans se
rendre compte du but de leur visite et toujours sous l'empire
de sa poignante préoccupation, leur demanda en pleurant
s'ils étaient « venus pour le chasser de la Congrégation ».
Enfin, au milieu de cette scène attendrissante, et comme
pour ajouter encore au déchirement des assistants, arriva
une députation des habitants de Sainte-Agathe, chargée
d'apporter à Alphonse, avec les remercîments du clergé et
des fidèles, l'expression de la joie qui avait accueilli son ac-
quiescement au choix du Saint-Père. On juge du désespoir
des envoyés en trouvant leur pasteur mourant, et du deuil
que leur retour jeta bientôt dans tout le diocèse, où les
prières publiques recommencèrent aussitôt. La triste nouvelle était déjà arrivée d'ailleurs jusqu'à la capitale. Don
Hercule était accouru à Pagani, amenant un médecin, auquel,
pour tout détail sur son état, Alphonse se contenta de dire :
« Je suis sous la main de Dieu. » A Rome, l'inquiétude
n'était pas moins grande. Le Pape, qui venait précisément
de féliciter le missionnaire de sa prompte obéissance, se
montra vivement affecté, sans penser toutefois à revenir
sur une résolution qui ne lui avait été dictée que par sa
conscience. « Si le Père de Liguori doit mourir, dit-il, nous
lui envoyons notre bénédiction apostolique; mais s'il guérit,
il n'en doit pas moins se rendre auprès de nous. »

Cette guérison, dont Clément XIII était seul peut-être à prévoir la possibilité, fut aussi soudaine du reste que l'avait été
l'invasion de la mystérieuse maladie. Crise dernière d'une âme
troublée par la frayeur des responsabilités qui l'attendaient,
elle s'évanouit sous le souffle miséricordieux d'un amour
qui sur le cœur d'Alphonse était plus puissant que toute
crainte! Peu à peu le calme rentra dans son esprit; ses
forces revinrent, et, sa volonté reprenant son ancienne éner-

gie, on l'entendit se répéter à lui-même : « Dieu veut que je sois Évêque; eh bien ! soyons Évêque ! »

Le samedi saint, 10 avril, il reparut en chaire, prêcha, comme il ne manquait jamais de le faire, en l'honneur de la sainte Vierge, et adressa les plus touchants adieux aux fidèles de Pagani, qu'il supplia de l'aider par leurs prières à porter son nouveau fardeau, leur promettant en retour de ne les oublier jamais. A ces paroles, chacun fondit en larmes, et, non moins ému que son auditoire, Alphonse ne put s'empêcher d'ajouter : « Ne vous affligez pas de mon départ, mes enfants bien-aimés, *et tenez pour certain que je reviendrai mourir parmi vous.* »

Tout était dit; le lendemain matin, jour de Pâques, désireux de mettre à profit un temps d'arrêt dans ses souffrances, le Saint loua une *mantice*, modeste véhicule alors en usage, et, accompagné du Père Villani, prit la route de Naples, non sans nourrir encore l'espoir qu'à la vue de ses infirmités le Pape comprendrait enfin combien il était incapable de porter la mitre. S'étant arrêté, en effet, à Torre dell' Annunziata [1], dans le palais des seigneurs de Gargano, amis de vieille date qui avaient sollicité la faveur de lui offrir l'hospitalité, et s'entretenant avec eux des intentions du Souverain Pontife à son égard : « Mes représentations n'ont rien obtenu de loin, leur dit-il; mais de près elles seront plus puissantes. Le Saint-Père ne trouvera en moi qu'un squelette bon à rien [2], et me renverra mourir près de mes frères. » Et un autre jour, s'adressant à des religieuses : « On m'appelle déjà *Illustrissime,* s'écria-t-il en riant; mais quand le Saint-Père me verra si vieux et si cassé, il ne pourra retenir cette exclamation : Va-t'en, l'évêché n'est pas pour toi; et je me retirerai tout honteux. »

A Naples, pourtant, chacun le traita en Évêque. Le Nonce, le Grand-Aumônier, le Cardinal, aussi bien que les

---

[1] Torre dell' Annunziata, petite ville de la province de Naples, située au pied du Vésuve et à 19 kil. S.-E. de la capitale, près de l'ancienne Pompéi.

[2] *Un sacco di ossa, insufficiente a tutto.*

régents et les quatre secrétaires d'État, lui prodiguèrent les
marques de leur vénération ; le marquis Tanucci lui-même
ne fut pas en retard, quoiqu'il ne pût pardonner au nouveau
prélat d'avoir accepté des mains du Pape l'évêché de Sainte-
Agathe, après avoir refusé le siége de Palerme des mains
du roi. Enfin les hommages d'une seconde députation de
prêtres et de gentilshommes de son diocèse, et les félicitations d'une foule empressée couronnèrent une série d'honneurs qui étaient pour Alphonse autant de supplices. « Si je
ne deviens pas fou, écrivait-il le 14 avril au Père Mazzini,
ma tête sera solide ! Malheureux que je suis ! jeune, j'ai
voulu quitter le monde, et maintenant que je suis vieux, il me
faut recommencer à traiter avec lui. » Mais les responsabilités dont il allait se charger étaient avant tout la cause de
cette sorte de terreur qui le poursuivait sans cesse : « Vous
ne savez pas ce que c'est que l'épiscopat, disait-il à don
Hercule, et vous ne comprenez guère la portée de ces mots :
Rendre compte à Dieu des âmes ! » Puis, fatigué des congra-
tulations intempestives dont son frère ne se lassait pas
néanmoins de l'accabler : « Vraiment vous n'êtes pas fait,
ajouta-t-il, pour consoler les chrétiens malheureux ! »

Cependant, malgré la lueur d'espoir qui servait à soutenir
son courage, Alphonse profita de son séjour à Naples pour y
faire quelques-unes des dépenses qu'exigeait sa nouvelle
situation. C'est ainsi qu'il acheta un anneau, dont la pierre,
il est vrai, était un morceau de verre, et une croix pectorale
enrichie de faux brillants. Lorsque l'orfévre la lui apporta :
« Oh ! quelle pesante croix vous me présentez là ! » lui dit-il
en soupirant ; et comme le marchand ne comprenait pas le
sens de ces paroles : « Oui, elle est bien pesante, reprit-il, et
je n'en connais pas de plus lourde. » Quant à la livrée et aux
carrosses que sa dignité semblaient commander, il refusa
d'abord de s'en pourvoir, déclarant qu'il ne comptait nullement faire le grand seigneur, et que s'il avait accepté l'épiscopat par obéissance, c'était avec l'intention de prendre pour
modèles les Évêques les plus connus pour leur austérité.
Toutefois ses amis les plus intimes, et en particulier le Père

Villani, son confesseur, lui ayant démontré la nécessité
d'avoir au moins une voiture et des mules, il promit d'en
faire l'acquisition, dans le cas où son prédécesseur n'aurait
point laissé à Sainte-Agathe « un vieil équipage qu'on pût
obtenir à prix réduit ». Mais si sur ce point on avait eu gain
de cause, il n'en fut point de même lorsqu'on voulut lui
persuader de se préparer à Naples une installation convenable; à cela, il répondit nettement que c'était une dépense
dont il lui était impossible de se charger, et que deux des
pièces mises par son frère à la disposition des missionnaires [1]
seraient bien suffisantes pour recevoir les personnes avec
lesquelles il aurait à traiter.

Enfin le 19 avril, après une semaine passée dans la capitale, Alphonse, jugeant que l'obéissance ne lui permettait
plus de nouveaux délais, partit pour Rome, où il avait hâte
d'entendre prononcer sur son sort le dernier mot.

[1] La maison où descendaient les missionnaires du Saint-Rédempteur
de passage à Naples dépendait, en effet, du palais d'Hercule de Liguori,
qui en avait cédé la jouissance à son frère.

CHAPITRE II

Le voyage de Naples à Rome ne fut marqué par aucun incident sérieux; mais Alphonse, ayant appris en route que le Cardinal Spinelli se trouvait alors à Cisterna, non loin de Velletri, résolut de s'y rendre pour le visiter. Leur entrevue fut très-cordiale : « Éminence, dit gravement le religieux en abordant le prélat, *Gia, me l'avete fatta!* vous m'avez joué un mauvais tour! » Le Cardinal, au contraire, qui s'applaudissait sans doute de la part prise par lui dans la nomination d'Alphonse, sourit, et se plaisant à lui en raconter tous les détails, l'exhorta à embrasser courageusement la croix. « Du reste, Monseigneur, ajouta-t-il, ne craignez rien; le secours de Dieu vous est aussi assuré que ses desseins sur vous sont indubitables. » Il lui demanda enfin de ne se préoccuper de rien à Rome, où, selon son expression, il lui servirait d'agent, et essaya de le garder quelques jours auprès de lui; mais, pressé d'atteindre le terme de son voyage, Alphonse résista à ses instances, et se remit en marche.

En arrivant à Rome, sa première visite fut pour le tombeau des Apôtres. Il y resta agenouillé, et comme en extase, pendant plus d'une heure, puis se dirigea vers la fameuse statue de bronze de saint Pierre, devant laquelle il demeura encore longtemps prosterné. Le duc de Sora [1], qui était en villégiature à Frascati, avait envoyé au nouvel Évêque une

---

[1] Don Gaëtan Buoncompagni, prince de Piombino.

des personnes attachées à sa maison pour le prier de loger
dans son palais et de permettre qu'un équipage fût mis à sa
disposition. Le Saint accepta la voiture, que son âge et ses
infirmités rendaient indispensable, mais refusa l'appartement, et donna la préférence au couvent de Sainte-Marie-
des-Monts, occupé à cette époque par la Congrégation des
Pieux-Ouvriers, et où il comptait un ami intime, le Père
François Longobardi. Ce fut là, en effet, qu'il habita pendant toute la durée de son séjour à Rome [1]. A peine était-il
installé dans cette modeste demeure, que les cardinaux
Orsini, Gallo, Antonelli, le général des Jésuites [2], et autres
notabilités du temps, vinrent le visiter. Chacun le félicitait
à l'envi, tandis qu'il se confondait de plus en plus. « Le
Pape veut me faire évêque, » ne cessait-il de répéter, « et moi,
je viens lui montrer que je ne suis plus qu'une pauvre ma-
chine détraquée. » Les invitations pleuvaient de toute part;
mais son humilité était aussi ingénieuse à trouver des prétextes qu'à varier la forme de ses refus. Un jour toutefois,
prié à dîner par le cardinal Orsini, et prévenu par le messager chargé, selon l'étiquette, de le convier au nom du
prélat, que celui-ci avait engagé plusieurs grands personnages pour le voir, il ne crut pas pouvoir décliner cet
honneur. Déjà donc il se disposait à se rendre, quoique à
regret, à la réunion, lorsqu'on l'avertit qu'il était contraire
aux usages de paraître dans une assemblée aussi solennelle
avec son costume religieux; et pour le décider à en revêtir
un autre, on ajouta que, sur l'observation du majordome du
Cardinal, un des invités était rentré chez lui afin d'échanger
sa soutane contre un habit court. Mais Alphonse ne tint
aucun compte de l'avis, et se présentant au Cardinal avec
son vêtement ordinaire il se borna à lui dire sous forme

---

[1] Ce couvent, dont la révolution française à expulsé les Pieux-Ouvriers,
est occupé aujourd'hui par une communauté de religieuses et désigné
sous le nom de *Càsa delle convertite.* On y montre encore les deux
chambres qu'habita saint Alphonse. — C'est dans l'église adjacente de
Sainte-Marie-des-Monts que repose le corps du bienheureux Benoît-
Joseph Labre.

[2] Le Père Ricci.

d'excuse · « Éminence, pardonnez-moi si je vous fais honte ;
mais je me montre tel que je suis! » Le prélat se mit à
rire : « J'accepte tous les affronts qui me viennent de vous, »
lui dit-il en l'embrassant ; et il l'introduisit lui-même auprès
de ses hôtes.

Cependant le Pape était à Civilà-Vecchia, et ne devait
pas revenir avant plusieurs jours. Ennuyé de ce contre-
temps, et fatigué surtout de démonstrations qui lui laissaient à peine la possibilité de se recueillir, Alphonse résolut
de s'y soustraire et de profiter de l'absence du Souverain
Pontife pour aller à Lorette visiter la *Santa Casa*. Le Père
Villani essaya de l'en détourner en lui représentant que ce
serait un surcroît de fatigues. « Quand retrouverai-je une
aussi bonne occasion? lui répondit-il; la sainte Vierge
viendra à mon secours; et d'ailleurs rien ne me coûtera si
je puis avoir le bonheur de visiter le lieu où le Verbe éternel s'est incarné pour moi. »

Un voyage de Rome à Lorette était, en ce temps-là, une
grande et difficile entreprise : il fallait suivre des routes
souvent dangereuses, traverser à gué des torrents et se
contenter pour tout gîte des plus pauvres hôtelleries ; mais,
loin d'arrêter sa pensée sur ces incommodités matérielles,
le Saint vit dans ce pèlerinage le moyen de s'arracher au
monde et de faire, devant ces grandes scènes de la nature
où se reflète la puissance de Dieu, une sorte de retraite spirituelle. Chacune de ses journées commençait par une longue
méditation, après laquelle il disait son office et récitait, tête
nue, avec le *vetturino* et son serviteur, Dominique Zanelli,
les litanies de la sainte Vierge et une partie du Rosaire. Il
s'arrêtait ensuite pour célébrer sa messe ; puis, reprenant sa
route, il poursuivait son office, continuait sa méditation et
achevait le Rosaire. Enfin, il jeûnait tout le jour et prenait
le soir son unique repas, côte à côte avec les voituriers.

Arrivé à Lorette, sa joie fut au comble ; sans perdre un
instant, il courut à la *Santa Casa*, et y demeura longtemps en
prières, savourant les circonstances les plus minutieuses de
l'Incarnation, et répétant, plongé dans un transport d'amour :

« Quoi ! c'est ici que Marie a conçu le Verbe Éternel, et c'est ici encore qu'elle a élevé Jésus ! » Son cœur se dilatait à la vue de ce sanctuaire, et aussi ambitieux pour Marie que pour lui-même il était détaché, il écoutait avec complaisance les noms des princes qui avaient enrichi le trésor de leurs dons, contemplait un à un les objets précieux que le Pénitencier faisait passer devant lui, et saluait dans ces riches parures autant de témoignages éclatants de la vénération des siècles pour la Mère de Dieu.

Le séjour d'Alphonse à Lorette fut d'ailleurs, on peut le dire, une prière non interrompue. Il aimait à demeurer seul, prosterné, dans la petite chambre attenante à celle où l'on dit la messe, et, rentré chez lui, au lieu de prendre du repos, il passait la nuit à genoux, sans se douter que son serviteur, de qui nous tenons ce détail, l'observait à travers les fissures de la porte. Son jeûne aussi fut à peu près perpétuel : le soir, il se contentait d'une infusion de sauge, et le matin, il éludait adroitement presque tous les plats qu'on lui offrait. Sa seule distraction consistait à secourir les pèlerins dont les groupes se pressaient autour de lui à chaque pas qu'il faisait, et auxquels il donna jusqu'aux modestes vêtements qu'il avait apportés. Il fallut cependant partir. Au bout de trois jours, Alphonse reprit le chemin de Rome; mais Lorette resta toute sa vie dans sa mémoire comme un souvenir dont le charme n'était en rien terni par les accidents qui marquèrent son retour. Le second trajet fut, en effet, beaucoup plus pénible encore que ne l'avait été le premier. Arrivés près de Marino, les voyageurs trouvèrent la route coupée par les eaux d'une petite rivière dont une pluie d'orage avait fait en une nuit un fleuve impétueux. Le voiturier pourtant ne crut pas devoir s'arrêter devant un obstacle très-fréquent alors en Italie, et engagea ses chevaux dans le torrent. Mais, trompé par l'apparence, il vit bientôt son coche s'enfoncer dans une profondeur inattendue, et les flots, dépassant en quelques minutes le niveau des roues, faire invasion dans l'intérieur de la voiture. Le danger était imminent : Alphonse n'était plus ni jeune ni vigou-

reux, et il eût évidemment péri, si son serviteur ne l'avait
enlevé et porté jusqu'au bord. On était heureusement à peu
de distance de Spolète, qu'en dépit de cet incident on parvint
à atteindre dans la soirée.

La nouvelle de la présence d'Alphonse se répandit promptement dans la ville. L'Évêque [1], retenu au lit par la goutte,
envoya son carrosse à l'hôtel où était descendu le Saint, qu'il
ne connaissait encore que par ses ouvrages, et lui fit exprimer son vif désir de voir enfin de ses yeux celui que depuis
longtemps il aimait déjà. Alphonse se rendit à sa prière,
écouta le récit de ses préoccupations douloureuses en face
d'un diocèse comprenant quatre cents paroisses et quarante
monastères de religieuses, auxquels il ne pouvait fournir un
nombre de prêtres suffisant, le consola, et, malgré sa fatigue, passa avec lui une grande partie de la nuit.

Enfin, le 8 mai au soir, les pèlerins de Lorette étaient de
retour à Rome, pendant que Clément XIII, de son côté, revenait de Civita-Vecchia. Alphonse ne tarda pas un instant à
solliciter une audience du Saint-Père. A peine fut-il près de
lui, qu'il se jeta à ses pieds; mais le Pape le releva tendrement, sans lui laisser le temps de formuler une demande.
Cependant il n'avait pas, nous le savons, perdu tout espoir;
aussi, résolu de frapper le dernier coup, se prosterna-t-il
de nouveau, et supplia-t-il le Souverain Pontife, en appelant
à son aide tout ce qu'il put trouver d'éloquence dans son
âme, de le délivrer d'une charge que ses infirmités, son
âge et par-dessus tout son incapacité, le rendaient, assu-
rait-il, complétement impropre à remplir. Le Saint-Père
fut ému de cette prière, mais ne céda point. « L'obéissance,
se borna-t-il à répondre, fait des miracles; ayez confiance,
Dieu sera avec vous. » Le nouvel Évêque, car cette fois il
l'était sans retour, consentit enfin à s'asseoir, et s'entretint,
pendant plus d'une heure, avec le Pape, de la situation politique et religieuse du royaume de Naples et des développements de sa Congrégation. Puis, conformément aux usages,

---

1 Mgr Acqua

il rendit successivement visite à l'auditeur [1], au secrétaire de l'examen [2] et au Cardinal Antonelli, secrétaire du consistoire, qui vint le recevoir à l'entrée de ses appartements. Partout il fut accueilli avec des égards qui le couvraient de confusion, et auxquels il essayait parfois d'échapper en taisant son nom dans les antichambres, et en attendant patiemment, comme le dernier des solliciteurs, que son tour fût venu. C'est ainsi qu'un jour, dit-on, chez le secrétaire d'État [3], il resta oublié dans un coin de la salle, et vit passer tout le monde devant lui, jusqu'à ce qu'un religieux capucin l'eût fait reconnaître par les serviteurs. Mais nul ne l'entoura de plus de prévenances que le Pape lui-même, qui lui donna sept ou huit audiences, dont l'une au moins de trois heures, et voulut conférer avec lui sur les affaires les plus importantes de l'Église. Dans un de ces colloques, Alphonse amena la conversation sur la communion fréquente, et raconta au Saint-Père toutes les contradictions qu'il avait rencontrées à ce sujet, de la part d'esprits plus rigides que religieux, dont le système était d'éloigner les fidèles des sacrements, en exagérant les dispositions nécessaires pour s'en approcher. Le Pape approuva sa conduite. « Les malheureux ! s'écria-t-il, où donc en veulent-ils venir ?... » Et, pensant tout haut, il ajouta : « Je connais, moi, les fruits qu'a produits et que produit encore la fréquente communion. » Aussi, ne se bornant pas à louer les efforts d'Alphonse, l'engagea-t-il à redoubler de zèle, et à réfuter par écrit ses contradicteurs. Ce désir était un ordre pour le Saint, qui, malgré les nombreuses occupations de son court séjour à Rome, prit aussitôt la plume, et fit paraître un opuscule [4] dont le Pape voulut lui exprimer personnellement sa satisfaction. Ce n'était pas d'ailleurs dans l'intimité seulement que le Souverain Pontife témoignait son

---

[1] M⁰ʳ Negroni.

[2] M⁰ʳ Marefoschi.

[3] Le cardinal Torregiani.

[4] Réponse apologétique à une lettre imprimée du prêtre don Cyprien Aristasio, sur la communion fréquente. Rome, 1762.

estime pour l'Évêque de Sainte-Agathe; il ne manquait jamais l'occasion de donner des éloges publics à sa science et à ses vertus; ce qui fit naître un moment le bruit de son élévation à la pourpre. Il n'en fut rien pourtant. Qui sait si les prières d'Alphonse ne conjurèrent pas un honneur que son humilité eût trouvé trop amer!

Cependant, avant sa consécration, l'Évêque devait subir un examen, et la coutume voulait qu'il rendît préalablement visite à ses juges. La commission se composait du Grand-Pénitencier, le Cardinal Gallo, de l'Abbé de Saint-Pierre-aux-Liens et du maître du sacré palais, le Père Ricchini. Pleins d'égards pour Alphonse, les deux premiers le prièrent de choisir lui-même les matières de l'examen. Il désigna le *Traité du Prêt* (*de Mutuo*) et celui *Des Lois* (*de Legibus*). Quant au Père Ricchini, sachant combien la mitre inspirait de terreur au candidat, il lui dit en riant : « Pour ma part, je vous poserai une question qui vous conviendra sans doute; je vous interrogerai sur la proposition suivante : Est-il permis de désirer l'épiscopat? *An liceat appetere epi scopatum?* » Il avait touché la corde sensible; ce mot suffit pour réveiller toutes les douleurs du Saint, qui se sentait ébranlé dans tout son être chaque fois qu'on ramenait sa pensée vers le fardeau dont il allait être chargé. Le jour de l'épreuve arriva cependant. Assisté par son protecteur, le Cardinal Orsini, Alphonse entra dans la salle de l'examen et captiva tout d'abord, par la pâleur de ses traits et par l'altération de son visage, l'intérêt et l'émotion des assistants. Il répondit brillamment aux premières interrogations; mais lorsque vint le tour du Père Ricchini, et que celui-ci lui demanda, selon qu'il l'en avait prévenu, si on peut légitimement désirer l'épiscopat, il hésita et pria l'examinateur d'élever un peu la voix. Se tournant alors vers le Pape : « Très-Saint Père, dit le Cardinal Gallo, il n'y a de pire sourd que celui qui ne veut pas entendre. » Clément XIII sourit, et tout l'auditoire en fit autant. La séance levée, le candidat allait se retirer, lorsqu'un des Cardinaux l'engagea à remercier le Saint-Père de ses bontés pour lui;

mais, soit qu'il n'eût pas compris, soit qu'il n'en eût pas le
courage, il garda un silence absolu. Toutefois, le Cardinal
ayant renouvelé son insinuation : « Très-Saint Père, dit
avec effort le nouvel élu, puisque vous daignez me faire
Évêque, priez Dieu que je ne perde pas mon âme! »

Toutes les formalités étaient remplies, et l'on hâta la cérémonie du sacre. Alphonse fut préconisé le 14 juin, fête de
saint Basile, et consacré le 20 du même mois, dans l'église
de la Minerve, devant l'autel du Saint-Sauveur, par le Cardinal de Rossi, assisté de l'Archevêque d'Émesse [1] et du
Vice-Gérant de Rome [2]. A partir de ce jour, les deux sacrifices qu'il estimait être les plus douloureux de sa vie étaient
consommés; car jamais, disait-il plus tard à son confesseur,
il n'avait senti de déchirement comparable à ceux qu'il avait
éprouvés à Naples lorsque, « luttant contre l'amour filial »,
il s'était arraché aux embrassements de son père pour quitter
le monde, et à Rome quand, en guerre « avec son âme tout
entière, et retournant pour ainsi dire sa volonté contre elle-
même », il avait brisé, pour accepter l'épiscopat, les liens
qui l'unissaient à ses fils du Saint-Rédempteur.

Immédiatement après sa consécration, Alphonse se rendit
au tombeau des Apôtres pour se placer, lui et le troupeau
commis à sa garde, sous la protection de saint Pierre et de
saint Paul, les princes et les modèles des pasteurs. Quelle
ne fut pas l'ardeur de cette dernière prière dans le temple
catholique par excellence, où tant de fois pendant son séjour
à Rome il était venu épancher son cœur! De toutes les ba-
siliques, Saint-Pierre était, en effet, celle qui exerçait sur
lui le plus puissant attrait. Il avait été à Saint-Jean-de-
Latran, à Sainte-Marie-Majeure, à Saint-Paul-hors-les-
Murs; mais Saint-Pierre, le centre du monde chrétien, avait
été aussi le sanctuaire principal de ses adorations. En dehors
de ces quatre églises et de la bibliothèque Vaticane, où il
avait été recueillir dans les manuscrits l'écho de l'antiquité
chrétienne, Alphonse n'avait rien vu à Rome. Il s'était

1 Mgr Gorgoni.
2 Mgr Giordani, archevêque de Nicomédie.

abstenu de visiter aucun monument ancien, comme de prendre part à aucune fête mondaine; et, s'il avait consenti à aller regarder par une fenêtre des Écoles-Pies la procession de la Fête-Dieu [1], pour jouir des honneurs rendus dans la capitale du monde chrétien à ce mystère d'amour si souvent outragé depuis deux siècles, il avait refusé, sous un prétexte de santé, d'assister, chez le Cardinal Orsini, aux divertissements qui se donnaient sur la place Farnèse. Sa vie, au milieu de cette ville peuplée de tombeaux, avait été tout entière dirigée vers les choses éternelles, et nul n'avait mieux obéi à la recommandation de l'Apôtre : *Quæ sursum sunt quærite* [2].

Clément XIII avait voulu donner au saint Évêque une preuve particulière de sa bienveillance en lui faisant délivrer ses bulles gratuitement. Cédant en outre aux instances réitérées des Pères du Saint-Rédempteur, il lui accorda aussi une faveur qui allégea quelque peu sa tristesse ou dissipa du moins sa crainte d'avoir été banni par Dieu de la Congrégation en châtiment de ses péchés : il lui permit de demeurer à la tête de l'Institut, à la condition d'avoir un Vicaire général administrant en son nom. Alphonse d'ailleurs n'avait apporté jusque-là aucune modification à son costume de missionnaire, et ce fut avec son rosaire à la ceinture et son chapeau à larges bords, du prix de vingt-quatre sous, qu'il parut devant le Saint-Père à son audience d'adieu. L'entrevue fut très-touchante: le Pape ne se lassait pas de l'entretenir et de lui demander ses prières, et Alphonse, de son côté, ne pouvait se résoudre à quitter le Vicaire de Jésus-Christ, qu'il pensait bien ne jamais revoir. Un lien intime semblait unir ces deux âmes, dont l'une avait eu comme une révélation de la gloire qui attendait l'autre dans l'avenir; on avait entendu, en effet, Clément XIII dire à ses familiers, le jour de la consécration d'Alphonse : « Vous verrez qu'à la mort de Mgr de Liguori, nous aurons dans l'Église un saint de plus à honorer. »

---

1. Saint Laurent *in Borgo*.
2.

CHAPITRE III

Alphonse au Mont-Cassin. — Retour à Naples. — Il passe quelques jours à Pagani, et part pour Sainte-Agathe.

Le 21 juin 1762, après avoir offert le saint sacrifice dans l'église de Saint-Ignace, sur le tombeau de saint Louis de Gonzague dont on célébrait la fête, Alphonse quitta Rome et se dirigea vers Naples par la route du mont Cassin. Sa première halte fut à Ceprano, où il voulut dire la messe, et où il reçut tous les honneurs que permettait la pauvreté du lieu. L'église fut parée de ses plus beaux ornements, l'autel chargé de chandeliers d'argent réservés pour les grandes solennités, et une foule nombreuse accourut de toutes parts pour recevoir sa bénédiction. Le second jour, il s'arrêta à San-Germano, où il avait donné rendez-vous à deux jeunes religieux du Mont-Cassin, qui désiraient vivement le voir à son passage; c'étaient les fils de sa belle-sœur, Rachel de Liguori, femme de don Hercule, qu'elle avait eus d'un premier mariage; mais, par suite d'un malentendu dont nous ignorons la nature, les jeunes gens ne se trouvaient pas à San-Germano quand le Saint y arriva, et il se mit en devoir de gravir la montagne sur laquelle est bâti le célèbre couvent. Le Père Villani le précédait. Parvenu à la porte du monastère, il chargea un employé d'annoncer aux Pères l'arrivée de l'Évêque de Sainte-Agathe. Point de réponse. Il renouvela son avertissement; mais un frère lai parut seul, et lui déclara que, le quartier des étrangers étant plein, on ne pouvait loger personne. Les traditions d'hospitalité de ce sanctuaire fameux sont trop connues pour qu'on ne soit pas tenté de voir dans ce fait inouï une permission de la Providence, voulant sans doute commencer à exercer dans l'Évêque la patience qu'elle avait déjà bénie dans le missionnaire. « Dieu soit loué ! » dit en effet Alphonse, en souriant, au Père Villani qui accourait, tout indigné, lui raconter l'accueil du frère lai. « C'est évidemment lui qui a disposé ainsi les choses ! » Puis, ne regrettant que le chagrin de ses deux jeunes parents, quand ils apprendraient son aventure, il revint sur ses pas, et, en l'absence de toute auberge, s'arrêta, pour y passer la nuit, dans un cabaret de très-mesquine apparence, situé sur le bord de la route ; le Père Villani fut contraint de coucher sur le plancher, et Alphonse se disposait à en faire autant, lorsque l'hôte, par respect pour son caractère, l'obligea, non sans peine il est vrai, à accepter son propre lit. Cet incident avait laissé le Saint calme et joyeux comme d'ordinaire ; en revanche, une vive contrariété l'attendait le lendemain, fête de saint Jean-Baptiste ; car il dut, ce jour-là, à l'incurie du *vetturino*, lequel, malgré ses engagements, n'arriva que vers quatre heures de l'après-midi dans un lieu où il y eût une église, la douleur de ne pas dire la messe. A Capoue, Alphonse fut retenu à dîner par l'Archevêque [1], et forcé de subir les ovations des habitants. On comprendra aisément jusqu'à quel point ces démonstrations durent lui être à charge, lorsqu'on saura que, dissimulant sa dignité nouvelle, il avait voulu pendant tout le cours de ce voyage, comme dans celui de Rome à Lorette, se mettre à table avec les voituriers et les gens d'écurie, sans permettre qu'on fît entre eux et lui aucune distinction. Enfin un peu plus loin, à Aversa, il trouva don Hercule et le Père Ferrara, qui étaient venus à sa rencontre, et qui l'accompagnèrent jusqu'à Naples, où il fit son entrée, le 25 juin, dans l'après-midi.

Là, il lui fallut de nouveau, à sa grande confusion, recevoir les félicitations de la plus haute noblesse napolitaine, fière de saluer la sainteté dans ses rangs, et faire un certain

[1] Mgr Capece Galleotto.

nombre de visites. L'Archevêque était absent ; mais il se
rendit chez le Nonce et chez le Grand-Aumônier. Il se présenta également une seconde fois chez les régents et chez
les ministres, et sollicita en particulier, pour le cas où il en
aurait besoin, le concours du marquis de Marco, chargé des
affaires ecclésiastiques. « Le diocèse dont je vais prendre la
direction, lui dit-il, est en assez mauvais état. Chacun es-
saiera évidemment de justifier sa conduite. Plaise au Seigneur que tous puissent le faire ! Cependant je vous demande, monsieur le marquis, de ne pas négliger la gloire
de Dieu ! — Soyez sans inquiétude, répondit le ministre ;
si le bras du roi vous est nécessaire, il ne vous manquera
pas ! »

Invité à assister au dîner de l'Infant, Alphonse ne put se
dispenser de paraître au palais ; mais, s'étant gardé de révéler son nom aux gentilshommes de service, il serait probablement resté dans l'antichambre, si un chanoine du
diocèse de Sainte-Agathe qui l'aperçut ne l'eût fait reconnaître. Il fut aussitôt introduit dans les appartements, et
comblé de prévenances, qu'il ne put subir toutefois sans reprocher doucement au chanoine son indiscrétion. Comment
pouvait être sensible, en effet, aux honneurs d'une Cour
celui dont l'aversion pour toute prérogative allait à ce point
qu'il avait ordonné à son cocher de toujours céder le pas,
fût-ce même, selon son expression, « à un marchand de
poisson (*salumaio*) ? »

Parmi les nombreuses visites qu'Alphonse reçut pendant
son séjour à Naples, il y en eut une qui lui donna l'occasion de montrer, même avant son arrivée à Sainte-Agathe, le
caractère spécial que devait avoir son gouvernement : ce fut
celle d'un prêtre de son diocèse, qui se présenta à lui, tout
embaumé de parfums, avec une perruque frisée et de larges
boucles couvrant entièrement la surface de ses souliers. Le
Saint l'accueillit avec bonté, mais avec compassion, et
bientôt, sa sincérité l'emportant sur son indulgence : « Mon
fils, lui dit-il, cette coiffure ne vous convient vraiment pas,
et cette chaussure n'est pas digne d'un prêtre. Si vous agis-

sez ainsi, vous qui devez être le modèle des autres, que
feront donc les gens du monde? » Le pauvre prêtre, qui
avait compté sur son ajustement pour se faire bien venir, demeura tout interdit; pourtant le conseil porta ses fruits, car
il changea promptement de costume et de manières. Quant à
l'Évêque, il préludait ainsi à cette série de réformes dont
nous aurons souvent à parler, et qu'il avait trop à cœur
d'inaugurer pour demeurer plus longtemps dans la capitale.
Les instances de toute nature qui lui étaient faites ne purent donc l'y retenir; et, après avoir administré le sacrement
de confirmation à un enfant de don François Cavalieri, son
cousin, et visité quelques couvents de religieuses, entre
autres celui où vivaient ses deux sœurs[1], il partit pour Pagani en passant par Torre dell'Annunziata, où il tenait à
prendre congé du Cardinal Sersale, qu'il n'avait pas encore
rencontré depuis son retour de Rome. Celui-ci ne se possédait pas d'aise de le voir enfin au rang auquel l'éclat de sa
sainteté et l'intérêt bien entendu de l'Église le destinaient, à
ses yeux, depuis longtemps; aussi, de son côté du moins,
l'entrevue fut-elle fort joyeuse. « Eh bien! lui dit-il dès
qu'il l'aperçut : *Sei incappato,* vous voilà pris! — Hélas!
l'obéissance l'a voulu, » répondit Alphonse, dont la blessure
était encore trop saignante pour qu'il pût se résigner à plaisanter sur ce sujet. — « Mais comment, » reprit le Cardinal
en continuant sur le même ton, et en montrant les petites
boucles de fer de ses souliers qui valaient à peine un carlin,
« voilà des boucles que vous n'avez pu trouver qu'à Rome,
et encore au poids de l'or! Et votre livrée donc! » ajouta-t-il,
après avoir jeté un autre regard sur les serviteurs vêtus de
bleu et galonnés de rouge qui suivaient leur maître, « on
dirait vraiment une livrée de Cardinal! — Plaignez-vous-en
à mon frère; c'est lui qui est coupable de tout, » répondit Alphonse, trop confus de son nouvel appareil pour
ne pas prendre au sérieux toute parole qui le concernait;
puis, quittant l'Archevêque, il se rendit chez ses amis les

[1] Marie-Louise et Marie-Anne de Liguori, religieuses au couvent de
Saint-Jérôme.

seigneurs de Gargano, dont il se sépara après le dîner afin
d'atteindre le soir même le terme de sa course. C'était un
samedi, et, fidèle à sa vieille coutume, il monta immédiatement en chaire pour faire son discours ordinaire sur
la sainte Vierge.

Les quatre jours qu'il passa dans son ancienne résidence
furent absorbés par des soins de tout genre. Les Évêques
des quatre diocèses voisins [1] s'empressèrent de lui rendre
visite, et l'un d'eux, celui de Lettere, ancien grand Vicaire
de Mgr Cavalieri, cet oncle d'Alphonse qui avait si énergiquement refusé à don Joseph de combattre sa vocation,
lui offrit un rochet et un riche anneau, dont il avait hérité
du prélat. De son côté le Saint se rendit personnellement
auprès de l'Évêque de Salerne, et, à la sollicitation de l'É-
vêque de la Cava, célébra pontificalement, pour la première
fois sans doute, dans un couvent de ce diocèse. Tout le pays,
à l'envi, voulait le retenir et l'entendre, et, d'autre part,
devant l'ébranlement de sa santé, les médecins de Nocera,
d'accord avec ceux de Naples, l'engageaient à attendre la
fin des chaleurs pour se rendre à Sainte-Agathe. Rien cependant ne put le convaincre; et aussi anxieux de remplir
ses nouvelles fonctions qu'il l'avait été d'abord de les éloigner de lui : « Le devoir d'un Évêque, répondit-il, n'est
pas de songer aux périls qui menacent ses jours, mais de
se sacrifier aux âmes qui lui sont confiées. » Quelques amis
lui demandèrent du moins de fixer sa résidence à Arienzo,
petite ville de son diocèse, où il trouverait un air salubre
et une habitation commode; ce conseil ne fut pas mieux
accueilli que le premier, et, décidé à ne chercher d'autre
séjour que celui indiqué par la volonté divine, il annonça
son intention inébranlable d'aller prendre possession de son
siége sans délai. Faisant donc ses adieux à sa chère maison
de Pagani : « Mes frères, dit-il aux religieux réunis sur le
seuil, ne m'oubliez pas, et songez que pour moi la vie loin
de vous, c'est l'exil... » Il ne put achever; les larmes lui

1 Les diocèses d'Avellino, de Castellamare, de la Cava et de Lettere.

coupèrent la parole; il se jeta dans la voiture et partit.

Obligé de repasser par Naples, où des affaires exigeaient sa présence, Alphonse n'y resta que deux jours, et se mit définitivement en route pour Sainte-Agathe, le 11 juillet au matin; quelques heures après, il touchait aux confins de son royaume spirituel. Deux voitures composaient tout son équipage: il était dans l'une avec le Père Margotta; le Père Maione et don Hercule le suivaient dans la seconde; mais une députation des habitants de Sainte-Agathe et l'Évêque de Caserte[1], diocèse voisin du sien, avaient voulu partager avec lui l'émotion de ce premier moment. Lorsqu'il fut arrivé au pied de l'aqueduc qui marquait la limite de son domaine, il trouva toute la population agenouillée pour le recevoir, et fut salué par ces paroles que prononça un des chanoines : « Monseigneur, voici votre Église; daignez nous bénir. » De là jusqu'à sa résidence, à Valle, à Bagnoli et dans tous les bourgs qu'il traversa, ce ne furent que décharges de mousqueterie, feux d'artifices et acclamations continues. Enfin, arrivé dans la cour du palais épiscopal, il fut entouré par tous les notables, le clergé et les membres du chapitre, qui, remarquant tout d'abord son grossier chapeau de missionnaire, s'empressèrent d'envoyer chercher le chapeau vert suspendu, selon l'usage d'Italie, sur le tombeau de son prédécesseur afin de le lui offrir. On le conduisit ensuite processionnellement à l'église, où le saint Sacrement fut exposé. Là, il demeura longtemps prosterné, la face contre terre, inondant de ses larmes les marches de l'autel; puis il se plaça sur son trône, assista au chant du *Te Deum*, et adressa au peuple une allocution dans laquelle son âme se peignait tout entière. Il insista spécialement sur la manière dont il comprenait ses devoirs d'Évêque et dont il voulait les remplir, et reprenant cette traditionnelle, mais toujours touchante parabole du pasteur et des brebis, suppliant son troupeau de ne pas mépriser son appel, il demanda au clergé, les larmes dans la voix, de lui apporter

1 M⁅ʳ⁆ Albertini.

sans relâche tout son concours. Après avoir fait ainsi ce qu'on pourrait appeler l'histoire anticipée de son épiscopat, et reçu l'obédience du clergé, il annonça pour le dimanche suivant l'ouverture d'une mission, et se retira dans son palais. Telle fut l'unique solennité qui marqua la prise de possession de l'Évêque de Sainte-Agathe. Les vieillards qui se rappelaient la magnificence étalée à cette occasion par ses prédécesseurs, leur luxe de serviteurs et leur suite de camériers, ne se lassaient pas d'admirer la simplicité du nouveau pasteur ; moins il déployait d'éclat, plus on se sentait attiré vers lui, et la foule en sortant de l'église allait répétant par toute la ville : « Dieu soit béni ! nous venons de voir un saint, et un saint vivant ! »

Le soir, plusieurs seigneurs du pays lui envoyèrent, en signe de bienvenue, des provisions de table, vins précieux, liqueurs et autres objets de ce genre. Il remercia les donateurs, gratifia les messagers ; mais, ne voulant contracter d'obligation envers qui que ce fût dans un diocèse où il y avait tant de réformes à opérer, il refusa tous les présents et commanda, à la grande édification du pays, d'acheter au marché ce qu'il fallait pour son repas [1]. On lui obéit ; toutefois, le secrétaire de l'évêché, don Félix Verzella, fidèle aux usages du temps, et ne sachant pas encore jusqu'où allait la frugalité de son Évêque, crut devoir ordonner un souper abondant : « Don Félix, s'écria Alphonse, quand il se trouva devant cette table chargée de mets, que Dieu vous pardonne ! mais qu'avez-vous donc fait ? Croyez-vous que je sois venu ici pour donner des banquets, lorsqu'il y a tant de pauvres qui meurent de faim ? » et pour empêcher le fait de se renouveler, il régla dès lors son menu de chaque jour. En

---

[1] Les jours suivants, des cadeaux analogues arrivèrent de la part des Dominicains de Sainte-Marie de Vico, des Dominicains lombards de Durazzano, des Conventuels, des religieuses de Frasso et d'autres encore ; mais Alphonse s'excusa et répondit qu'il s'était fait la loi de ne rien accepter de personne. Cependant il consentit à recevoir un ou deux petits fromages et quelques cierges de cire pour ne pas contrister ceux qui les avaient apportés.

changeant d'état, Alphonse, en effet, entendait si peu modifier son genre de vie ordinaire, qu'il avait fait apporter à
Sainte-Agathe par le frère François-Antoine, confident ordinaire de ses austérités, la toile de sa paillasse, sur laquelle,
l'heure du repos étant venue, et malgré la présence d'un lit
magnifique dressé par ordre des chanoines, il s'étendit après
s'être donné une longue et sanglante discipline pour implorer la miséricorde de Dieu en faveur de son troupeau. Mais
l'appartement lui-même était encore trop vaste pour lui convenir. Le lendemain, il entreprit une promenade à travers le
palais épiscopal, et ayant découvert une petite pièce étroite
et obscure, il déclara qu'il abandonnait aux siens le reste de
la maison, mais tenait absolument à faire de ce cabinet sa
chambre à coucher.

Les jours suivants furent consacrés à recevoir la foule des
visiteurs et à régler l'ordonnance de sa maison. Enfin, le dimanche, tous ces préliminaires achevés, le Saint ouvrit,
comme il l'avait annoncé, une retraite ecclésiastique, et
inaugura la mission générale au milieu d'une foule compacte
attirée par la promesse qu'il avait faite de se charger lui-
même de tous les sermons.

Cette mission fit comprendre tout d'abord le dévouement
sans réserve qu'Alphonse allait apporter dans l'accomplissement de son ministère. Aussi, surpris d'une énergie qui semblait défier l'âge, et de ce don si complet de soi-même, qui est
le secret et la force des saints, ses familiers voyaient-ils déjà
l'Évêque mort et l'Église veuve de nouveau. « Il nous en a tant
coûté pour l'avoir, dit en gémissant le secrétaire de l'évêché, et déjà nous allons le perdre ! » En vain le supplia-t-on
de se ménager, de modérer ses excès; il ne répondit à ces
preuves d'affection que par un redoublement d'activité. De
violentes névralgies ne l'empêchèrent même pas de prêcher
tous les matins au clergé et tous les soirs aux fidèles, sans
s'interrompre jamais, et il se borna, quand ses douleurs devinrent trop vives, à faire enlever les dernières dents qu'il
lui restât.

Cependant la mission s'acheva au milieu d'une surabon-

dance de grâces de tout genre. Afin de laisser une entière
liberté aux consciences, l'Évêque, fidèle à la pratique qu'il
avait introduite dans les missions, avait défendu aux prêtres
de la ville de recevoir les confessions, et avait convoqué pour
les remplacer les curés les plus distingués du diocèse. Les
conversions totales furent nombreuses, et l'on put voir dans
ce succès, qui était pour Alphonse un écho de ses anciennes
joies, la première couronnne que Dieu se plaisait à décerner
à son obéissance et le premier dédommagement accordé à
son abnégation.

CHAPITRE IV

« Avant tout commencez par connaître l'Église qui vous est confiée [1], » écrivait saint Ambroise à un de ses disciples auquel le fardeau de l'épiscopat venait d'être imposé. Alphonse suivit ce conseil, et résolut aussitôt après la clôture de la mission de commencer sans retard et en détail l'étude de son diocèse. Plusieurs personnes de son entourage l'engageaient à attendre l'année suivante : « Pourquoi renvoyer au lendemain, leur répondit-il, ce qui peut être corrigé la veille? Il ne faut point temporiser avec le désordre. » Et il convoqua immédiatement les hommes les plus considérés du pays, avec lesquels il délibéra sur les premières mesures à adopter.

Sa pensée se dirigea tout d'abord vers le séminaire, c'est-à-dire vers le centre où devaient se former ses coopérateurs de l'avenir. Toutes les parties de cet établissement avaient, en effet, un besoin urgent de réforme. Parmi les élèves, nombreux du reste, plusieurs, bien doués sous le rapport de l'intelligence, n'inspiraient par leur conduite qu'une médiocre confiance; d'autres, dépourvus de la capacité nécessaire, promettaient à l'Église peu de services; enfin le côté matériel laissait également à désirer; car les bâtiments eux-mêmes

---

[1] Primum omnium cognosce Ecclesiam Domini tibi commissam. (*Ambr*. *Epist*. xix, n. 2.)

n'étaient pas en harmonie avec leur destination. Après en avoir conféré avec son conseil, Alphonse, afin de ne pas être entravé dans ses décisions par la présence des élèves, choisit un prétexte pour les renvoyer dans leurs familles, et annonça l'ouverture des vacances.

La maison devenue libre, il entreprit de la réparer. Triste et sombre au dehors, elle était étroite et malsaine au dedans; en été surtout, on y souffrait beaucoup du défaut d'air, car les fenêtres étaient rares et les plafonds surbaissés. Les architectes furent appelés, et, sur leur proposition, deux grandes salles, dont la construction commencée par un des anciens Évêques était restée inachevée, furent transformées en dortoirs. On pratiqua aussi plusieurs ouvertures pour rendre le local plus salubre et y répandre plus de lumière, tandis qu'on fermait d'autres fenêtres qui semblaient offrir aux jeunes gens des occasions de distraction et peut-être de désordre. Ces dispositions, du reste, n'étaient que provisoires; car Alphonse avait conçu dès lors le projet de bâtir un nouveau séminaire, qu'il commença bientôt, en effet, mais dont il ne devait pas voir l'achèvement.

L'administration n'était pas moins défectueuse que la distribution de l'édifice. Elle reposait entre les mains d'un prêtre que son grand âge, — il avait dépassé quatre-vingts ans, — rendait tout à fait incapable de suffire aux fatigues de sa charge. Alphonse cependant ne se sentit pas le courage d'affliger par la nomination d'un autre recteur un vieillard aux portes du tombeau, et de répondre par une expulsion brutale à un dévouement de trente ans; il le confirma dans ses fonctions, mais lui donna pour coadjuteur un pieux et savant dominicain, le Père Caputo. En revanche, tout le reste du personnel fut renouvelé. Sans se laisser arrêter par aucune considération financière, l'Évêque ne voulut avoir pour professeurs que des hommes d'élite, et, adoptant un système en opposition avec les traditions de la maison, remplaça les surveillants, choisis jusque-là parmi les élèves, par des prêtres distingués qu'il nomma préfets des études. Il créa enfin la charge de préfet général qui n'existait pas, et acheva la réforme par le remplacement du portier. « Ne croyez pas, dit-il à cette occasion, que ce soit là le choix le moins important; car si la mort, suivant l'expression des Livres saints, pénètre chez nous par la fenêtre [1], dans un séminaire, c'est par la porte qu'elle fait souvent son entrée. » Le local était assaini, le personnel de la maison réformé; il restait à s'occuper des étudiants.

Lorsque les vacances touchèrent à leur fin, Alphonse annonça par une circulaire que tous les élèves qui désiraient rentrer au séminaire devaient lui adresser une requête spéciale à cet effet. Cette mesure lui donnait le moyen de n'admettre d'autres sujets que ceux dont la piété et les aptitudes pour le travail étaient notoires, et chez lesquels rien ne pouvait déparer la dignité du sacerdoce. Elle lui permit d'inaugurer dès lors ce scrupule dans les recherches et cette sévérité dans les admissions qui demeurèrent jusqu'à la fin une des préoccupations particulières de son épiscopat [2], et de couper court avec le passé en supprimant les externes, dont les allées et venues quotidiennes fournissaient aux séminaristes un mode trop facile de communication avec le dehors. Une autre innovation qui souleva plus de résistances ouvrit gratuitement la maison aux jeunes gens pauvres. « Les séminaires, dit l'Évêque, sont institués pour le bien général des diocèses; c'est dans ce but qu'ils ont été dotés par de pieux testateurs; ils sont donc tenus de recevoir et d'élever tous ceux qui par leurs talents et la pureté de leur vie peuvent un jour devenir utiles à l'Église [3]. » Les élèves doués de ressources suffisantes continuèrent à payer la même pen-

---

[1] Quia ascendit mors per fenestras nostras. (Jerem., IX, 21.)

[2] Pour n'en citer qu'une preuve, postérieure aux faits que nous racontons, il congédia une fois, malgré les instances de son grand Vicaire et du Chapitre, un jeune homme qui, avant d'entrer au séminaire, avait passé trois jours dans une caserne de Capoue, sans toutefois revêtir l'habit militaire.

[3] En 1764, pour faciliter le séjour au séminaire des jeunes gens pauvres, Alphonse augmenta les rentes de l'établissement et le dota de 500 ducats, qu'il prit sur les revenus de l'église de Ducento, située dans un pays autrefois très-peuplé, mais alors presque désert.

sion, dont le taux d'ailleurs était modéré; mais Alphonse
blâma comme une injustice manifeste la coutume établie de
conserver, lorsque leur santé ou quelque autre motif les obligeait à sortir de l'établissement, le semestre entier versé
par eux à l'avance, et malgré la protestation des chanoines
composant la commission administrative, il arrêta que la
somme correspondant au temps de l'absence serait invariablement restituée. Enfin, pour encourager le nouvel essor
qu'il désirait imprimer à la maison, il distribua aux élèves
un règlement court, mais plein de modération et de sagesse,
qu'il composa lui-même, et qui contenait, avec le détail de
leurs obligations, l'exposé des causes ordinaires de désordres
et les moyens de les prévenir.

Mais si la réforme de la discipline fut le premier soin d'Alphonse, l'organisation des études n'attira pas moins son attention. Parmi les améliorations qu'il y apporta, la plus
considérable fut la fondation d'un cours de morale qui faisait
défaut, et qui était à ses yeux un des plus nécessaires pour
former de bons confesseurs et de bons curés. Quant aux
autres sciences, dont l'ensemble était destiné à constituer,
avec la morale, le haut enseignement, il jugea nécessaire de
changer la méthode employée jusque-là par les professeurs.
Ceux-ci avaient adopté la coutume, en effet, de dicter à leurs
élèves une leçon préparée d'avance et puisée dans leurs
propres travaux. Frappé des inconvénients qui en étaient la
suite, et voulant obvier d'une part à la perte de temps, et
de l'autre à la tentation qu'éprouvaient les maîtres de hasar-
der des opinions particulières, il décida qu'à l'avenir on
prendrait pour texte un ouvrage imprimé, et adopta Tournely
pour la dogmatique et Fortuné de Brescia pour la philosophie. Il exigea aussi que les élèves s'appliquassent à acquérir une connaissance approfondie du latin, sans en exclure
la poésie; mais il bannit l'exercice, amollissant à ses yeux,
de la versification italienne, et restreignit l'usage du grec,
assez peu utile, selon lui, à des hommes pour la plupart
originaires de la campagne et destinés à desservir de pauvres
églises de hameaux. Enfin, tenant essentiellement à déve-

lopper dans ces jeunes esprits le goût de la parole apostolique, il en fit entrer l'étude dans le cours ordinaire de l'enseignement, et établit à cet effet une conférence hebdomadaire où chaque clerc devait être en mesure de prononcer un fragment de sermon, de catéchisme ou d'homélie. Il se réserva à lui-même le soin de présider la séance et d'y exposer les règles qu'il avait tracées à ses missionnaires pour la prédication populaire, excitant ainsi une émulation qui, longtemps après la fin de son épiscopat, régnait encore au séminaire de Sainte-Agathe, et qu'il entretenait d'ailleurs par des thèses publiques de philosophie ou de théologie, par des académies de belles-lettres et par des encouragements de diverse nature, tels que des réductions dans le prix de la pension et le droit accordé aux diacres de prendre part aux concours institués pour la distribution des cures.

Des exercices de piété quotidiens, la confession hebdomadaire, la communion au moins tous les quinze jours, la retraite du mois que sanctifiait une instruction épiscopale, enfin huit jours d'exercices spirituels avant l'ouverture des classes furent désormais prescrits aux élèves. La coutume de faire la lecture pendant le repas fut également introduite dans l'établissement, et l'Évêque indiqua les livres auxquels on devait donner la préférence [1]. Il exigea du reste que, tout en étant nourris de la parole de Dieu, les élèves fussent bien traités au point de vue matériel, et que leur alimentation fût toujours saine, apprêtée avec soin, et absolument semblable à celle des professeurs. Le cuisinier de la maison était peu expert dans son art; il lui fit donner des leçons, et s'imposa la loi de venir souvent au réfectoire, à l'heure des repas, pour examiner la qualité des mets, et en particulier celle du pain, qu'il faisait enlever lorsqu'il ne le trouvait pas assez bien pétri. Enfin des galettes préparées à l'évêché et des bonbons achetés à la foire de Salerne témoignaient de

---

[1] On devait lire pendant le dîner le *Nouveau Testament* et l'*Histoire de l'Église* alternée avec la *Vie des Saints ;* le soir un livre traitant spécialement des vertus de la sainte Vierge, et le samedi le Règlement du séminaire.

temps à autre de la sollicitude délicate du père pour ses plus jeunes enfants.

Après le travail, le repos. Des récréations intelligentes furent aussi, par les soins d'Alphonse, ménagées aux élèves. Aimant alors à entretenir leur gaieté, il fit noter les cantiques composés par lui en d'autres temps, pour qu'ils pussent les chanter pendant leurs promenades ; et lui-même leur donnait souvent le ton, ou les reprenait lorsqu'ils se trompaient. Il supprima, il est vrai, les congés qui dépassaient la journée, et même les vacances de l'automne, dont le moindre inconvénient à ses yeux était de compromettre, par un mois d'inaction, les fruits péniblement acquis d'une année de travail ; mais il décida qu'on fournirait en échange à cette époque aux élèves des divertissements variés et des plats d'extra aux repas, enfin qu'on n'épargnerait aucune dépense pour que la mesure fût plus facilement adoptée [1].

Ainsi réglée, la maison devint en peu d'années un foyer si ardent de travail et de piété que l'ambition d'Alphonse elle-même en fut satisfaite. Heureux de son œuvre, il la regardait comme le joyau et l'espoir de son diocèse. « Tous mes prêtres sont ma couronne, aimait-il à dire ; mais c'est sur mon séminaire que je compte surtout pour cultiver ma vigne et remettre dans le bon sentier mon troupeau. »

[1] Cette disposition ne resta pas longtemps en vigueur. En 1764, les administrateurs du séminaire, se trouvant endettés par suite des travaux de construction, avisèrent au moyen de se libérer, et demandèrent que l'on rendît aux élèves leurs vacances. Alphonse y consentit quoique avec regret ; mais en y mettant la condition formelle que ces vacances ne dureraient pas plus d'un mois (du 1er au 31 octobre). Il prit aussi les plus grandes précautions pour que ce temps de relâche ne portât aucun préjudice aux âmes de ses séminaristes. Il les réunit avant leur départ, leur donna une série de conseils, leur défendit notamment de prendre part aux vendanges et aux chasses, et leur prescrivit un règlement dont il envoya copie à tous les curés, en les chargeant de veiller à son exécution. Il les prévint en outre que personne ne serait reçu à la reprise des études sans une attestation du pasteur de la paroisse, témoignant de sa bonne conduite. Cette mesure eut son plein effet, et plusieurs élèves qui avaient manqué au règlement cessèrent de faire partie du séminaire ou ne furent admis aux Ordres qu'après une longue attente.

La condition, et le gage de cette prospérité étaient la persévérance infatigable de l'Évêque à conserver, même au prix
des punitions les plus sévères, l'intégrité de la discipline.
Un élève de rhétorique, par exemple, surpris un jour un
livre de poésies napolitaines à la main, fut renvoyé à la
classe de grammaire; deux autres sur lesquels on avait
trouvé des poignards reçurent l'ordre du départ, et ne furent
jamais admis aux Ordres, tandis que trois de leurs camarades accusés d'avoir fait des signes, fort innocents du reste,
à une femme qui traversait la cour du séminaire, furent
également expulsés malgré leurs promesses et leur repentir.
Lorsque Alphonse, en effet, avait prononcé un arrêt, les supplications et les larmes étaient impuissantes à l'ébranler.
« Par compassion pour un seul, disait-il, afin d'expliquer
cette dureté apparente, je me rendrais responsable de la
ruine de beaucoup d'autres; d'où il ressort qu'au lieu d'être
charitable, je serais cruel..., car une brebis galeuse suffit
pour infester tout le bercail. » Aucune intercession n'était
donc admise, aucune considération n'était écoutée lorsqu'elle
venait se placer entre lui et un acte de justice à accomplir.
Le neveu d'un des maîtres du séminaire avait donné des
sujets graves de mécontentement; il le renvoya, quoique
son départ dût entraîner la démission du professeur, et
l'abbé Pignatelli, plus tard Archevêque de Capoue, ayant
demandé grâce à son tour pour un clerc qui avait failli,
n'obtint de lui pour toute réponse que ces mots : « Si votre
protégé a tant de repentir, qu'il aille faire pénitence dans
un cloître. » Cette règle était si absolue, qu'Alphonse ne s'en
départit, dit-on, qu'une seule fois; ce fut en faveur d'un
élève, de mœurs irréprochables d'ailleurs, qui, découragé
par les difficultés du travail, s'était enfui à deux reprises
du séminaire. L'Évêque lui pardonna, non qu'il ne jugeât
sa faute digne de châtiment, mais parce que le jeune
homme était originaire de Ducento, c'est-à-dire d'un de ces
villages reculés où son désir le plus vif était de développer
des vocations.

La perfection de science et de sainteté à laquelle Alphonse

éleva son séminaire conquit à cet établissement un grand renom dans le royaume de Naples. Les places y étaient retenues avant d'être vacantes, et des étrangers sollicitaient comme un honneur l'autorisation d'y envoyer leurs fils. Ce fut là, peut-on dire, la première plante appelée à grandir dans l'Église de Sainte-Agathe, sous l'influence de son nouveau pasteur. C'est aussi celle que nous voulions présenter la première à nos lecteurs avant de suivre l'Évêque, dans la visite générale de son diocèse.

CHAPITRE V

Alphonse entreprend la visite de son diocèse. — Efforts pour remédier à l'ignorance du clergé et pour réformer les mœurs des fidèles. — Catéchismes, conférences, examen du matériel des églises.

Le premier voyage de l'Évêque de Sainte-Agathe à travers les villes et les villages de son diocèse ne fut pas une simple tournée épiscopale, mais une exploration méthodique destinée à lui révéler les ressources et les lacunes, et à lui permettre d'asseoir sur la connaissance des faits les règles de sa conduite future. Les exercices de la mission et la réforme des abus se succédèrent sans interruption dans cette course apostolique dont les résultats furent considérables, ainsi que nous aurons à le constater bientôt, mais dont il est nécessaire d'esquisser d'abord le plan et l'harmonie générale.

Le séjour que faisait l'Évêque dans chaque paroisse était proportionné au nombre de ses habitants. Huit jours pour un hameau, et quinze pour une ville ne lui semblaient pas dépasser la mesure; car dans l'un et l'autre cas il entreprenait un examen rigoureux et des œuvres multiples dont il ne voulait abandonner à personne le fardeau. Fidèle au souvenir de sa vie de missionnaire, son premier soin en arrivant était de se rendre à l'église principale et d'adresser la parole aux fidèles qui s'y trouvaient réunis, en leur annonçant l'indulgence plénière accordée par le Souverain Pontife à tous les lieux qu'il visitait. Le lendemain, si c'était un dimanche ou un jour de fête et si la population était suffisamment n ˈmeuse, il officiait en grande pompe, entouré d'une partie du chapitre de Sainte-Agathe qu'il convoquait pour la circonstance, et même, quand la distance le permettait, des élèves du séminaire. Dans l'après-midi de ce second jour, il ouvrait solennellement une mission qui devait se prolonger au moins jusqu'à la fin de la semaine, et dont plus que tout autre il supportait le poids; car il se réservait toujours les sermons du soir, les conférences au clergé et l'examen des enfants sur le catéchisme. En s'imposant cette dernière tâche, il avait à la fois pour but de montrer, par son exemple, aux pasteurs d'une part, et aux parents de l'autre, toute l'importance qu'ils devaient attacher au développement religieux de ces jeunes intelligences, et de s'assurer personnellement de l'instruction de ceux auxquels il allait administrer le sacrement de confirmation. Exigeant de tous assez de discernement pour apprécier la grâce qui leur était faite, et assez d'années pour en conserver le souvenir, il n'en admettait ordinairement aucun avant l'âge de sept ou huit ans. Il veillait aussi avec un soin scrupuleux à ne donner le saint chrême qu'à ceux qui avaient été présents dans l'église lors de l'imposition des mains, et ne craignait pas de recommencer la cérémonie pour les retardataires autant de fois que l'occasion s'en présentait. Enfin, si des malades avaient été empêchés de venir jusqu'à lui, il se transportait lui-même à leur domicile, afin de ne pas retarder pour eux le bienfait du sacrement; et ce fut dans une circonstance de ce genre que, perçant les mystères de la vie, il prédit à un enfant infirme qu'il venait de confirmer son entrée au paradis au bout de trois jours.

Mais ses visites ne se bornaient pas là, et les pauvres voyaient à leur tour leur Évêque entrer dans leurs chétives demeures, confesser les malades, leur distribuer des aumônes, des vêtements, des médicaments, s'informer même des détails les plus intimes de leur existence, et en particulier vérifier si les enfants n'étaient pas obligés de coucher ensemble, faute de lits. La compassion n'était pas, du reste, le seul point de contact d'Alphonse avec les abandonnés du monde. On peut dire qu'il se rapprochait encore d'eux aussi bien

par son équipage pendant ses tournées, que par le genre
de vie qu'il avait adopté. Sa suite était réduite au strict
nécessaire, et lui-même, assis sur une selle de femme qu'il
avait empruntée à une dame de Sainte-Agathe, cheminait
sur un âne dont un enfant tenait la bride, et dont le maître
marchait à côté de lui pour le soutenir. Plusieurs se scandalisaient presque de cet humble appareil; mais il répondait
en souriant : « *Hi in curribus, et hi in equis, nos autem in
nomine Domini* [1]. Je suis si bien là-dessus d'ailleurs, que je
ne pourrais vraiment être mieux. » Cependant, dans ces
conditions, les trajets étaient loin de se faire rapidement,
d'autant plus que le Saint priait pendant toute la durée de la
route et s'arrêtait souvent pour causer avec les pauvres gens
qu'il rencontrait; mais rien ne le rebutait, ni la lenteur du
voyage ni les ardeurs de la saison. Un jour de canicule entre
autres, il arriva dans une petite ville du diocèse à midi, et
comme le chapitre, effrayé de cette imprudence, ne pouvait
s'empêcher de lui en exprimer son étonnement : « Qu'importe donc! répondit le saint prélat. Ce pauvre homme, — et
il désignait du doigt un paysan qui passait, les épaules
courbées sous un pesant fardeau, — ne voyage-t-il pas
encore moins commodément que moi? » Une fois pourtant,
accablé par la fatigue, il consentit, sur les instances inté-
ressées du grand Vicaire, à prendre une voiture; rare et
malencontreuse précaution, peut-on dire! car le cocher, qui
était ivre, le versa deux fois, et dans une de ses chutes il
se démit le poignet. Cet accident ne l'empêcha pas de continuer sa route, monté sur une mule, jusqu'en un lieu appelé *Casale dei perroni,* où il dut céder aux sollicitations
d'un riche marchand du nom d'Angelo Cervo, qui le contraignit à s'arrêter quelques heures chez lui pour consulter
un médecin, et qui, en récompense de sa charité, eut le
bonheur de voir son fils, malade à toute extrémité, guéri
par un signe de croix d'Alphonse.

---

[1] « Les uns dans des chars, les autres sur des chevaux, et nous, au nom
du Seigneur. » (Ps. xix, 8.)

Pauvre d'aspect, et pauvre de cœur, le Saint avait pris
des mesures très-sévères pour que ni ses voyages ni ses
séjours ne pesassent sur les populations qu'il visitait; aussi
rentrait-il toujours à Sainte-Agathe dépourvu d'argent et
chargé de dettes. Les prélats qui avaient occupé son siége
avant lui percevaient d'ordinaire dans leurs tournées une
sorte de droit de visite qu'on appelait la *procurazione* : il
le réduisit considérablement, et ne voulut accepter que ce
que l'on donnait à l'un de ses prédécesseurs dont la mémoire était restée en vénération dans le pays [1]. Quant aux
personnes de sa suite, il leur interdit formellement de solliciter aucun présent. « Tenez-vous-en, leur répétait-il souvent, à la maxime de saint François de Sales : *Ne rien demander, ne rien refuser;* » et, plus scrupuleux encore en ce
qui le concernait personnellement, il faisait acheter ce dont il
avait besoin pour sa nourriture, et n'acceptait jamais aucun
don. C'est ainsi que chez un des plus riches seigneurs du
pays qui avait mis un palais inhabité à sa disposition, il
poussa la délicatesse jusqu'à payer le charbon et l'huile qu'il
avait consumés, et que si, à Durazzano, il consentit à partager le repas des Pères dominicains, il insistait tellement
chaque jour sur la frugalité qui devait présider à leur table,
que l'un de ces religieux, impatienté de ses recommandations, lui répondit avec vivacité : « Que Votre Grandeur renonce à manger, si cela lui plaît; mais pour notre part, nous
ne pouvons l'imiter. »

C'était pour obéir au même attrait pour la pauvreté, en
satisfaisant sa charité à l'égard de ceux qui l'accompagnaient,
qu'il se faisait toujours donner les appartements les plus
incommodes. Un jour, par exemple, à Frasso, le grand
Vicaire dont il était suivi se montra mécontent de sa chambre, prétendit qu'elle était humide, que la fenêtre fermait
mal, se querella avec les chanoines et mit tout le monde en
émoi. On était en plein mois de juillet, et l'humidité alléguée
ne paraissait guère qu'un prétexte, derrière lequel se cachait

[1] Mgr Albino.

la jalousie puérile du plafond peint qui décorait la chambre épiscopale. Alphonse s'en aperçut. « Soyez tranquilles, dit-il aux chanoines, j'arrangerai tout; » et pendant que le grand Vicaire était à l'église, il fit transporter sa couchette dans la pièce dédaignée et s'y installa. Fidèle au même esprit, il exigea encore que son compagnon occupât un appartement splendide qu'on avait fait préparer pour lui à Airola, dans le palais du prince de la Riccia, et voulut absolument adopter pour lui-même la chambre destinée à son serviteur. En vain essaya-t-on de l'en dissuader: « Je serai bien mieux ici, répondit-il; je souffre moins de la poitrine dans les petites pièces que dans les grandes; » et lorsque, peu de jours après, il tomba malade, il refusa formellement de se laisser transporter ailleurs. « Vous voulez ma commodité et mon agrément, dit-il avec insistance au maître d'hôtel qui invoquait l'honneur du prince, eh bien! je me trouve à merveille ici, et j'y suis content. »

Il s'y trouvait bien, en effet, mais à la manière des Saints qui cherchent leur joie dans ce que d'autres appellent la souffrance; car, aux douleurs ordinaires d'un asthme déjà ancien, était venu se joindre un accès de fièvre accompagné de symptômes fâcheux. Cependant, sous prétexte que les livres de science étaient les mêmes pour tous, il refusa tout autre médecin que celui du pays : « D'ailleurs, ajoutait-il, ma vie n'est pas si précieuse. » En même temps, ne perdant pas de vue un instant le but de sa visite, il prit toutes les dispositions nécessaires pour parer à son absence et pour continuer ses travaux. Sur son ordre, son grand Vicaire allait chaque jour inspecter les lieux où il avait projeté de se rendre lui-même, et revenait régulièrement le soir lui exposer en détail le résultat de son enquête. Quant à lui, rien n'était changé à son règlement ordinaire. Tous les matins il entendait la messe qu'on disait dans sa chambre, recevait la communion, puis observait ses heures de prières aussi fidèlement que lorsqu'il était en santé. Le neuvième jour, cependant, se sentant plus accablé qu'à l'ordinaire, il demanda si sa maladie était mortelle. — « Elle est au

moins très-grave, lui répondit le docteur, et la mort peut
s'ensuivre. » Aussitôt, sans se troubler, il fit appeler son
secrétaire, et le pria de lui apporter l'extrême-onction. Il
la reçut avec un visage qui témoignait de l'allégresse de son
âme, semblant saluer l'amie invisible qui allait le délivrer
de l'exil ; à partir de ce moment il ne voulut plus s'occuper
que de Dieu, et partagea son temps entre la méditation et
la lecture qu'il se faisait faire dans les livres saints. Le
médecin lui recommanda de ne pas se fatiguer ; mais avec
ce sourire qui prenait dans les heures de souffrance un
charme céleste : « La prière me soulage, répondit-il ; sans
la prière, on n'aimerait pas la douleur. »

Le quinzième jour, contre toute attente, le mal diminua, et
une amélioration progressive se manifesta. Il en profita pour
reprendre sans délai ses occupations pastorales, et sa chambre
de malade ne cessa plus de se remplir de prêtres qu'il interrogeait sur la théologie ou examinait sur les rubriques,
jusqu'au moment où une guérison complète lui permit de
poursuivre le cours trop longtemps interrompu de sa visite.

Mais, hélas ! le cœur de l'Évêque et du père fut singulièrement affecté pendant cette première entrevue avec son
troupeau ! L'ignorance d'une part, les scandales de l'autre,
lui démontrèrent promptement, en effet, la difficulté de sa
tâche, sans que cette révélation eût d'autre résultat que de
redoubler son activité et d'élever son courage à la hauteur
de sa mission. Les fidèles, les prêtres, les religieux, et les
rapports de ces diverses classes entre elles appelèrent successivement son attention. Il ne fut pas long à s'apercevoir
que le défaut de science et de piété était chez les premiers
la base de tous les désordres. Pour combattre l'un, il rédigea lui-même en langue vulgaire un abrégé des vérités
chrétiennes les plus essentielles, qu'il fit imprimer et répandre en tous lieux. Quant à l'autre, dont l'abandon de la
communion annuelle était un des plus tristes résultats, il
n'est pas de moyens qu'il n'employât pour y remédier :
avertissements personnels, lettres pressantes, prières et
menaces, tout fut mis en œuvre. Enfin, pour laisser aux

consciences une liberté absolue, il décida qu'aux fêtes de Pâques de l'année suivante, les confesseurs changeraient tous de résidence, et que des prêtres étrangers aux paroisses pourraient seuls y exercer le ministère. En même temps il obtint du Pape, pour le jour de la communion générale, dont il prit soin de fixer partout la date, une indulgence plénière applicable aux défunts.

La correction des mœurs ne fut pas pour lui l'objet d'une moindre préoccupation. Anxieux de pénétrer au-dessous de la surface et de faire luire la lumière partout, il invitait, dans tous les pays où il s'arrêtait, les hommes les plus respectables de chaque classe à lui révéler les discordes et les scandales qui régnaient autour d'eux; puis il appelait ceux qu'on lui avait désignés, essayait tour à tour la douceur et la sévérité, et, usant de son droit, en certaines circonstances où il ne pouvait rien obtenir, faisait même incarcérer les coupables. Des désordres enracinés, datant parfois de vingt ans, furent ainsi détruits, et toutes les précautions prises pour en prévenir d'autres. Il interdit par exemple aux parents de loger sous leur toit les jeunes gens fiancés à leurs filles, et défendit aux confesseurs de donner l'absolution à ceux qui enfreindraient cette règle. Il mit aussi tout en œuvre pour abolir, parmi les femmes de certaines paroisses rurales, une manière de se vêtir, plus sauvage que chrétienne [1]; mais son zèle se brisa contre une coutume qui avait pris racine dans les mœurs, et semblait autorisée par le temps. Enfin, partout où il passait, il s'efforçait de ramener à Dieu les femmes de mauvaise vie, dont le nombre n'était que trop considérable dans son diocèse. Il les faisait venir en présence de leur curé, et, leur offrant, pour ainsi dire, le choix entre son indignation et sa miséricorde, leur annonçait qu'elles trouveraient en lui, si elles revenaient au bien, un père plein de charité; mais si elles persévéraient dans le péché, un juge inexorable. Toutefois, n'ignorant pas qu'il est

---

1 « Non portando gonna, ma valendosi di due panni : l'uno avanti e l'altro dietro, rimangono aperti i fianchi, con detrimento non lieve della cristiana modestia. » (Tannoia.)

plus facile de prévenir que de réprimer, l'Évêque ne cessa de concentrer avant tout sa sollicitude sur la préservation de la jeunesse, et mit notamment un soin particulier à laisser après lui, dans chaque paroisse, une confrérie pour les jeunes filles, destinée à les défendre contre les écueils qui les entouraient, en leur faisant comprendre et aimer la chasteté [1]. Enfin, étendant son amour jusqu'aux petits êtres qui ne font que toucher la terre, il prit la peine, pendant tout le temps que dura sa tournée, d'instruire lui-même les sages-femmes sur la manière dont elles devaient conférer le baptême dans les cas urgents.

Les ministres du sanctuaire n'étaient malheureusement pas à l'abri de l'ignorance et des désordres auxquels les fidèles étaient en proie. Au siége même de sa résidence, dans la ville ou dans les faubourgs de Sainte-Agathe, l'Évêque rencontra quatre curés chez lesquels la science la plus élémentaire était complétement absente. Il patienta cependant, et, à la fois pour ne pas compromettre leur réputation et pour ne pas troubler les âmes dont ils avaient eu la confiance jusque-là, résolut, bien qu'à regret, de les nommer chanoines, se bornant, jusqu'à ce que des vacances se produisissent dans le Chapitre, à leur adjoindre des vicaires capables de suppléer à leur insuffisance. L'un d'entre eux pourtant était d'une incapacité si manifeste, que sa démission immédiate fut exigée.

Mais ce n'était pas seulement, hélas ! la notion des règles théologiques les plus importantes, c'était encore celle des rubriques les plus élémentaires qui souvent faisait défaut. Aussi un autel dressé dans la grande salle de son palais de Sainte-Agathe, ou, lorsqu'il parcourait les campagnes, dans

[1] C'était là, on le sait depuis longtemps, une des préoccupations qui ne l'abandonnaient jamais, et un jour, à Sainte-Agathe, après avoir donné son approbation à une école tenue par deux vertueuses filles, qui tout en menant la vie religieuse continuaient à habiter leur propre demeure (en italien : *monache di casa*), il n'ajouta qu'un conseil, celui de ne pas négliger d'exposer à leurs élèves le prix de la virginité et le poids du mariage, afin qu'elles pussent opter un jour avec science et réflexion entre ces deux modes de vie.

une des pièces de la maison qu'il occupait, était-il destiné à
éclairer Alphonse sur la manière dont les prêtres du lieu
célébraient la messe. Il leur en faisait reproduire sous ses
yeux les cérémonies, et les reprenait lui-même toutes les
fois que l'occasion s'en présentait. Cette enquête amena les
plus tristes découvertes. Un nombre considérable d'ecclésiastiques furent suspendus parce qu'ils manquaient aux
prescriptions liturgiques les plus nécessaires ; d'autres, parce
qu'ils célébraient le saint sacrifice avec une précipitation
scandaleuse. Alphonse était inflexible pour ce genre d'irré-
gularité qui avait atteint, du reste, les dernières limites, car
deux des coupables disaient leur messe en six minutes. Il
estimait que la tolérance d'un pareil abus constituerait pour
le prêtre et pour son Évêque un état ordinaire de péché
mortel, et déclara que quiconque consacrerait moins d'un
quart d'heure à la messe encourrait la suspension *ipso facto*.
En même temps, pour travailler avec plus d'efficacité à
l'extirpation de ce désordre, il publia sous le nom de : « La
Messe dite à la hâte, *La Messa strapazzata ,* » un traité
destiné spécialement à son diocèse, mais qui eut un grand
retentissement dans tout le monde religieux d'Italie.

Cette légèreté dans les choses les plus graves ne s'accordait que trop bien d'ailleurs avec la futilité de l'époque, qui
se manifestait jusque dans l'attitude extérieure des membres
du clergé. Les habits galonnés d'or, les passementeries de
soie, les dentelles, les manteaux de couleur claire, les cheveux bouclés et couverts de poudre de Chypre étaient alors
à la mode au milieu d'eux, et, la vie marchant de pair avec
le costume, il n'était pas rare de voir des prêtres figurer sur
des théâtres de société, et se faire gloire d'y remplir des
rôles importants. L'Évêque prohiba aussitôt cet usage sous
peine d'interdiction ; et, résolu à rendre en même temps au
costume sa gravité nécessaire, il trempa un jour lui-même
dans l'eau bouillante une perruque artistement bouclée qu'un
ecclésiastique prétendait avoir obtenu de Rome le droit de
porter. « Cette autorisation n'a été donnée, dit Alphonse,
que sous réserve de l'approbation de l'ordinaire. Eh bien !

voilà comment elle doit être, » ajouta-t-il en montrant les mèches pendantes et tout l'échafaudage détruit; « je ne la tolère pas autrement. »

Ne voulant, du reste, conserver aucun doute sur la valeur morale de son clergé, il ouvrit sur chacun des prêtres de son diocèse une minutieuse enquête, et, faisant comparaître devant lui tous ceux dont on lui avait signalé la mauvaise conduite, il leur adressa, avec de paternels reproches au sujet du présent, de sévères menaces pour l'avenir. Aucun désordre du passé ne demeura d'ailleurs impuni; et, afin que les fautes notoires reçussent un châtiment également public, une longue retraite dans un couvent de missionnaires, parfois même la reclusion, fut imposée aux coupables à titre d'expiation. Les religieux, abrités derrière leurs murailles et moins exposés que les prêtres séculiers aux dangers de la vie extérieure, n'échappèrent pas non plus à l'œil vigilant du pasteur, et, sur sa demande, les supérieurs durent transférer dans d'autres maisons les brebis galeuses qu'il ne lui convenait pas de garder au milieu de son troupeau. Enfin, une dernière classe d'hommes consacrés à Dieu, celle des ermites, attira son attention. Leur profession avait été sanctifiée autrefois par de grands exemples qu'Alphonse aurait souhaité voir refleurir dans les solitudes de son diocèse; au moins voulut-il parer tout d'abord aux tentations les plus ordinaires, en leur ordonnant de remettre, pour sauvegarder la pauvreté inséparable de leur vocation, toutes les aumônes qui ne seraient pas nécessaires à leur entretien entre les mains d'un chanoine chargé d'employer cet argent à la réparation des églises, et en interdisant aux femmes, sous peine d'excommunication, l'entrée de leurs cellules.

Les rapports du clergé avec les fidèles furent aussi, comme nous l'avons dit, examinés, réformés et réglés pour l'avenir. La résidence des curés dans leurs paroisses fut rigoureusement exigée, et l'obligation de célébrer la messe pour leurs paroissiens non-seulement le dimanche, mais les jours de fêtes, leur fut soigneusement rappelée. Il leur fut enjoint aussi de veiller à ce que la messe de l'aurore et celle de midi ne fissent jamais défaut, surtout les jours où, selon la liturgie du pays, le travail étant permis et l'office seul obligatoire, il était nécessaire de multiplier pour les fidèles les moyens de remplir leurs devoirs.

Quant aux procédés à employer pour l'enseignement religieux du peuple, Alphonse n'épargna pas non plus ses conseils aux pasteurs. Il voulut que l'*Abrégé des Vérités chrétiennes* dont il était l'auteur fût lu, les dimanches et les jours de fêtes, pendant la première messe et pendant celle à laquelle on voyait d'ordinaire le plus grand concours d'assistants. Une méditation faite à haute voix dans l'église par un prêtre, avec des pauses permettant d'approfondir les pensées principales, devait remplacer cette lecture dans le courant de la semaine. L'Évêque espérait ainsi familiariser peu à peu ses diocésains, et particulièrement les gens du peuple, avec l'élément indispensable de toute vie intérieure, l'oraison. C'est dans le même but qu'il décida que, tous les soirs, les curés réuniraient une seconde fois leurs paroissiens pour faire avec eux une visite au saint Sacrement, conformément à une courte méthode tracée par lui, et dont un exemplaire, collé sur une tablette commode à manier, devait être conservé dans toutes les églises. Ces exercices quotidiens, en rapprochant sans relâche le prêtre des âmes confiées à sa garde, facilitaient d'ailleurs leurs mutuels rapports, et rendaient plus vivante cette famille spirituelle dans laquelle aucun membre ne devait être oublié. Les enfants, en effet, trouvaient leur part spéciale dans la multiplication des catéchismes, qui, restreints autrefois au carême, s'étendirent dès lors à tous les jours fériés. Afin d'assurer l'exactitude des jeunes auditeurs, l'Évêque recommanda que, quelque temps avant l'heure réglementaire, un clerc portant une grande croix parcourût le village ou le quartier, en les conviant à la réunion [1].

---

[1] Cet usage s'est perpétué à Rome, où, les jours d'instructions, un enfant parcourt les rues en portant une grande croix de bois noir, et en chantant ce naïf refrain : « Pères et mères, envoyez vos enfants au catéchisme, sinon vous en rendrez compte à Dieu. » Toutes les portes

La sollicitude du Saint se porta enfin sur ceux qui, au moment de quitter ce monde, ont besoin d'une dernière onction et, pour ainsi dire, d'un dernier baiser de l'Église. L'assistance des malades laissait beaucoup à désirer. Dans plusieurs parties du diocèse, les prêtres avaient l'usage d'adresser aux mourants, même aux gens de la campagne, de longs discours entremêlés de passages latins dont ils ne pouvaient retirer aucun fruit. En appelant encore une fois à sa plume, l'Évêque, pour mettre fin à cette déplorable coutume, fit imprimer et distribuer au clergé un recueil des actes les plus simples et des pensées les plus utiles à suggérer dans ce moment suprême.

Après avoir travaillé ainsi à rendre plus dignes et plus efficaces les fonctions du sacerdoce, Alphonse, anxieux de protéger les membres du clergé contre la tentation trop fréquente de laisser dormir leurs traités de théologie, inaugura pour eux une institution qu'il ne cessa d'encourager pendant tout le cours de son épiscopat. Il fonda dans toutes les paroisses importantes des conférences hebdomadaires où l'on devait discuter un cas de morale indiqué d'avance dans l'annuaire diocésain, et où, pour entretenir la fidélité aux rubriques, un prêtre devait figurer en présence de ses confrères les cérémonies de la messe. Outre ces conférences, et comme pour les relier entre elles en leur donnant un centre commun, il institua une académie de morale qui se réunit dès lors tous les huit jours dans son palais, sous sa présidence, et dont les membres furent choisis presque exclusivement parmi les curés du diocèse, auxquels il fournit généreusement, lorsqu'ils ne pouvaient eux-mêmes se les procurer, tous les livres nécessaires à leurs études. Enfin, une petite congrégation de prêtres, destinée à évangéliser les campagnes du diocèse, fut constituée par ses soins; elle eut son siége à Airola et à Durazzano, où quelques ecclésiastiques pleins de zèle avaient déjà préludé par leurs efforts privés à cette pieuse fondation.

s'ouvrent aussitôt, et les jeunes catéchumènes se rendent à l'église en suivant la croix.

Tous les détails de la vie du prêtre, tous les besoins, pour ainsi dire, des diverses classes de fidèles, avaient été passés en revue. Il ne restait plus à explorer que les bâtiments consacrés au culte. Là encore, Alphonse découvrit des désordres affligeants. Si la générosité d'un de ses prédécesseurs lui avait légué une cathédrale richement décorée [1], les églises de village étaient pour la plupart réduites à un état de délabrement difficile à peindre; aussi fit-il procéder sans différer aux réparations les plus urgentes. Il ordonna de blanchir les murs, de renouveler les pavés, de réparer les toits, d'élever des contre-forts pour soutenir les parois qui menaçaient ruine, de remplacer les vitres ou les fenêtres qui faisaient défaut, et défendit sévèrement de laisser à l'avenir l'herbe croître sous le porche ou les toiles d'araignée envahir l'intérieur du saint lieu. Les images défigurées par le temps furent aussi le plus souvent proscrites. « Ce sont des objets sans utilité, disait-il, lorsqu'ils n'inspirent plus de respect. » Plusieurs crucifix de bois vermoulu furent donc par lui condamnés aux flammes, et une vieille statue de la sainte Vierge, noire et difforme, aurait eu le même sort, si la vénération qu'elle inspirait aux habitants de Frasso ne lui avait fait renoncer, quoique avec peine, à détruire un monument auquel se rattachait pour eux le souvenir des grâces reçues de Dieu. L'ordre fut aussi rétabli dans tous les objets accessoires du culte. Les étoffes de coton qui garnissaient l'intérieur de certains tabernacles furent remplacées par de la soie; des armoires spéciales furent disposées pour recevoir

---

[1] La cathédrale de Sainte-Agathe, qui date du temps des Normands et paraît avoir été construite sur les ruines d'un ancien temple, conserve encore sa forme primitive. Elle a trois nefs, et un crypto-portique orné de colonnes de travertin et de cipollino, avec bases et chapiteaux antiques. La cour, qui est un des plus beaux ornements de l'édifice, est décorée de cinq arches soutenues par douze colonnes dont plusieurs de granit oriental. La ville de Sainte-Agathe possède encore deux autres sanctuaires également intéressants au point de vue de l'art : l'église de Saint-Menna, fondée et dotée par Robert Guiscard et consacrée par le pape Pascal II, et l'église *del Carmine*, bâtie au XIe siècle par Adélard, second évêque du diocèse. (Salazaro : *Studi sui monumenti della Italia meridionale*, Napoli, 1871.)

les saintes huiles, reléguées trop souvent dans un coin de la sacristie ou du baptistère ; et l'acquisition de baldaquins, nécessaires pour l'exposition du saint Sacrement, fut prescrite aux églises qui en manquaient, tandis qu'une grande quantité de dais, d'aubes, de chasubles, de chapes, de missels et surtout de linges d'autel étaient mis au rebut sur l'ordre de l'Évêque. Il ne laissa d'ailleurs à personne le devoir d'examiner les vases sacrés, ostensoirs, calices, ciboires, pyxides, et exigea qu'ils fussent tous redorés dans l'espace de deux mois, sous peine de suspension des revenus de l'église. Le nombre des cierges avec lesquels on devait accompagner le saint viatique fut aussi déterminé, et l'obligation d'entretenir une lampe devant le tabernacle fut strictement imposée. La pauvreté de certaines églises avait empêché Alphonse d'en demander davantage ; mais il tenait à ce que le réceptacle de cette flamme unique fût l'objet d'un soin particulier. C'est ainsi qu'un jour, trouvant une lampe abandonnée sur le rebord d'une fenêtre, il la fit aussitôt disparaître et remplacer par une grande lampe de cuivre suspendue à la voûte. Enfin il recommanda d'enlever au moins toutes les semaines la poussière des autels, et de veiller à la limpidité des bénitiers.

Ces ordonnances sembleraient peut-être d'une exigence minutieuse, si l'on ne considérait que leur but exclusif était de remettre en vigueur les canons et la discipline de l'Église, et de rendre la pureté à cette liturgie vénérable, expression matérielle, cadre et reflet de la plus sublime des doctrines. Telle fut l'intention formelle et la règle invariable du saint prélat, fidèle, en réparant les ruines et en comblant les lacunes, à ce principe plusieurs fois affirmé par lui « qu'un Évêque ne devait rien innover, si ce n'est pour réparer une injustice ou détruire un abus ». Alphonse se fit la loi de renouveler souvent cette première visite pastorale qui avait été si fructueuse ; et ne manqua pas dans la suite, en effet, de parcourir chaque année la moitié de son diocèse.

CHAPITRE VI

La maison épiscopale.— Pauvreté et hospitalité. — La *Corte alta* et la
Famiglia. — Vigilance exercée par Alphonse sur ses serviteurs.

Pénétré de ces grands préceptes de saint Paul conviant
l'Évêque à se montrer « irrépréhensible en toutes choses,
afin de contraindre chacun à rendre de lui un bon témoignage [1], et de réduire au silence ses ennemis eux mêmes [2] »,
Alphonse se traça, à peine arrivé dans son diocèse, un plan
de conduite dont, pendant les treize années de son épiscopat,
il ne devait pas se départir un seul instant. Ses modèles
furent désormais les pontifes les plus illustres par leurs vertus, et ce fut sur leurs exemples qu'il régla l'ordonnance de
sa maison. Nous ess   de le suivre dans ces détails
parfois puérils peut-   les regardait au simple point
de vue humain, m   la   confère un prix
    rapport avec l   Si humble, si
simple, en effet, que   grâce y règne
et y commande, c'e   ivifie tou
ch   c'est ce qu'A   il da
      Saints, l'E
      rité pou
      quand

[1] O
here b
[2] Ut is
(*Tit.*, II, 8

dont nous nous occupons, frappait tout d'abord le visiteur
parvenu au seuil du palais épiscopal de Sainte-Agathe.
Contrairement aux usages italiens, aucune armoirie de famille ne figurait sur la porte ni sur les meubles du vesti-
bule [1]; mais de même que saint Charles Borromée avait
échangé ses armes contre les images des saints protecteurs
de l'église de Milan [2], Alphonse avait fait placer partout, en
guise d'écusson, l'image de la croix; et c'était aussi le calvaire et la croix, sous différentes formes, que l'on apercevait
seuls dans l'escalier. Les appartements, richement décorés
par le précédent Évêque [3], avaient été dépouillés à leur
tour, par les ordres de son successeur, de tout leur luxe
d'autrefois, et étaient devenus, pour employer l'expression de
Tannoia, comme le miroir de sa pauvreté. La petite chambre qu'il avait choisie pour lui contenait une couchette de
bois, large de trois à quatre palmes, sans matelas, sans
rideaux et sans autre couverture qu'une vieille courte-pointe
sur laquelle il étendait, quand le froid était trop vif, sa soutane et son manteau, un grand crucifix, présent du Père
Longobardi, son ami, et une table sur laquelle étaient posés,
à côté d'un petit encrier en os, un tableau de la Madone du
Bon-Conseil et un certain nombre de livres. Quelques chaises
grossières complétaient ce pauvre mobilier; encore étaient-
elles si rares qu'un jour l'Évêque de Caserte, remarquant
plusieurs personnes de sa suite debout, faute de siéges,
ne put s'empêcher de dire en riant : « Monseigneur, il n'aurait pas fallu beaucoup de carlins de plus pour que tout
le monde fût assis. » Les autres pièces du palais n'étaient
pas d'ailleurs plus somptueuses, et si une grande chambre,
appelée la chambre d'honneur, avait conservé un ancien lit
de parade en vieux damas, souvenir solitaire des magnificences du passé, elle n'avait dû cette exception qu'à l'at-

armes des Liguori étaient mi-partie d'azur et d'or, au lion grim-
et d'azur, et à la fasce d'or.
Ambroise, saint Gervais et saint Protais, avec cette devise :
defensores.

tente de quelques hauts personnages dont on annonçait la
visite.

Il était difficile cependant d'espérer que cette simplicité
excessive fût du goût de chacun; aussi la plupart des hôtes
d'Alphonse la condamnaient-ils comme une exagération
fâcheuse; mais il ne pouvait, quant à lui, admettre la justesse de ces blâmes. « On prétend que je n'exerce pas bien
l'hospitalité, écrivait-il à un prêtre de Naples qui s'était fait
l'écho de divers propos de ce genre. Je voudrais que mes accusateurs vinssent consulter mes livres de comptes. Il ne se
passe guère de jour sans que je reçoive et loge des étrangers, et mes visiteurs sont quelquefois si nombreux, que je
dois envoyer emprunter des lits dans les maisons voisines. »
En effet, une hospitalité d'autant plus méritoire qu'Alphonse,
donnant tout et vivant au jour le jour, manquait parfois
littéralement d'argent ou de pain, était au nombre de ses
principes de conduite les plus arrêtés. « Un Évêque, disait-il
souvent avec le grand apôtre des gentils [1], est tenu à l'hospitalité comme à la charité... Sa maison est au service de tous,
et elle doit mériter le nom d'une hôtellerie. » Aussi le palais
épiscopal était-il transformé en une auberge ouverte à tous
venants. Un prêtre, fût-ce le plus obscur, se présentait-il à
la porte le soir, il était sûr de trouver une chambre pour
lui et de l'avoine pour son cheval; un confesseur extraordinaire venait-il visiter les religieuses de Sainte-Agathe, un
missionnaire donner une retraite, ou un clerc recevoir les
ordres, il dînait et couchait aussi à l'évêché. Il en était de
même pour les examinateurs et pour les candidats, lorsqu'il
s'agissait de pourvoir à une cure vacante; pour les messagers
qui arrivaient de loin, les voyageurs arrêtés par la maladie [2], ou les étrangers désireux de consulter le Saint au

---

1 *I Tim.*, III, 2. *Tit.*, I, 8.

2 C'est ainsi qu'un ermite de Saint-Nicolas d'Ischia étant tombé malade
en passant à Sainte-Agathe, Alphonse le recueillit, se chargea de toutes
ses dépenses et ne le laissa partir qu'au bout d'un mois, lorsqu'il fut
entièrement rétabli. Il en fit autant pour le cocher de l'évêque de la Cava
et pour son fils qui pendant près de cinq semaines furent aussi entretenus
à l'évêché, et qu'il allait souvent lui-même visiter dans leur chambre.

sujet de leur conscience. « Monseigneur, écrivait don Verzella, ne permet à personne d'aller demeurer à l'auberge, »
et le secrétaire d'Alphonse aurait pu ajouter que tout dédommagement sous forme de présent était rigoureusement
refusé. « Quand vous venez chez moi, disait l'Évêque, ne
vous inquiétez de rien... et gardez-vous de chercher à me
payer le peu de pain que vous mangez sous mon toit. Qu'importe une bouche de plus quand on loge tant de monde chaque jour! » Enfin, voulait-on modérer ses largesses et invoquer dans ce but son amour pour la pauvreté, il se plaisait
à répondre : « Rappelez-vous que l'hospitalité n'est pas fille
de la pauvreté, mais de la charité. »

L'économie pourtant avait sa large part dans l'administration de la maison, et si le chiffre des visiteurs n'était jamais
limité, il n'en était pas de même du nombre des plats qui
paraissaient sur la table épiscopale. Pain de son [1], sous prétexte que le pain de fleur de farine ne valait rien pour la
santé, légumes communs, viande de vache ou de mouton,
petits poissons, — jamais de gros, — tels étaient les seuls
aliments qui se succédaient, sans lasser la patience d'Alphonse. Le majordome s'étant risqué un jour à acheter une
pièce plus délicate, fut contraint de la renvoyer au marchand.
« On dirait, s'écria le Saint effrayé, que l'Évêque absorbe
les meilleurs produits du marché. » C'eût été aussi à ses
yeux un autre scandale si l'on avait fait venir pour lui des
provisions du dehors. « Les fruits exotiques ne valent rien
pour l'estomac d'un Évêque, » disait-il, et même pendant ses
maladies il ne voulait pas qu'on lui préparât de nourriture
spéciale. L'arrivée d'un hôte de distinction tempérait à peine
l'austérité de ce régime. Jamais, en effet, on n'ajoutait plus
d'un plat au dîner, et si deux fois en treize ans la table fut
plus somptueusement servie, l'événement parut assez considérable pour être consigné dans les chroniques de la maison.

La circonstance qui motiva une de ces deux exceptions fut

---

[1] Ce pain, dans la fabrication duquel il entrait du son pour les deux
tiers, s'appelait *pane terzo*.

la consécration de la cathédrale de Sainte-Agathe par l'Archevêque d'Amalfi [1]. Alphonse, en réglant les préparatifs de sa réception, ordonna de compléter le dîner ordinaire par deux plats d'extra. Ce menu fut loin de satisfaire l'ambition du cuisinier, qui, ayant été jadis au service d'autres prélats, espérait se dédommager en ce jour de la contrainte quotidienne qu'il endurait, et faire preuve de son savoir ; aussi répondit-il de mauvaise humeur : « C'est bien, Monseigneur ; mais pour apprêter ce dîner il suffira du marmiton. — Que veux-tu dire par là? reprit l'Évêque. A Pagani j'ai reçu aussi de grands personnages, et je ne les ai jamais traités différemment! — Il est évident que Votre Grandeur serait libre de ne leur donner même que de la panade! » répliqua le cuisinier; et il se retira en grommelant. « Voyez donc, dit le Saint, il est en colère. Qui sait tout ce qu'il ne méditait pas dans sa tête? » Cependant, malgré tout, un plat inattendu fit son apparition au milieu du repas. Alphonse, sur l'heure, fut contraint de le subir; mais à peine rendu à lui-même, il réprimanda sévèrement le coupable d'avoir transformé sa table en un couvert de grand seigneur. » Une autre fois, il se trouvait alors à Arienzo, l'Évêque de Caserte vint le visiter. Le frère François-Antoine, se rappelant la large hospitalité avec laquelle Alphonse avait été accueilli dans ce diocèse, supplia un des Pères qui était auprès de lui d'obtenir un dîner plus abondant que de coutume. La discussion fut longue. « Je ne puis, disait l'Évêque, dépenser en repas l'argent des pauvres. Je suis leur père et leur économe; je ne veux pas dilapider leur bien. Comment ose-t-on d'ailleurs manger des mets apprêtés avec le sang des malheureux, lorsqu'on sait qu'ils n'ont pas de pain? » Mais le Père fit si bien qu'à la fin il arracha un plat de douceurs et un hors-d'œuvre. Tout n'était pas fini pourtant. Alphonse avait compté dans sa pensée la soupe au nombre des plats, et ne put s'empêcher de témoigner par un regard sévère son mécontentement, quand il vit qu'on avait

1 Cette cérémonie eut lieu en 1763, peu de mois après l'arrivée d'Alphonse dans le diocèse.

interprété différemment ses paroles; mais ce fut bien autre chose lorsqu'on apporta le plat de douceurs, auquel les religieuses d'Arienzo, chargées de sa confection, avaient cru devoir adjoindre deux acolytes. Pour le coup il n'y put tenir, et s'adressant à son hôte : « J'ai des religieuses bien pauvres, lui dit-il; ne pourrions-nous leur envoyer quelque chose? » Puis se tournant vers ses gens sans attendre la réponse, il ajouta : « Monseigneur ne veut plus rien; il aime mieux faire la charité à ces pauvres filles! » Et au même instant ordre fut donné à un messager de porter les gâteaux à Sainte-Agathe.

En ce qui le concernait personnellement, Alphonse enchérissait encore sur la frugalité de sa table. Souvent il se contentait du potage; il y eut un temps où il ne prenait pas d'aliments gras, et, pendant plusieurs années, il ne fit qu'un repas par jour. Lorsqu'il dînait hors de chez lui, il savait adroitement tromper l'assemblée en paraissant manger comme les autres convives; mais il ne touchait, pour ainsi dire, pas aux mets qu'on lui présentait, ou bien, s'il découpait les viandes, il trouvait le moyen de s'oublier. Le peu qu'il prenait, il le saupoudrait d'herbes amères, d'absinthe ou d'aloès par exemple, qu'il portait d'ordinaire dans sa poche, et mâchait même entre ses repas. Jamais on ne l'entendit se plaindre d'aucun plat, quoique l'occasion, certes, n'en manquât pas chez lui, et il poussa la fidélité à ce silence jusqu'à boire, un jour, sans laisser la moindre impression se trahir sur son visage, un verre de vinaigre qu'un serviteur lui avait versé par mégarde en guise de vin. Son courage ne put toutefois demeurer inaperçu; car le grand Vicaire, servi à son tour, et ne se sentant pas le même attrait, eut à peine porté le breuvage à ses lèvres, qu'il se leva en colère et accabla de reproches le serviteur dont Alphonse, en souriant, se chargea lui-même d'excuser la maladresse. Don Hercule, pourtant, remplissait parfois le rôle de l'esprit tentateur. Sachant que les fruits étaient du goût de son frère, il ne manquait pas de lui expédier les primeurs du marché de Naples, auxquelles venaient de temps à autre s'ajouter des gâteaux envoyés par ses sœurs du monastère de Saint-Jérôme; mais Alphonse n'avait rien de plus pressé que de les faire porter dans un des couvents de son diocèse, et ne les laissait pas même paraître sur sa table pour y figurer.

Le service, du reste, était en harmonie avec le régime que nous venons de décrire. Les nappes et les serviettes, la vaisselle et les verres rivalisaient de pauvreté; les flambeaux étaient de cuivre, les salières de terre, et les couverts en si petite quantité, qu'on devait recourir à des voisins obligeants lorsque survenaient de trop nombreux visiteurs. Avec le temps, il est vrai, le frère lai et le secrétaire s'ingénièrent pour acheter quelques couverts de plus; mais l'Évêque ne le sut jamais, et continua à leur donner l'ordre d'en emprunter, en recommandant toutefois de ne pas s'adresser toujours à la même maison.

La demeure d'Alphonse était donc, si l'on peut ainsi parler, un palais où la charité et la pauvreté vivaient en amies et en sœurs. Il en avait banni tout ce qui ressemblait à un divertissement profane. Lorsqu'il n'était encore que religieux, il lui arrivait quelquefois, après le dîner, de jouer du clavecin dans la salle commune pour récréer les Pères et enseigner aux novices les airs de ses cantiques; devenu Évêque, il sacrifia ce passe-temps, et ne voulut même pas faire venir à Sainte-Agathe son clavecin. « Y pensez-vous? » répondit-il à ceux qui lui en demandaient le motif: « Quoi! je laisserais dire dans le public que Monseigneur se divertit au lieu de penser à son diocèse! Les délassements d'un Évêque sont de donner audience à tous, d'accueillir les pauvres et de prier, mais non de jouer du clavecin. » Il engagea même son frère, qui était venu le voir, à se priver de certaines distractions musicales qu'il voulait organiser avec ses amis, pour ne pas convertir, selon son expression, la maison épiscopale en un lieu de plaisir.

Tant de rigueur peut paraître extrême; mais Alphonse était sous la puissance de ce souffle divin que rien n'arrête et que rien n'attiédit: voilà le dernier mot de toutes ces aus-

térités et l'explication suprême de la joie qu'il y goûtait.
Une difficulté assez grave s'offrait à lui toutefois, c'est qu'il
avait grand'peine à rencontrer des âmes assez semblables
à la sienne pour consentir à mener longtemps le même genre
de vie. « Il fallait, dit son fidèle biographe, être décidé à pratiquer la vertu avec une ardeur peu commune pour habiter
avec Mgr de Liguori, et le fait est qu'il n'eut jamais la consolation de trouver un ami dont le dévouement fût capable
de partager jusqu'au bout ses fatigues et ses sacrifices. » Le
personnel de sa maison était pourtant fort restreint. Ce que
Tannoia appelle pompeusement « la haute cour, *la corte
alta* », se composait habituellement de trois ou quatre personnes : le grand Vicaire, dont nous avons déjà eu l'occasion
de parler ; le chapelain, Félix Verzella, tour à tour majordome ou secrétaire ; enfin le frère François - Antoine, qu'Alphonse avait amené de Pagani pour s'occuper des détails de
l'intérieur, en particulier des aumônes, et entre les mains
duquel passaient tous les revenus de l'évêché. A ces trois
compagnons ordinaires de sa vie, Alphonse avait désiré
joindre un missionnaire du Saint-Rédempteur, qui pût
l'aider dans ses prédications et lui servir de conseil. Le Père
Angelo Maione, désigné pour remplir ce poste de confiance,
sembla d'abord répondre à l'attente du prélat, qui écrivait
en s'applaudissant de son choix : « J'aime ce Père, parce
qu'il mène une vie édifiante et retirée, ne se mêle pas de ce
qui est en dehors de sa compétence, prêche bien et donne de
sages avis. » Malheureusement, comme nous le voyons dans
une lettre qu'il adressait, peu de jours après son arrivée [1],
au Recteur de Caposele, le séjour de Sainte-Agathe fut
promptement à charge à ce religieux. Il énumérait avec
admiration toutes les réformes entreprises par le saint
Évêque, rendait témoignage à sa charité « qui le portait à
descendre plusieurs fois par jour dans l'église pour confesser
des femmes du peuple », à son zèle infatigable, au charme
exercé par sa douceur ; mais à la suite de ces éloges, il ne

[1] 2 août 1762.

pouvait s'empêcher d'ajouter : « Seulement les actes de vertu qu'il nous fait faire sont au moins aussi nombreux que les siens. Ici, on ne mange pas, on ne dort pas, on n'a pas le temps de souffler, on succombe à la fatigue, et encore on ne sait pas s'il est content. » Le Père Villani, confident de ces plaintes, essaya de donner une diversion salutaire aux dispositions d'esprit du religieux en l'envoyant prêcher une mission à Gaëte; mais ce remède fut inutile, et, les exercices terminés, il fut impossible d'obtenir le retour du Père à Sainte-Agathe, où l'Évêque l'invitait dans les termes les plus humbles à venir continuer son rôle de dévouement. Hélas! cette première défection n'était pas la douleur la plus poignante dont il dût être pour Alphonse la source ou l'occasion. N'anticipons pas toutefois sur l'avenir, et, revenant à la maison épiscopale, arrêtons-nous un instant sur la partie du personnel que les Italiens, en souvenir des mœurs d'autrefois, désignent par cette patriarcale expression : *la famiglia.*

Alphonse, lors de son départ pour Rome, avait pris à son service plusieurs domestiques; mais, ayant eu des reproches graves à leur faire, il les avait congédiés, dès son retour à Naples, pour leur en substituer d'autres destinés à le suivre à Sainte-Agathe; ceux-ci cependant ne restèrent pas longtemps non plus auprès de sa personne, car peu après son arrivée il en céda un à son grand Vicaire, dont le serviteur ne lui convenait pas, et bientôt le départ d'un second réduisit *la famiglia* à un seul domestique, Alexis Pollio, au cocher et au cuisinier, lequel, il est vrai, réclama impérieusement l'adjonction d'un marmiton. Le service particulier de l'Évêque était, du reste, aussi sommaire que facile. Le nom seul de valet de chambre lui était importun; aussi n'en souffrait-il aucun près de sa personne lorsqu'il se levait ou se couchait, et ne permettait-il pas qu'on fît son lit. Alexis voulut un jour y toucher : « Quelle fantaisie vous prend aujourd'hui? lui dit Alphonse; suis-je donc devenu perclus? »

Mais s'il refusait les soins de ses serviteurs, l'Évêque

acceptait dans toute son étendue le devoir de surveiller leur conduite; et, se souvenant de ce mot de saint Paul : « Comment celui qui ne sait pas régenter sa maison sera-t-il apte à diriger l'Église de Dieu¹ ? » il apportait au gouvernement de sa demeure la même vigilance qu'il mettait à administrer son diocèse. Chaque matin, domestique, cuisinier et cocher assistaient à sa messe ou à celle de son grand Vicaire; tous les quinze jours au moins ils s'approchaient des sacrements, et aux grandes fêtes communiaient de sa main. Le jeu et le cabaret leur étaient interdits; enfin, tous devaient être mariés et avoir leur femme à Sainte-Agathe. Il ne fit pas même d'exception pour Alexis, malgré sa vie exemplaire, et ne fut complétement rassuré sur son compte qu'après l'avoir vu en ménage. En effet, indulgent pour tous les torts de ses serviteurs vis-à-vis de sa personne, le charitable Évêque, qui, lorsqu'il avait à se plaindre de leur caractère, ne savait le leur faire remarquer que par ces mots : « Dieu vous rende saint un jour! » se montrait inflexible quand il s'agissait de leurs mœurs. L'un d'eux s'était permis de sortir la nuit; il fut congédié. Un autre, c'était le cuisinier, fut soupçonné d'avoir des liaisons avec une femme du voisinage; Alphonse ne se contenta pas de le renvoyer, mais lui ordonna d'aller habiter ailleurs, et comme il s'y refusait, d'accord avec l'autorité civile, le fit arrêter par les archers. Leur chef, il est vrai, se laissa séduire, et facilita, grâce à un présent de quinze carlins, l'évasion du prisonnier; mais l'éloignement du coupable étant le but principal de l'Évêque : « Je n'en suis pas moins bien aise, » dit-il en apprenant la nouvelle, « que le scandale ait disparu et que le délinquant ait commencé à expier sa faute en la payant. »

Dieu, d'ailleurs, se chargeait parfois de seconder et de récompenser son zèle. Un soir de carnaval, un de ses serviteurs se disposait à aller chercher de criminels plaisirs, quand soudain des bruits étranges et sinistres se firent entendre à plusieurs reprises, et le remplirent d'une frayeur

---

¹ *Si quis autem domui suæ præesse nescit, quomodo Ecclesiæ Dei diligentiam habebit? (I Tim., III, 5.)*

telle qu'il renonça à ses projets. Trois jours après, Alphonse
le fit venir, et, le regardant avec indignation : « Daniel!
Daniel! lui dit-il, mercredi dernier, pendant la nuit, tu as
voulu offenser Dieu; les démons s'apprêtaient à t'emporter
en enfer; et moi, tout vieux et infirme que je suis, j'ai quitté
mon lit afin de prier pour toi. Prends garde; car si un autre
jour tu succombais, je ne sais pas si tu obtiendrais ton pardon! » Le coupable essaya vainement de se justifier; son
maître lui coupa la parole en lui demandant s'il avait « déjà
oublié les mystérieuses rumeurs et le bruit des chaînes? »
Contraint au silence, sans être encore arrivé au repentir, le
malheureux serviteur fut, peu de temps après, assailli de
nouveau par la même tentation; mais aussitôt il s'entendit
appeler par l'Évêque, qui lui dit d'un ton plus sévère que
jamais : « Encore!... Tu n'es donc qu'un tison d'enfer! »
Cette fois, Daniel se sentit atterré, et, comme il l'avoua depuis, à partir de ce jour il ne se permit plus un seul péché
de pensée, persuadé que son maître pénétrait jusqu'au plus
intime de son cœur.

Tel était le palais épiscopal de Sainte-Agathe; tels furent
ses mœurs et ses habitants pendant toute la durée de l'épiscopat d'Alphonse. Mais il nous reste à considérer de plus
près encore celui qui en était l'âme, et à pénétrer dans ces
régions intimes qui, pendant la vie, échappent aux regards
de tous, et dont la mort seule permet de découvrir les secrets
et de contempler la beauté.

CHAPITRE VII

Si la vie extérieure d'Alphonse avait été transformée par sa situation nouvelle, son règlement intime avait dû subir aussi de notables modifications ; mais, grâce aux souvenirs recueillis par ses disciples, nous pouvons nous en rendre un compte exact, et, recomposant heure par heure, pour ainsi dire, une de ses journées, admirer la part qu'il avait su faire dans chacune d'entre elles à chacun des devoirs de son état.

Il se levait dès l'aube, et, après avoir longuement prié seul, faisait une méditation d'une demi-heure avec toutes les personnes de sa maison, à l'exception du grand Vicaire, qui était libre de ne pas assister à cet exercice ; puis il récitait les heures canoniales, célébrait la messe, et en entendait à genoux une seconde dite par son secrétaire, ou, en cas d'empêchement, par un prêtre de la cathédrale.

Ayant ainsi satisfait à ses premières obligations envers Dieu, il dépouillait les messages arrivés des diverses parties du diocèse, et donnait audience à toutes les personnes qui se présentaient. Ses serviteurs avaient ordre de n'en laisser aucune attendre dans l'antichambre sans nécessité, mais de l'avertir dès qu'un visiteur le demandait. Aussitôt, estimant une bonne action supérieure à une bonne lecture, qu'il s'agît d'un mendiant ou d'un prince, il interrompait ses occupations pour le recevoir. Tous, en effet, avaient chez lui leur droit d'entrée, les pauvres comme les riches, et si

quelque caractère particulier distinguait l'accueil qu'il faisait aux premiers, c'était peut-être l'intérêt plus affectueux
qu'il leur témoignait. Quel que fût l'objet de l'entretien, il
écoutait toujours avec une grande patience et répondait aussi
longuement qu'il le fallait pour éclairer ou consoler ceux qui
recouraient à lui; mais comme il avait fait entendre que les
visites de pure cérémonie lui étaient à charge, on ne venait
généralement le trouver que pour des raisons sérieuses; et
lorsque les affaires étaient terminées, il engageait doucement
ses interlocuteurs à se retirer en leur disant : « Maintenant,
ne perdons pas notre temps... Priez pour moi. » Il recevait,
d'ailleurs, avec une faveur marquée les membres de son
clergé, qu'il autorisait à se présenter chez lui à toute heure
et sans se faire annoncer. « Ce sont là mes privilégiés, répétait l'Évêque, ceux que j'aime à entendre avant tout; ils
ne doivent être assujettis à aucune formalité. » Aussi ne les
pressait-il jamais de finir, et à un archiprêtre qui demandait
un jour à lui dire un mot : « Non pas un, » répondit-il vive
ment en posant sa plume, « mais mille ! » Quant aux femmes,
il ne les admettait pas dans sa chambre, et ne les entretenait
jamais sans témoin : une noble dame, fort avancée en âge,
ayant exprimé le désir d'être seule avec lui : « La présence
de ce frère n'aura pas d'inconvénient, » répondit Alphonse
en désignant le frère François-Antoine; « il est discret,
vous n'avez rien à craindre; » et en pareil cas il poussait
même parfois si loin la réserve, qu'on le vit un autre jour,
sans paraître remarquer le sourire des assistants, causer
avec une vieille femme toute décrépite, en la faisant asseoir
à l'autre bout d'un long banc, et en lui tournant à moitié le
dos. Dans l'intervalle de ces visites, ou lorsqu'elles étaient
terminées, il se remettait au travail, étudiait les affaires
du diocèse, ou composait, selon les circonstances, une de
ces œuvres dont la seule nomenclature effraie l'esprit, et
qu'il dictait souvent, tantôt à une personne de sa maison,
tantôt à un secrétaire venu du dehors.

Le dîner seul suspendait son travail; mais, avec la conversation dont il était suivi, il ne devait pas se prolonger au

delà d'une heure un quart. Encore ce temps n'était-il point
perdu ; car jusqu'au dessert la lecture de la *Vie des Saints*,
« aromates destinés, disait Alphonse, à conserver et à parfu-
mer les tables d'Évêque, » empêchait la dissipation ; lorsque
la lecture cessait, un entretien avec le grand Vicaire sur les
questions pendantes faisait au diocèse sa part, même pendant l'heure normale du délassement ; enfin, à peine sorti
de table, il recevait soit les messagers, soit les pauvres qui
avaient à lui parler. Cette audience, d'ordinaire assez courte,
était suivie de la récitation de cinq psaumes en l'honneur de
la sainte Vierge ; c'était une dévotion de sa jeunesse qu'il
pratiquait longtemps avant d'entrer dans la Congrégation ;
puis, pour satisfaire aux exigences du climat, il prenait
quelque repos. La durée de cette sieste avait été fixée pendant l'été à une heure et demie pour les personnes de sa
maison ; mais quant à lui, il se contentait d'une demi-heure
tout au plus ; souvent même il étudiait au lieu de se coucher, et le frère François-Antoine, en lui apportant la tasse
de café qu'il avait coutume de prendre à son réveil, le trouvait assis à sa table et travaillant. Ce travail se poursuivait
tout le long du jour, sans autre interruption que la prière, le
seul repos, peut-on dire, où son âme se délectât. Après quelques fragments de lecture tirés en général de la vie d'un saint
Évêque, tel que saint Charles Borromée, saint François de
Sales, le Vénérable Barthélemy des Martyrs [1], ou même
l'Évêque de Troia, son oncle maternel, il consacrait une
demi-heure à la méditation, récitait les Vêpres et les Complies, et se remettait à l'ouvrage.

Enfin, une heure avant l'*Ave Maria* du soir, il sortait,
accompagné du fidèle Alexis, et allait visiter les malades du
voisinage, choisissant de préférence à tous les autres les
prêtres, les pauvres, ou ceux dont la conscience lui paraissait en danger. C'était là sa seule promenade. Jamais la curiosité ne dirigeait ses pas ; à peine savait-il même si l'évêché
possédait un jardin, ce qui faisait dire à quelques-uns que

---

1 Le vénérable Barthélemy des Martyrs, de l'ordre des Frères Prêcheurs, né à Lisbonne en 1514, Archevêque de Braga, mort en 1590.

l'Evêque ignorait l'existence de deux villes appelées Sainte-Agathe et Arienzo.

La visite des malades terminée, Alphonse se rendait à l'église pour adorer le saint Sacrement. Refusant le prie-Dieu épiscopal et le coussin traditionnels, il s'agenouillait par terre à l'un des angles de l'autel, et attendait que les cloches eussent réuni les fidèles autour de lui. Il leur adressait alors la parole pendant une demi-heure environ, et entonnait à la fin de l'exercice des cantiques dont il chantait les reprises avec les assistants [1]. En vain lui représentait-on qu'à son âge sa poitrine pourrait en souffrir. « Il faut bien, répondait-il sans tenir compte de l'avertissement, que j'apprenne au peuple à aimer les chants sacrés pour le dégoûter des mauvaises chansons. »

De retour chez lui, il donnait encore audience, surtout aux pauvres, qui venaient principalement à cette heure-là pour recevoir ses aumônes, récitait Matines et Laudes, faisait, en compagnie du frère lai, une nouvelle demi-heure de méditation, et disait au milieu de toute sa maison la prière du soir. Elle comprenait le chapelet, les litanies de la sainte Vierge, quelques oraisons en rapport avec la fête la plus prochaine, l'examen de conscience et les actes de foi, d'espérance et de charité. Les étrangers qui se trouvaient à l'évêché étaient invités à y assister, et Alphonse n'en dispensa pas même un jour un Évêque de passage, dont il remarqua l'absence, et qu'il envoya querir. Il tenait essentiellement à ce que cette dernière réunion pieuse fût aussi grave et recueillie que celle par laquelle il avait inauguré la journée : « Je suis vieux, disait-il un soir à plusieurs prêtres qui, fatigués des travaux du jour, avaient pris une attitude trop nonchalante, et cependant je reste à genoux : comment

---

1 Cette habitude, si peu en harmonie avec nos usages, peut nous sembler étrange ; mais, comme nous l'avons déjà fait observer et comme nous le répéterons encore, les natures méridionales sont avides de démonstrations extérieures, et le soin avec lequel saint Alphonse se plaît aux besoins et aux attraits de son auditoire était un des secrets du succès qu'il obtenait.

vous qui êtes jeunes n'en faites-vous pas autant? C'est mauvais signe; on dirait que vous n'en avez pas l'habitude. »

Après la prière, on soupait; Alphonse s'entretenait quelques instants avec ses commensaux; puis chacun se retirait, et l'Évêque, resté seul, se remettait à prier, à travailler ou à corriger les épreuves de ses ouvrages jusqu'à une heure très-avancée de la nuit. Alexis craignait avec raison l'effet de ces veilles sur la santé de son maître, et, poussé par son zèle, il imagina un jour, pour l'en corriger ou l'en punir, de lui apporter après minuit le verre d'eau froide qui, pendant une certaine période de la vie d'Alphonse, constitua tout son souper. L'Évêque but sans y prendre garde : bientôt cependant, soupçonnant son erreur, il se fit apporter plusieurs montres pour les comparer; mais leur accord porta le comble à sa désolation, et pendant plusieurs jours il se plaignit amèrement à Alexis d'un expédient qui, selon toute apparence, n'avait été couronné d'aucun succès.

Après ces labeurs si intrépidement prolongés, car, selon le calcul de Tannoia, seize heures étaient données chaque jour par Alphonse au travail ou à la prière, l'heure du sommeil sonnait enfin; mais la nuit ne lui apportait qu'un repos bien relatif, et il en consacrait une grande partie à la pénitence. C'est, du moins, ce que nous pouvons conclure de ce mot d'un religieux de son diocèse dont la chambre, à l'évêché, était contiguë à la sienne, et qui un soir partit brusquement, « n'ayant pas le courage, dit-il, d'entendre une fois de plus le bruit de ses flagellations. » A défaut de ce témoignage, du reste, il ne nous en manquerait pas d'autres, également irrécusables, des macérations d'Alphonse. Au dire d'une femme respectable, à laquelle le frère François-Antoine apportait de temps à autre les vêtements du prélat, se déchargeant ainsi sur elle d'un soin dont il avait été exclusivement investi, ils étaient quelquefois littéralement imbibés de sang; et les murs de sa chambre, malgré le soin qu'il prenait tous les jours d'effacer avec un pinceau trempé dans de l'eau de chaux les traces sanglantes de sa présence, durent être badigeonnés à plusieurs reprises,

par ordre de son successeur, ainsi que les parois d'un souterrain où il se retirait souvent. Quoiqu'il eût soin de cacher
ses instruments de pénitence dans une cassette fermée, la
curiosité de ceux qui l'entouraient parvint à lui arracher
son mystère. Pendant un séjour qu'il fit au palais épiscopal,
un des chanoines, don Michella, découvrit sous l'oreiller
d'Alphonse la clef de l'impénétrable coffret, l'ouvrit, et, à
la simple vue du contenu, recula, dit-il, épouvanté [1]. Sa
discipline se composait d'une série de petites étoiles de fer,
aiguës et coupantes, enchâssées dans différents cylindres de
plomb. Il se servait aussi d'un roseau dans lequel il avait
introduit des pointes de fer maintenues et affermies au
moyen de plomb fondu. Enfin, il portait des chaînettes entrelacées d'aiguilles autour des bras et des jambes, un cilice
en crin garni de pointes, et, la veille des fêtes ou les jours
de divertissements publics, comme pendant le carnaval, des
croix armées de clous très-acérés qui lui déchiraient la poitrine et les épaules au point d'y occasionner des plaies [2].

Les saints artifices de son amour pour la pénitence se
retrouvaient d'ailleurs dans tout le détail de ses actes; ainsi,
en hiver, il ne s'approchait jamais du feu; en été, il se refusait tout adoucissement à la chaleur; par tous les temps,
il sortait la tête découverte, et souvent il mettait des pierres
dans ses souliers. Son lit, quelque dur qu'il fût, lui semblait sans doute trop confortable encore; car don Michella
nous apprend également qu'il lui arrivait, pendant les nuits

---

[1] Quelque temps avant sa mort, le Saint ordonna, en vertu de l'obéissance, au frère qui le servait de prendre cette cassette et d'aller la jeter au
fond d'un puits.

[2] Dans le procès de canonisation de saint Alphonse, le Promoteur de
la foi lui reprocha, comme une indiscrétion, la trop grande rigueur de
ses macérations, qui allèrent, un jour, jusqu'à le blesser grièvement. La
sacrée Congrégation discuta cette objection et la résolut d'après les principes de Benoît XIV, lequel établit que l'on peut licitement, et même avec
mérite, embrasser un genre de vie très-rigoureux, et que, par un trait
spécial de la Providence, les hommes les plus rigides et les plus pénitents sont souvent ceux qui ont vécu le plus longtemps. De ce nombre a
été saint Alphonse lui-même, qui mourut à l'âge de quatre-vingt-onze ans.

(Villecourt, t. IV, p. 164.)

les plus froides, de ne pas même s'y étendre un instant; et Tannoia ajoute à l'appui le trait suivant : « Un soir, raconte-t-il, l'heure étant déjà fort avancée, le secrétaire d'Alphonse, don Verzella, s'aperçut, au moment de se retirer dans son appartement, que sa clef était restée dans la chambre de l'Évêque où, quelques heures auparavant, il s'était rendu, sur sa demande, pour le confesser. Peu soucieux de passer la nuit hors de chez lui, il ôte ses souliers et se dirige doucement vers la porte du prélat, entre à pas de loup, s'avance à tâtons et se croit déjà sauvé, lorsqu'il se heurte contre un obstacle qui le fait trébucher. C'était, il le comprend bientôt avec effroi, le Saint lui-même qui dormait sur le sol. Plus mort que vif, il se relève sans prononcer une parole, saisit la clef et s'enfuit au plus vite. Pour le moment, les choses en restèrent là. Mais le lendemain, l'Évêque, en le rencontrant, lui dit avec un certain embarras : « Don Félix, souvenez-vous qu'on ne doit pas, la nuit, venir se promener dans la chambre de ses voisins. » Or, à l'époque dont nous parlons, Alphonse avait soixante-dix ans.

Après une vie longue et laborieuse, le saint vieillard se croyait donc encore obligé de châtier ce corps infirme et exténué, et de refuser à ce courageux serviteur tout ce qu'il n'était pas strictement obligé de lui accorder. Par suite du même dédain pour sa personne, il ne pouvait se résigner à faire pour lui-même les dépenses les plus urgentes. Toujours fidèle à ses chères livrées de missionnaire, il ne se revêtait de violet que pour les grandes solennités, et encore, à l'exception d'une soutane de cette couleur qu'il commanda, ne porta-t-il jamais en pareille circonstance que les anciens vêtements de son prédécesseur. Ses habitudes étaient tellement connues, que quelqu'un l'ayant trouvé un matin, contre l'usage, habillé de violet, lui demanda s'il allait présider une cérémonie. « Non, répondit-il, mais il m'a fallu faire raccommoder ma soutane de tous les jours ! » Le temps, en effet, avait causé de tels ravages dans son costume de religieux, que parfois on apercevait son cilice; aussi le Père Eanti, prieur des dominicains de

Durazzano, crut-il devoir, un jour, le gronder doucement du délabrement de ses habits. « Que voulez-vous, répondit Alphonse avec humilité, j'ai donné l'ordre d'acheter quatre morceaux d'étoffe au Ghetto de Naples, mais la commission n'a pu encore être faite. *Si vuol pazienza!* il faut prendre patience ! » Une autre fois, le frère lai qui, lui aussi, était honteux de sa mise, mais qui n'avait pas comme le Père Eanti le courage de le lui avouer, enleva sa soutane pendant la nuit, et en fit confectionner une neuve sur le même modèle. Le lendemain matin, comme Alphonse, encore souffrant, ne pouvait s'habiller seul, il vint dans sa chambre pour l'aider, et lui présenta sans rien dire le nouveau vêtement. L'Évêque, qui ne se doutait de rien, passa les manches ; cependant, les regardant de plus près, et reconnaissant qu'elles étaient neuves : « Ah ! dit-il, vous avez fait remettre des manches ? — Oui, répondit le frère, les autres étaient trop déchirées. » Alphonse s'en tint là d'abord ; mais son attention était éveillée, et on ne put l'empêcher de découvrir bientôt la vérité. « Comment donc ! tout cela est neuf ! » reprit-il en haussant la voix ; et d'un ton d'autorité il réclama la vieille soutane. « Ah ! vous ne voulez pas de celle-ci ? s'écria le frère indigné ; eh bien, vous n'aurez ni l'une ni l'autre, car la vieille a été donnée aux pauvres ! » L'Évêque parut très-contrarié : « Vous faites toujours à votre tête, » dit-il ; puis, comme le mal était sans remède, il se résigna.

Son linge était dans un état de vétusté si complet, que la femme d'Alexis, chargée de l'entretien, se plaignait des ménagements avec lesquels il fallait le toucher. On voulut persuader à Alphonse de le renouveler ; mais il se contenta de répondre en souriant : « A un vieil Évêque de vieux habits vont bien. Ne faut-il pas, d'ailleurs, vêtir avant tout les pauvres ? » Il ne possédait que deux mouchoirs, l'un blanc, l'autre de couleur. Ses bas étaient en laine grossière ; les jours de cérémonie, il les remplaçait par d'autres un peu plus fins et brodés ; mais il n'en voulut jamais porter de soie. Quant aux souliers, ceux qu'on lui fit en 1762, à l'époque de son élection, furent les seuls dont il se servit jusqu'à sa mort [1]. Son bâton était une simple branche d'arbre surmontée d'une pomme de coco valant tout au plus vingt grains, et dont la rusticité lui était si chère que l'ayant aperçu, un jour, orné d'un petit ruban : « Qu'est-ce que cela ? » dit-il, alarmé d'un semblable luxe ; puis, quand on lui eut nommé l'auteur du crime : « Cela ne m'étonne plus ; ce ne pouvait être que lui [2]. » Il portait une montre parce que le Père Villani, son directeur, l'exigeait ; mais elle n'avait coûté que peu d'écus, et le gros chapelet, qu'il enroulait parfois autour de son cou, ne différait en rien de ceux dont faisaient alors usage les pauvres du royaume de Naples.

Nous avons déjà parlé de ses insignes épiscopaux. La croix dont il se servait habituellement était en cuivre ; et celle qu'il réservait pour les grandes solennités n'était ornée que de pierres fausses. Son anneau était en argent doré. Un jour, ce précieux bijou s'égara, et Alphonse, qui devait officier pontificalement, le chercha longtemps sans le trouver ; mais un gentilhomme de Sarno, présent à l'aventure, paraissant s'affliger vivement de cette perte : « Consolez-vous, lui dit l'Évêque ; vous regrettez la pierre, n'est-ce pas ? eh bien ! ce n'était pas une émeraude ; c'était tout simplement un morceau de bouteille. » Et une autre fois, entendant plaisanter sur la valeur du même joyau : « Riez tant que vous voudrez, reprit-il ; il n'en a pas moins produit son effet jusqu'à Rome. Chacun le regardait et le considérait comme une rareté, et je me disais en moi-même : Les pau-

---

[1] Tannoia, p. 562.

[2] Le personnage dont il est ici question était un prêtre nommé Mango, au sujet duquel le cardinal Villecourt raconte le fait suivant : Ayant été passer quelques jours à Naples, où régnait une épidémie, Mango en fut atteint, et bientôt même son état devint si grave que l'on perdit tout espoir de guérison. A cette nouvelle, l'évêque, vivement affligé, se mit en prières, puis il envoya un jeune sous-diacre à Airola, où le malade avait été transporté, pour lui ordonner en vertu de l'obéissance de se rétablir au plus tôt. A peine don Mango eut-il reçu ce commandement du saint qu'il se leva parfaitement guéri. — Son frère avait une plaie où la gangrène se manifestait déjà. Alphonse, à la prière de la famille, lui fit également dire qu'il voulait sa guérison ; à dater de ce jour la plaie changea d'aspect et le mal disparut en peu de temps. (Villecourt, t. IV, p. 235.)

vres gens ! ils ne savent pas que j'ai cassé ma meilleure bouteille pour le fabriquer. » Plus tard, il est vrai, Alexis,
chargé de remettre la pierre qui était tombée, remplaça la
bague d'argent doré par une bague d'or; mais son maître ne
s'en douta jamais.

Il n'était pas jusqu'au papier sur lequel Alphonse écrivait
qui ne portât l'empreinte de son amour pour la pauvreté. Il
tirait parti des plus petits morceaux, voire même des enve-
loppes, pour ses lettres aux membres de sa Congrégation,
et répondit un jour au frère François-Antoine, qui blâmait
une parcimonie peu digne, selon lui, d'un Évêque : « Vous
vous trompez, le vrai caractère d'un Évêque, c'est la pauvreté ! » A cette parole, nous ajouterons comme sanction un
dernier trait, un peu naïf en apparence, mais qui achèvera
de peindre cette âme où la sainteté avait conservé sous la
dignité du pontife la simplicité de l'enfant. Dans une visite
qu'il fit à un ancien Provincial des capucins de Naples, ses
yeux tombèrent sur une belle image de parchemin représentant l'*Ecce Homo*. Il en parut si frappé que le Père le pria
de vouloir bien l'accepter. Alphonse y consentit d'abord ;
mais lorsqu'il voulut en lever les ornements qui l'entouraient,
il découvrit, sous une bordure de drap semblable à celui
dont les capucins font usage, un petit cadre d'argent. Il
n'en fallut pas davantage, et, prétextant le désir de ne pas
priver le couvent d'un objet aussi précieux, il rendit le
tableau sans qu'aucune insistance fût capable de le lui faire
reprendre. « L'image était bien belle, dit-il en route à don
Verzella, qui l'accompagnait, mais ce cadre d'argent gâtait
tout. »

Nous nous sommes étendus bien longtemps peut-être sur
ce côté intime de sa vie épiscopale; mais comment aurions-
nous pu nous dispenser de reproduire ce qui faisait l'admiration de tous ceux qui avaient le bonheur de la contempler
de près? Pauvre, simple, humble, dépourvue de tout éclat
humain, elle n'en produisait pas moins en effet une impression profonde. C'est ainsi qu'un Vicaire capitulaire de Girgenti écrivait, après une visite à Alphonse : « J'ai admiré

Naples; j'ai goûté la magnificence de Rome; mais la vie de Mgr de Liguori a effacé pour moi toutes les beautés de ces deux capitales. J'ai vu un Évêque des premiers siècles, alité et infirme, et cependant gai de visage, calme d'esprit, toujours occupé de la gloire de Dieu et du gouvernement de son diocèse. dormant peu, ne mangeant guère, et si pauvre que sur son grabat il n'a pour couverture qu'une soutane. » A ce tableau nous pourrions apporter bien d'autres signatures, mais nous nous bornerons, pour résumer l'impression des contemporains d'Alphonse, à ce témoignage d'un de ses confrères, qui disait de lui : « Mgr de Liguori nous couvrira de confusion, nous autres Évêques, au jour du jugement. »

CHAPITRE VIII

« J'espère voir renaître les temps de saint Charles Borromée, » écrivait Alphonse, en 1754, à Mgr Sersale, qui
venait d'être nommé Archevêque de Naples. « J'espère apprendre bientôt que vous évangélisez le peuple de Naples
comme il évangélisait celui de Milan; car nulle voix n'égale
en puissance celle du pasteur... Envoyez des missions; mais
prêchez aussi vous-même, surtout pendant les premières
années. » Ces paroles pouvaient faire pressentir dès lors la
place considérable qu'Alphonse laisserait dans sa vie à l'apostolat de la parole, si jamais, — ce à quoi, pour sa part, il
était loin de s'attendre, — Dieu l'appelait à l'épiscopat. L'effet répondit aux prévisions. Son premier soin en arrivant
dans le diocèse de Sainte-Agathe, comme son dernier acte
en le quittant, fut d'y faire entendre la vérité. « La prédication, répétait-il souvent, est la fonction principale et
presque unique que Jésus-Christ ait confiée aux Apôtres,
et celle qu'il a spécialement assignée aux Évêques. Y manquer serait se soustraire à un commandement formel. »
Aussi l'espoir de faire du bien à une seule personne, mais
surtout à un homme, car, selon lui, « dès que les hommes
étaient convertis, la piété régnait bientôt parmi les femmes, »
suffisait-il en toutes circonstances pour le décider à monter
en chaire; et la conviction s'accrédita bientôt dans tout le
pays que, si l'on voulait plaire à l'Évêque, il fallait l'in-

viter à prêcher. Lui-même, dès le début, consacra la journée
du dimanche presque tout entière à enseigner son troupeau.
Il parlait à trois reprises différentes, dispensant, tour à
tour, à chaque condition, les conseils appropriés à ses besoins, et faisait en outre le catéchisme aux enfants, dont
il cherchait à gagner la présence et le cœur par des distributions d'images, de rosaires, et même d'argent [1]. Ces
laborieuses habitudes ne furent pas délaissées, lorsque,
comme nous le verrons dans la suite, sa santé l'eut forcé
à quitter Sainte-Agathe, et à transporter sa demeure à
Arienzo; seulement, l'église collégiale n'étant pas d'un abord
facile, il prêchait alternativement dans les sept paroisses de
la ville. Là non plus rien n'était négligé pour assurer le succès de la réunion, annoncée la veille au soir par un homme
parcourant les rues avec une clochette, recommandée au
prône, et rappelée à l'attention des fidèles par des prêtres
qui visitaient dans cette intention les quartiers les plus fréquentés. Enfin, dans l'une et l'autre de ses résidences, les
exercices mensuels de la préparation à la mort, des conférences sur la Passion prêchées les vendredis de carême dans
une chapelle où l'Évêque voulait toujours se rendre à pied,
et des neuvaines préparatoires à Noël, à saint Joseph et à
l'Assomption, complétaient, avec la retraite donnée au clergé,
le cours des instructions annuelles qu'Alphonse adressait à
son peuple. Mais les prédications extraordinaires n'étaient
pas moins nombreuses peut-être. Y avait-il en quelque lieu
une solennité religieuse qui attirât un certain concours de
fidèles, Alphonse s'y rendait, et suppliait, au besoin, le prédicateur de lui céder sa place. Était-ce une fête publique, la
maladie elle-même ne l'empêchait pas, le plus souvent, de
s'y faire transporter pour prévenir le désordre; car « dans
toute assemblée et toute joie populaire, disait-il, Dieu est
ordinairement offensé ». Il fréquentait notamment, dans ce
but, une colline voisine d'Arienzo, et couronnée d'un couvent de capucins, où les habitants se rendaient le lundi de

---

[1] Tannoia, p. 334.

Pâques et le jour de Saint-Antoine de Padoue, pour se divertir et *mangiare la palomba*, selon l'expression consacrée. Le jour arrivé, Alphonse venait aussi prendre part à sa manière à la fête, et, convoquant le peuple devant le saint Sacrement exposé, combattait le danger des plaisirs bruyants par de graves et touchants discours.

Dans ses voyages, son empressement à semer sur sa route la parole sainte n'était pas moins grand. C'est ainsi qu'un jour apercevant, en traversant Sainte-Marie de Vico, une église remplie de fidèles, il fit arrêter sa voiture et entra. Une messe commençait; l'Évêque y assista, interrompit le prêtre au moment de l'évangile, et se chargea lui-même de faire le prône aux assistants. Une autre fois, c'était un soir, il venait d'Airola, où il avait présidé à une profession religieuse, et retournait à Sainte-Agathe avec son grand Vicaire, lorsque arrivé près de l'église des frères Virginiens, il rencontra toute une population accourue pour recevoir sa bénédiction. « Je me sens pressé, dit-il à son compagnon, de parler pendant quelques minutes à ces braves gens. » Vainement le grand Vicaire voulut-il l'en détourner en lui représentant qu'il n'avait pas ses habits pontificaux : « Savez-vous, reprit Alphonse, s'il n'y a pas là une âme que Dieu veut sauver par l'intermédiaire de ma parole?... D'ailleurs, ajouta-t-il, un rochet et une étole me suffiront. » Aussitôt il rebroussa chemin, se rendit à l'église, où le peuple le suivit, prêcha durant plus d'une heure, prit froid et gagna la fièvre; mais, frappé des bonnes dispositions de l'auditoire, et voulant en tirer un parti immédiat, il n'en resta pas moins dans ce lieu trois journées entières, pendant lesquelles il monta en chaire tous les soirs.

S'il avait pu multiplier ses heures et ses forces, nul doute qu'il n'eût pris aussi la charge exclusive des stations de l'Avent et du Carême; au moins les régla-t-il avec un soin extrême, et réussit-il à corriger divers abus. A Arienzo, par exemple, où la commune désignait elle-même les prédicateurs, il obtint de la municipalité que, renonçant à délibérer en séance publique sur le mérite des candidats, ce qui était

chaque année l'occasion de nouvelles difficultés, elle aban-
donnât les stations quadragésimales aux capucins de la
ville, dont la régularité et la ferveur étaient universellement
reconnues. En divers autres lieux, où l'élection des orateurs
était aussi une cause de conflit, il maintint avec énergie son
droit d'approbation : « *La nomina è vostra*, disait-il aux
administrateurs, *ma la predica è mia,* » voulant faire entendre par là que, s'il consentait à quelque concession pour
le choix, il se réservait exclusivement la surveillance et la
direction. En effet, avant d'accorder sa bénédiction aux prédicateurs, il les recevait chez lui pendant plusieurs jours,
causait avec eux, sondait leur talent et leur science, et leur
imposait, entre autres obligations, celle de faire, au moins
à la fin du carême, le catechisme aux fidèles, et de leur
donner, pendant la semaine de la Passion, des exercices
spirituels en forme de retraite.

Qui ne reconnaît dans ces dispositions la trace de la préoccupation qui, pendant trente ans, avait dominé la vie
d'Alphonse? A partir de 1762, en effet, c'est-à-dire depuis
son installation à Sainte-Agathe, il fit donner régulièrement
une mission, tous les deux ans, dans chaque ville ou hameau
du diocèse, ne se troublant pas des critiques, et se bornant
à répondre à ceux qui trouvaient ces prédications trop multipliées : « Les bons cultivateurs doivent jeter une double
semence dans les terres arides, s'ils veulent y récolter des
fruits. » Mais comme il craignait que, s'il confiait cette œuvre
aux Pères du Saint-Rédempteur, on ne les soupçonnât de
lui servir d'espions, il employa uniquement au début les
sociétés religieuses de Naples, telles que la Propagande, les
Pieux Ouvriers, les Frères Prêcheurs, la Compagnie de
Jésus et la Congrégation de la Conférence, qui, à elle seule,
lui fournit, la première année, un contingent de vingt-cinq
missionnaires. Plus tard, il eut recours aussi aux prêtres de
Caserte ou de Cerretto, à la petite Congrégation diocésaine
qu'il avait fondée pendant sa tournée pastorale, et enfin
seulement après tous les autres, à son propre Institut,
c'est-à-dire aux maisons de Pagani, de Ciorani et de Sant-

Angelo. Attentif, d'ailleurs, à prévenir tout ce qui aurait pu indisposer les populations contre les missionnaires, il prenait à son compte leurs frais de voyage, de logement et de nourriture, pourvoyait aux œuvres de charité extraordinaires qu'ils entreprenaient, et se chargeait même de fournir aux églises l'huile et la cire dont elles avaient besoin pendant la station : cela fait, il ne tenait aucun compte des difficultés que lui opposaient parfois les habitudes routinières d'une partie de son clergé, et accompagnait souvent en personne les prédicateurs, aux travaux desquels il tenait beaucoup à participer. L'ancien missionnaire, revêtu d'un caractère qui grandissait sa puissance, reparaissait alors tout entier. Tantôt il pleurait publiquement les péchés de son peuple; tantôt il se flagellait dans la chaire en présence des assistants [1]; une fois même [2], au milieu d'une lumière surnaturelle qui inondait toute l'église, on le vit, comme autrefois, entrer en communications avec la sainte Vierge, et on l'entendit s'écrier: *La voilà! elle vient vous apporter ses grâces; vous n'avez qu'à demander.* Sa nouvelle situation n'avait rien changé, du reste, à la simplicité parfaite de son langage, et il exigeait que tous les prédicateurs se conformassent aux principes qu'il avait inculqués jadis avec tant de soin à ses disciples. Les preuves de son zèle en cette matière abondent, et ne nous laissent que l'embarras du choix. « Si je ne vous ai pas ordonné de descendre, dit-il un jour à un orateur dont la prétention lui avait déplu, c'est par respect pour l'habit que vous portez. Quel bien le peuple a-t-il retiré des tropes, des figures et des descriptions pompeuses dont vous avez paré votre discours? Tout cela n'est que le fruit de la vanité et vous méritera le feu du purgatoire. » Et, s'adressant à un autre qu'on accusait du même défaut, il lui fait de ses idées sur ce point un résumé que nous ne croyons pas inutile de citer.

---

[1] Un soir même, ses rigueurs allèrent si loin que les clercs qui l'accompagnaient, émus de pitié devant ce vieillard de soixante-sept ans, brisé par les infirmités et se martyrisant cruellement, lui enlevèrent la grosse corde avec laquelle il se frappait. » (Tannoia, p. 339.)

[2] C'était à Arienzo, pendant une retraite d'hommes.

« Rappelez-vous, lui écrit-il, quand vous préparez un sermon, que votre préoccupation doit être de vous garder de toute expression ampoulée et prétentieuse, ou qui ne serait pas intelligible ni même familière aux paysans [1]... Évitez aussi toute abréviation et toute prononciation affectée : cela ne sert qu'à donner au sermon une tournure prétentieuse. Il ne faut pas être grossier, sans doute; mais il faut être clair pour tout l'auditoire. Segneri a été un grand prédicateur; toutefois, sous le rapport de la simplicité, il a failli. Encore ne connaissons-nous ses sermons que par les livres; et, les discours écrits étant toujours plus soignés, on peut supposer qu'il ne prêchait pas comme il écrivait... Quand vous parlez, que votre effort soit donc de remplacer les expressions recherchées par d'autres plus usitées et plus vulgaires, sans qu'elles soient triviales, je le répète. De la sorte, vous n'aurez pas de scrupules et vous ferez du bien. Aux œuvres dans lesquelles entrent la vanité et le désir de paraître éloquent, Dieu n'apporte pas son concours... Gardez-vous aussi de la monotonie dans la voix. Un jour, je fis un sermon sur ce ton devant Mgr Falcoia; mais je reçus de lui un compliment qui me corrigea à tout jamais... Parlez comme vous parleriez dans une chambre à plusieurs personnes que vous voudriez porter à la vertu, ou auxquelles vous raconteriez une histoire : c'est là le secret de prêcher familièrement et utilement. »

Peut-être sera-t-on étonné de voir, à côté de cette simpli-

---

[1] L'impossibilité de rendre exactement des homonymes n'ayant pas toujours d'équivalents dans notre langue, nous a contraint à supprimer dans la traduction de cette lettre de saint Alphonse le passage suivant, qui aidera ceux de nos lecteurs auxquels la langue italienne est familière à mieux comprendre sa pensée.

« Che serve a dire *magione* per *casa*; *compinto* per *compilo*; *dovizia* per *ricchezza*; *trarre* per *tirare*; *dorso* per *le spalle*; *condonare* per *perdonare*; *pudore* per *vergogna*; *impudenza* per *audacia*; *a pro* per *a favore*; *rimembrare* per *ricordare*; *agevolare* per *facilitare*; *aggradevole* e *malagevole* per *gradito* e *difficile*; *consorte* per *marito*, e simili? Cosi si guardi ancora dall' usare parole gonfie e pulite senza necessità, come *adesso*, *lui*, *lei*, quando si puo dire *ora*, *quello*, *quella*. Similmente si guardi dalle sillabe abbreviate *amar*, *venir*, *procurar*, *religion*, *genitor*, e simili. »

cité de style, l'appareil imposant avec lequel Alphonse voulait qu'en certaines circonstances on essayât d'agir sur
l'imagination de l'auditoire. Ainsi, pour réveiller dans les
âmes la dévotion aux souffrances du Sauveur, il avait fait
peindre un Christ en croix de grandeur naturelle, tout couvert de plaies sanglantes, destiné à être exposé pendant une
cérémonie dont il avait réglé lui-même tous les détails de
manière à la rendre plus émouvante; et pour frapper d'une
sainte terreur les pécheurs impénitents, il avait inauguré
une autre coutume dont on ne lira pas sans intérêt la description écrite de sa propre main.

« Dans les pays corrompus, dit-il, où règne un vice particulier, tel que le blasphème ou l'immoralité, on retirera un
grand fruit de la malédiction solennelle des pécheurs incorrigibles. On commencera par rappeler au peuple que David
a maudit les pécheurs obstinés : *Maledicti qui declinant a
mandatis tuis,* et par faire sonner le glas avec la grosse
cloche; puis le prédicateur, revêtu d'un rochet et d'une étole
noire, récitera un acte de contrition, prendra en main une
torche de résine, et s'écriera : « Je maudis, non les pécheurs
« repentants, mais ceux-là seulement qui ne sont pas ré-
« solus à quitter le mal; » il énumèrera ensuite les vices,
et, s'élevant en particulier contre les blasphèmes, les discordes et les désordres les plus répandus dans le pays :
« Tous ceux qui affectionnent ces crimes, répètera-t-il,
« Dieu les maudit, et moi je les maudis aussi de la part de
« Dieu ! » En prononçant ces paroles, il élèvera fortement la
voix, étendra une main, et agitera de l'autre une sonnette,
la plus grosse qu'il aura pu se procurer. »

« Un de nos confrères, ajoute le Saint, prétend que cette
cérémonie inspire trop d'effroi. Mon Dieu ! pourquoi la fait-
on? précisément afin d'inspirer une terreur salutaire à
l'égard des vices. Ces pratiques, au contraire, — qu'on le
sache bien, — produisent une impression utile, surtout dans
les bourgs ou lieux importants; mais les Pères doivent
s'abstenir d'en parler d'avance au clergé de l'endroit, afin
que personne ne s'avise de faire le docteur, et de s'y opposer

en se basant sur l'aspect trop lugubre de cette scène. Il n'y aura d'effrayés que les pécheurs endurcis, ceux qui ne sont pas encore résolus de se donner à Dieu. Les missionnaires auxquels j'avais recommandé ce moyen en ont usé avec succès presque partout, et je n'ai pas vu les inconvénients dont on parlait. »

Ces conseils, — et ce ne sont pas les seuls de ce genre qu'on retrouve dans ses instructions, — paraîtront probablement fort étranges à plusieurs de nos lecteurs; mais ils étaient inspirés par le caractère de ces populations de l'Europe méridionale, dont les tendances, on ne saurait trop le rappeler, diffèrent essentiellement de celles des peuples du nord. Ils nous montrent une fois de plus, d'ailleurs, l'attention qu'Alphonse mettait à adapter les formes de l'apostolat au tempérament de l'auditoire, et à parler à chacun, selon la recommandation de saint Paul, le langage qu'il entend.

CHAPITRE IX

Alphonse n'était encore que simple missionnaire lorsque, prêchant une retraite à Naples, il s'était écrié plusieurs fois en parlant du péché et des châtiments qui le suivent même en ce monde : « Prenez garde, prenez garde; *Dieu vous prendra par la famine.* » Ces paroles avaient frappé l'auditoire; mais rien n'en faisait prévoir l'accomplissement, et le souvenir s'en était bientôt effacé. Cependant, durant la mission qu'il donna à Sainte-Agathe, aussitôt après son arrivée dans le diocèse, on entendit le nouvel Évêque répéter solennellement : « Mes enfants, sortez du péché, car *un grand malheur va vous accabler...* Corrigez-vous et priez Dieu; *la famine vous menace;* » et dans l'église de Saint-André d'Arienzo, se servant de termes plus explicites encore : « *Le Seigneur,* dit-il, *nous punira par une disette telle, que, faute de pain, on mangera jusqu'aux herbes des haies;* » puis enfin : « *Faites attention; Dieu, non pour votre perte, mais pour votre conversion, tient en réserve un grand fléau : l'année prochaine, nous serons dans une pénurie terrible.* » Le peuple s'ennuyait de ces menaces : « Que vient donc faire ici cet Évêque? disait-on. Il ne sait prédire que malheurs et désastres. » Et chacun cherchait à l'envi à chasser de sa pensée ces menaces importunes.

La prophétie, pourtant, ne se réalisa que trop bien : la récolte de 1763 fut très-mauvaise, et, dès la fin de no-

vembre, le pain manqua. Force fut alors de recourir à la
pitié de celui dont on avait méprisé les lumières. Alphonse
apparut aussitôt à tous comme la ressource suprême, et,
image vivantes de vertus de ces grands Évêques qui, dans
les premiers âges, avaient été à la fois les chefs spirituels
et les protecteurs temporels de leurs peuples, sa sollicitude
grandit avec tous les besoins, et sa charité lui tint lieu de
richesses. Depuis longtemps, il avait fait amasser des provisions de fèves, de haricots et d'autres légumes; il donna
l'ordre de les distribuer à très-bas prix; aussi vit-on parfois
la grande salle du palais épiscopal encombrée par quatre à
cinq cents personnes qui venaient supplier leur pasteur
de ne pas les laisser mourir. « Renvoyez-les tous contents,
disait Alphonse à ses serviteurs; ce qu'ils demandent leur
appartient; » et on donnait sans se lasser jamais. Ses ressources épuisées, il s'adressa aux pays environnants, puis
à Naples, qui n'était pas encore dépourvue, et réussit, par
l'intermédiaire de son frère Hercule, un des principaux administrateurs de la ville, à se procurer une assez forte quantité
de blé au taux énorme de six ducats la mesure. Ces denrées
prirent le chemin des premières, et s'écoulèrent au moins
aussi rapidement; car, pour n'oublier aucune misère, il
avait fait dresser dans son salon un grand tableau par ordre
alphabétique des familles dans la détresse, et une liste
contenant celles que la honte, ou tout autre motif, empêchait de se présenter à son palais.

Cependant la disette continuait toujours; Alphonse voulut
emprunter à intérêt; mais où trouver des prêteurs qui, dans
des circonstances aussi critiques, voulussent risquer leurs
fonds sans autre garantie que la vie d'un vieillard presque
septuagénaire? Dans cette extrémité, il eut recours aux modestes trésors qui formaient tout son avoir : deux anneaux
de prix, dont l'un avait appartenu à son oncle, l'Évêque de
Troia, furent mis en vente; une croix d'or et quelques couverts d'argent les suivirent bientôt; et son rochet de dentelle,
comme sa montre, aurait eu le même sort, si son entourage
ne lui eût représenté à la fois le peu de valeur de ces objets

et l'impossibilité dans laquelle il était de s'en passer ; il céda ;
mais, à bout de moyens, il annonça qu'il allait sacrifier sa
voiture. Cette fois, la résistance fut plus énergique encore :
ses infirmités, ses courses nécessaires, le décorum exigé
par sa dignité d'Évêque, tout fut invoqué, mais en vain.
« Saint Pierre était Pape et n'avait pas de voiture, répondait Alphonse ; suis-je donc plus grand que saint Pierre ? »
Les instances de don Hercule ne furent pas mieux accueillies : « De grâce, cessez de me tourmenter, lui écrivit le
Saint. J'ai un pied dans la tombe, je suis chargé de dettes,
j'ai besoin d'argent ; aussi, sur ce point, suis-je décidé à ne
plus vous répondre. Vous savez bien que lorsque, après
mûr examen, j'ai pris une détermination, je n'en change
pas. Je ne puis souffrir de voir mes mules à l'écurie et mon
cocher au cabaret, tandis que les pauvres me demandent du
pain... Si j'ai des affaires à Naples, j'y enverrai mon grand
Vicaire ; mon excuse est toute prête : je suis vieux, je suis
malade, je ne sors plus de chez moi. » Et sans attendre plus
longtemps, le 5 janvier 1764, Alphonse expédia à Naples
son équipage. Ses frères, pourtant, ne voulurent pas le
laisser passer en des mains étrangères. Don Gaëtan le
racheta, et Hercule lui écrivit, le jour même de la vente :
« Le carrosse est toujours à vous ; quand vous le voudrez,
je vous le rendrai. Souvenez-vous, d'ailleurs, que vous êtes
et serez toujours le maître absolu de tout ce que je possède,
et que ma maison est, à justement parler, la vôtre. »

Les expédients d'Alphonse étaient loin de suffire toutefois
pour tenir tête au fléau, et la misère croissante le contraignit
à invoquer le secours de plus puissants que lui. Il écrivit à
Rome, pour obtenir du Pape la permission d'engager les
biens de la mense, pendant qu'à Sainte-Agathe il assemblait
à plusieurs reprises les magistrats, pour aviser aux moyens
de soulager la ville. A diverses fondations du diocèse il commanda d'emprunter sur l'argenterie qu'elles avaient à leur
disposition. Enfin il convoqua les supérieurs de tous les
couvents, et leur enjoignit comme dernière ressource de
restreindre la nourriture de leurs communautés pour secou-

rir les pauvres de leur voisinage. Tous s'y soumirent de
bonne grâce, à l'exception d'un seul qui, pris à l'improviste
par cette ouverture, objecta qu'après tout il ne devait aux
pauvres que le superflu, et était obligé d'entretenir sa
maison. — « Entretenir votre maison! reprit Alphonse
avec indignation, savez-vous ce que signifie ce mot *entretenir?* il veut dire qu'il faut manger assez pour ne pas mourir; tout ce qui est au delà doit être donné aux malheureux. Lorsque vous vous êtes fait moine, vous avez demandé en suppliant à mener une vie pauvre et pénitente, et
non pas à vous rassasier et à vous engraisser. Croyez-
vous donc à l'Évangile ou au Coran? » Cette énergie de
langage troubla le religieux, qui sans résister davantage
s'inclina sous l'autorité de son Évêque.

Celui-ci, de son côté, ne cessait de s'offrir à Dieu en
holocauste, se couvrait de cilices, se flagellait pour son
peuple, et chaque soir, pendant l'instruction qu'il avait coutume d'adresser aux fidèles à l'occasion de la visite au saint
Sacrement, insistait sur la nécessité d'opposer au fléau le
seul remède efficace, la prière et la transformation des âmes.
Ses exhortations n'étaient pas toujours bien accueillies cependant par un peuple que la détresse poussait presque au
désespoir. Un jour, une femme l'interrompit et l'injuria au
milieu de son discours. Une autre, véritable furie, le poursuivit jusque dans son palais en l'accablant d'outrages :
« Pourquoi es-tu venu chez nous? répétait-elle, sans que
nul put lui imposer silence; depuis que tu es ici tu n'as fait
qu'annoncer des malheurs; maintenant tu nous forces à
payer sept grains le pain que nous mangeons! » Et, levant
sur lui une main menaçante : « Que t'importe à toi, il est
vrai, ajouta-t-elle, tu as bien le moyen d'en manger à ce
prix! » L'Évêque, sans se troubler, donna à cette malheureuse sa bénédiction; mais, moins patient, le prêtre qui
l'accompagnait la reprit avec indignation, et lui assena sur
l'épaule un coup violent qui la rejeta en arrière. Alphonse
blâma sévèrement cette vivacité, et punit le coupable de
quatre jours de reclusion. « Ces pauvres gens, lui dit-il,

ne méritent que la compassion; ce n'est pas leur cœur qui parle, c'est la faim! »

Le fléau, en effet, grandissait toujours; le blé manquait partout; à Naples comme dans les provinces, on ne pouvait s'en procurer à moins de douze à quinze ducats la mesure; et, selon la prédiction d'Alphonse, on voyait à Sainte-Agathe les pauvres cueillir les feuilles des haies et manger jusqu'aux herbes réputées des poisons : on se serait cru dans une famine d'Orient. Devant ces spectres affamés qui parcouraient les rues et les chemins, le cœur de l'Évêque se brisait. Il avait réduit sa table au pain et au potage; il multipliait les envois de grains, de légumes et d'argent dans toutes les parties du diocèse; il faisait faire des distributions quotidiennes dans le fief de Bagnoli, dont il était seigneur, tandis que lui-même se chargeait de parcourir la ville pour y porter des remèdes et des vivres, ou soignait les malades qu'il avait recueillis sous son toit; sa porte était toujours ouverte; mais, hélas! la maison n'était pas toujours fournie. Un soir il aperçut, sur un des bancs de la grande salle du palais, un homme que le besoin de nourriture avait fait tomber en défaillance. Aussitôt il courut pour chercher du secours; mais vainement fouilla-t-il tous les recoins : il ne put découvrir qu'une petite tablette de chocolat, qu'il réussit à grand'peine à introduire dans la bouche du patient. A force de vinaigre cependant il parvint à le ranimer, et depuis lors il défendit de rester jamais sans provisions de réserve pour les cas urgents. A chacun de ces incidents, en effet, ses efforts redoublaient avec sa douleur, et si le Chapitre l'eût laissé faire, il eût aliéné le trésor de la cathédrale : croix épiscopale, bassin, aiguière, bougeoir, agrafe antique, tout y aurait passé; à l'exemple de saint Paulin de Nole, il aurait voulu se vendre lui-même pour racheter ses diocésains de la famine. Pleurant son impuissance : « Que n'ai-je devant Dieu, disait-il en levant les yeux au ciel, les mérites de saint Thomas de Villeneuve, et que ne puis-je, comme lui, trouver mes greniers pleins de blé! »

Mais il n'était pas au bout, et d'autres chagrins allaient

fondre sur lui. Le 20 février 1764, sous la pression de la faim, la populace de Sainte-Agathe se souleva contre le syndic, assiégea sa maison, brisa sa porte à coups de hache, et envahit le palais épiscopal où il s'était réfugié, en réclamant sa tête à grands cris. Averti par le tumulte, Alphonse vint au-devant des factieux, essaya de les apaiser, embrassa les chefs, s'offrit comme victime à leur fureur, et afin de la ralentir au moins, leur fit distribuer toute la farine qu'il avait en réserve et tous les aliments qui se trouvaient au séminaire. L'émeute cessa sur l'heure, bien que la crainte persistât pour l'avenir : « Nous sommes ici dans un grand effroi, » écrivait, le lendemain, l'Évêque à son frère Hercule; « avant-hier, nous avons eu un soulèvement épouvantable, et nous en redoutons un autre pour dimanche. » Sur ces entrefaites, la cour de Naples, informée des événements de Sainte-Agathe, y envoya, pour tenir la population en respect, un détachement de soixante cavaliers; mais cette mesure ne servit qu'à exaspérer les habitants en achevant d'épuiser le pays. Voyant le danger, et ne sachant comment le prévenir, Alphonse, qui ne dormait plus, s'interposait entre tous, appelait les meneurs, les suppliait de calmer la foule et tenait conseil avec l'officialité, afin que les soldats ne molestassent personne, tandis qu'il traitait à Naples du rappel des cavaliers. Sa charité finit par être victorieuse : les esprits s'apaisèrent, les soldats partirent, et la tranquillité se rétablit. Pendant ce temps, l'excitation populaire n'était pas moins vive à Arienzo. Quatre à cinq mille hommes y vinrent assaillir la demeure d'un des administrateurs de la ville, auquel ils eussent fait un mauvais parti, si son frère, trésorier de la collégiale, envoyé la veille par Alphonse, mystérieusement instruit, semble-t-il, de ce qui devait se passer, ne l'avait aidé à s'esquiver sous un costume religieux. Parmi les arrestations qui suivirent ces violences, il y eut une trentaine de personnes demeurées étrangères à la révolte; mais l'Évêque, reconnu de plus en plus par l'autorité elle-même comme le père de la contrée, les fit rendre à la liberté.

Enfin, Dieu mit un terme aux malheurs du pays et aux angoisses d'Alphonse. La récolte de l'année 1764 fut abondante, et avec la prospérité la paix se rétablit. Rentrée en possession d'elle-même, la population comprit bientôt que, malgré toutes ses souffrances, elle n'avait jamais atteint la détresse des autres provinces [1]: et, expiant ses défaillances, elle rendit à son véritable protecteur un hommage dont l'encens remontait jusqu'à Dieu.

[1] A Sainte-Agathe, le pain ne s'était jamais vendu plus de six gros et demi la livre, tandis que partout ailleurs on l'avait payé dix et même douze grains.

CHAPITRE X

Le fardeau de l'épiscopat, si lourd à porter dans les tristes circonstances que venait de traverser le diocèse de Sainte-Agathe, ne faisait point oublier à Alphonse sa chère Congrégation. La règle approuvée à Rome indiquait un Chapitre général pour l'année 1764; il consentit à le présider et demanda seulement que la réunion eût lieu avant la fin du mois d'octobre; car alors, écrivait-il au Père Villani [1], « le froid survenant, il faudra que je songe à recommander mon âme à Dieu; ma poitrine est très-faible, et je me rappelle ce que j'ai souffert l'hiver dernier. »

Dès cette époque, en effet, malade, accablé sous le poids de sa charge, poursuivi surtout par la crainte de ne pouvoir, en raison de son âge et de ses infirmités, faire autour de lui tout le bien qu'il rêvait, il songea sérieusement à se démettre de sa charge et supplia même le Pape d'accepter sa démission. Les promesses du Cardinal Spinelli au moment de son élection lui faisaient supposer qu'il obtiendrait aisément cette faveur; mais son espoir fut déçu. « Le Pape m'a répondu, » écrivait-il de nouveau au Père Villani [2], quelques jours avant de se rendre au Chapitre, « de ne pas penser à

---

[1] 4 juillet 1764.
[2] 25 septembre 1764.

quitter mon diocèse, et si j'étais malade, de le gouverner de mon lit. »

Cette réponse était, peut-on dire, d'une opportunité prophétique, car les fatigues et les peines de tout genre qu'Alphonse avait éprouvées pendant l'année précédente devaient bientôt provoquer dans sa santé une crise funeste. Peu après son retour du Chapitre, il fut saisi d'une fièvre si ardente que les médecins de Sainte-Agathe et deux docteurs célèbres, amenés de Naples par don Hercule, jugèrent son état désespéré. Pour la seconde fois depuis deux ans, on dut lui donner le viatique et l'extrême-onction; sa faiblesse était excessive; il pouvait à peine parler, et se bornait à réclamer de temps à autre de la charité des assistants qu'on lui suggérât de bonnes pensées. Un jour qu'il adressait cette demande au doyen Daddio : « Monseigneur, lui répondit celui-ci, saint Martin, dans l'angoisse, fit cette prière : *Domine, si adhuc populo tuo sum necessarius, non recuso laborem.* » Aussitôt, comprenant l'allusion : *Non recuso laborem,* répéta le Saint d'une voix éteinte. Dieu eut pour agréable sans doute cette acceptation de nouvelles souffrances; car, contrairement à toute prévision, le danger s'éloigna, et on put entrevoir la possibilité de sa guérison. Mais, toute surprenante qu'elle parût, sa convalescence fut marquée par un fait plus extraordinaire encore. Un chanoine ayant présenté à l'Évêque son neveu, enfant de quatre ans, dont la langue n'était pas encore déliée, lui exprima ses craintes qu'il ne fût muet. Le Saint l'écouta avec intérêt, fit le signe de la croix sur le front de l'enfant, et lui donna à baiser une image de la sainte Vierge, en lui demandant comment se nommait cette dame : « La Madone! » s'écria le petit garçon. « Vous voyez bien qu'il n'est pas muet, » reprit Alphonse, comme pour dissimuler le prodige; « sa langue est seulement un peu embarrassée; mais elle se déliera avec le temps. » A partir de ce moment, en effet, l'enfant parla sans aucune difficulté, en articulant clairement tous les sons. L'événement fit grand bruit à Sainte-Agathe, et nul ne douta qu'on ne dût à la sainteté de l'Évêque un miracle de plus.

Les médecins cependant, voyant que le malade avait pëine à recouvrer ses forces, lui conseillèrent, pour éviter une rechute, d'aller respirer l'air salubre de Nocera. Cette proposition troubla sa conscience. « Comment! s'écria-t-il, j'abandonnerais le lieu de ma résidence! Non! confions-nous en Dieu, il arrangera toutes choses! » Mais le Père Villani, qui était alors à Sainte-Agathe, fut de l'avis des médecins; il parla au nom de l'obéissance, et Alphonse consentit à habiter pendant quelque temps la maison de Pagani. Ce n'était pas toutefois pour y prendre un oisif repos; car, dès qu'il se retrouva dans la Congrégation, il voulut, quoique souffrant encore, suivre comme tous les religieux les exercices de la communauté, se remettre à l'étude, prêcher les sermons du samedi, et même de temps en temps faire des instructions familières dans divers couvents de femmes. Par égard pour sa santé, le Recteur avait modifié quelque peu la règle en ce qui touchait la nourriture. L'Évêque, qui aspirait à être traité comme le dernier des frères, souffrait de ces distinctions; aussi s'en dédommageait-il à sa manière toutes les fois qu'il en rencontrait l'occasion; c'est ainsi qu'un jour, pendant le repas, profitant d'une distraction d'un frère lai, il avala, sans témoigner la moindre répugnance, une eau nauséabonde qui avait servi pendant longtemps à conserver des fleurs.

Mais Pagani était trop près encore de Sainte-Agathe; Alphonse sentait toujours peser sur lui la charge des âmes dont il répondait devant Dieu, et cette préoccupation incessante l'empêchait de prendre le repos complet dont il avait besoin : il continuait de loin à surveiller son diocèse, dépêchait des courriers pour s'instruire de tout ce qui s'y passait, recevait parfois jusqu'à huit messages entre le lever et le coucher du soleil; et répondait un jour à l'Évêque de Nocera qui lui demandait pourquoi il paraissait si soucieux : « Hélas, monseigneur, parce que, comme vous, je suis Evêque; » et il ajouta : « J'avais fait chasser de chez moi une malheureuse femme; maintenant j'apprends qu'elle y est rentrée toute galonnée et empanachée : il faut que je parte pour y mettre ordre. » Il y avait à peine un mois que le Saint était à Pagani ; aussi le pria-t-on d'attendre au moins quelques jours : « *Uxorem duxi*, reprit-il ; Dieu veut que je sois à Sainte-Agathe, et non ici ; » et comme on insistait encore : « Non, non, impossible ; je ne le puis pas, j'ai des scrupules par-dessus la tête. »

Il partit donc, laissant la maison aussi édifiée de son zèle épiscopal qu'émue devant les grâces dont le Seigneur récompensait sa fidélité. La générosité du Maître luttait, en effet, avec celle du serviteur, et quelques jours avant son départ, en célébrant la messe, il avait eu une longue extase, dont le Père Siviglia, qui l'assistait, n'avait pu le faire sortir qu'en le tirant à plusieurs reprises par le bord de son vêtement.

Mais à peine Alphonse était-il de retour à Sainte-Agathe, qu'une recrudescence d'infirmités réveilla en lui l'effroi de ne plus suffire à sa charge, et le désir ardent de la quitter. Ne pouvant se dissimuler cependant que, malgré sa vieillesse et ses souffrances, il faisait encore beaucoup de bien dans le diocèse, il craignait de substituer sa volonté à celle du Seigneur, et sentait son esprit, si lucide d'ordinaire, se troubler devant ce dilemme douloureux. Pour sortir de cette cruelle incertitude, il recourut à ses conseillers ordinaires, et envoya le Père Tannoia demander à l'Évêque de la Cava ce qu'il en pensait devant Dieu. L'avis du prélat ne fut pas opposé à son vœu ; mais les raisons dont il était le plus touché étaient précisément celles qui aux yeux d'Alphonse - avaient le moins de poids. Mgr Borgia trouvait que l'âge et les infirmités de l'Évêque de Sainte-Agathe étaient des causes suffisantes pour aspirer au repos ; le Saint voulait, au contraire, que sa démission fût motivée par l'intérêt bien entendu de son troupeau. Il sollicita donc d'autres lumières, et, le 14 janvier 1765, il écrivit au Père Villani la lettre suivante, que nous tenons à citer malgré des redites inévitables, pour montrer jusqu'à quel point il poussait la délicatesse de conscience et le pur désir de glorifier Dieu.

« Je vous ai déjà parlé, cher Père, disait-il, de l'affaire

dont j'ai conféré avec M⁛ Borgia ; aujourd'hui je viens vous prier de vouloir bien consulter, avant de me répondre, don Gennaro Fatigaìi et les Pères Alasio, Porcara et de Mattheis. Malgré l'avis de M⁛ Borgia, le motif principal de ma retraite ne doit pas être le désir du repos ; cette raison ayant été déclarée insuffisante dans les Constitutions des Souverains Pontifes ; ce serait plutôt mon âge avancé (j'entrerai, en septembre, dans ma soixante-dixième année), et mon affection de poitrine. Le dernier hiver que j'ai passé à Sainte-Agathe, j'ai été presque continuellement malade ; cette année je puis dire que j'ai souffert depuis le jour de mon arrivée ici, et il y a un mois que je ne quitte pas le lit à cause de mon asthme. Il est vrai, toutefois (car je ne dois rien cacher pour n'avoir pas de scrupule), que je ne laisse pas d'expédier les affaires, et qu'aucune d'elles ne souffre de mon état de santé. Tant que l'hiver dure, je ne puis, je l'avoue, ni faire mes tournées ni assister au chœur ; mais en été j'ai la poitrine plus libre, et je parcours le diocèse pendant trois ou quatre mois. Une des causes qui me font désirer ma retraite est aussi le trouble constant de ma conscience au sujet des scandales dont je suis parfois témoin, des décisions que je dois prendre et des refus que je dois prononcer ; mais là encore je crains qu'on ne puisse voir la recherche de moi-même et non celle de la volonté de Dieu ; c'est pourquoi je vous demande de me dire franchement ce qui à vos yeux le glorifiera davantage. »

Les religieux napolitains consultés au nom d'Alphonse se rangèrent à l'opinion de M⁛ Borgia. L'Évêque cependant ne se sentait pas rassuré, et quinze jours après il adressait au Père Villani une seconde lettre qu'on nous pardonnera de rapporter encore presque en son entier, car rien ne saurait moins lasser, ce nous semble, que le spectacle de cette lutte entre la nature qui demande grâce et l'amour qui se sacrifie : « J'ai reçu votre billet, écrivait-il [1], et j'y trouve

---

[1] 1ᵉʳ février 1765.

la réponse des Pères Porcara et Alasio; mais, cher Père, je
veux être en sûreté de conscience. Les angoisses que me
procurent mes affaires sans nombre et mes scrupules incessants me font, il est vrai, désirer le repos; cependant je ne
voudrais pas que ma cellule me devînt un enfer, pour m'être
délivré de ma charge contrairement à la volonté de Dieu. Je
suis certain que le Seigneur voulait me voir Évêque il y a
trois ans; maintenant il faut que je sois moralement sûr
qu'il ne le veut plus... Veuillez donc exposer bien exactement encore ce que je vais vous dire aux personnes que vous
avez consultées ou que vous consulteriez... Ma vieillesse est
incontestable, puisque au mois de septembre prochain j'ac-
complirai mes soixante-neuf ans. Ma mauvaise santé, surtout pendant l'hiver, n'est pas moins certaine. Mais, malgré
tout, il me semble que je remplis exactement les fonctions
de ma charge. Rien ne laisse à désirer en ce qui touche
l'examen des confesseurs et des clercs qui se présentent aux
ordres; sous le rapport de la science et des mœurs, mais spécialement sous celui de la science, je suis même plus exigeant
que beaucoup d'autres Évêques. Quant aux scandales, je
ne cesse de les poursuivre jusqu'au bout et sans garder de
ménagement. Lorsqu'il y a un poste à remplir, fût-ce le
plus simple bénéfice, je donne toujours la préférence au
mérite, ce qui me fait plus d'ennemis que d'amis. Dans la
mauvaise saison, je ne puis sortir, il est vrai; mais pendant
l'été, c'est-à-dire durant quatre ou cinq mois, je parcours
le diocèse; puis, lorsque l'hiver recommence, je m'occupe
des examens et des correspondances particulières, car ma
tête est bonne. Enfin, si je n'écris pas beaucoup moi-même,
je me sers du frère François-Antoine, dont la discrétion ne
m'inspire aucune crainte. Il est bien nécessaire, je vous le
répète, de donner tous ces détails à ceux dont vous prendrez
conseil; autrement je ne me démettrais pas de mon évêché
sans des remords, qui peut-être me poursuivraient jusqu'à
Nocera. En résumé, il me semble que je ne pourrais guère
appuyer ma démission sur cette raison que la vieillesse et la
mauvaise santé m'empêchent de remplir mes fonctions, et

c'est là ce qui me trouble, comme je l'ai dit au Père Ferrara, qui est venu me voir hier, et auquel j'ai fait lire le texte des Décrétales [1]. » Et, ne croyant pas sans doute avoir suffisamment exprimé sa pensée : « Je vous envoie cette lettre par un exprès, ajoute-t-il, afin que, avant de partir de Naples, vous puissiez, sans vous presser, prendre l'avis de ces bons Pères; je ne serais pas tranquille, encore une fois, si vous ne leur communiquiez tout ce que j'ai écrit. Je voudrais échapper aux angoisses de ma conscience et à tous ces ennuis qui m'accablent; mais j'entends une voix qui me dit : *Si diligis me, pasce oves meas;* et il importe peu, après tout, que je meure à la peine. La crainte de ne pas faire la volonté de Dieu est pour moi une douleur au-dessus de toutes les douleurs. »

Interrogés de nouveau, pour obéir à ce désir si véhément, par le Père Villani, les amis d'Alphonse répondirent qu'il devait s'en remettre à la décision du Souverain Pontife, tout en présageant qu'elle ne lui serait pas favorable. Lui-même commençait à le craindre : « Définitivement, je crois que j'obtiendrai avec peine la grâce que j'ai sollicitée, » lit-on dans une nouvelle lettre à son fidèle disciple; « car j'ai appris qu'on n'avait pas voulu accepter la démission de l'Évêque de Lettere, qui est un vrai squelette. Que Dieu fasse d'ailleurs ce qui doit contribuer le plus à sa gloire! » Le Pape, en effet, demeura aussi inébranlable qu'au premier jour : « Son ombre seule suffit pour gouverner le diocèse, » répondit-il au Cardinal Spinelli, qui avait appuyé la demande, et il chargea en même temps le Cardinal Negroni d'écrire à Alphonse de « déposer tout scrupule », et de continuer à Sainte-Agathe « les grandes et saintes choses qu'il y avait entreprises [2]. »

---

1 *Alia vero causa est debilitas corporis ex infirmitate, vel senectute; nec tamen omnis, sed illa solummodo per quam impotens redditur ad exequendum officium pastorale... Cum interdum non plus hortetur senilis debilitas aliquem cedere, quam moralis maturitas, quæ in senibus esse solet, ipsum in suo suadet officio permanere.* Cap. *Nisi de renunt.,* § 3.

2 18 juin 1765.

Le Saint se résigna et se borna à répéter comme trois ans
auparavant : « Dieu me veut Évêque; eh bien! soyons
Évêque! » Sa santé, du reste, s'était un peu raffermie, et,
conservant toujours, malgré l'autorité de son caractère, vis-
à-vis de son guide spirituel la soumission du plus humble
fidèle, il avait écrit peu de jours auparavant au Père Villani
pour lui demander la permission de reprendre ses pratiques
ordinaires de pénitence [1]. Les médecins toutefois étaient
moins convaincus que lui du retour de ses forces. Ils craignaient le climat humide de Sainte-Agathe, située au con-
fluent de deux rivières, et le pressaient de nouveau de s'en
éloigner. L'Évêque résista longtemps à leur désir : « Comment, disait-il, abandonner ma cathédrale, mon siége épiscopal, mon séminaire..., et surtout cette pauvre ville qui
ne pourra que se corrompre encore pendant mon absence! »
Il céda à la fin cependant au conseil unanime de ses amis,
et, vaincu une fois de plus par l'obéissance, transporta sa
résidence sur un autre point du diocèse, à Arienzo [2].

---

[1] 25 et 28 septembre 1765.

[2] La ville d'Arienzo est bâtie sur les frontières de la Terre de Labour,
à 12 kilomètres S.-O. de Sainte-Agathe, près du célèbre défilé des *fourches
caudines*.

CHAPITRE XI

Ordonnances diocésaines. — Les Clercs.

Près de quatre ans s'étaient écoulés depuis l'arrivée d'Alphonse à Sainte-Agathe. Il avait acquis une science exacte de son diocèse et reconnu les abus qui y régnaient. Pour essayer d'y porter remède, la pensée lui vint d'abord de convoquer un synode ; mais les difficultés qu'il entrevit dans la réalisation de ce dessein l'en détournèrent bientôt, et il se décida à régler, par sa propre initiative, ce qu'il aurait voulu établir de concert avec son clergé. Cependant il tint à interroger préalablement, avec grand soin, les ecclésiastiques et même les laïques les plus distingués du pays, et ce ne fut qu'après cette consultation intime qu'il rendit six arrêtés concernant les devoirs principaux des bénéficiers, des curés, des confesseurs, des simples prêtres et des clercs qui se disposaient aux ordres. Nous renvoyons le lecteur désireux de connaître le texte original de ces actes importants aux mémoires de Tannoia ; pour nous, suivant l'ordre naturel, et commençant par les clercs, nous nous bornerons à résumer les dispositions principales de l'œuvre, en y joignant, comme corollaires, les mesures que prenait Alphonse afin d'en assurer l'exécution.

« Une des obligations les plus graves de l'épiscopat, lit-on dans ces Ordonnances, c'est de veiller à ce que ceux qui doivent recevoir les ordres sacrés n'en soient point indignes ; l'Évêque, comme le déclare le concile de Trente, est coupable devant Dieu de tous les péchés commis par les sujet indignes auxquels il impose les mains; c'est pourquoi nous tenons à faire connaître à tous ceux qui aspirent à être promus au sacerdoce ce que l'on doit exiger d'eux. »

Énumérant alors les conditions nécessaires pour entrer dans les ordres sacrés, Alphonse appuie spécialement sur trois points : patrimoine suffisant, vie régulière et principes solides de science religieuse.

Relativement au premier point, outre l'obligation de justifier d'un patrimoine rapportant au moins vingt-six ducats nets, il rappelle que le Concordat interdit de prendre la tonsure, si la moitié de cette somme n'est pas représentée par un bénéfice ou une chapellenie perpétuelle. Ce n'est, ajoute-t-il, qu'en cas de nécessité démontrée que l'Évêque peut passer sur cette condition; et encore faut-il que la sécurité des biens patrimoniaux et la fixité de leurs revenus soient parfaitement établies. Cette règle fut toujours fidèlement observée par Alphonse. Attentif à ne point admettre de titres fictifs de propriété, il blâmait la complaisance de ceux qui consentaient à en prêter pour le jour de l'examen. « Loin d'accomplir une œuvre de charité, disait-il, ils rendent à leur ami un mauvais service; ces biens ne serviront à rien au prêtre dans le besoin; et un prêtre sans patrimoine est contraint de bêcher la terre ou de déshonorer son ministère. »

Il se montrait, comme il en avait le droit, bien plus sévère encore en ce qui touchait la conduite. Lorsque le clerc n'avait point passé par le séminaire, ni habité une maison religieuse, il devait présenter, avec le certificat déclarant qu'il n'était lié par aucun empêchement canonique, des pièces constatant que, pendant trois ans, il s'était préparé au sacerdoce par une vie parfaitement régulière. Ces pièces consistaient principalement en un témoignage d'assiduité aux conférences ecclésiastiques et en une attestation donnée sous la foi du serment par le curé de la paroisse. Celui-ci était tenu d'entrer dans de grands détails, et devait faire connaître, par exemple, si le clerc avait porté habituellement la soutane, s'il avait évité les divertissements défendus, en particulier le jeu et la chasse, s'il s'était montré

zélé pour le service de l'Église et l'instruction des enfants,
enfin s'il avait fait preuve de piété en assistant aux offices
le dimanche, en visitant régulièrement le saint Sacrement
et en s'approchant de la sainte table au moins tous les
quinze jours. Ces certificats étaient déposés à l'évêché,
deux mois environ avant les ordinations, ce qui permettait
de prendre, s'il y avait lieu, des informations nouvelles. Si
le clerc avait fait ses études à Naples, il devait fournir des
renseignements plus minutieux encore. L'Évêque voulait
tout savoir, depuis le nom de ses maîtres jusqu'aux compagnons et aux lieux qu'il fréquentait, et ne l'admettait aux
ordres que sur un ensemble complet de témoignages satis-
faisants. Souvent il suffisait d'une faute légère, ou même
d'une simple imperfection, lorsqu'elle indiquait une tendance malsaine, pour reculer l'admission d'un clerc ou pour
lui fermer à tout jamais l'entrée du sanctuaire. L'un d'eux
avait été vu dans la compagnie d'un prêtre suspect; un
autre s'était promené et diverti pendant la nuit avec des
chantres; c'en fut assez pour les priver de l'honneur du
sacerdoce; et si un troisième, chassé du séminaire à cause
de son faible pour le bon vin, obtint à la fin sa grâce, ce ne
fut qu'après plusieurs années de vie austère et pénitente.
Alphonse, cependant, n'abandonnait pas sans retour ceux
qui l'avaient contraint à la sévérité, et, pour n'en citer
qu'un exemple, apprenant un jour qu'un sous-diacre, refusé à cause de quelques légèretés de conduite, s'était fait
soldat dans un moment de désespoir, il se hâta de le racheter de ses propres deniers et de lui assurer des moyens
d'existence, en le nommant sacristain de la cathédrale.

La science était la troisième des conditions requises pour
entrer dans la milice sacerdotale. Dans les ordres mineurs,
on n'exigeait, il est vrai, qu'une connaissance solide du
catéchisme et de tout ce qui concerne la matière, la forme,
la réception et l'administration des sacrements; mais ces
notions devaient se compléter et se perfectionner à chaque
degré nouveau franchi par le clerc. Pour obtenir le sous-
diaconat, il fallait avoir étudié à fond tout ce qui touche à

l'Ordre en général, au serment, au vœu, aux heures canoniales et aux censures. A ces cinq traités, le diacre devait
en ajouter cinq autres, d'une étendue beaucoup plus vaste,
comprenant l'ensemble de la doctrine sur la conscience, les
lois, les actes humains et les deux premiers commandements. Le prêtre, enfin, ou plutôt celui qui allait le devenir, était interrogé sur les autres commandements, ainsi
que sur le saint sacrifice de la messe, et devait pouvoir
répondre également aux questions approfondies qui lui seraient posées sur les sacrements de l'Eucharistie, de la
Pénitence, de l'Extrême-Onction et du Mariage.

Les examens étaient toujours présidés par l'Évêque,
lequel y convoquait tous les clercs, non-seulement dans
l'intérêt de leur instruction, mais encore pour leur montrer
qu'il n'était fait d'exception en faveur de personne. Les élèves,
en effet, dont la capacité lui était le mieux connue, devaient
subir, comme les autres, l'épreuve solennelle, et certains
prétendaient même qu'afin d'exciter leur zèle pour le travail, Alphonse procédait envers eux avec plus de rigueur.
Ceux qui avaient soutenu des thèses brillantes à Naples, ou
qui venaient des diocèses voisins avec des lettres de recommandation de leurs Évêques, les jeunes religieux enfin, quelque
élogieuses que fussent les attestations de leurs supérieurs,
n'étaient pas exemptés pour cela de la règle commune. « Je
vous crois, » répondit, un jour, l'Évêque à un carme qui,
en se présentant devant lui pour être ordonné, crut pouvoir
l'avertir qu'il avait été interrogé déjà par le Père Provincial ;
« mais cela ne me suffit pas ; car ce n'est pas le Père Provincial qui doit vous imposer les mains, c'est moi ; » et le candidat n'en parut pas moins devant ses juges. Toutefois, si
le couvent auquel appartenait le clerc n'était pas trop éloigné, deux de ses membres étaient invités, par égard pour
l'ordre, à assister à l'épreuve.

Nous possédons quelques détails sur la physionomie de
ces séances, dont la plus importante était celle qui pré-
t le sous-diaconat ; « car, disait Alphonse, si je me
prononcer A, je devrai nécessairement arriver à

B. » Le Père Tannoia avait connu notamment un vieux curé, auquel il avait souvent entendu raconter les particularités de son interrogatoire, qui avait duré cinq heures, pendant lesquelles l'Évêque n'avait cessé de le questionner lui-même. Sévère pour le fond, Alphonse n'en traitait pas moins dans la forme les candidats avec une grande douceur, leur posant les questions de manière à faciliter les réponses, et leur permettant, pour diminuer leur embarras, de demeurer assis. « Ne savez-vous pas que je suis leur père? » répondait-il à ceux qui le blâmaient de cette tolérance; « avez-vous donc oublié déjà les ennuis de votre examen? » Les réprimandes elles-mêmes, lorsqu'elles lui étaient imposées, n'allaient jamais jusqu'à décourager l'élève. Il s'efforçait, au contraire, de relever son courage pour l'étude, en faisant luire à ses yeux l'espoir d'un prompt dédommagement; et, s'il croyait parfois devoir infliger des humiliations publiques, ce n'était jamais qu'à ceux dont la paresse était notoire. Dans ce cas, la promesse de combler plus tard les lacunes, et de suppléer par le travail de l'avenir à l'ignorance du présent, ne le touchait en aucune façon : *Io voglio il fatto e non il faciendo.* « Je veux ce qui est fait, et non ce qui est à faire, disait-il. Dans ma grammaire, il y a un passé, mais il n'y a pas de futur. » Il ne se refusait pas, toutefois, aux exceptions exigées par les cas particuliers, et prenait aussi bien en considération la mauvaise santé d'un clerc, si elle avait été pour lui un obstacle, que les besoins des campagnes reculées, lorsque les prêtres leur faisaient défaut. Dans l'une et l'autre de ces circonstances, il étendait les limites de son indulgence, pourvu, cependant, que l'imperfection de la culture intellectuelle fût atténuée et rachetée par une solide vertu.

Étant données les trois conditions que nous venons d'indiquer : le patrimoine, la bonne conduite et la science, Alphonse admettait tous ceux en qui il reconnaissait la vocation, sans plus chercher, d'ailleurs, à la devancer qu'à la combattre. « Ce n'est pas à nous, disait-il, qu'appartient le droit d'appeler ou d'écarter; c'est Dieu qui attire, et son Esprit souffle où il veut! »

Aussi n'accordait-il pas volontiers de dispense d'âge, et soupçonnait-il aisément, dans « la ferveur qui les sollicite », un principe plus ou moins avoué « d'avarice ou d'ambition »; il craignait, selon son expression, la séduction des *bienheureux carlins,* « ou le désir précoce d'être pape dans sa propre maison. » Il tenait également à faire observer les intervalles qui doivent, d'après les canons, séparer la réception des différents ordres. Un archiprêtre lui avait fait demander une dispense en faveur d'un jeune homme dont il comptait faire son économe; l'Évêque refusa péremptoirement : « Je ne vois là, dit-il, que la convenance de l'archiprêtre et non celle de l'Église. » Cependant, comme la gloire de Dieu était son unique mobile, lorsqu'il rencontrait un sujet doué de mérites exceptionnels, il ne craignait pas de lui conférer à la fois les quatre ordres mineurs, et l'on devinera sans peine la manière dont il accueillit un jour une réclamation de son secrétaire, qui se plaignait de voir diminuer, par ce procédé, le nombre des actes à enregistrer.

En revanche, lorsqu'il n'avait pas rencontré les qualités requises, démarches, intrigues, recommandations, tout était superflu. « Ma conscience me le défend, » répondait le Saint, à la fois aux solliciteurs et aux patrons. « Si vous êtes jamais Évêque, vous ferez comme il vous plaira; mais aujourd'hui, c'est moi que la chose regarde, car c'est mon âme qui en répondra. » — « Mon très-honoré prince, » écrivait-il à don Barthélemy de Capoue, seigneur de la Riccia, qui, s'autorisant sans doute des bons offices rendus par lui au prélat, l'avait pressé en faveur d'un de ses vassaux éconduit aux examens du sous-diaconat, — « pardonnez-moi de ne pas vous satisfaire : je ne le pourrais qu'au détriment de mon salut, et je ne suis pas Évêque pour me damner! » Mais, joignant à l'inflexibilité la délicatesse pour les candidats malheureux, il répondait, un autre jour, à un gentilhomme qui cherchait indirectement à savoir les motifs d'un de ses refus : « Vous avez parlé à un mort. — Comment cela? » s'écria son interlocuteur. — « Un mort ne pourrait vous répondre, » reprit l'Évêque, « et moi, je ne le puis davantage. »

Il avait eu, en effet, une raison grave pour écarter un clerc ; mais sa charité lui défendait de la dévoiler.

Toutes ces précautions dans le choix font pressentir celles que prenait Alphonse pour assurer la persévérance des élus. Il exigeait d'eux, entre autres exercices, des retraites faites de temps en temps dans des maisons dont la régularité lui était connue ; car « il en est, disait-il, où tout se borne à ne pas prendre l'air et à jouer aux *tre setti* ». Ces retraites devaient être particulièrement sérieuses à la veille des ordinations, cérémonies touchantes, qu'il tenait à accomplir lui-même, dans sa chapelle, après en avoir réglé avec anxiété les moindres détails, afin de ne partager avec nul autre l'honneur de consommer l'holocauste dont il avait préparé avec tant d'amour les victimes.

CHAPITRE XII

Les ordonnances concernant les prêtres contenaient, outre des conseils minutieux relatifs à la confession, un certain nombre de prescriptions que nous croyons devoir tout d'abord résumer, en les groupant autour de quatre chefs principaux : la messe, les conférences des cas de conscience, le costume et les divertissements défendus.

1º La messe. Foyer par excellence de la vie sacerdotale, elle était pour Alphonse, à partir même de l'ordination, l'objet de la plus sévère surveillance et de la plus constante préoccupation. La première fois que le prêtre accomplissait cet acte suprême, il voulait que ce fût, à l'abri de toute distraction, dans un lieu solitaire, n'hésitant pas, lorsqu'il craignait les entraînements de la famille, à la faire dire dans sa propre chapelle, à l'insu de tous les parents. Il ne tolérait ni les festins ni les réjouissances mondaines, dont les premières messes étaient souvent alors l'occasion, et punit un jour un prêtre dont les parents avaient sur ce point transgressé ses ordres, par la privation du droit de monter à l'autel pendant quinze jours.

Mais ce respect scrupuleux pour le plus saint des ministères, loin d'être le fait d'un jour, devait se prolonger toute la vie; aussi renouvela-t-il la suspense *ipso facto*, déjà prononcée par lui quelque temps auparavant, contre ceux qui célèbrent en moins d'un quart d'heure, même une messe votive de la sainte Vierge ou une messe des morts. La nécessité de ne pas se hâter dans les choses saintes était, du reste, une des pensées qui lui étaient le plus ordinaires. Il rappelait avec insistance que si la messe et l'office sanctifient le prêtre lorsque celui-ci s'en acquitte dignement, ils deviennent pour lui une source de châtiment quand il n'y met pas le temps requis. Cependant, toujours plein de pondération dans ses avis, s'il avait horreur d'une rapidité exagérée, il condamnait également l'excès contraire; et pour que la longueur de la messe ne causât pas d'ennui aux fidèles, il donnait comme modèle saint Philippe de Néri, qui s'imposait à lui-même la règle de ne pas dépasser une demi-heure lorsqu'il célébrait en public. Quant à l'office, il engageait vivement à ne pas s'exposer, en attendant la nuit pour le réciter, à la tentation de l'achever trop précipitamment; car, disait-il, pour gagner quelques minutes, on mérite peut-être des années de purgatoire.

Après cette première recommandation, Alphonse insistait sur l'attitude grave que le prêtre doit garder dans la sacristie tant qu'il est revêtu des habits sacerdotaux; sur la nécessité de la préparation et sur celle de l'action de grâces, dont il fixait la durée à une demi-heure ou à un quart d'heure au moins. Enfin il rappelait l'obligation, sous peine de faute grave, de ne pas différer les messes promises au delà de deux mois, quand elles doivent être appliquées aux intentions des vivants, et d'un mois quand il s'agit des morts.

2° Les conférences des cas de conscience. Ces réunions périodiques avaient été établies par Alphonse lors de sa première visite diocésaine. Il acheva, dans ses ordonnances, d'en régler l'organisation : « Tous les noms, lit-on dans ce document, seront mis dans une urne, et celui des membres désigné par le sort répondra à la question qui aura été affichée dans la réunion précédente. Les autres prêtres lui poseront leurs objections; puis, lorsque la discussion aura duré un temps convenable, le préfet agitera sa sonnette, et un arbitre choisi d'avance tranchera le cas, suivant l'opinion qui lui paraîtra plus probable. Le nom du prêtre sera

aussitôt après replacé dans l'urne. » Et, prévoyant l'objection que la même personne pourrait être désignée deux
fois de suite, il ajoutait : « Le malheur ne sera pas grand ; si,
au contraire, l'on ne remettait son nom qu'après la sortie de
tous les autres, certains ecclésiastiques seraient tentés de ne
recommencer leurs études qu'à l'épuisement de la série. Enfin
le secrétaire, sans égard pour personne, tiendra note des
absences. Elles n'emporteront aucune peine pour les simples
prêtres, qui pourtant seront traités plus sévèrement dans
les concours destinés à pourvoir aux bénéfices et aux paroisses, et pourront même en être exclus tout à fait ; mais
l'on sera plus exigeant pour les confesseurs, qui, lorsqu'ils
auront manqué trois conférences sans raison légitime ni
permission du préfet, devront s'attendre à se voir contester
la prorogation de leurs pouvoirs. »

3° Le costume ecclésiastique. Un chapitre tout entier lui
est consacré. On y voit que si les prêtres devaient en principe porter le vêtement long, c'est-à-dire la soutane fermée
devant, l'Évêque, ayant égard aux mauvaises routes et aux
grandes distances qu'ils étaient souvent obligés de franchir
pour aller dire la messe, leur permettait d'adopter le vêtement court pendant l'hiver, c'est-à-dire depuis le mois de
novembre jusqu'au mois d'avril, pourvu qu'ils eussent soin,
en célébrant la messe et les offices, de se revêtir de la soutane. A dater du mois de mai, ils devaient la reprendre
d'une manière continue, s'ils ne voulaient être suspendus
ipso facto. Il leur était également défendu de paraître sans
collet. Le manteau de couleur n'était permis qu'en voyage,
et à la condition de n'avoir pour ornement ni bouton ni
ganse d'or. Les manchettes de dentelles ou de toile gaufrée,
appelées *girandoles,* étaient interdites ; enfin toute recherche
dans la chevelure, comme les boucles et la poudre de
Chypre, était sévèrement prohibée, et l'Évêque, entrant
dans les plus minutieux détails, réglait la longueur des
cheveux, qui ne devaient couvrir ni le cou ni l'oreille, et
les dimensions de la tonsure, laquelle, chez le prêtre, devait
avoir la taille d'une grande hostie et aller toujours en di-

minuant dans les ordres mineurs, sans devenir cependant moindre qu'une hostie de petit module.

4° Les divertissements. La sévérité dans le costume ne devait être toutefois qu'un acheminement vers la gravité de la vie. Alphonse réitéra la menace de suspense portée contre les prêtres qui se livreraient aux jeux de hasard, tels que dés, bassette, prime, etc., ou même à d'autres jeux dans un lieu public, et prononça une peine semblable contre ceux qui se permettraient de paraître dans des pièces de théâtre, fussent même des pièces religieuses jouées chez des particuliers. Il interdit également la chasse au fusil ou au filet, à moins d'une permission expresse et écrite, qu'il n'accordera jamais, ajoutait-il, pour les jours de fête d'obligation. Enfin, il joignit à ces défenses celle de prendre à fermage la gabelle ou autres impôts, même sous un nom d'emprunt et en société de tierces personnes.

Cet ensemble de prescriptions, calculé en raison des circonstances et des nécessités du temps, n'atteignait pas, comme le faisait remarquer Alphonse, la rigueur des anciens canons; aussi avait-il soin d'avertir d'avance les contrevenants qu'il ne s'en montrerait que plus sévère dans l'application; « car si je bénis de bon cœur, disait-il, celui qui méprise ma personne, je ne puis tolérer le mépris des lois que j'ai promulguées. »

Le saint Évêque avait d'ailleurs une trop haute idée de la mission sacerdotale pour se contenter de trouver dans ses prêtres des hommes instruits et de mœurs pures; il voulait aussi voir en eux des apôtres voués avant tout au service des âmes : « Je ne consacre pas seulement des prêtres, disait-il, pour multiplier l'offrande du saint sacrifice, — les messes ne manquent pas; — mais je veux qu'aussitôt ordonnés, ils puissent entendre les confessions et me servir à la fois dans les paroisses, dans les monastères et dans les missions. » Et afin qu'ils s'habituassent dès le début à un joug devant lequel ils auraient pu reculer plus tard, il leur donnait ordinairement, en même temps que la prêtrise, l'autorisation de recevoir les confessions des hommes, leur faisant même de ce ministère, contrairement à la coutume, un devoir impérieux et immédiat. Un jeune ecclésiastique témoignait, un jour, devant lui, le désir de ne pas prendre avant longtemps charge d'âmes : « S'il en est ainsi, lui répondit l'Évêque, je vous défends de dire la messe; vous pourrez même fermer vos livres et considérer comme nul ce que vous avez fait au séminaire; » et à un autre, qui, étant encore dans les ordres mineurs, annonçait la même intention : « Pourquoi demander à être prêtre alors? » répliqua-t-il avec indignation; « si vous n'êtes pas décidé à secourir les âmes, moi, je ne le suis pas à vous conférer le sacrement. »

Pourtant, malgré son désir de multiplier les confesseurs, et quels que fussent, du reste, les besoins des paroisses, il n'accordait jamais légèrement ce droit de lier et de délier, un des plus redoutables du sacerdoce, et si des prêtres ordonnés par ses prédécesseurs ou dans d'autres diocèses venaient pour la première fois solliciter la faculté d'exercer ce pouvoir, il voulait préalablement connaître, sur leur conduite, leurs habitudes et leurs dispositions, tout ce qui pouvait lui permettre de constater leur capacité. Il leur faisait ensuite subir un examen qui se prolongeait parfois durant plusieurs semaines, et dont il avait préparé la base en rédigeant un questionnaire de vingt-quatre pages sur l'ensemble de la morale. Cet examen était surtout rigoureux quand il s'agissait de prêtres réguliers; car Alphonse n'ignorait pas que beaucoup d'entre eux ne voulaient point étudier ces matières, et aspiraient plutôt au titre qu'à la charge de confesseurs. Aussi les lettres de recommandation des Provinciaux, le fait d'avoir déjà exercé le ministère ailleurs, le renom même d'érudition, ne pouvaient-ils les dispenser de l'épreuve. Sur ce point, il était intraitable; tantôt c'était un capucin gradué, très-estimé pour sa doctrine, auquel étaient refusés, pendant toute une station de carême à Arjenzo, les pouvoirs dont il prétendait user sans examen; tantôt c'était un autre religieux qui, bien qu'il en appelât avec emphase à sa science pour obtenir la même faveur, se

voyait néanmoins soumis à la loi commune, et bientôt congédié pour son insuffisance; tantôt enfin c'étaient des Jésuites approuvés par la Propagande qui venaient échouer
irrévocablement devant le tribunal d'Alphonse [1]. L'abbé des
Olivetains, dom Carafa, s'était présenté, après son élection,
pour rendre ses hommages à l'Évêque et solliciter les pouvoirs. « Nous en causerons, lui répondit Alphonse; je désirerais auparavant savoir de quels livres vous vous êtes
servi pour vos études de morale. » L'abbé comprit le sens
de ces paroles et ne reparut pas. Le prieur des Dominicains
de Sainte-Marie-de-Vico était venu à son tour, apportant
une lettre de recommandation de don Hercule de Liguori.
« Je suis prêt, lui dit l'Évêque, à vous rendre tous les
services possibles; mais quant à vous dispenser d'être interrogé, ma conscience me le défend. » C'en fut assez pour le
Prieur, qui ne voulut pas se soumettre à l'épreuve, et mourut
sans avoir jamais confessé dans son église.

Le seul adoucissement qu'Alphonse se crût permis dans
certaines circonstances très-particulières était d'examiner
les postulants sans solennité, en les entretenant seul à
seul, ou en faisant tomber devant eux la conversation sur
des matières théologiques. Ce fut ainsi qu'il se contenta de
poser des questions détournées à un Père maître dominicain
qui avait été vicaire apostolique à Smyrne [2], et à l'abbé
Pignatelli, homme de grand mérite, et plus tard archevêque de Bari, afin de leur donner, sans paraître douter de
leur science, l'occasion de la prouver. Cependant il lui arriva aussi quelquefois d'envoyer spontanément les pouvoirs
à des prêtres dont il connaissait parfaitement et personnellement les lumières et les vertus; mais ces faveurs étaient
si rares et si bien motivées qu'il n'eut jamais lieu de s'en
repentir.

La même sévérité qui présidait au choix des confesseurs,
veillait sur la manière dont ils s'acquittaient de leurs fonc-

[1] Tannoia, p. 392.
[2] Id., ibid.

tions. Un religieux d'Arpaia s'occupait exclusivement de la
direction de quelques dévotes et accueillait durement les
pauvres qui se présentaient à lui : l'Évêque lui retira le droit
de confesser. Un autre, qu'il aimait beaucoup cependant,
se laissait circonvenir par ses pénitentes, et leur rendait de
fréquentes visites : il le blâma sévèrement, et, ne le voyant
pas changer d'attitude, le priva de ses pouvoirs pour toujours. Ces suspenses n'étaient pas rares d'ailleurs, et plusieurs confesseurs furent même pour divers motifs expulsés
de sa juridiction. Le titre de confesseur emportait, en effet,
à ses yeux des devoirs rigoureux et redoutables, à propos
desquels il ne suffisait pas, répétait-il à son clergé, de
satisfaire son Évêque, mais il fallait encore recevoir, un
jour, l'approbation du juge suprême, Jésus-Christ. Aussi
ne négligeait-il rien pour obtenir d'eux une perfection dont
il avait, pour ainsi dire, rédigé le code dans les douze articles
suivants :

1° Ne jamais se lasser d'étudier la théologie morale, et
en revoir presque tous les jours les points les plus difficiles.

2° Traiter les âmes avec la plus tendre charité, particulièrement celles qui ont le plus besoin de secours.

3° Étendre cette charité à tous, sans acception de personnes.

4° Ne pas confesser les femmes de préférence aux hommes.

5° Porter à ses pénitents plus d'intérêt qu'un père n'en
porte à ses enfants, en se souvenant qu'il s'agit de l'âme et
de l'éternité.

6° Témoigner autant de zèle à une pauvre femme dégue-
nillée qu'à une princesse.

7° Se garder de se laisser guider par la sympathie dans
le choix de ses pénitents, sous peine de s'exposer à perdre,
avec le fruit de ses travaux, sa conscience et son honneur.

8° Ne laisser paraître ni dédain, ni colère, de peur d'é-
loigner par là les fidèles du sacrement de pénitence.

9° Éviter au tribunal sacré tout discours inutile et curieux
qui exposerait à profaner le sacrement.

10° Se tenir sur ses gardes lorsqu'on a affaire à des pécheurs d'habitude, à ceux qui s'exposent volontairement aux tentations, aux auteurs de scandales ou de calomnies, et aux marchands de mauvaise foi; ne pas les absoudre avant qu'ils aient donné des signes moralement certains de conversion.

11° Être très-prudent dans les interrogatoires, c'est-à-dire faire son devoir avec modestie et brièveté, surtout lorsqu'il s'agit du vice contraire à la pureté.

12° Se rappeler, en un mot, qu'on doit être père, maître, médecin et juge, et que pour cela il faut à la fois juger, aimer, instruire et guérir le pénitent.

Enfin, fidèle à ce qui semblait être la vocation spéciale de sa vie, il n'avait pas assez d'insistances pour mettre les directeurs des âmes en garde contre le rigorisme par lequel on s'imaginait trop souvent à cette époque faire rentrer la sainteté dans les mœurs sociales. « Vous ne saurez jamais assez éviter, disait-il, la conduite trop ordinaire aujourd'hui de se montrer d'autant plus rigide qu'on veut détourner de soi le soupçon de relâchement. Tel n'est pas l'esprit de Jésus-Christ ni celui de son Église. Jansenius conduisit-il jamais une âme au ciel, et le rigorisme de nos jours n'est-il pas l'héritage qu'il nous a laissé? Notre règle à nous doit être l'Évangile. Nous y voyons comment le Sauveur traitait les pécheurs. Adoptez leur misère, pleurez avec eux leurs péchés, et remettez-les dans la voie, comme vous feriez pour un aveugle. J'ai horreur de ceux qui, sans toucher ni éclairer une âme, la repoussent durement avec ces simples mots : « Je ne puis vous absoudre. » N'est-ce pas la même chose que de dire à un aveugle : « Va te casser le cou? » Comment le pénitent pourra-t-il s'amender et revenir contrit aux pieds du prêtre, si on ne lui fait pas connaître son état, et si on ne lui montre pas la volonté de l'aider à en sortir? Si le confesseur est juge, il est père aussi, et la justice en Dieu n'est pas séparée de la miséricorde. »

Mais, malgré la mission divine du confesseur, c'est au pasteur qu'appartient le droit et le devoir de conduire le

26

troupeau tout entier. Alphonse n'avait garde de l'oublier,
et la trace de l'importance qu'il attachait à cette direction se
retrouve dans chacune des dispositions qu'il prit à l'égard
des curés de son diocèse.

CHAPITRE XIII

Conditions exigées par Alphonse pour diriger une paroisse. — Il règle les fonctions spéciales des curés.

La charge de curé était, à cette époque, assez peu recherchée dans le diocèse de Sainte-Agathe, et généralement abandonnée aux membres les moins considérés du clergé. Désireux de remettre en honneur ces fonctions importantes entre toutes, l'Évêque fit luire, aux yeux de ceux qui devaient les remplir, l'espoir d'obtenir en récompense de leur zèle des canonicats, dignités aussi convoitées et aussi disputées que les cures l'étaient peu. Dès lors, il n'y eut plus que l'embarras du choix. Des concours furent bientôt établis pour faire ressortir, par l'élimination des candidats insuffisants, la valeur des autres, et Alphonse, qui assistait souvent aux examens, put, sans crainte de manquer de sujets, recommander aux juges de se montrer sévères sous le rapport de la science, en se réservant à lui-même le droit de rechercher dans les élus un degré de vertu plus éminent.

Nous venons de parler de la science. Ce n'était pas qu'il crût nécessaire que les curés fussent des savants dans le sens propre du mot. Loin de là : « Les grands talents, disait-il, se soucient moins des vivants que des morts. Ils cultivent l'érudition et la spéculation ; mais lorsqu'ils prêchent ils ne savent pas se faire comprendre, et trouvent au-dessous d'eux le soin d'instruire les enfants... Je veux, quant à moi, qu'un pasteur se trouve à sa place au chevet d'un mourant, et qu'il se plaise avec les paysans en leur ensei-

gnant le *Pater.* » Mais il exigeait que les curés fussent
parfaitement instruits de la doctrine, ce qui n'était pas alors,
semble-t-il, aussi commun qu'on pourrait le penser, si l'on
en juge par l'histoire d'un vieux curé, cité par Tannoia,
qui, interrogé au milieu d'une conférence de morale, ne sut
pas se tirer d'affaire, tout en ayant ses réponses écrites
d'avance et cachées au fond de son chapeau. Cette épreuve
fut, il est vrai, décisive pour lui, et le priva de sa paroisse, aussitôt qu'un poste de chanoine devenu vacant
permit à l'Évêque d'opérer cette substitution sans nuire à la
réputation d u malheureux pasteur, qui d'ailleurs était un
homme de bien.

Alphonse tenait également à ce que la plus grande impar-
tialité présidât aux concours, et s'il permettait aux juges de
préférer parfois des prêtres d'expérience à des diacres plus
heureux dans leurs réponses, il leur prescrivait de ne pas
laisser primer la science par l'ancienneté. Aucun système
spécial n'était du reste imposé, et l'Évêque, ayant appris
un jour qu'un jeune prêtre avait été écarté pour avoir suivi
en théologie morale des auteurs opposés à ses propres doctrines, blâma vivement les examinateurs : « Je ne suis pas,
leur dit-il, une autorité qui fasse loi; chacun est libre de soutenir son opinion, lorsque l'Église ne s'est pas prononcée; »
et il fit aussitôt nommer le postulant. Inflexible au contraire
lorsqu'il s'agissait du caractère et de la conduite, il écrivait
à l'abbé Caracciolo, qui avait le droit de présentation pour
la cure des Olivetains : « Si votre protégé s'est mal com-
porté envers ses parents, comment puis-je le donner pour
père à ces pauvres gens? » et on le vit même refuser des
candidats remplis de mérites, par la seule raison qu'ils manquaient de fermeté.

A cette vertu, il voulait leur voir joindre un zèle sans
lacune pour le ministère paroissial, dont il avait résumé
nettement les règles dans le chapitre II des Ordonnances.
L'enseignement y tenait la première place. Alphonse y rappelait l'injonction qu'il avait déjà adressée aux curés, en 1762,
lors de sa première tournée pastorale, de lire dans toutes

les églises ou chapelles rurales, le dimanche et les jours
de fête, aux deux messes les plus fréquentées, l'*Abrégé de
la Doctrine chrétienne*, composé et imprimé par lui dans
ce but; mais il ordonnait aussi de ne pas s'en tenir là, et
de se souvenir qu'un des devoirs les plus sacrés du pasteur est de nourrir le troupeau de la parole sainte. « L'o-
bligation de prêcher tous les dimanches est tellement absolue, dit-il, que, selon l'opinion des docteurs, un curé passant un mois de suite ou, à diverses reprises dans l'année,
un temps équivalent à trois mois sans instruire son peuple,
n'est pas exempt de péché mortel. L'instruction du reste
doit être courte, c'est-à-dire ne doit pas dépasser vingt minutes ou une demi-heure tout au plus, en y comprenant
l'acte de contrition, par lequel il est bon de finir; enfin les
curés auront toujours soin de parler dans un style populaire
et à la portée des pauvres gens, comme le prescrit le concile de Trente; c'est une précaution indispensable, et sans
laquelle la prédication devient inutile et même nuisible,
pour ainsi dire, par suite de l'ennui qu'elle peut provoquer chez les fidèles. »

Diverses recommandations relatives aux catéchismes venaient compléter cet ensemble de préceptes. Alphonse ne
défendait pas au pasteur de se faire aider dans ce ministère
par d'autres prêtres, et spécialement par le clergé de la paroisse; mais il exigeait qu'il assistât à l'exercice, afin de
s'assurer par lui-même du soin qui y était apporté. « Il doit
autant que possible cependant, ajoutait-il, s'acquitter de
cette mission en personne, et, sans se borner à faire réciter
aux enfants le petit résumé qu'on lit à la messe, s'appliquer à mettre au niveau de leur intelligence les vérités que
leur bouche articule... Plusieurs semaines avant la fin du
carême, les enfants devront être réunis tous les jours et
instruits en particulier sur la communion pascale, à laquelle
on les admettra d'ordinaire à partir de neuf ou dix ans [1],
douze tout au plus, afin que je ne rencontre plus à l'avenir,

---

[1] C'était l'âge auquel saint Charles Borromée voulait aussi que les
enfants fissent leur première communion.

disait-il en terminant, le spectacle douloureux de jeunes gens de quatorze ou quinze ans n'ayant pas encore satisfait à ce précepte [1]. »

Cette instruction qu'il exigeait pour les enfants, l'Évêque tenait, du reste, à ce qu'elle fût, dahs une mesure plus large, le partage des fidèles de tout âge. Rien ne ressort plus clairement de sa doctrine que la préoccupation de faire envisager la religion non comme la pratique de certaines cérémonies ou de certaines formules, mais comme l'accomplissement conscient et nécessaire de devoirs bien étudiés et bien compris; aussi voulait-il que toute personne qui se présentait à la communion pascale, fût munie d'un certificat de son pasteur, constatant son instruction religieuse, et que, selon le vœu de Benoît XIV, les futurs époux fussent examinés sur les principaux devoirs du christianisme avant de recevoir la bénédiction nuptiale.

Mais, sachant par expérience tout ce que la prière du prêtre attire sur le monde de grâces et de lumières, Alphonse rappelait aux curés qu'ils étaient tenus de dire la messe pour leurs paroissiens les dimanchès et jours de fêtes, nonobstant toute coutume ou abus contraire, et lors même que leur église ne leur fournirait pas de revenus suffisants à l'existence; qu'une exactitude non moins scrupuleuse devait présider à l'acquittement des messes promises, et qu'un tableau contenant les messes obligatoires, les jours et les autels où elles seraient dites, le nom du célébrant et celui des fondateurs, devait être suspendu dans la sacristie de manière à être vu de tous; « car si les morts, ajoutait l'Évêque, ne peuvent plus surveiller leurs intérêts, c'est à nous que ce soin incombe. »

A ces injonctions étaient jointes des recommandations relatives à des sujets divers : par exemple à l'extrême-onction, qui devait être administrée dès que la maladie était sérieuse, et, sous peine de péché grave, avant que le mourant eût perdu connaissance; puis des conseils plus spéciaux, tels

---

[1] Ces mêmes enfants devaient encore communier ensemble pendant l'octave de l'Assomption et à Noël.

que celui de lire au peuple, le jeudi saint, la liste des cas
réservés, de signaler à l'Évêque les fidèles qui négligeaient
de s'approcher des sacrements pendant le temps pascal, après
les avoir avertis eux-mêmes des peines ecclésiastiques portées contre eux [1]; de ne plus confier à de simples clercs,
encore moins à des laïques, les clefs du tabernacle ou l'huile
sainte envoyée de la cathédrale aux diverses paroisses, et
de ne pas manquer de renouveler tous les dix ans l'inventaire
des biens ecclésiastiques.

Des avertissements sévères au sujet de la résidence des
curés dans leurs paroisses, terminaient enfin cette série de
dispositions. « Le curé, dit Alphonse, doit habiter le pres-
bytère ou une maison voisine de l'église, afin de pouvoir facilement s'y rendre et être à la portée de ses ouailles. Il ne
peut s'absenter que pour des causes urgentes, et avec la
permission de l'Évêque, qui approuvera, s'il y a lieu, le
motif du déplacement et le vicaire appelé à le suppléer.
Celui qui manquera à cette prescription commettra une
faute grave, perdra ses droits aux revenus des bénéfices, et
sera tenu à en restituer une quantité proportionnée à la
durée de son absence, soit aux pauvres du lieu, soit à la
fabrique de l'église. Du reste, il ne doit pas oublier non plus
que si, par suite de sa négligence, sa résidence peut être
considérée comme inutile (c'est-à-dire, d'après le concile de
Trente, s'il demeure pendant deux mois sans exercer les
fonctions principales du ministère, telles que la prédication
et l'administration des sacrements, spécialement ceux de
pénitence et d'eucharistie, toutes les fois qu'il en est requis), il est soumis à la même peine. » Ce devoir des curés
de résider au milieu de leurs paroisses et de se consacrer
exclusivement à elles n'était pas seulement développé devant
eux dans les ordonnances; il leur était souvent encore rappelé dans les entretiens qu'ils avaient avec leur Évêque. « Si

---

[1] Étendant à tout le diocèse un usage en vigueur dans les maisons religieuses, Alphonse avait ordonné que, plusieurs fois chaque année, et
notamment à Pâques, les curés fissent venir dans leur paroisse un confesseur étranger.

vous vouliez continuer à prêcher des carêmes, » dit un jour
Alphonse à l'un d'entre eux qui avait pris un engagement de
ce genre, « il ne fallait pas concourir pour la paroisse. Le
pasteur ne doit pas quitter son troupeau à l'heure où il a le
plus grand besoin de lui. » Et à un autre, préposé à la cathédrale de Sainte-Agathe, qui, ayant été professeur, croyait
pouvoir conserver sa charge dans l'enseignement, il persuada de se donner sans partage à l'accomplissement de ses
fonctions.

Le relâchement de l'époque rendait indispensable l'application de ces règles, parfois peut-être sévères en apparence;
aussi Alphonse y veilla-t-il scrupuleusement pendant toute
la durée de son épiscopat. Ses lettres en particulier font foi
de son extrême sollicitude pour surveiller la situation de
toutes les paroisses : l'une d'elles nous le montre prenant
des informations minutieuses pour découvrir si un curé de
campagne n'avait pas laissé une de ses ouailles mourir sans
sacrements; une autre blâme des pasteurs qui, sans l'en
prévenir, avaient pris l'habitude d'examiner chez eux, et
non pas à l'église, les enfants se disposant à la première
communion. « Sans que j'aie besoin de vous démontrer, leur
écrit l'Évêque, les inconvénients qui peuvent en résulter, et
que vous devez comprendre, je tiens à vous exprimer combien j'ai regretté votre négligence à me parler de cette nouveauté. » Et faisant allusion à d'autres irrégularités indépen-
dantes de la volonté des curés, dont la nouvelle lui était aussi
arrivée indirectement : « Vous êtes en quelque sorte res-
ponsables, leur dit-il, de ce qui a lieu chez vous, et si
vous ne m'avertissez pas des désordres auxquels vous ne
pouvez remédier, je vous cite dès à présent au tribunal de
Dieu. »

Il tenait d'ailleurs, hâtons-nous de le dire, à tempérer
par des encouragements et des louanges l'austérité de sa direction. « J'ai été édifié et consolé, écrivait-il par exemple
à un curé, de l'empressement que vous avez montré pour
avoir une mission et pour faire entendre la parole de Dieu
aux âmes.qui vous sont confiées. J'ai admiré votre prompti-

tude et votre zèle. » Et à un autre : « Je vous loue et vous
remercie de l'attention que vous donnez au bien de votre paroisse, et spécialement de la peine que vous avez prise à
l'occasion de la mission; » formules d'autant plus hono-
rables pour ceux auxquels elles s'adressaient, que la scrupuleuse véracité d'Alphonse ne permettait pas de les considérer comme le banal langage d'une politesse de convention.

Mais les plus grandes difficultés peut-être que le Saint
rencontra dans ses rapports avec les curés du diocèse, sur-
girent à l'occasion des remaniements qu'il essaya de faire
dans les circonscriptions des paroisses, ou dans la distribution des revenus qui leur étaient affectés. Certaines d'entre
elles, en effet, avaient une étendue si considérable, qu'une
partie de leur population se voyait presque entièrement privée de secours religieux; d'autres n'avaient pas même de
ressources suffisantes pour entretenir les bâtiments de leurs
églises. Dans plusieurs localités, l'Évêque remédia aisément à l'inconvénient des distances en faisant rouvrir d'anciennes chapelles abandonnées, et en consacrant divers
bénéfices de libre collation à former les honoraires des nouveaux desservants; mais ses efforts se heurtèrent, en d'autres
lieux, contre le mauvais vouloir et les oppositions violentes
de prêtres moins attachés, dit Tannoia, à leurs églises qu'à
leurs rentes. Sauf quelques circonstances assez rares où il
crut devoir céder, il n'en poursuivit pas moins cependant, en
dépit de tout obstacle, son but avec une persévérance infatigable, sommant tel curé d'avoir, dans l'espace d'un mois,
commencé les travaux d'agrandissement de son église; rete-
nant, sur une vente de bois faite par un autre, trois mille
trois cents ducats pour assainir un sanctuaire humide; demandant sa démission à un archiprêtre qui avait abandonné sa paroisse pour chercher un meilleur climat, et
consacrant une partie des revenus à la réparation de l'église
délaissée; enfin, persuadant à deux autres pasteurs, qui célébraient alternativement la messe dans le même temple, de
renoncer généreusement à leurs revenus pour construire
une seconde église. Nous connaissons encore les noms des

sanctuaires délabrés, réparés par Alphonse, avec le détail des travaux exécutés sous son pontificat, et la longue nomenclature des paroisses pauvres, enrichies du superflu de leurs sœurs, nous montre l'équilibre qu'il était parvenu à établir dans le diocèse, et dont il se réjouissait d'autant plus qu'il y voyait pour ses réformes un gage de perpétuité.

CHAPITRE XIV

Le diocèse sur lequel Alphonse exerçait sa juridiction ne
comptait guère que trente mille âmes ; néanmoins, si l'on
excepte celui de Capoue, il n'y en avait aucun dans tout le
royaume de Naples qui renfermât un nombre plus considérable de bénéfices, les uns dépendant uniquement de l'Évêque, les autres du Pape sur sa présentation, et quelques-
uns enfin de simples particuliers, avec l'approbation de
l'Ordinaire. A la cathédrale seule étaient attachés vingt-six
chanoines et quatorze chapelains, dont les fonctions spéciales
étaient de chanter au chœur. Sainte-Agathe possédait en
outre un collége de quatorze chapelains ; et cinq autres petites
villes, Arienzo, Frasso, Airola, Durazzano et Arpaia, avaient
aussi chacune leur collégiale [1].

La collation de ces charges, dont le revenu total s'élevait
annuellement à trente-six mille ducats, fut pour Alphonse
une cause incessante de difficultés et de soucis. Tantôt
c'était un prince ou un gentilhomme influent qui voulait
faire nommer son protégé ; tantôt c'était la ville de Sainte-
Agathe qui, sans pouvoir baser ses prétentions sur aucune

---

[1] Ces détails, que nous avons empruntés à Tannoia, ne semblent pas
complétement d'accord avec ceux que donnait saint Alphonse lui-même
au pape Pie VI dans une lettre datée du mois de mai 1775 ; mais l'intervalle auquel ils écrivaient suffit peut-être à lui seul pour expliquer
celle contradiction apparente, et qui n'a d'ailleurs qu'une importance fort
relative.

fondation ni même sur aucune coutume, réclamait des priviléges pour ses habitants. Parfois même on contestait à
l'Évêque son droit de nomination pour en investir des assemblées populaires, et des libelles contre l'autorité ecclésiastique prenaient, sur le moindre prétexte, le chemin du
cabinet royal. Tannoia nous a laissé un triste récit de ces
intrigues, qui obligèrent Alphonse, sans l'ébranler d'ailleurs, à déployer, pour les comprimer, toute la fermeté
dont il était doué. Son premier soin, afin d'ôter dès le début
tout espoir aux ambitieux, fut d'annoncer que les qualités
personnelles des candidats seraient leurs seuls titres auprès
de lui, ou, en d'autres termes, qu'il n'aurait égard à aucune
recommandation; et les actes suivirent de près les paroles.
La princesse de la Riccia ayant sollicité, en effet, pour un
prêtre de Moiano une place vacante dans le chapitre de
Sainte-Agathe : « Il l'obtiendra, répondit Alphonse, si ses
droits l'emportent sur ceux des autres. » — « Les apostilles
n'ont pour moi aucun prix, dit-il encore; j'examine les vertus et les talents des sujets, puis je fais ce que me dictent
Dieu et ma conscience; car c'est moi qui suis Évêque ici, et
nul autre. » Les ministres du roi eux-mêmes ne tardèrent
pas à s'en apercevoir; aussi bientôt cessèrent-ils de lui faire
aucune présentation. Une fois, pourtant, le marquis de
Marco hasarda une démarche en faveur d'un jeune ecclésiastique; mais ce fait seul suffit pour discréditer le candidat. Rechercher un appui, demander une protection, était,
aux yeux d'Alphonse, une faute comparable à l'achat d'une
fonction sacrée : « Ce sont des sœurs jumelles, disait-il,
ayant pour père le même démon; » et il soupçonnait leur
alliance chaque fois qu'il voyait intervenir dans une affaire
de ce genre un tiers dont la délicatesse était douteuse, un
de ces hommes qui, selon son expression, « ne font rien pour
rien. » Mais le désintéressement du patron fût-il à l'abri de
toute conjecture fâcheuse, le solliciteur n'en était pas moins
écarté. C'est ainsi qu'un jour, voyant apparaître, avec une
lettre de recommandation du prince della Rocca, un prêtre
que déjà, de son côté, il songeait à nommer chanoine, Al-

phonse s'écria, indigné : « Malheureux! je m'étais déterminé
à vous donner un canonicat ; vous me forcez à y renoncer :
Indignus, quia petisti. » Le pauvre prêtre, confus, pleura,
supplia, mais sans succès; et l'Évêque se borna à demander
au prince de ne pas lui en garder rancune; « car, écrivait-il,
un pareil exemple aurait ouvert la porte à l'intrigue et au
scandale. » Dans une autre circonstance, il se montra plus
sévère encore envers un curé pour lequel il venait de solliciter en secret, à Rome, un canonicat. Apprenant par
hasard que ce prêtre avait demandé au grand vicaire s'il
n'obtiendrait pas bientôt un poste de chanoine, l'Évêque,
malgré l'heure avancée de la nuit, expédia aussitôt un courrier pour retirer sa recommandation; et comme le candidat
était d'ailleurs peu apte à conduire une paroisse, il lui
enjoignit de donner sa démission.

Grâce à cette résolution inébranlable de ne céder à aucune influence, les apostilles et les demandes n'étaient donc
pas la difficulté principale qu'Alphonse rencontra dans la
collation des bénéfices; mais ce qui lui causait, il n'hésitait
pas à le dire, un véritable martyre, c'était la crainte de
faillir à son devoir, en n'apportant pas à ses choix une vigilance suffisante, et il expliquait ainsi ses scrupules : « Je
puis donner comme bon me semble ce qui m'appartient;
mais les bénéfices, c'est le sang des pauvres ; j'en suis dé-
positaire, et je n'ai pas le droit de les distribuer à qui me
plaît. Je suis coupable si je ne les confère à ceux qui les ont
mérités par leurs travaux. »

Malgré ce respect absolu pour la justice, Alphonse n'était
pas à l'abri des insultes et des reproches, auxquels il opposait une impassibilité héroïque. « Vous n'avez pas de
conscience et vous ne craignez pas Dieu, » lui dit un jour
un candidat malheureux. « N'avez-vous pas honte de la
mitre que vous portez! » vociférait un autre. Mais, se
tournant vers les témoins de ces emportements : « Voilà ce
que c'est que d'être Évêque, disait-il simplement. Si le père
ne souffre pas les impertinences de ses enfants, qui donc
les supportera? » Parfois même, ainsi qu'on va le voir, il

faisait mieux encore. Un notaire du diocèse, dont l'ambition fraternelle avait été déçue, s'était livré, dans le palais épis- copal, à un véritable accès de fureur, et avait mis le comble à son audace en adressant au roi un violent réquisitoire. Or, à quelque temps de là, un siége étant venu à vaquer dans le chapitre d'Arienzo, Alphonse, au moment de désigner le futur titulaire, entendit un jour lire un passage de la vie du Cardinal Caracciolo, où l'on racontait qu'il s'était vengé d'une injure reçue par la collation d'un gros bénéfice : « Ar- rêtez-vous, dit-il aussitôt au lecteur, et reprenez ce pas- sage ; » puis, après l'avoir écouté de nouveau, il appela le grand vicaire, lui commanda de disposer du canonicat d'A- rienzo en faveur d'un des frères de l'impétueux notaire, et coupant court aux représentations : « On pensera et on parlera tant qu'on voudra, répondit-il ; ce qui m'intéresse, moi, ce n'est pas ma gloire, c'est l'âme de ce pauvre homme ; » et il couronna son œuvre en annonçant lui-même, avec une courtoisie parfaite, à son insulteur de la veille, qu'il avait octroyé un poste de chanoine au plus jeune de ses frères. Il pourvut également d'un canonicat un ecclésiastique dont il avait eu personnellement à se plaindre, et n'opposa au Père Caputo, qui blâmait énergiquement cette nomina- tion, aucune autre justification que cette réponse : « Que voulez-vous? lors de la dernière vacance j'ai trouvé son concurrent plus digne que lui ; cette fois-ci, c'est lui qui m'a semblé réunir le plus de mérites. — C'est possible, répliqua le Père, mais on ne le croira pas, et l'on dira que vous accabler d'injures et en appeler contre vous est le meilleur moyen d'obtenir ce qu'on demande. — Hélas ! les pauvres gens ! reprit Alphonse, ils ne savent ce qu'ils cher- chent, et s'y prennent comme ils peuvent. Pour moi, je dois les supporter et faire mon devoir. » Le devoir, tel que l'entendait le Saint, c'était la charité régnant en souveraine, et dépassant à la fois l'offense et la justice.

Ce même Père, auquel dans cette circonstance la généro- sité du prélat semblait déjà excessive, ému un autre jour par la lecture d'un mémoire où un candidat mécontent avait

accumulé quinze chefs d'accusation contre Alphonse, profita
de l'occasion pour lui représenter de nouveau que par son
extrême patience il autorisait toutes les insultes. Le dia-
logue qui s'établit à ce sujet entre le religieux et l'Évêque
nous permettra d'admirer une fois de plus l'incomparable
délicatesse de sa conscience et de ses sentiments. « Je lui af-
firmai, raconte le Père Caputo, qu'il était nécessaire pour
l'exemple de faire punir par le roi quelques-uns de ces
misérables : « Ne connaissez-vous pas la loi de Dieu? »
me répondit Monseigneur. « Sans doute, repris-je. Dieu
commande, je le sais, de rendre le bien pour le mal; mais
il veut aussi que les inférieurs respectent leur supérieur,
et que celui-ci ne favorise pas par l'impunité la hardiesse
des coupables. » — Là-dessus il m'interrompit vivement
en disant : « Ce n'est pas là ce dont il s'agit; mais ce qui
me tourmente bien davantage, c'est que si l'on m'envoie
ce réquisitoire, je serai peut-être obligé de me justifier et
de faire mes honneurs en disant que tout cela est faux. »
Puis, après avoir paru un moment réfléchir, il continua
avec une vive émotion et en m'ouvrant son cœur : « Je me
suis proposé de toujours choisir ce qu'il y a de plus parfait; et c'est encore ce que je veux faire aujourd'hui [1]. —
Monseigneur, répondis-je, s'il s'agissait de don Alphonse
de Liguori, je n'oserais décider si vous devez ou si vous

---

[1] *Io ho un proposito di fare quello che è meglio; e questo è quello che
voglio fare.* Aucun historien de saint Alphonse, pas même Tannoia, qui
relate cet entretien (p. 405), n'a paru attacher d'importance à cette parole,
dont il serait cependant possible, bien que rien ne le démontre absolument dans le reste de son histoire, d'induire qu'à l'exemple de plusieurs
saints, tels que sainte Jeanne-Françoise de Chantal, saint Alphonse
s'était engagé à faire toujours ce qui lui paraissait le plus parfait. C'est
pourtant la conclusion qu'en tira le religieux auquel il faisait cette confidence, et qui, après avoir rapporté le trait dont nous venons de parler,
ajoute : *Questo fare il piu perfetto si è da me sempre osservato in varie
occasioni; benchè io non sapessi ch'egli avevane voto.* « J'avais souvent
observé, en différentes circonstances, qu'il faisait toujours ce qui était le
plus parfait, bien que je ne susse pas qu'il s'y fut engagé par vœu. »
Combien il serait à désirer que la découverte de quelque document
nouveau permit de jeter sur cette question une plus grande lumière !

ne devez pas renoncer à votre réputation. Votre **Seigneu-**
rie est maîtresse en Israël, et je vénère son sentiment;
mais je vous affirme qu'en votre qualité d'Évêque **vous êtes**
obligé de vous justifier : c'est là pour vous ce qu'il y a **de**
plus parfait. Vous êtes tenu en toute justice de **maintenir**
votre caractère dans la dignité voulue par Jésus-Christ. » Il
ne me contredit pas; mais il n'avait pas l'air convaincu, et,
bien que d'autres personnes lui parlassent dans le **même**
sens que moi, il jugea en définitive qu'attaqué **personnelle-**
ment, il ferait mieux de garder le silence. »

Alphonse ne pouvait exiger de ceux qui dépendaient **de lui**
une abnégation aussi complète; mais les **recommandations**
pressantes qu'il adressait aux bénéficiers à propos de **ques-**
tions subsidiaires, telles par exemple que le mode de **réci-**
tation de l'office canonial, prouvent le prix qu'il **attachait**
pour chacun à la perfection de tous les détails de la vie **sa-**
cerdotale. La discipline ecclésiastique étant généralement
mal observée sur ce point, l'Évêque crut nécessaire d'in-
sérer dans ses ordonnances diocésaines, à l'intention **des**
chanoines et des chapelains, des prescriptions minutieuses.
Il leur rappela en particulier qu'ils devaient chanter ou
psalmodier exactement, c'est-à-dire en prononçant dis-
tinctement toutes les paroles de l'office, observer des **pauses**
aux astérisques insérés à cette fin au milieu de **chaque**
verset, garder le silence au chœur sous peine d'être **notés;**
enfin ne point en sortir, si ce n'est pour se rendre au confessionnal ou pour dire la messe, et moyennant encore
qu'ils s'arrangeassent entre eux afin de ne point s'absenter
en trop grand nombre à la fois. Pour leur prouver, du reste,
qu'il n'exagérait en rien la sévérité des canons, il leur citait
un bref de Benoît XIV déclarant que les chanoines devaient
non-seulement être présents au chœur, mais y psalmodier
et y chanter, s'ils voulaient avoir droit aux distributions
quotidiennes comme aux fruits des prébendes.

Une autre disposition des ordonnances visait la manière
d'émettre les votes dans les affaires importantes du Chapitre. Ils étaient exprimés jusque-là à haute voix. L'Évêque

exigea qu'ils fussent secrets, et voulut qu'on appliquât ce système non-seulement aux élections, mais aux procès que le Chapitre aurait à soutenir, aux questions concernant les intérêts particuliers de ses membres et à toute matière dont l'archidiacre reconnaîtrait la gravité. Il devait même suffire, pour recourir au scrutin, qu'un seul des capitulaires en fît la demande.

Des réformes dont aucun arrêté épiscopal ne fait mention vinrent aussi corriger plusieurs abus qui s'étaient introduits parmi les bénéficiers. Alphonse les obligea notamment à la résidence, et les contraignit à se démettre des fonctions extérieures qui les empêchaient de paraître au Chapitre. Il s'efforça également, en conférant des canonicats vacants aux chapelains qui en étaient dignes, de détruire la distance quelque peu dédaigneuse dans laquelle ils étaient tenus par les chanoines; et, leur devoir principal étant de chanter au chœur, il décida qu'un concours musical précèderait toujours les nominations. Le résultat de cette mesure fut de remettre en honneur l'étude du chant grégorien, le seul qu'Alphonse appréciât pour les offices sacrés. Il avait tellement horreur, en effet, de tout ce qui dans l'église ressemblait à un concert profane, qu'entendant un jour entonner les Litanies sur un air plein d'entrain et de brillant, il ne put s'empêcher de se retourner et de dire tout haut : « Qu'est cela? nous ne sommes point ici au théâtre. »

Nous aurions pu nous étendre davantage encore sur ce sujet; mais tous les points principaux ont été touchés, et les détails que nous avons donnés suffisent à démontrer ce que peut un Évêque pour rétablir la pureté de la discipline, lorsque, à l'autorité du caractère, il joint la sainteté de la vie et est lui-même, selon l'expression liturgique, la flamme qui embrase et l'encens qui purifie : *Ignis effulgens et thus ardens in igne* [1].

---

[1] Oraison de la messe de saint Alphonse de Liguori.

CHAPITRE XV

Réformes opérées dans l'administration. — Fermeté d'Alphonse pour maintenir les droits de son siége. — Il améliore les domaines de l'évêché.

Nous avons étudié dans leur ensemble les prescriptions que renfermaient les ordonnances diocésaines ; mais il nous reste à parler de diverses questions qui touchaient plus directement l'Évêque, et dans le règlement desquelles nous retrouverons encore son esprit ordinaire d'équité et de désintéressement.

A peine installé à Sainte-Agathe, il voulut examiner les taxes auxquelles étaient soumis les actes épiscopaux, et les trouvant trop élevées, il adopta les tarifs du siége de Bénévent, dont il était suffragant. Tout fut réduit : les dispenses matrimoniales [1], les droits du grand vicaire pour la mise en possession des paroisses ou des canonicats [2], les frais d'expédition des bulles [3], le nombre des rôles sujets à la taxe lors de la collation d'un bénéfice [4] ; il exigea même que tous les actes relatifs aux ordinations fussent gratuits. « Ce qui m'a été donné gratis, disait-il, je dois le donner aussi pour rien ; » et il défendit à son secrétaire de réclamer à

---

[1] Elles furent fixées à 5 grains.
[2] Qui furent abaissés à 20 grains.
[3] Portés à 9 grains.
[4] Il était en usage dans la collation d'un bénéfice de reproduire toutes les pièces antérieures et d'exiger un carlin par page, ce qui coûtait aux bénéficiers environ une vingtaine de ducats. Alphonse fixa ce droit à cinq grains pour les seules feuilles du dernier acte, et défendit de rien demander pour les précédentes.

l'avenir autre chose que trois grains pour la bulle. Toutes
ces réformes ne s'accomplirent pas sans faire brèche aux
revenus de l'évêché qui, de cinq mille ducats environ, tombèrent à deux mille. Mais, inaccessible à des considérations
de cette nature, Alphonse n'en renonçait pas moins souvent
encore à la totalité des droits. Il aimait en particulier à
abandonner le prix des dispenses de mariage, et à payer
même de sa bourse celles que l'on devait solliciter à Rome,
disant que, lorsqu'il y avait pauvreté ou danger, aucun
argent ne saurait être placé à plus gros intérêt. Sa libéralité n'était pas moindre envers les prêtres qui, frappés
d'amendes, recouraient à lui, et dont il remplaçait la peine
par une retraite spirituelle; enfin, plus miséricordieux envers
les pauvres, et craignant qu'ils ne fussent parfois trop sévèrement traités par le tribunal de l'évêché, il chargea un
chanoine de les défendre gratuitement.

Mais sa charité éclatait surtout dans ses rapports avec
les tenanciers de la mense. Non-seulement il défendait dans
les adjudications les feux des enchères, afin d'empêcher
« les prétendants, grisés par les vacillations de la flamme
et l'agitation de leurs concurrents, d'agir sans réflexion »;
mais encore, quelle que fût la modicité des engagements, il
remettait toujours aux fermiers une partie de leurs dettes
dès qu'ils venaient lui exposer leur misère et le malheur des
temps. Une femme, par exemple, qui avait signé un bail de
vingt-sept ducats, trouvait son marché onéreux : on accepta
le chiffre qu'elle fixa elle-même, et qu'elle continua à payer
sans augmentation, jusqu'au moment où le successeur d'Alphonse eut accru d'un tiers la location. Plus tard, ce fut un
fermier qui, s'étant plaint à l'Évêque de la rareté des grains,
reçut la quittance d'un arriéré de cent trente ducats. Ces
faits se renouvelaient sans cesse, ainsi qu'il fut constaté par
la révision des comptes de l'évêché, et le grand vicaire, don
Rubini, alla jusqu'à certifier que jamais locataire n'avait
payé le montant entier de son bail. Le frère François-
Antoine et Alexis racontèrent enfin à leur tour, au milieu
d'un grand nombre de traits analogues, que le saint prélat

s'était refusé absolument à traduire en justice un économe qu'il avait été obligé de congédier après avoir trouvé dans sa caisse un déficit de quatre cents ducats. « Ce serait beau, vraiment, » avait-il répondu, selon leur témoignage, à ceux qui le pressaient de sévir, « de voir, pour une question personnelle, un Évêque traîner un malheureux devant des juges, et consommer sa ruine! »

La générosité d'Alphonse, toujours sous la garde de sa conscience, ne l'entraînait pas cependant à porter préjudice à ses successeurs, et, distinguant soigneusement les intérêts de la mense épiscopale de ses intérêts propres, il mettait autant de fermeté à maintenir les droits de son siége que d'empressement à oublier les siens. En effet, s'il demeurait inébranlablement fidèle à sa résolution de n'accepter d'autre présent « que la poussière des pieds du pauvre », s'il refusait tous les cadeaux des habitants de Sainte-Agathe, ou les corbeilles de fruits, les jambons et les provisions de chocolat offerts par les curés à l'occasion de leur nomination, il tenait à recevoir avec exactitude les redevances en nature qui faisaient partie des revenus légitimes de l'évêché. Il avait soin, il est vrai, de rechercher d'abord les titres, et un jour par exemple, n'ayant pu les découvrir, il remit aux habitants de Bagnoli leur dette d'une poule par foyer, heureux de combler par là les vœux de pauvres paysannes pour lesquelles, disait-il plaisamment, l'abandon d'une poule est presque aussi douloureux que l'extraction d'une côte; mais lorsque les redevances et les coutumes étaient à la fois légitimes et traditionnelles, loin d'y mettre aucune opposition, il était le premier à en imposer le respect. Ainsi il rétablit un ancien usage modifié à tort, selon lui, par ses prédécesseurs. Jadis, en effet, les archiprêtres, les curés, les recteurs, les supérieurs de monastères, renouvelaient, le jour de l'Assomption, leur promesse d'obéissance, et accompagnaient cette cérémonie, *in signum subjectionis*, d'un don consistant en fromages, volailles ou jambons. L'Évêque en retour les invitait à sa table. Or, depuis longtemps, le dîner avait été supprimé, et l'obédience était tombée en désuétude. Alphonse la remit en vigueur, tout en laissant la valeur du cadeau à l'appréciation de chacun. Il se fit également un devoir de réclamer tous les ans, à Noël, quatre chapons dont lui étaient redevables chacun des bénéficiers du diocèse, et qu'ignorant les droits de son siége, il avait voulu d'abord renvoyer aux donateurs [1]. Enfin il veilla toujours régulièrement à ce que les curés payassent à la mense la part de revenu qui lui était affectée, et l'un d'eux s'y étant refusé, il le dénonça au métropolitain [2].

Aucun soin ni aucune démarche n'était du reste négligé pour revendiquer, non-seulement le droit d'asile [3], mais encore des avantages minimes en apparence, tels que la jouissance d'une carrière de pierres ou de sable, un droit de pâturage ou une diminution de taxe pour l'entretien des troupes, auxquels pouvait prétendre légitimement l'évêché. Il y avait là pour le Saint une question de devoir; cela suffisait : « Si je pouvais calmer ma conscience touchant cette affaire, » écrivait-il à l'intendant du duc de Maddaloni, à propos de ses droits de pâturage et de seigneurie sur le fief de Bagnoli, qui lui étaient contestés depuis deux ans, « je céderais tout de suite et n'y songerais même plus, car Dieu sait quelle horreur j'ai des procès, dont le nom seul me fait frissonner; mais comment abandonner les priviléges de mon église, après avoir juré de les maintenir? » — « Pardonnez-moi, » disait-il au sujet de ce même différend au comte de Cerretto, « mais ma conscience, ne me laisse pas en repos. Sans elle, je ne viendrais certainement pas importuner Votre Excellence. »

Ce que nous savons de son caractère nous fait com-

---

[1] Il est vrai que chaque année aussi il les vendait à un marchand de volailles, et s'en excusait en disant simplement à ses familiers : « Le prix que nous en retirerons fera vivre les pauvres; quant à nous, nous ne sommes pas gens à être traités si délicatement. »

[2] L'archevêque de Bénévent.

[3] Un homme dont le seul crime était d'avoir consommé du tabac de contrebande avait été arraché violemment d'une église où il s'était réfugié. Alphonse réclama contre cet acte illégal, et voulut constater de ses propres yeux la mise en liberté du délinquant.

prendre, en effet, combien ces réclamations devaient lui
être à charge; aussi n'était-ce absolument qu'à la dernière
extrémité, c'est-à-dire lorsqu'il n'y avait plus moyen de tran-
siger ni d'obtenir même un mauvais accommodement, bien
préférable, selon lui, à un bon procès, qu'il se résignait à en
appeler aux tribunaux; et encore, comme la charité se plaçait
toujours entre lui et son adversaire, il rendait souvent d'une
main ce qu'il exigeait de l'autre. C'est ainsi qu'il en agissait chaque année envers un gentilhomme pauvre et à la
tête d'une nombreuse famille, qui lui devait une rente de
douze ducats : il l'obligeait à se présenter à l'époque fixée
avec son argent, mais le lui abandonnait ensuite à titre
d'aumône, satisfaisant par là aux instincts de son cœur,
sans compromettre pour l'avenir les intérêts de son Église.

Enfin, pour préparer une situation meilleure à ses successeurs, il s'efforçait d'augmenter les revenus des terres, en
les mettant en valeur, en remplaçant les arbres, oliviers,
vigne, ormes, peupliers, là où ils faisaient défaut, en plan-
tant les jardins ou boisant les espaces jusque-là incultes, et
en introduisant dans ses fiefs la culture du mûrier, à laquelle
le développement du commerce des soies devait bientôt donner une grande importance. Il n'est pas jusqu'à son palais
et aux maisons de la mense où il n'ordonnât des réparations
utiles et intelligentes, afin que les locataires n'eussent pas
de prétextes pour demander des diminutions, que plus tard
on n'eût pas à réparer de plus grands dommages, et qu'encore
sur ce point sa conscience fût en paix : « Je ne veux pas
avoir de remords, écrivait-il, même pour cela. *Ne voglio
per questo restar inquieto.* » Perfection scrupuleuse, dont on
craindrait peut-être de fatiguer le lecteur, s'il n'y avait
quelque charme à retrouver dans le grand théologien et
dans le grand polémiste comme un reflet de cette sagesse
prévoyante avec laquelle Dieu voulut, dans l'ancienne alliance, régler jusqu'aux moindres détails administratifs destinés à assurer chez son peuple le règne de l'ordre et le
respect de la loi.

CHAPITRE XVI

Les couvents de femmes. — Alphonse en rend la clôture plus sévère et
y remet les règles en vigueur. — Il établit les Rédemptoristines à
Sainte-Agathe.

Peu de temps après son arrivée à Sainte-Agathe, Alphonse
avait fait donner, par le Père Villani et quelques autres missionnaires, les exercices spirituels à toutes les religieuses de
sa juridiction; mais cette mesure n'avait pas suffi pour ressusciter partout la ferveur. Pour arriver à ce but, que la
douceur et la fermeté du saint évêque devaient seules atteindre, il y avait à ses yeux deux réformes à accomplir :
la diminution des rapports avec le monde extérieur et l'accroissement à l'intérieur de la fidélité dans l'observance des
règles. Cette œuvre lui offrit au début bien des difficultés.
Plusieurs religieuses se montrèrent outrées de ses exigences, et l'une d'elles s'oublia jusqu'à dire qu'elle irait
avec ses compagnes, là croix en tête, demander justice au
Roi. Mais ni ces plaintes ni ces résistances n'effrayèrent
Alphonse. « Quoi ! se borna-t-il à répondre aux manifestations qui lui en furent faites, voudraient-elles que je les
traitasse de saintes? » et, sans lutter ouvertement, — car
il savait tous les désastres que peut produire à la longue
dans un monastère le mécontentement d'une seule religieuse,
— il revint pacifiquement à la charge avec une persévérance
qui se soutint jusqu'au moment où il eût obtenu tout ce qu'il
désirait.

Le premier remède à appliquer selon lui était de rendre plus difficile l'accès du parloir. « Assurons les grilles, disait-il, et presque tout sera fait. Grille fermée, monastère sanctifié. Grille ouverte, monastère dissipé, c'est-à-dire tout ce que Dieu a le plus en horreur. » Aussi recommanda-t-il aux abbesses et aux confesseurs de veiller strictement sur ce point, et, précisant ses intentions, leur défendit-il de laisser dorénavant les religieuses s'entretenir au parloir avec des étrangers, même avec leurs parents au delà du deuxième degré, et encore moins avec des ecclésiastiques ou des religieux. Cependant cette prescription parut généralement si sévère que, pour la faire respecter, Alphonse dut menacer de sa disgrâce les personnes du dehors qui chercheraient à l'enfreindre, et, les menaces ne suffisant pas, recourir même aux mesures de rigueur en sévissant de préférence contre ceux qui l'entouraient de plus près. C'est ainsi qu'il congédia impitoyablement deux de ses secrétaires qui avaient méconnu ses instructions sur ce point, et qu'il renvoya sur-le-champ à sa famille un jeune Napolitain auquel il donnait l'hospitalité, dès qu'il apprit ses fréquentes visites au parloir d'un monastère voisin.

Divers autres abus s'étaient glissés dans les clôtures. Dans certains couvents, par exemple, on laissait entrer les enfants sans acception de sexe. Alphonse, s'appuyant sur l'autorité du concile de Trente, mit fin à cette coutume. En vain les Annonciades d'Arienzo lui demandèrent-elles de faire une exception en faveur d'un de ses neveux âgé de quatre ans : il refusa, et leur permit seulement de le voir à la grille. Il se montra tout aussi rigoureux sur un autre point à l'égard des franciscaines d'Airola, que l'usage autorisait, le jour de leur profession, à venir s'asseoir près de la porte extérieure pour y recevoir les visites et les félicitations de leurs amis. Voulant au contraire que cette journée se passât pour elles dans le plus profond recueillement, il ordonna de fermer le monastère dès que la cérémonie serait achevée, de supprimer le festin donné par la famille dans le parloir et d'exposer le saint Sacrement à la chapelle. Il refusa égale_

ment de sanctionner la permission de pénétrer chaque année
dans l'intérieur de la maison, concédée par le Pape à la
mère d'une des religieuses, sous la réserve de l'approbation
épiscopale, et s'opposa au désir de plusieurs professes qui
voulaient demander à Rome l'autorisation, souvent accordée
à cette époque, de sortir momentanément de leurs couvents. Enfin, pour supprimer une autre occasion de distraction et faire revivre en même temps l'antique discipline de l'Église, Alphonse rappela aux religieuses les
décrets pontificaux qui prescrivaient le chant grégorien. Il
défendit toute musique se rapprochant de celle des théâtres,
et ne permit quelques chants pour les jours de fête qu'à la
condition expresse de supprimer les *solo;* aussi gronda-t-il
sévèrement, quand il la retrouva à la grille, une religieuse
surprise par lui en flagrant délit de désobéissance, bien
qu'elle se fût empressée, en le voyant entrer dans la chapelle, de revenir au rhythme commandé. « Lorsque je fais
une loi, lui dit-il, ce n'est pas, croyez-le, sans raisons.
Ces chants attirent à l'église les jeunes gens; mais ils y
viennent pour vous entendre et non pour prier; et vous
devenez par là, sans vous en douter, l'occasion de beaucoup
d'irrévérences et peut-être même de péchés. »

Après avoir ainsi supprimé ou du moins notablement di-
minué les relations des monastères avec le monde, le saint
Évêque s'appliqua à faire aimer et pratiquer les règles, et
dans ce but il en adoucit quelques-unes dont la rigidité
excessive au point de vue matériel lui parut une des causes
de ce besoin de distractions extérieures contre lequel il avait
cherché à réagir. Il crut devoir aussi mitiger le mode de vie
des franciscaines d'Airola, en remettant aux mains de la
prieure l'administration des biens du monastère confiée
jusque-là à des employés qui abusaient de leurs fonctions
au point de priver souvent les religieuses du plus strict
nécessaire. Ces tempéraments, dictés par la prudence, sans
détruire l'austérité, rétablissaient partout la mesure; et,
loin d'affaiblir l'esprit religieux, contribuaient à l'asseoir et
à l'affermir.

Mais pour maintenir cette fidélité et pour développer les germes de ferveur qu'il s'efforçait de répandre, nulle condition ne semblait plus nécessaire à Alphonse que la présence de bons confesseurs; aussi n'y avait-il pas de précautions qu'il ne prît ni d'examens auxquels il n'eût recours avant d'arrêter son choix. Il pesait les paroles, étudiait les regards et scrutait, pour ainsi dire, les pensées de chacun. Il traçait ensuite à ceux qu'il désignait un plan sévère, leur défendant par exemple de recevoir aucun présent, en dehors des souvenirs que les communautés avaient coutume de leur offrir à l'occasion des grandes fêtes, et no leur permettant pas non plus de fréquenter le parloir; « car ce n'est pas, disait-il, à la grille que Dieu parle, mais au confessionnal. » Enfin il les changeait tous les trois ans, et ne confirmait les anciens dans leurs fonctions que lorsqu'il ne trouvait personne pour les remplacer. Mais afin de laisser aux consciences la liberté qui est l'apanage des enfants de Dieu, il voulait en outre que des confesseurs extraordinaires se rendissent dans les monastères trois fois par an, ou plus souvent encore si une religieuse en exprimait le désir, et que chacune fût autorisée à consulter par lettres tout prêtre recommandable de son choix. Tolérance dont il démontrait la nécessité en racontant la triste histoire d'une religieuse qui, n'ayant pu obtenir à ses derniers moments la permission de voir un autre confesseur que celui du couvent, était morte en s'écriant : *Tout est perdu! je suis damnée!...*

Cependant le Saint ne bornait jamais sa sollicitude à faire des ordonnances ou des règlements, et payant, comme toujours, de sa personne, il allait lui-même visiter les monastères et parfois entretenir pendant trois ou quatre jours les religieuses au parloir sur les devoirs de leur état. Plaçant alors près de lui, ainsi qu'il le faisait jadis dans ses missions, une image de la Reine des vierges, il les excitait à l'invoquer avec confiance, leur recommandait la communion fréquente comme « le feu qui devait consumer toutes leurs misères », et ne les quittait qu'après les avoir mises sur la voie de la perfection. Souvent aussi il suspendait les plus graves occupations pour aller présider des prises d'habit [1], fût-ce même celle d'une simple sœur converse, et, profitant de ces cérémonies pour s'étendre sur la vertu la plus chère à son cœur, sur celle dont, toute sa vie, il avait cherché à inspirer l'amour aux âmes capables de la goûter, il se plaisait alors à développer sur la virginité, sur la responsabilité attachée à la grâce de la vocation et sur le compte que toute religieuse en devra rendre à Dieu, des considérations dont la pensée mère se retrouve dans un ouvrage intitulé : *La Véritable Épouse de Jésus-Christ,* où l'on pouvait aller chercher après son départ le résumé de ses enseignements et la substance de ses conseils.

Enfin, pour compléter l'ensemble des œuvres entreprises par les couvents du diocèse en y joignant l'éducation des jeunes filles nobles, Alphonse fit venir à Sainte-Agathe des religieuses du Saint-Rédempteur de Scala [2], auxquelles il assigna, avec la jouissance d'un monastère bâti à leur intention, des revenus suffisants à leur entretien. Cette maison, qu'il appelait le parfum et le joyau de la province, et à la prospérité de laquelle lui semblait attachée la transformation de sa ville épiscopale, demeura jusqu'à la fin l'objet de sa plus délicate sollicitude; et l'on peut dire que, même au delà de ce monde, il continua à protéger visiblement celles qui le regardaient à juste titre comme un de leurs fondateurs, car peu de temps après sa mort, la Congrégation prit soudain un développement considérable et inattendu. Aux deux couvents de Scala et de Sainte-Agathe s'en joignirent bientôt, en effet, deux autres dans le royaume de Naples, trois en Autriche, deux en Belgique, deux en Hollande et un en Irlande. Le Père n'était plus là; mais ses

---

[1] Il trouva, un jour, dans une cérémonie de ce genre l'occasion d'exercer sa sollicitude pour les réformes, en faisant supprimer l'usage qui, à la suite d'une interprétation trop littérale du rituel, s'était introduit chez les *Rocchettines* d'Arienzo de placer les mains de la religieuse, au moment où elle prononçait ses vœux, dans celles du prêtre qui officiait.

[2] Voir, page 65, note 1.

filles portaient au loin son souvenir et son esprit, et for
maient autour de son front, dans le firmament mystique
comme une couronne de douze étoiles dont l'éclat ne devai
pas se ternir [1].

---

[1] En 1842, il y avait encore à Sainte-Agathe des religieuse qui avai été baptisées et confirmées par saint Alphonse.

CHAPITRE XVII

Alphonse se consacrait à l'administration de son diocèse
et poursuivait pacifiquement les réformes dont nous venons
de parler, lorsque Dieu, qui mesure à l'énergie des âmes les
épreuves destinées à les sanctifier, le rejeta tout d'un coup
dans la lutte. La Congrégation du Saint-Rédempteur, dont
l'Évêque de Sainte-Agathe avait, on s'en souvient, conservé
la direction, était cependant alors en plein épanouissement,
et ses maisons, au nombre de six, prospéraient au milieu de
la vénération publique; mais un malheureux litige, auquel
les religieux étaient absolument étrangers, leur suscita,
lorsqu'ils s'y attendaient le moins, et malgré toute vrai-
semblance, un ennemi dont la haine s'acharna bientôt contre
l'œuvre tout entière.

Le point de départ de cette guerre à outrance fut une
querelle qui s'éleva entre un gentilhomme nommé Maffei,
locataire du fief royal d'Iliceto, et les habitants de ce lieu.
Le refus des Pères du Saint-Rédempteur de comparaître
comme témoins dans le procès qui s'ensuivit excita chez
Maffei un ressentiment aussi passionné qu'inexplicable, et
d'autant plus dangereux que son influence dans la contrée
était plus puissante. Il ne put longtemps, en effet, dominer
sa vengeance, dont le premier acte fut de persuader aux
administrateurs de la commune d'Iliceto que les Pères,

étrangers au pays, ne pouvaient jouir des mêmes avantages que le reste de la population, ce qui suffit pour leur faire retirer la part qui leur revenait dans les coupes de bois du village. On était en hiver, et, grâce à la privation de cette ressource, le frère cuisinier fut réduit à alimenter son feu avec les bancs de la chapelle. Mais c'était peu encore. Bientôt les curés des environs, non moins empressés et non moins serviles, hélas! en cette occasion que les employés civils, comprirent que pour faire leur cour à Maffei, il fallait enlever successivement aux Pères du Saint-Rédempteur toutes les œuvres qui leur avaient été confiées, et l'instruction des enfants dans les catéchismes, la visite des malades, l'entrée même des églises leur furent tour à tour refusées.

Tout cela ne suffisait pas néanmoins pour satisfaire l'animosité de Maffei, qui avait juré de détruire la Congrégation, et cherchait partout des auxiliaires. Il ne tarda pas à en trouver un dans la personne du baron de Ciorani, auquel il suggéra de réclamer les biens légués par son frère aux religieux. Assuré de ce concours, il ne garda plus aucune mesure, et, s'adressant directement au Roi, lui dénonça la Congrégation comme s'étant complétement écartée du but pour lequel elle avait été fondée. Les Pères, disait-il, ne s'occupaient plus de missions, et ne cherchaient qu'à s'enrichir aux dépens du peuple. Leurs maisons, leurs villas, leurs églises regorgeaient de magnificence; mais, chose plus grave encore, ils allaient jusqu'à exciter les sujets à la révolte contre leur souverain. Il n'y avait rien de neuf dans ces calomnies copiées, pour ainsi dire, sur celles qu'on répandait alors contre la compagnie de Jésus, également accusée de ruiner le pays et d'ébranler sous main le pouvoir; cependant le libelle de Maffei fut renvoyé au tribunal de Foggia et aux cours de Lucera, de Montefuscoli et de Salerne. En même temps le baron de Ciorani formulait sa plainte, et en termes tout aussi peu sincères, au milieu de diatribes non moins violentes contre la rapacité des missionnaires, leurs subterfuges et leurs équivoques, soutenait que la donation faite par son frère n'était pas valide, et réclamait les biens et les revenus.

dont les religieux jouissaient à son détriment, disait-il, depuis plusieurs années.

Le Père Tannoia fut chargé d'annoncer à l'Évêque de Sainte-Agathe les dangers qui menaçaient les deux maisons. En entendant son récit, le Saint témoigna une grande inquiétude, et s'effraya surtout des dispositions de Maffei. « L'affaire, répondit-il, est plus sérieuse que vous ne pouvez le supposer. Si cet homme s'est cru offensé, je plains le couvent d'Iliceto!... je le connais et je sais ce qu'il a fait souffrir à l'Évêque de Bovino [1]. Que Dieu ait pitié de nous! » Et il écrivit aussitôt au Père Villani : « Faites réciter matin et soir, après la prière, un *Salve Regina* avec l'oraison *Defende* pour la maison d'Iliceto; car elle est en grand danger. » Il prescrivit aussi, selon son usage, des jeûnes et une neuvaine en l'honneur de la sainte Vierge, insista sur la modération et la vertu que les religieux devaient associer à la défense de leurs droits, et profita du moment pour adresser sous forme de circulaire divers conseils à tous les membres de l'Institut : « Mes chers frères, leur disait-il, le Seigneur nous visite par la tribulation en nous suscitant des adversaires qui veulent détruire la Congrégation, et nous ne savons ce qui adviendra de leurs démarches! L'observance avait faibli parmi nous : Dieu nous punit; mais espérons en sa divine miséricorde; elle ne permettra pas que nous soyons dispersés. »

Sur ces entrefaites, Maffei, qui voulait faire enlever juridiquement aux religieux d'Iliceto le droit de citoyens dont en fait il les avait déjà dépouillés, se présenta avec cinq avocats devant la chambre de la *Sommaria* [2], à laquelle le Roi avait renvoyé la solution de l'affaire. Un des griefs qu'il mettait en avant pour démontrer l'indignité des Pères à par-

---

[1] Maffei avait, en effet, suscité beaucoup de difficultés au vénérable Antoine Lucci, évêque de Bovino, ce qui faisait dire, par allusion au passé, au marquis de Marco, ministre des affaires ecclésiastiques, que, « non content d'avoir tourmenté un serviteur de Dieu, il voulait encore en lapider un second. »

[2] La *regia camera della Sommaria* était un tribunal chargé de juger les différends qui s'élevaient entre les particuliers et le fisc.

ticiper aux droits communs, était toujours le scandale de
leurs acquisitions; mais l'enquête ordonnée ayant prouvé que
leurs propriétés à Iliceto ne s'étaient accrues que de cinq
ruches d'abeilles, d'un fusil et d'une cuve, auxquels on pouvait ajouter quelques centaines de pieds de vigne destinés à
acquitter les frais d'un service annuel, la Chambre repoussa
avec mépris l'accusation. Elle décida à l'unanimité[1] que les
religieux devaient jouir des mêmes droits civiques que tous
les autres citoyens, et ajouta à son arrêt ce commentaire
significatif : « La Cour n'a jamais eu à juger une cause pareille, ni à rendre une sentence qui lui causât autant de
satisfaction. »

Loin de se décourager devant ce premier échec, Maffei
changea à la fois de tactique et de juridiction et obtint, à
force d'intrigues, un arrêt qui dépouillait provisoirement le
couvent de l'administration de ses biens. A peine quelques
jours s'étaient-ils écoulés que le représentant de la justice se
transportait sur les lieux, accompagné d'un escadron d'archers, et remettait le modeste avoir des religieux entre les
mains d'un économe désigné par Maffei. Ce procédé inique
plaça les Pères dans une position extrêmement difficile. Ce
n'était plus qu'à grand'peine qu'ils pouvaient désormais
obtenir quelques carlins pour leur entretien; et, leur dépense, toute modique qu'elle fût, dépassant toujours la somme
arrachée à la parcimonie de leur administrateur, il devint de
plus en plus évident que la mission de ce dernier était de
détruire la maison par la famine.

Maffei, comme nous l'avons dit, en voulait, en effet, à
l'existence même de l'Institut, et le succès ne faisait que
redoubler son ardeur. La sentence de la Chambre lui avait
donné un démenti au sujet des acquisitions dont il accusait
les missionnaires de la Pouille; il ne se tint pas pour battu,
et fit fouiller successivement tous les actes notariés des
autres provinces habitées par la Congrégation, espérant y
découvrir des legs ou des donations en leur faveur. Tous ses

---

[1] 1ᵉʳ janvier 1769.

·efforts furent vains. Toutefois, suppléant à l'absence des faits par l'audace des affirmations, le mandataire de Maffei raconta à son retour qu'il avait trouvé dans les maisons des Pères une magnificence et une somptuosité sans pareilles, assertion qui suffit pour provoquer l'envoi d'une nouvelle commission destinée à évaluer les bâtiments. Composée d'hommes dont la conscience était prête à se vendre, son œuvre ne laissa rien à désirer aux détracteurs ; la fantaisie fut seule la règle des estimations, et telle maisonnette construite dans un vignoble pour la commodité des ouvriers, fut cotée comme un casino de Portici, le tout sous la foi du serment. Les dénonciations du reste ne s'arrêtèrent pas encore là. La pauvreté des Pères les ayant contraints d'envoyer des frères-servants quêter quelques boisseaux de grain pendant la récolte, Maffei persuada à la fois au roi qu'ils sollicitaient des aumônes sans sa permission, et aux ordres mendiants qu'il falloit réclamer contre cet empiétement sur leur domaine ; enfin, pour couronner l'échafaudage, il imagina de représenter la fondation de Bénévent, bien que située en dehors du royaume, comme une infraction aux ordres du prince, lequel s'était borné à autoriser l'existence de quatre maisons, et ajoutait qu'il n'était pas difficile de pénétrer la destination secrète de cet établissement où l'or et l'argent amassés dans le royaume par les Pères étaient transportés en lingots.

Pendant que cette nouvelle trame s'ourdissait, les religieux d'Iliceto, voyant leur administrateur dilapider le peu de bien qu'ils possédaient, avaient demandé et obtenu la permission de louer leurs terres à un homme du pays qui leur était dévoué. Mais ce fermier eut le malheur de faire passer sa charrue dans un champ servant de limite à la chasse royale de Tremoleto, dont Maffei était inspecteur. Une si belle occasion ne fut pas perdue : Maffei accusa aussitôt les Pères d'avoir enlevé les bornes et coupé une partie des bois pour les convertir en culture, fut cru sur parole, et obtint une ordonnance royale qui fit incarcérer le fermier. Au bout de quelques mois pourtant, la vérité se fît jour : d'une part, en effet, le président du tribunal de Foggia se transporta sur les lieux et fit mettre en liberté le prévenu ; de l'autre, Maffei, qui craignait de voir démasquer ses intrigues, ayant empêché le Roi de venir chasser à Tremoleto en l'inquiétant sur les dispositions des habitants d'Iliceto, provoqua sans le vouloir une troisième enquête dont le résultat fut de mettre à néant toutes ses assertions.

Cependant à Ciorani les choses n'allaient pas mieux que dans la Pouille. La conduite des Pères était épiée, commentée, travestie par les émissaires du baron ; à tout instant ils recevaient la visite de sbires et d'officiers de police, et l'ordre de comparaître devant les tribunaux ; aussi, quoiqu'ils cherchassent à ne pas interrompre leurs missions, l'œuvre était-elle en grande souffrance. Il y avait un point toutefois sur lequel leur réputation demeurait intacte : nul n'avait osé jusque-là attaquer leurs mœurs. Ce triste rôle était réservé à un religieux, à un supérieur de couvent. La charité discrète de Tannoia a voulu laisser dans l'ombre son nom et celui de son ordre ; nous savons seulement qu'il habitait Iliceto, et que, pour se faire bien venir de Maffei, il allait de maison en maison, répandant le bruit que les missionnaires avaient dans un bois voisin de scandaleux rendez-vous. Son succès, il est vrai, ne fut pas de longue durée, et Dieu ne tarda pas à châtier son audace. Dénoncé auprès de l'Évêque, il fut reconnu coupable des infamies dont il chargeait les Pères, et privé de la faculté de confesser ; puis, ses désordres ayant continué, il fut bientôt arrêté publiquement sur la grande place de Foggia.

Malgré la justification partielle que trouvaient les missionnaires dans la confusion de leurs calomniateurs, leurs affaires étaient loin encore de se rétablir. Grâce à ses fonctions d'inspecteur de la chasse royale, et surtout à son caractère insinuant, Maffei jouissait d'un certain crédit à la cour. Le Roi l'écoutait volontiers, et plusieurs personnages importants, entre autres le marquis Tanucci, le recevaient dans l'intimité ; enfin, comme rien ne lui coûtait pour atteindre

son but, il avait, nous dit Tannoia, une main dans les
secrétaireries et l'autre dans les tribunaux. Cet ensemble de
circonstances assurait un acccueil favorable aux mémoires
qu'il ne cessait de rédiger contre la Congrégation, et leur
valait d'être renvoyés à la Chambre de Sainte-Claire, déjà
saisie des plaintes du baron de Ciorani; aussi l'effroi des
Pères allait-il toujours en augmentant. Bientôt ils ne virent
plus d'autre ressource que de s'adresser à leur fondateur
et de le supplier de se rendre lui-même à Naples pour
sauver une fois de plus son œuvre en péril. Mais Alphonse,
alors sous le coup de la fièvre, avait été prévenu par les
médecins que le moindre mouvement extraordinaire occa-
sionnerait une rechute dont il ne se relèverait pas avant
plusieurs mois. Il ne crut donc pas devoir accéder pour
le moment au desir de ses enfants. « Le marquis Tanucci,
écrivait-il au Père Villani, refuserait selon toute probabilité
de m'écouter, comme étant partie intéressée; cependant si
de loin je puis faire quelque chose, je n'y manquerai pas :
la Congrégation me serait-elle donc moins chère qu'à vous
et qu'aux autres Pères? » Du reste, il ne semblait pas partager absolument toutes les inquiétudes des Missionnaires,
ainsi qu'il ressort de plusieurs autres lettres adressées par lui
à cette époque au même religieux. « Quant à nos affaires, lui
disait-il dans l'une d'elles [1], je n'estime pas qu'on doive tant
s'effrayer : en définitive, nous ne sommes coupables d'aucune
contravention manifeste; et puis Dieu est là ; prions-le avec
confiance. » Et quelques jours après : « Il est bon de se résigner d'avance à ce que Dieu voudra; pourtant je ne comprends pas vos craintes. Les maisons que nous avons dans le
royaume sont autorisées par des décrets de S. M. Catholique; l'absurdité des accusations de Maffei est reconnue;
quant à Bénévent, le Roi l'ayant maintenant entre les mains [2],

---

[1] 7 juillet 1767.

[2] En 1768, le roi de Naples, se faisant le champion du duc de Parme,
qui prétendait abolir dans ses États divers droits et immunités de l'É-
glise, avait envahi les principautés de Bénévent et de Pontecorvo. Il ne
les rendit au Saint-Siége qu'en 1773, peu de mois après la suppression
de la société de Jésus.

sa jalousie contre cette maison n'aurait plus de motifs. »

Sur ces entrefaites, et bien que l'avocat de la Congrégation n'eût pas encore fini de préparer sa défense, le Père Villani apprit que la Chambre de Sainte-Claire allait rendre son arrêt. Cette fois, il n'y avait plus de temps à perdre, et arrivant lui-même en toute hâte à Arienzo, il ne cessa d'insister auprès d'Alphonse jusqu'à ce qu'il l'eût décidé à adresser aux ministres des lettres que don Verzella fut chargé de porter à Naples. Tanucci était d'un abord difficile ; cependant, lorsqu'on lui annonça le secrétaire de l'Évêque de Sainte-Agathe, il ordonna de l'introduire, lut le message, et y répondit verbalement par des paroles polies, quoique assez vagues, que vint heureusement accentuer l'ordre donné par le ministre des affaires ecclésiastiques de différer le jugement de la cause.

Toutefois l'acharnement manifesté par Maffei permettait de croire que si le danger était reculé, il n'en restait pas moins menaçant pour l'avenir. Aussi les principaux membres de la Congrégation revinrent-ils de nouveau à la charge auprès d'Alphonse, en le conjurant de partir pour Naples. Touché de leurs instances, le Saint se résigna enfin, bien que malade, à se mettre en route ; il emprunta un carrosse à l'un de ses diocésains, et le 16 juillet 1767, il descendait chez son frère Hercule.

A peine connue, la nouvelle de son arrivée mit toute la ville en émoi. Les visiteurs affluèrent dans sa demeure ; mais, tout entier au but de son voyage, il ne perdit pas un instant, après avoir été saluer le Cardinal qui lui donna tout pouvoir dans le diocèse, pour se rendre auprès des ministres, dont l'accueil commença dès lors à opérer en sa faveur une réaction dans l'esprit de ses détracteurs. Les moindres particularités de ses visites, et jusqu'aux détails minuscules d'étiquette qui, dans les gouvernements absolus, s'élèvent à la hauteur de questions d'État, furent colportés en tous lieux, commentés par toutes les bouches. Les uns racontaient que le marquis de Marco avait congédié précipitamment un personnage important pour venir au-devant de lui, et qu'après l'audience, il l'avait accompagné à travers plusieurs salles, en faisant remarquer que, pour lui, la politesse ne devait pas connaître de mesure; d'autres rapportaient que le prince de San-Nicandro, Régent et gouverneur du jeune roi, l'avait ramené jusqu'à l'escalier, en lui prodiguant les témoignages de sa vénération; que le marquis Cavalconti, lieutenant de la Chambre, était même descendu jusqu'à l'étage inférieur pour le reconduire; et qu'enfin, le grand écuyer, le prince de la Riccia, s'était écrié après son départ : « Mon Dieu, je vous remercie de m'avoir fait voir ce Saint! » Quant au président du conseil royal, le marquis Cito, il avait donné, assurait-on, à l'Évêque de Sainte-Agathe une si longue audience que, lassés d'attendre, les avocats dont l'antichambre était remplie s'étaient retirés en disant avec aigreur : « Lorsque monsieur le président voudra recevoir Mgr de Liguori, il fera bien de mettre des affiches dans Naples et de ne pas tenir de chambre royale ce jour-là. »

L'attitude d'Alphonse parlait du reste aussi éloquemment en sa faveur que les faits de sa cause. Il défendait ses enfants; mais il excusait en même temps leurs adversaires, attribuant la violence acharnée de l'un à la vivacité de son caractère, et la cupidité de l'autre aux illusions si promptes à naître lorsque l'intérêt est en jeu. Sans haine ni rancune pour personne, il ne demandait que la paix pour les siens, et voyait monter chaque jour, grâce à cette conduite, l'estime de ceux qui jusque-là avaient cru trouver la justice du côté de Maffei et du baron. Ces derniers d'ailleurs, pressentant leur défaite, avaient peu à peu changé complétement de langage. Au lieu de parler de la suppression de la Congrégation, ils applaudissaient à ses vertus, et au sujet des biens de Ciorani, se bornaient à exprimer le vœu d'obtenir comme une faveur ce qu'ils n'osaient plus réclamer comme un droit; enfin, retournant les rôles, c'étaient eux qui demandaient maintenant le retard de l'affaire, tandis que l'Évêque sollicitait instamment une prompte conclusion. Les choses en étaient là, lorsque le 11 septembre, la Chambre

royale de Sainte-Claire [1] fut convoquée pour se prononcer
définitivement sur les réclamations du baron. On s'attendait
à une discussion orageuse, et une foule considérable avait
envahi de bonne heure le palais; mais, au désappointement
général, les avocats de la partie adverse ne parurent pas, et
si l'un d'entre eux se présenta à l'audience, ce fut pour
déclarer qu'il n'aurait pas « le courage de parler contre un
prélat dont toute la ville de Naples proclamait la sainteté ».
Force fut de lever la séance; mais la victoire morale était
incontestable, et un message officieux du président prévint
Alphonse qu'il pouvait sans inquiétude se retirer dans son
diocèse.

---

[1] La Chambre de Sainte-Claire occupait le sommet de l'organisation
judiciaire à Naples, et connaissait en appel de tous les arrêts rendus par
les autres cours du royaume.

CHAPITRE XVIII

Les loisirs d'Alphonse à Naples. — Ses adieux à la Madone de la Rédemption. — Il quitte Naples pour n'y plus revenir.

Alphonse avait été appelé à Naples par de graves intérêts : il y était venu pour soutenir l'honneur et revendiquer les droits de ses enfants; cependant, aussitôt que les premières démarches nécessaires à sa cause furent accomplies, les œuvres apostoliques occupèrent une telle place dans son existence qu'on en prendrait volontiers l'histoire pour un fragment de sa vie de missionnaire.

Le Cardinal avait été le premier à lui ouvrir la voie, en lui demandant, dès son arrivée, d'agir comme s'il était Archevêque de Naples; il usa largement de cette liberté, et consacra à l'apostolat tous les instants que lui laissaient ses affaires. La sanctification des âmes était, on le sait depuis longtemps, sa préoccupation constante ; mais partout et toujours aussi l'attrait qu'il leur inspirait répondait à celui qu'il éprouvait pour elles. Pendant tout le temps qu'il passa à Naples, sa maison fut littéralement envahie, souvent jusqu'à une heure fort avancée de la nuit. Magistrats, gentilshommes, grandes dames et lazzaroni s'y succédaient tour à tour, et l'affluence de ces derniers était à certains jours si considérable, dit Tannoia, que parfois, faute de siéges, on s'asseyait par terre; et il ajoute : « Monseigneur jouissait bien plus de se sentir entouré de ces bonnes gens que de se retrouver au milieu des illustrations de l'ordre de Saint-Janvier[1]; il les recevait avec la même courtoisie, et les accompagnait jusqu'à la porte, en répondant à ceux qui lui reprochaient de ne pas garder avec eux sa dignité : « *L'umiltà non ha fatto mai danno*, L'humilité n'a jamais fait de mal à personne. » Cette vertu, peu en faveur dans les rangs de la fière aristocratie napolitaine, s'il faut en juger par l'attitude qu'elle affectait d'ordinaire envers le Cardinal et le Nonce, auxquels elle daignait à peine accorder dans l'église une légère inclination de tête, lui semblait pourtant facile et naturelle à l'égard de l'Évêque de Sainte-Agathe. Aussitôt qu'il paraissait, toute la noblesse se levait et s'approchait pour lui baiser les mains, et une grande dame, la duchesse de Bovino, allait même, dans la ferveur de sa vénération, jusqu'à vouloir lui embrasser les pieds.

Le supérieur de la Congrégation de la Propagande, désireux de mettre à profit cet enthousiasme universel, eut la pensée de lui faire prêcher, dans l'église de *Santa-Restituta*, la neuvaine de l'Assomption, et il usa pour réussir d'un expédient qui ne dut qu'à la vertu du Saint son succès. Invoquant l'autorité qu'il aurait pu autrefois exercer sur lui, en sa qualité de supérieur d'une société dont Alphonse n'avait pas cessé de faire partie, il lui ordonna, sans lui demander son avis, de se charger de cette œuvre. L'Évêque ne discuta pas la valeur du commandement, et se contenta de répondre : « Priez la Madone qu'elle m'en donne la force. » Grâce à ce concours de circonstances, et par un de ces rapprochements auxquels la Providence semble se plaire, l'église où Alphonse, à peine ordonné prêtre, avait été chargé de donner une retraite au clergé, devait être, quarante ans après, au moment où il se disposait à quitter Naples pour n'y plus revenir, le lieu d'un de ses derniers triomphes.

Dès le premier jour, en effet, il fallut mettre des hallebar-
diers à la porte pour contenir la foule qui ne cessa de croître,
jusqu'à la fin de la semaine, envahissant successivement
toutes les parties de l'édifice. C'est assez dire que, bien
que le temps manquât à l'Évêque pour se préparer, et qu'il
eût à peine quelques instants pour se recueillir devant le
saint Sacrement au moment de monter en chaire, son succès fut immense. On admirait jusqu'à l'éclat et à la sono-
rité de sa voix, qu'il semblait avoir retrouvée aussi claire et
aussi pénétrante que dans sa jeunesse. Les prières ardentes,
pleines d'effusion et de transport, par lesquelles il terminait
et résumait chaque entretien, répandaient leur flamme dans
le cœur des assistants, et malgré le peu d'apprêt de ses
discours, les gens lettrés n'étaient pas ceux qui paraissaient
les moins impressionnés dans l'auditoire. « Jamais la parole
de Dieu ne m'a tant ému, » disait l'un d'entre eux, et un
autre reprenait : « Si tous les prêtres prêchaient de la sorte,
on n'oserait plus attaquer l'Évangile; » enfin il n'y eut pas
jusqu'au Cardinal qui ne put, un jour, dominer son émotion,
et quitta brusquement l'église en essuyant ses larmes. Après
le sermon, Alphonse retournait s'agenouiller devant l'autel,
et sans tenir compte de sa fatigue, demeurait immobile
jusqu'à la fin du salut. A peine s'était-il levé, que le peuple
se précipitait sur ses pas. Les uns essayaient de couper des
morceaux de son vêtement; d'autres, plus hardis encore, de
s'approprier un objet à son usage, témoin le curé d'une
des paroisses de Naples, qui lui enleva, un jour, adroitement son bonnet et allait en faire de même pour son chapelet, lorsque l'Évêque s'en aperçut et s'y opposa, ne voulant pas, dit-il doucement, perdre les indulgences qui y
étaient attachées.

La neuvaine terminée, Alphonse, d'autant plus assailli
par les instances que son triomphe avait été plus complet,
ne sut plus leur opposer de résistance. Les élèves du collége
Chinois notamment invoquèrent pour l'entendre, à l'exemple
des prêtres de la Propagande, les souvenirs et les liens qui
le rattachaient à lui. Il se rendit, en effet, au milieu d'eux,

et leur prêcha en particulier la simplicité du style qu'il n'avait cessé de recommander pendant toute sa carrière, et qu'il considérait comme la condition première du succès. Il adressa aussi la parole à plusieurs Congrégations populaires, telles que la confrérie des cochers et des laquais, qui tenait ses réunions dans l'église de l'*Avvocata,* et à un certain nombre de *chapelles* [1], où, grâce à quelques-uns de ses anciens pénitents qui vivaient encore, notamment le fameux Pierre Barbarese [2], les pieuses traditions du passé s'étaient fidèlement conservées. Enfin, il retourna plusieurs fois dans cet hôpital de l'*Annunziata* qui avait pour lui de si chers souvenirs, et où les *Cappellisti,* comme on les nommait, continuaient à venir servir et consoler les malades. Personne n'ignorait les motifs particuliers qui avaient attiré Alphonse à Naples; aussi ne pouvait-on se lasser d'admirer qu'au milieu d'affaires si compliquées et si difficiles il consacrât tant d'heures à de si humbles soins. « C'est un Évêque des anciens temps, se plaisait-on à dire. Quel exemple pour les Évêques d'aujourd'hui! Ce ne sont pas des loisirs qu'il vient chercher ici; mais il sait s'en créer pour sauver des âmes. Voilà au moins des raisons légitimes pour rester loin de son diocèse! »

Continuant à prendre au sérieux, en effet, les droits que lui avait donnés le Cardinal, Alphonse visita un grand nombre de maisons religieuses. Il assista au *Gesu Vecchio* à une thèse de théologie, présida la dernière fête de saint Ignace célébrée par les Jésuites, à la veille de leur expulsion, et offrit le saint sacrifice dans la chapelle dédiée au vénérable Père Mastrilli, martyr au Japon. Il se rendit aussi successivement dans presque tous les couvents de femmes [3], ne

---

1. Entre autres dans une *chapelle* dirigée par un maître sellier, hors de la porte de Capoue.
2. Barbarese suivait Alphonse dans tous les lieux où il prêchait. ... Évêque, l'ayant rencontré dans l'hôpital de l'*Annunziata,* qu'il y faisait : « Je suis venu pour y entendre le Saint-... Il mourut le 19 septembre 1767, c'est-à-dire le jour ... pillait Naples.
3. ... Il SS. Sacra- ... San-Marcellino, San-

s'arrêtant toutefois, selon sa coutume, que dans ceux où il voyait la possibilité de faire du bien. Les religieuses de *San-Giovanello* avaient témoigné un grand désir de le recevoir; Alphonse y consentit; mais s'étant aperçu que leur but était de satisfaire leur curiosité, et non de le consulter, il refusa de retourner les voir. « J'aime bien le grand saint Jean, dit-il à un ami; mais *San-Giovanello* (le petit Saint-Jean) m'a déjà fait perdre une heure de mon temps, et cela suffit. » Du reste, sous prétexte d'assurer sa marche, il tenait toujours à être, pendant ces visites, accompagné d'un prêtre, et ne manquait jamais alors, malgré ses soixante-onze ans et l'état lamentable de sa santé, de se couvrir de cilices et de chaînes de fer. Souvent il se servait du don de pénétration des cœurs que Dieu lui avait accordé, pour éclairer des postulantes ou des élèves sur leur vocation. A la jeune princesse Zurlo, par exemple, qui voulait se faire religieuse dans le monastère de Saint-Marcellin, il déclara qu'elle « était destinée à vivre saintement dans le monde »; et à Béatrix Fulgori, sa nièce, qu'elle « n'était pas faite non plus pour le cloître ». A d'autres jeunes filles, au contraire, se disposant à quitter le couvent pour se marier, il annonça que « Dieu les détacherait du siècle et les attirerait à lui ».

Partout où il allait il refusait les marques d'honneur que l'usage attachait à sa dignité, et ne supportait qu'avec peine le titre si répandu en Italie d'*Excellence*. « Supprimez donc tout cela, s'écriait-il avec vivacité, cela me convient si peu ! » Et un jour que, baptisant le fils de don Hercule, il avait été accablé de démonstrations : « Monsieur le curé, dit-il au

Gaudisio, San-Girolamo, San-Giovanello, San-Polito, Sant' Andrea, Donna-Alvina, Donna-Romita, couvents de dames nobles; il Rosariello-delle-Pigne, Santa-Monaca, Santa-Catarina-delle-Zizze, dei Miracoli, Gesù et Maria, Santa-Giuseppe e Santa-Teresa, SS. Filippo e Giacomo, ou delle-Arte della-Seta, couvents de femmes de condition inférieure; le conservatoire dell' Annunziata, les refuges del Crocifisso, de San-Raffaello, et del Pallonetto di Santa-Chiara, où il avait placé une personne de son diocèse, etc. Il célébra aussi la messe chez les Visitandines, le jour de la fête de sainte Jeanne de Chantal, pour laquelle il avait une grande dévotion.

milieu de la cérémonie, avec la bonne grâce qui lui était habituelle, si vous voulez même m'appeler *Illustrissime*, il ne tient qu'à vous ; cependant vous me feriez bien plus de plaisir en. me traitant comme votre ami. » Lorsqu'il devait prêcher ou officier pontificalement, il se revêtait de violet ; mais en dehors de ces circonstances, il ne portait à Naples, comme à Sainte-Agathe, que sa soutane de missionnaire et le chapeau, vieux de cinq ans, qu'il avait acheté pour la somme de trois carlins au moment de se rendre à Rome [1].

Son équipage était d'ailleurs en harmonie avec son costume. Il avait retrouvé chez son frère la vieille voiture dont il s'était défait pendant la famine de 1763, et qui avait été rachetée par don Gaétan ; remise en état tant bien que mal, elle lui servit durant tout son séjour dans la capitale, et s'il consentit une fois à monter dans un assez beau carrosse qui appartenait à don Hercule, ce fut à la condition qu'on en corrigeât l'élégance en recouvrant le siége d'une housse râpée et en jetant sur le dos des chevaux de vieux harnais. Le contraste présentait sans doute un aspect singulier ; mais si quelques passants se permirent d'en sourire, ce fut une dissonnance perdue dans le concert d'admiration que provoquaient des exemples aussi extraordinaires à une époque où un trop grand nombre d'Evêques ne se montraient que « richement vêtus, et escortés d'une suite considérable de serviteurs et de camériers ».

Cependant, malgré toutes les œuvres auxquelles il se livrait à Naples, Alphonse gémissait de rester si longtemps éloigné de son Eglise. « Sans les intérêts de ma Congrégation que je dois défendre, dit-il un jour, je croirais commettre un péché mortel en demeurant plus longtemps ici. » Ce n'était pas toutefois qu'il perdît de vue un seul instant son diocèse ;

---

[1] Don Hercule, il est vrai, fit disparaître ce chapeau et le remplaça par un autre ; mais celui-ci, après s'être égaré dans les rues de Naples au milieu des flots d'un orage, fut échangé, lors du départ pour Arienzo, contre quatre objets plus communs de son espèce, dont l'évêque profita ensuite pour faire des largesses à sa Congrégation.

il ne se passait guère de jour qu'il n'en reçût des nouvelles ou qu'il n'expédiât à Sainte-Agathe des messagers, porteurs de ses instructions, et il était si au courant de ce qui se passait à Arienzo, que c'était lui qui parfois en instruisait le gouverneur. Mais rien ne pouvait rassurer sa conscience ni calmer son désir de retourner à son poste ; aussi, dès que le président de la Chambre de Sainte-Claire lui eut assuré qu'il pouvait s'éloigner, il partit précipitamment, en disant au Père Jorio, son ancien compagnon de missions, qui le pressait de donner encore une neuvaine avant son départ : « La neuvaine ! c'est dans mon diocèse que je vais la prêcher ; et Dieu sait tous les désordres que j'y trouverai ! »

Tel fut le dernier séjour d'Alphonse à Naples ; lui-même du reste le considérait comme tel : tous les pèlerinages qu'il avait accomplis dans sa ville natale lui avaient semblé les stations d'un voyage d'adieu ; et lorsque, peu de moments avant son départ, il se rendit une fois encore à l'église de la Rédemption, où son épée de chevalier était demeurée suspendue [1], on l'entendit répéter tout haut dans sa prière : « Oh ! ma chère Madone, au revoir au paradis ! ici, nous ne nous reverrons plus. »

Cette conviction qu'il quittait Naples pour toujours était si profonde dans son âme, qu'il engagea don Hercule à louer la partie de son palais qu'on lui réservait d'ordinaire, et dont il n'avait plus besoin, ajouta-t-il ; car « il n'y devait plus revenir [2] ».

[1] On peut la voir encore précieusement conservée dans ce même sanctuaire.

[2] 19 septembre 1767.

CHAPITRE XIX

Correspondance d'Alphonse avec Hercule de Liguori au sujet de son mariage. — Sollicitude de l'Évêque pour l'éducation de ses neveux et le salut de son frère.

Si le toit de don Hercule ne devait plus abriter l'évêque de Sainte-Agathe, la porte d'Alphonse devait en revanche s'ouvrir plus d'une fois encore pour recevoir son frère. Jamais, en effet, le cœur ni la maison du saint prélat ne furent fermés pour sa famille, et malgré les préoccupations nombreuses que lui apportait le double gouvernement d'un diocèse et d'une Congrégation, il s'associait toujours à ses joies et à ses douleurs. C'était, il est vrai, au point de vue de l'éternité qu'il les envisageait ; mais qui oserait dire que sa tendresse en fût attiédie ? Les lettres nombreuses d'Alphonse adressées à don Hercule qui sont entre nos mains, et qui presque toutes témoignent de sa sollicitude ardente pour le perfectionnement et le bonheur des siens, suffiraient seules à rappeler cette vérité, si fréquemment mise en lumière dans la vie des Saints, que plus la chair et le sang font silence, plus l'affection devient généreuse et puissante dans ses manifestations.

Hercule, peut-être en a-t-on gardé le souvenir, était le seul des fils de don Joseph de Liguori qui fût resté dans le monde. Il avait épousé une de ses parentes, donna Rachel de Liguori ; mais cette union n'avait pas été de longue durée. Rachel était morte en 1763, ne laissant que des enfants nés d'un premier mariage [1] ; aussi Hercule, qui dési_

---

[1] André et Alexandre de Liguori, religieux au Mont-Cassin.

rait passionnément un héritier, résolut-il bientôt de convoler à de secondes noces. Il fit part de ce dessein à Alphonse, qui se hâta de lui répondre, et de lui envoyer à la fois les plus tendres et les plus sages conseils. « Demain ou après-demain, ou au plus tard la semaine prochaine, lui écrivait-il [1], je dirai la messe afin que le Seigneur vous accorde ce qui vaudra le mieux pour votre âme; mais si vous vous remariez, je vous demande de rechercher avec grand soin une jeune femme qui ait de bonnes mœurs, et qui ne soit ni fière ni pleine d'elle-même. Vous êtes déjà avancé en âge; si elle est trop jeune, si elle veut toujours rester à Naples et aller dans le monde tous les soirs, il est à craindre qu'elle ne trouve quelque galant à la mode qui, selon l'usage d'aujourd'hui, lui fera de fréquentes visites. Elle vous aimera peu, et alors vous aurez à choisir entre ces deux partis, la mettre dans un couvent ou vivre dans des inquiétudes, et, ce qui est pire, dans des troubles de conscience continuels. Il vaut mieux moins de naissance et moins de dot, et ne pas courir la chance de pareils chagrins. Ne manquez pas non plus d'exprimer d'avance vos intentions devant ses parents, de dire, par exemple, que vous n'aimez pas les réunions nombreuses, etc.; puis, quand le mariage sera fait, donnez-lui tout de suite de bonnes habitudes. Conduisez-la à Marianella, et restez-y longtemps. Ne négligez pas ce que je vous dis; autrement, croyez-moi, vous auriez toute votre vie des peines d'âme et d'esprit. »

Quelques jours après [2], Hercule ayant communiqué à son frère plusieurs propositions qui lui étaient faites, Alphonse lui écrivit de nouveau : « Je me réjouis des offres avantageuses que vous recevez; mais songez avant tout à choisir la femme qui vous présentera le plus de garanties, et n'oubliez pas que les jeunes filles s'affectionnent davantage aux jeunes gens qu'aux hommes de votre âge. Laissez-moi enfin vous donner un dernier avertissement : pendant que vous êtes seul, éloignez de votre maison les jeunes servantes : le démon

[1] 5 novembre 1763.
[2] 12 novembre 1763.

est toujours le démon ; l'occasion prochaine se joignant à la
liberté dans laquelle vous vous trouvez en ce moment, me
ferait trembler moi-même ; du reste, vous pourrez leur dire
que vous les reprendrez quand vous vous remettrez en
ménage. »

Les messages se multiplient à cette époque entre les deux
frères. Nous trouvons encore une lettre écrite peu de temps
après cette dernière, dans laquelle Alphonse cherche à modérer les prétentions d'Hercule : « A vous parler franchement, lui dit-il, il me semble que de tous ces mariages vous
en amènerez difficilement un à bonne fin. Vous enflez trop
vos voiles. Une haute noblesse et une belle dot me pa-
raissent au-dessus de notre condition, qui est un peu chan-
gée aujourd'hui. Je crains que lorsqu'il s'agira de conclure,
tout ne vous échappe des mains. Je prie Dieu, du reste, qu'il
vous envoie ce qu'il y a de mieux pour votre âme et pour
votre repos. »

Hercule avait besoin d'argent pour faire face aux dépenses
nouvelles que nécessitaient ses projets, et dans ce but il
aurait voulu recouvrer quelques-unes des sommes avancées
par lui à son frère ; mais la requête qu'il lui adressa à ce
propos n'eut aucun succès. Alphonse n'était que depuis un
an à Sainte-Agathe, et ses frais d'installation avaient été
considérables. « Vous me demandez de l'argent, lui répondit-il, et moi je me disposais précisément à vous en emprunter ! Cette première année a été ruineuse. J'ai dû faire
réparer deux maisons : celle de Sainte-Agathe et celle
d'Arienzo (en me bornant cependant au plus strict nécessaire) ; j'ai dû payer le droit de dépouille (*lo spoglio*) au
Chapitre et quatre cents autres ducats de dettes pour la
construction du séminaire, laquelle était urgente, car les
élèves n'ont pas de local à habiter pendant l'été. Le chiffre
des sommes en caisse ne dépasse pas soixante ducats,
et le moment de payer les impôts approche. Vous n'auriez donc d'autre ressource que de me faire mettre en
prison, ce qui n'avancerait en rien vos affaires, puisque
maintenant je ne fais même plus d'aumônes, sinon quelques

distributions de grains. Je compatis bien du reste à vos embarras, obligé que vous êtes de dépenser beaucoup d'argent sans en recevoir. Le malheur est que mon épiscopat ait coïncidé avec vos idées de mariage; car moi aussi, puis-je dire, je me suis marié, et mon épouse ne me laisse pas un moment de repos. »

Le choix d'Hercule se fixa enfin, et un projet d'union fut arrêté entre lui et donna Marianne Capano Orsini; l'Évêque s'en réjouit, et félicita son frère plus encore des perfections de sa fiancée que de l'éclat de sa naissance. Nous ne savons malheureusement des vertus de cette jeune femme que ce que nous apprend ce passage d'une lettre de son mari, écrite en réponse à celle d'Alphonse : « Je me promets toutes sortes de bonheurs, lui disait-il, non-seulement à cause des prières que vous et votre Congrégation voulez bien faire pour moi, mais encore à cause de la conduite exemplaire de donna Marianne; elle a toujours été pieuse, mais maintenant surtout c'est une sainte. »

Don Hercule aurait désiré qu'Alphonse pût bénir son mariage; toutefois, sachant combien sa présence était nécessaire dans le diocèse de Sainte-Agathe, cruellement éprouvé alors par la famine dont nous avons longuement parlé ailleurs [1], il n'osa pas lui en adresser la prière. L'usage eût exigé aussi que l'Évêque offrît un souvenir à la nouvelle mariée; mais il se borna à lui envoyer pour tout présent une image de la sainte Vierge dans un petit cadre de bois d'une valeur infime, qu'Hercule, surpris et blessé, refusa d'accepter. « Mon frère n'est pas satisfait, dit le Saint en l'apprenant, et je le suis encore moins que lui. Que s'attendait-il donc à recevoir? Je suis entouré de mendiants qui meurent de faim, de misérables qui n'ont rien pour se couvrir, et j'irais faire des cérémonies! » Bientôt pourtant, Hercule revint de cet excès d'humeur, et conduisit sa femme à Sainte-Agathe, où l'entourage de l'Évêque lui suggéra de faire un autre cadeau à donna Marianne. Il parut approuver

---

[1] Liv. III, ch. VIII.

cette pensée; mais, tout aussi parcimonieux cette fois encore, il ne lui offrit qu'une guirlande de fleurs. « Aviez-vous donc cru, répondit-il à ceux qui le blâmaient derechef de son avarice, que, pour faire plaisir à ma belle-sœur, j'irais frustrer les pauvres? » et il fit délicatement comprendre aux jeunes époux que c'était aux privilégiés de l'Église, c'est-à-dire aux pauvres, qu'il devait consacrer les revenus que l'Église lui donnait.

Le désir d'obtenir des enfants continuait à tenir une grande place dans la pensée d'Hercule; il put enfin entrevoir ce bonheur, qui servit à manifester de nouveau l'esprit prophétique du Saint. Un jour, en effet, où Hercule de retour auprès de son frère commençait à l'entretenir du futur héritier de leur race, Alphonse lui déclara que la Providence lui destinait une fille : « Je veux même, ajouta-t-il, que vous l'appeliez Marie-Thérèse. » La prédiction se réalisa, et l'Évêque fut parrain de l'enfant, auquel, fidèle à ses habitudes de simplicité, il ne donna qu'une relique de sainte Agathe, enchâssée dans un très-modeste reliquaire d'argent. Quelques mois après cependant, se trouvant à Airola, il reçut une nouvelle visite d'Hercule et de sa femme qui vinrent le supplier de demander pour eux un fils au Seigneur. Cette fois, l'Évêque leur promit qu'ils seraient exaucés, et donna à sa belle-sœur deux images pareilles représentant saint Louis de Gonzague, ce qui pouvait encore passer pour un présage; car Marianne mit bientôt au monde deux jumeaux, qui furent, eux aussi, les filleuls d'Alphonse. Plus tard enfin, en 1767, elle eut un troisième fils, que le Saint baptisa lui-même lors de son séjour à Naples, dont il fut également le parrain, et auquel il donna son nom. Persuadé qu'il devait ses trois fils aux prières de son frère, Hercule voulut les lui conduire dès qu'ils furent en âge de lui être présentés. L'Évêque les accueillit avec une paternelle bonté; mais, regardant tristement les deux jumeaux, dont Hercule lui faisait admirer la santé et la force, il laissa échapper ces mots : « Et si Dieu te demandait un de ceux-là? — Que veux-tu dire? » s'écria Hercule; tout effrayé. Le Saint se tut. Hélas! ses pressentiments n'étaient encore que trop vrais : quelques mois s'étaient à peine écoulés, et un des enfants s'envolait au ciel. Dans sa douleur, le malheureux père se réfugia à Sainte-Agathe; mais encore épouvanté du passé : « Alphonse, dit-il à son frère, ne me parle plus de mes enfants : tes paroles bouleversent les familles. — Ne crains rien, répondit l'Évêque, tu conserveras les deux fils qui te restent, et tu les verras grandir. »

Ces deux enfants, Joseph et Alphonsino, furent, pendant tout le reste de la vie de leur oncle, l'objet de sa plus vive sollicitude. Rien de plus touchant que de voir ce vieillard, accablé d'affaires, s'informer avec soin, dans chacune de ses lettres, de leurs progrès dans la piété, composer pour eux un règlement spirituel adapté à leur âge, comprenant le lever, le coucher et les exercices de piété, se faire leur catéchiste chaque fois qu'ils venaient à Sainte-Agathe, puis les préparer à la confirmation, avant de leur conférer lui-même ce sacrement. Lorsqu'ils sont plus grands, il recommande à son frère de leur donner une solide instruction, mais, avant tout, de ne les confier qu'à des maîtres sûrs et pieux autant que savants. Hercule avait la pensée de les mettre au collége des nobles : « Je ne puis approuver ce projet, lui écrit l'Évêque; je n'ai pas très-bonne opinion de cette maison ; ensuite, il ne faut pas que tes enfants aillent au collége avant dix ou douze ans. Il vaut mieux qu'ils restent encore près de toi, afin qu'ils ne sentent pas dès leur jeunesse les atteintes du vice; plus tard, on fera ce que Dieu voudra; mais, je te le répète, il ne faut pas penser au collége des nobles. Je verrai où l'on pourra les placer quand le moment sera venu, afin qu'ils joignent à de fortes études une éducation vraiment chrétienne. » Ayant appris que le collége de la *Nunziatella* allait passer entre les mains des Pères des Écoles-Pies, Alphonse en informe aussitôt son frère, et ajoute : « J'inclinerais pour que mes neveux fussent confiés, pendant quatre ou cinq ans au moins, à ces bons Pères; car, au début surtout, ils mettront tous leurs soins à bien former leurs élèves, et vos enfants feront en peu de temps plus de progrès que, malgré toutes vos dépenses, ils n'en ont accompli jusqu'ici. »

Mais don Hercule, qui ne perdait jamais de vue les intérêts temporels de ses fils, était souvent d'un autre avis que l'Évêque. Se souvenant que ses aïeux s'étaient distingués dans le métier des armes, et avaient joui de la confiance des rois, il espérait pour ses descendants les mêmes honneurs, et songeait à faire entrer ses enfants aux pages. Alphonse le fit renoncer encore à ce plan, en insistant sur les périls auxquels il exposerait la vertu de ses fils. « Plus les enfants sont innocents, lui disait-il, plus ils sont susceptibles d'être corrompus, surtout par de plus grands ; n'oublie pas que la malice d'un seul peut en perdre cent, et garde-les le plus longtemps possible sous tes yeux. Aie à cœur avant tout leur bien spirituel; la Providence saura préparer le temporel, sans nuire à leurs âmes. » Quant à la carrière militaire, il ne la redoutait pas moins : « On y rencontre, écrivait-il, des hommes de bien ; mais le plus grand nombre, parmi les jeunes gens surtout, sont des esprits dissipés qui traitent le mal légèrement; » et, prévenu qu'Hercule avait l'intention de présenter ses fils au Roi : « Garde-t'en bien, lui répéta-t-il aussitôt; car si le Roi te dit qu'il les veut dans la brigade des cadets ou dans quelque autre régiment, tu seras forcé de les faire cadets ou soldats, et de les exposer ainsi à tous les dangers. Il me semble, du reste, que tu ne m'écoutes guère pour la direction de ces pauvres enfants, et que tu fais souvent le contraire de ce que je te dis. Tu es père, et tu en as le droit; mais je crains fort que tu ne t'en repentes un jour, sans pouvoir alors réparer le mal qui aura été commis. Je ne te parle ainsi, crois-le bien, que parce que je t'aime, toi et ces pauvres enfants. »

Si Hercule pouvait se sentir parfois gêné par les instances de son frère, il apprécia du moins sans réserve une autre marque d'attachement que l'Évêque lui donna vers cette époque. Don Carlo Cavalieri, commandant de la place de Mantoue et cousin des Liguori, était mort en leur laissant soixante mille ducats. Alphonse, sans hésiter un instant,

céda sa part à Hercule. « Je ne veux de toi, lui dit-il, ni fonds
ni rentes, et je n'en voudrai pas plus demain qu'aujourd'hui.
Lors même que je n'aurais plus mon évêché, je pourrais
vivre avec ma pension de docteur; sois donc bien tranquille,
je ne te réclamerai rien. » Le prélat usa d'ailleurs toute sa
vie de la même délicatesse dans ses rapports avec son frère;
à part quelques avances, il ne lui demanda jamais aucun
service pécuniaire, même pour sa Congrégation; et si, une
fois seulement, il le pria d'assurer après sa mort aux religieux du Saint-Rédempteur la jouissance d'un petit logement qui leur avait été accordé dans le palais Liguori, ce
fut moins pour doter ses disciples d'un avantage de médiocre
valeur, que pour fournir à Hercule l'occasion et le mérite
d'exercer la charité. Il ne sentait pas, en effet, cette âme
complétement dégagée des liens de la terre, et son salut
le préoccupait d'autant plus qu'il la voyait se rapprocher
des choses éternelles. Pour amener doucement son frère à
des pensées plus graves, il l'engagea à plusieurs reprises à
faire une fondation pieuse, et à régler quelques affaires où
sa conscience était engagée. Il le pressa également d'écrire
ses dernières dispositions, l'assurant que son testament
n'abrégerait pas sa vie; et comme l'éducation encore inachevée de ses neveux excitait surtout sa sollicitude, il lui demanda d'indiquer ceux qui seraient chargés de prendre soin
d'eux dans le cas où Dieu le rappellerait à lui. Hercule désigna deux de ses amis, le conseiller Caracciolo et l'avocat
Pierre-Antoine Gavotti. Le saint Évêque approuva ces choix,
et voulant prolonger en quelque sorte au delà des limites de
sa vie terrestre la vigilance qu'il avait exercée sur ses filleuls, il donna des instructions à leurs tuteurs sur la manière dont ils devraient agir lorsque Hercule et lui auraient
quitté ce monde. Il croyait par là avoir achevé sa tâche;
mais il n'en était rien, et l'avenir lui réservait, contre toute
probabilité humaine, des devoirs dont il était loin de soupçonner la durée.

CHAPITRE XX

Alphonse et les pauvres. — Part qu'il fait dans sa vie aux œuvres
de miséricorde.

La tendresse toute paternelle d'Alphonse pour ses neveux
ne lui faisait point oublier d'autres enfants qu'il avait à
Sainte-Agathe et qui ne lui tenaient pas moins au cœur :
c'étaient les pauvres. « Ceux-là, dit son biographe, il les
aimait et les préférait à tous... » Aussi n'y avait-il pas de
sacrifice qu'il ne s'imposât pour eux ni d'économie qu'il
ne réalisât pour leur venir en aide. Tout le produit de la
mense, déduction faite des honoraires du grand vicaire et
du secrétaire, des gages des serviteurs et des modestes frais
de la table, était employé en bonnes œuvres. Il en était de
même pour les revenus, souvent très-élevés, des soixante-
quatre chapelles que comptait le diocèse ; tant qu'Alphonse
en eut l'administration, il distribua aux pauvres tout ce qui
n'était pas nécessaire à leur entretien ou aux dépenses du
culte, et obligea même plusieurs fois les recteurs à contracter des dettes pour soulager les misères de leur voisinage.
Il ne s'arrêtait enfin, on peut le dire sans exagération, que
devant l'épuisement total de ses ressources, limite extrême
qu'une charité ingénieuse à profiter des moindres circonstances pour battre monnaie, savait encore reculer au delà
de toute prévision. Pour n'en citer qu'un exemple, ayant lu,
un jour, dans la vie du Vénérable Barthélemy-des-Martyrs,
que ce saint prélat avait supprimé l'usage annuel d'offrir
un poisson au roi de Portugal, et employé le prix de ce cadeau

en bonnes œuvres, il ordonna de porter au marché quelques livres de poisson que, contre sa coutume, il venait lui-même d'accepter des dominicains de Sainte-Marie de Vico afin d'effacer les traces d'un différend survenu récemment entre lui et ces religieux. Ce n'était donc seulement que lorsque tout lui manquait qu'il recourait, à Sainte-Agathe ou ailleurs, à la générosité de ses voisins ; mais si ce dernier effort ne suffisait pas non plus à couvrir les besoins, il se prenait à envier l'abondance de certains prélats des alentours, et sentait monter de son cœur à ses lèvres des gémissements qu'il était impuissant à réprimer. Ce fut en l'entendant se lamenter de la sorte qu'un mendiant s'écria un jour : « Bravo ! voilà enfin un supérieur pour notre Congrégation de *Sainte-Misère !* » repartie qui valut bientôt à son auteur l'acquittement de ses dettes, dont Alphonse, se souvenant de la plaisanterie, voulut payer le montant pour en décharger celui qu'à son tour il appelait en riant *son confrère.*

Le mercredi et le vendredi étaient spécialement consacrés à des distributions générales, publiques ; mais, en réalité, il n'y avait pas de jour ni presque d'heure où les pauvres ne se présentassent à l'évêché, tantôt pour demander du lard, du sucre, du quinquina ou autres médicaments plus ordinaires dont le Saint faisait provision, tantôt pour lui apporter des ordonnances de médecin, afin que sa signature leur fît trouver crédit. On les voyait, jusque pendant son dîner, venir solliciter l'aumône à sa porte ou sous ses fenêtres, avec une régularité d'autant plus persistante qu'ils ne manquaient jamais d'être exaucés. « Comment peut-on manger quand les pauvres ont faim ? disait Alphonse en les entendant. Contentez-les sur-le-champ ou donnez-leur mon dîner ; » et souvent, sans distinguer l'argent du cuivre, il versait lui-même tout le contenu de sa bourse entre leurs mains. Pendant l'hiver, quand l'ouvrage manquait, il distribuait du grain, des légumes, de la toile ou des étoffes de laine, dont il achetait toujours plusieurs pièces à la fois, sans parler des secours en numéraire, qui s'élevaient jusqu'à huit ou dix ducats par jour. Il devenait enfin plus généreux encore lorsqu'il apprenait que le dénûment exposait une famille au désordre. Ayant découvert qu'une pauvre femme faisait coucher dans le même lit ses six enfants de sexe différent : « Mon Dieu! quelle misère! s'écria-t-il, appelez au plus vite le frère François-Antoine; » et il n'eut pas de cesse qu'il n'eût fait porter tout ce qu'il fallait afin que le mal fût réparé.

Mais les détresses cachées étaient celles qui provoquaient surtout sa compassion. Il lui semblait qu'un Évêque avait la charge spéciale des pauvres dont personne n'essuie les larmes, et qu'avant tous les autres, Jésus-Christ lui avait confié ceux-là. « Secourir uniquement les malheureux qui se font connaître, » disait-il un jour aux Évêques de Gaëte et de Fondi, tous deux ses pénitents, « c'est agir en prêtre et non en Évêque. Les misères ignorées, les veuves, les familles tombées, les indigents qui se cachent, voilà ce qui doit primer tout. » Et pour être en mesure d'appliquer ces principes, il avait enjoint aux curés du diocèse de lui signaler et de lui rappeler à l'occasion les pauvres honteux de leurs paroisses. Aux uns, il assignait dix carlins par mois, aux autres trente, et, quand il s'agissait de familles, allait jusqu'à cinq ou six ducats, ou plus encore si leur rang ou le nombre de leurs membres l'exigeait. Il servait aussi des pensions à des orphelines nobles, à des dames de haut rang que la conduite de leur mari mettait dans la gêne, à des gentilshommes ruinés ou à des officiers qui n'avaient que leur solde pour subvenir aux besoins de leurs enfants, sans oublier, s'il savait que la fierté de quelques-uns dût souffrir en recevant son aumône, d'employer les précautions les plus délicates pour la faire accepter : un gentilhomme s'était cassé le bras et n'avait pas le moyen de se faire soigner, il alla le voir, ne fit aucune allusion à sa gêne, mais glissa adroitement douze ducats sous son oreiller.

Sa charité eût voulu tout embrasser; toutefois, sentant que, pour être parfaite, elle devait être réglée et commencer par ses enfants, il agissait avec plus de circonspection quand les demandes lui venaient des diocèses voisins; jamais pourtant il ne renvoyait les solliciteurs sans leur avoir accordé quelques secours. « Vous savez bien que je dois avant tout songer aux pauvres de mon diocèse, » répondait-il, un jour, au curé de Sainte-Agathe qui insistait pour lui faire donner une pension à un étranger; « or ils sont si nombreux que je ne sais plus que faire; cependant promettez quatre carlins par mois. Je suis pauvre moi-même, et ne puis me permettre davantage. »

L'inépuisable bonté d'Alphonse inspirait d'ailleurs à tous une confiance si absolue qu'on lui adressait parfois les plus singulières requêtes. Tantôt c'était un pauvre prêtre qui venait, dans sa simplicité, lui demander douze livres de sel pour conserver deux *neri* [1] qu'il avait tués; tantôt c'était une mere, sur le point de marier sa fille, qui le suppliait de pourvoir la jeune fiancée d'un *tonnino*. Ce terme était inconnu au saint prélat; aussi questionna-t-il la solliciteuse, laquelle, pressée de s'expliquer, répondit que c'était une rangée de perles d'or destinées à orner le cou. En entendant ces mots, le secrétaire d'Alphonse, qui était présent à la scène, ne put garder son sérieux, et, s'adressant à l'Évêque : « Tous les *tonnini* du monde, dit-il, ne suffiraient pas pour parer le cou en question. » Il voulait rappeler par là le goître dont la fiancée, originaire de Cava, près d'Arienzo, était affligée comme presque tous les habitants de ce pays. L'Évêque sourit aussi; mais, touché de la naïveté de la villageoise, il commanda de lui remettre dix carlins, et, comme elle insistait pour en avoir davantage, il lui en fit encore donner quatre de plus.

L'indiscrétion, qui si souvent nous fatigue et nous rebute, n'était, en effet, pour sa charité qu'une occasion de mérite et d'expansion. Un étranger, dont les manières annonçaient une certaine distinction, et qui se présentait de temps à autre à l'évêché pour y recevoir dix ou quinze carlins, ne jugeant plus un jour, sans doute, cette somme suffisante, s'éloigna en murmurant; le Saint le rappela et lui donna

[1] Porcs noirs.

vingt carlins. Un autre refusa jusqu'à trois reprises l'offrande, trop modique à son gré, qu'on lui remettait de sa part, sans être à la fin moins bien traité que le premier, car l'Évêque avait ordonné de ne pas le laisser partir avant qu'il fût satisfait. Cependant, malgré le principe d'Alphonse de donner avec excès plutôt que de mesurer trop strictement le nécessaire, Dieu, qui ne voulait pas, semble-t-il, que la prudence, toujours présente dans ses œuvres, fît défaut même aux élans les plus généreux du cœur de son disciple, lui accordait souvent une lumière surnaturelle pour le diriger dans la distribution de ses aumônes, et Alexis remarqua que lorsque indirectement il lui demandait deux ou trois fois de suite un secours pour la même personne, son maître, sans s'en douter, diminuait progressivement la valeur du don.

Mais les secours matériels ne suffisaient pas pour apaiser sa soif de dévouement : il lui fallait cette charité active et personnelle dont la Providence s'est constitué au fond des âmes l'inappréciable trésor. Après avoir envoyé aux malades des aliments, des remèdes, du bois et de l'huile pour entretenir leur lampe et leur foyer, une heure avant l'*Ave Maria* du soir, Alphonse interrompait ses travaux, et, accompagné d'un prêtre ou simplement de son serviteur, il pénétrait lui-même dans leurs tristes réduits. Là, assis auprès de leur grabat, il s'informait de leurs besoins, les exhortait à la patience et leur montrait dans la douleur l'envoyée de Dieu et l'expiatrice de leurs fautes; puis il leur donnait d'ordinaire une image de la sainte Vierge qu'il les exhortait à invoquer, les préparait à recevoir les sacrements et les laissait consolés par ses paroles et par ses dons. Malgré la paralysie qui le frappa en 1768, il ne se relâcha jamais de cette sainte coutume, et jusqu'en 1775, c'est-à-dire jusqu'à la fin de son épiscopat, on vit ce vieillard tremblant, dont la tête irrévocablement inclinée reposait sur sa poitrine, et qui pour monter en voiture avait besoin du secours de deux personnes, continuer à parcourir les rues d'Arienzo, réalisant à la lettre la parabole du bon Pasteur. En vain lui représentait-on qu'obligé de recevoir chaque jour les visites du médecin, il pouvait bien se dispenser d'en faire à des gens souvent moins malades que lui : « Grande serait ma charité! répondait-il, si je n'éprouvais quelque peine pour soulager le prochain! Les devoirs de l'Évêque sont plus étroits que ceux de tout autre chrétien ou même de tout autre prêtre. Pour être un fidèle gardien de son troupeau, le pasteur ne doit pas oublier les brebis malades; il doit même en prendre un soin particulier, parce que leurs besoins sont plus grands. »

Parmi les malades, les prêtres, particulièrement ceux dont la vie n'avait pas été très-régulière, les mourants tourmentés de scrupules, ceux qui refusaient le pardon aux autres, ou qui en semblaient le moins dignes eux-mêmes excitaient surtout sa sollicitude: son repos et son salut paraissaient attachés au repentir ou à la confiance qu'il saurait leur inspirer, et pour courir à eux il quittait tout avec un empressement qui un jour, à Arienzo, lui fit commettre une plaisante méprise. Voyant passer le saint Viatique, il voulut avoir des renseignements sur le malade auquel on le portait : « *Peccatore!* » répondit-on laconiquement à ses questions. Ce seul mot le remplit d'épouvante; un frisson mortel parcourut ses membres. Assurément, se dit-il, c'était là un surnom infligé à quelque misérable connu par ses crimes. Mais avait-il donné des signes suffisants de pénitence pour mériter les sacrements?... Aussitôt il part en grande hâte, arrive épuisé chez le malade, s'informe et découvre avec joie que c'était un homme dont la conduite était depuis longtemps exemplaire. Rassuré au sujet de son nom, il le rassura à son tour contre la mort, le bénit et s'en revint l'âme pacifiée.

La prison d'Arienzo était encore un des lieux où le conduisait maintes fois son infatigable charité, et où il apportait souvent, non plus seulement la consolation, mais encore la liberté. Tantôt, en effet, on le voyait délivrer à prix d'argent les détenus pour dettes; tantôt s'employer à obtenir aux autres leur grâce ou leur réhabilitation. Dans ce cas, les

lettres et les démarches ne lui coûtaient pas, et ses disciples,
qui ont conservé fidèlement des détails dont la minutie même
fait i· i l'intérêt, nous le montrent tour à tour s'adressant
au commandant de place de Sainte-Agathe en faveur d'un
jeune soldat sur lequel on avait trouvé une arme prohibée,
demandant à l'administrateur royal des salines de Torre
dell' Annunziata l'élargissement d'un mendiant accusé
d'avoir fait la contrebande du sel, ou sollicitant du directeur
de la douane la mise en liberté d'une femme d'Arienzo qui
avait introduit frauduleusement dans la ville une demi-livre
de tabac. Un autre jour, c'était plus grave : il s'agissait de
sauver la vie à trois déserteurs! Cette fois, il envoya des
courriers au marquis Tanucci, au ministre des cultes, au
ministre de la guerre, au capitaine général, et ne craignit
pas, pour gagner sa cause, de leur déclarer que s'ils restaient sourds à ses supplications, il irait, tout perclus qu'il
était, se jeter aux pieds du Roi. Menaces que la vénération
universelle rendait d'autant plus efficaces qu'on les savait
plus sérieuses dans la bouche de celui que vingt ans de maladie devaient courber sans abattre, et qui appartenait à
cette race d'hommes dont la foi, guidée par l'amour, sup-
prime les obstacles et transporte les montagnes.

CHAPITRE XXI

L'affabilité est à la charité, peut-on dire, ce qu'est à la fleur le parfum ; elle donne aux œuvres de miséricorde un je ne sais quoi d'achevé qui les couronne, et à la sainteté un charme qui la fait aimer. Aussi Alphonse blâmait-il énergiquement l'humeur chagrine et la gravité de parade, empruntées selon lui aux jansénistes. « L'esprit de Dieu, disait-il, n'a rien d'affecté ; il plaît et se fait tout à tous ; » et, joignant l'exemple au conseil, il accueillait toujours avec bonne grâce ceux qui venaient le trouver. Sa physionomie douce et souriante était empreinte d'une bienveillance que sa conversation aussi fine qu'élevée mettait toujours en acte. Il avait, pour nous servir de l'expression de son biographe, du miel sur les lèvres : *Mele sulle labbra*, et s'entretenait volontiers avec les gens du peuple, s'informant de leurs affaires avec un intérêt qui partait visiblement du cœur. Pour se rapprocher d'eux davantage encore, il repoussait d'ailleurs toute démonstration de respect et de vénération. Les dénominations pompeuses ou les allusions aux gloires de sa famille lui étaient antipathiques, et un jour qu'on énumérait devant lui les honneurs dont avait été comblé son cousin Charles Cavalieri, ancien gouverneur de Mantoue : « J'aimerais bien mieux, s'écria-t-il en détournant la conversation, qu'il eût eu plus de vertus et

qu'il eût fait une sainte mort! » Cette même simplicité se
retrouvait dans tous les détails de sa vie. Quand il sortait
en carrosse avec son secrétaire ou tout autre prêtre, il ne
le laissait pas prendre place sur le devant de la voiture, et,
à moins de circonstances exceptionnelles, se plaisait à donner la droite à son grand vicaire. Souvent aussi, contrairement aux usages fastueux du temps, on le rencontrait à pied
dans les rues, accompagné d'un seul ecclésiastique ou d'un
sacristain qui n'était pas même dans les ordres mineurs, et il
n'était pas rare de voir dans ces occasions des colporteurs lui
offrir familièrement leurs marchandises, sans se douter
qu'ils eussent affaire à l'Évêque du lieu. Parfois enfin, il se
rendait seul à l'église et attendait patiemment sur le seuil
l'heure où la porte en était ouverte à tous les fidèles. Jamais
avec ses serviteurs il n'employait l'accent ni les formules du
commandement; et il ne permettait à aucun de ses clercs de
rester debout devant lui; malade et paralytique, il refusait
encore de se faire servir par eux et sonnait le frère François-
Antoine pour lui demander ce dont il avait besoin, fût-ce
une plume, plutôt que de les déranger. Lorsqu'il avait un
ordre à donner à un prêtre, un souhait même à formuler, il
le faisait sur le ton de la prière; et à un ecclésiastique qui
lui disait un jour : « Votre Grandeur tient entre ses mains le
drap et les ciseaux; qu'elle commande, et j'obéirai. — C'est
vrai, répondit-il; mais un supérieur doit être discret. »
Enfin, bien qu'on lui écrivît et que l'on vînt le consulter de
toutes les parties de l'Italie, il ne croyait pouvoir rien décider
d'important sans avoir à son tour invoqué d'autres lumières,
comme s'il eût été incapable de trancher seul la question.
Prêt d'ailleurs à condamner son opinion quand l'avis d'au-
trui lui semblait plus juste, il ne dédaignait le sentiment
de personne et témoignait, même aux esprits médiocres, de
la gratitude pour les avertissements qu'il en recevait.

Cette rare humilité n'était pas chez Alphonse une qualité
naturelle : il était né, au contraire, nous dit-on, avec un
caractère hautain et irascible, « mélange de nitre et de
soufre, inflammable, ardent au delà de toute mesure et porté

au dédain [1] ; » il suffit d'ailleurs de se rappeler son échec au
barreau pour comprendre ce qu'était autrefois son orgueil.
Mais son adieu au monde avait été le début d'un travail
qui, l'assimilant peu à peu au type divin dont il avait fait
son modèle, était arrivé jusqu'à cet amour des humiliations
et cette joie dans les injures qui s'appelle, depuis dix-huit
siècles, la folie de la croix. Sa patience et sa mansuétude
avaient encore grandi, pour ainsi dire, avec sa dignité.
« Rien n'est plus messéant à un pasteur que la colère, dit-il
un jour, à Sainte-Agathe ; elle voile son caractère de père
pour ne plus montrer en lui qu'une bête féroce odieuse à
tous ; » et Tannoia faisait après sa mort cette solennelle déclaration : « J'ai vécu pendant quarante ans dans l'intimité
de notre père ; le frère Antoine en a passé cinquante ; or
nous attestons ne l'avoir jamais entendu se fâcher, et, quelles
que fussent les circonstances, l'avoir toujours trouvé aimable
et souriant ; on eût dit un ange revêtu de la forme de l'homme
et inaccessible à ses passions. » Cependant les contradictions
et les outrages qu'il avait parfois à supporter étaient de telle
nature, que l'on est tenté de se demander ce qui doit surprendre davantage : la patience de l'Évêque ou l'insolence
de ses ennemis. Tantôt c'était un marchand forain qui se
permettait de venir attaquer devant lui ses livres, accuser
ses opinions de scandale et le taxer lui-même d'imbécile et
d'ignorant ; tantôt c'était un prêtre qui lui disait en colère :
« Vous auriez mieux fait de rester à Ciorani pour pleurer
vos péchés que de vous faire évêque de Sainte-Agathe. »
— « C'est donc vous qu'on appelle un saint ? s'écriait un
autre, furieux de n'avoir pas obtenu un canonicat, belle
sainteté ! Celui-là seul est saint qui sait rendre justice. »
Et souvent les derniers à exercer sa patience n'étaient pas
ses commensaux. L'un d'entre eux en particulier, encore
simple clerc, et qui écrivait sous sa dictée, blessé un jour
de ce qu'Alphonse lui signalait une erreur, jeta ses papiers pêle-mêle et lui tourna le dos. « Vous savez, lui dit

1 Tannoia, p. 530.

le Saint en le rappelant, que ces procédés me déplaisent; remettez-vous à l'ouvrage; » et il continua à parler avec tant de bienveillance et même d'humilité, raconta un témoin de la scène, qu'on l'eût pris volontiers pour le coupable.

Dans les occasions de ce genre, il ne manifestait jamais, en effet, la plus petite émotion; parfois seulement une légère rougeur qui colorait son visage, ou un mot tel que celui-ci : « Mon Jésus! tout pour vous! » écrit avec son sang au pied du crucifix posé sur sa table, trahissait la violence intérieure qu'il devait s'imposer; mais c'était tout. S'il prenait la parole, c'était toujours sans se départir de son sourire affable et de la courtoisie de son langage; puis, quand son interlocuteur jugeait à propos de se retirer, il le reconduisait jusqu'à la porte, le congédiait en le bénissant, et se remettait tranquillement à l'ouvrage. Les prêtres qui formaient son entourage ordinaire n'étaient pas, il est vrai, aussi tolérants que lui; et souvent, indignés autant qu'effrayés des violences de certains visiteurs, ils intervenaient pour y mettre un terme, avec une vivacité qu'expliquaient les circonstances, mais qui ne trouvait pas d'excuse auprès de celui qu'ils voulaient défendre. Grand était alors l'embarras du saint vieillard, obligé à la fois de calmer un assaillant et de pacifier un vengeur. Il n'acceptait pas, cependant, le reproche que lui faisaient plusieurs d'encourager par sa faiblesse les impertinences et les insultes. « Quoi! répondait-il, j'aurais travaillé pendant quarante ans à acquérir un peu de patience pour la perdre en un moment! Dieu sait combien elle m'a coûté, et vous voulez que j'y renonce!... D'ailleurs faire respecter son caractère, c'est fort bien; mais se faire aimer, ce n'est pas moins nécessaire. »

Cette action qu'il cherchait à exercer sur les cœurs, il savait qu'elle a été surtout promise à ceux qui commencent par exercer leur domination sur eux-mêmes[1]. Aussi « ne saurait-on croire, nous disent ses contemporains,

---

[1] Matth., v 4.

l'impression que produisait Mgr de Liguori par son inaltérable douceur. Ses belles manières accommodaient toutes choses. Il pacifiait les familles, apaisait les différends, et changeait en agneaux ceux qui étaient entrés dans sa chambre avec la fureur du tigre : « Monseigneur m'a fait entendre de si belles paroles, disait un homme qui était venu le trouver altéré de vengeance, que pour rien au monde je ne voudrais plus l'offenser. » Ne croirait-on pas, en lisant ces lignes, retrouver une page oubliée de la vie du saint Évêque de Genève, auquel d'ailleurs l'Évêque de Sainte-Agathe était souvent comparé ? N'était-ce pas, en effet, la même nature, ardente au début, assouplie et transformée au prix des mêmes efforts, la même douceur dans la morale et la même facilité dans le commerce ? similitudes qui ressortent naturellement de l'étude des deux caractères, et qui n'étaient pas étrangères peut-être au sentiment de tendre dévotion que saint François de Sales inspirait à Alphonse. Il aimait à relire sa vie; il en parlait souvent; il l'invoquait sans cesse et peu de temps avant son dernier soupir prononçait encore ces paroles : « Mon bien-aimé saint François, je voudrais mourir pour aller vous voir en paradis. »

Cependant, à l'exemple du plus doux des enfants des hommes qui s'armait de la verge pour chasser les vendeurs du temple, Alphonse ne laissait pas chez lui la douceur empiéter sur les droits de la fermeté, et ses manières devenaient solennelles et imposantes lorsqu'il voyait Dieu outragé ou les âmes en péril. « Ce vieillard, s'écriait le Père Caputo, vous terrifie quand il prend ses airs d'autorité. » Un jour, par exemple, à Naples, s'interrompant au milieu de la messe, il terrassa d'une parole un gentilhomme qui, assis les jambes croisées dans l'intérieur du sanctuaire, ne donnait à la présence réelle de Jésus-Christ aucun signe de respect; et à un autre qui sollicitait avec instances une exception à laquelle sa conscience ne lui permettait pas de souscrire, il répondit : « Ne savez-vous donc pas que je suis inflexible ? » puis, frappant la table du revers de sa main : « Lorsque devant Dieu, ajouta-t-il, j'ai jugé une chose mauvaise, vous pouvez en désespérer. » C'était là, en effet, tout le secret de son énergie. « Seigneur, l'entendait-on s'écrier au milieu d'une discussion orageuse, vous m'avez voulu Évêque; je me montrerai Évêque. » Et si, dans les circonstances de ce genre où il portait très-haut le sentiment de sa dignité, on paraissait l'oublier : « Rappelez-vous que je suis Évêque, » disait-il sévèrement; et encore : « C'est à un Évêque que vous parlez. »

Il n'eut que trop souvent, du reste, pendant sa vie épiscopale, un impérieux besoin de cette fermeté de caractère, soit, comme nous allons le voir dans le chapitre suivant, pour assurer ce qu'il estimait être le bien des âmes, soit pour écarter d'elles l'épine qui devait les blesser.

CHAPITRE XXII

La légèreté qui caractérisait les esprits au dernier siècle, favorisée par le laisser-aller ordinaire des populations méridionales, avait affecté le diocèse de Sainte-Agathe à un degré d'autant plus déplorable, que ceux-là mêmes auxquels le Sauveur disait : « Vous êtes le sel de la terre [1] » n'avaient pas su se préserver de la contagion. Le clergé, en effet, participait au relâchement général : on voyait des prêtres fréquenter les cabarets ou monter sur la scène, sans que pour beaucoup d'entre eux, hélas! la mesure du scandale s'arrêtât là. Alphonse mit toute son ardeur, toute son âme, peut-on dire, à ramener chacun au devoir et, en particulier, à faire respecter la dignité du sacerdoce par ceux qui en étaient revêtus. Il se regardait comme responsable en quelque sorte des fautes que ses prêtres pouvaient commettre. « Si l'un d'eux perd la grâce de Dieu, disait-il, c'est moi qui devrai en rendre compte ! » Aussi, suivant à la lettre le conseil de saint Paul [2], ne se lassait-il pas d'employer tour à tour la supplication et la menace, et, s'il montrait de l'indulgence pour un faux pas échappé à la fragilité ou à l'inexpérience, demeurait-il impitoyable pour les fautes calculées

---

[1] « Vos estis sal terræ. Quod si sal evanuerit, in quo salietur ? » (*Matth.*, v, 13.)

[2] « Insta opportune, importune ; argue, obsecra, increpa in omni patientia et doctrina. » (*I Tim.*, II, 4.)

ou pour l'obstination d'une volonté perverse. Sa vigilance
n'intervenait d'abord, il est vrai, que sous la forme d'un avertissement plein de douceur et même d'humilité; mais lorsque
ce charitable avis était resté sans résultat, il revenait sévèrement à la charge et ne reculait devant aucune mesure
pour faire sur le coupable une salutaire impression. Un jour,
par exemple, devant recevoir un prêtre rebelle depuis longtemps à ses conseils, il plaça son grand crucifix sur le sol,
à l'entrée de sa chambre; puis, comme à la vue du Christ
étendu le malheureux tressaillait et faisait un pas en arrière:
« Non, dit l'évêque, avancez et foulez-le aux pieds; ce ne
sera pas la première fois; » et continuant sur ce ton, il terrassa son interlocuteur, qui lui accorda enfin tout ce qu'il
demandait.

· Les vicaires généraux et les doyens avaient ordre de le
seconder en poussant aussi, de leur côté, la surveillance à
l'extrême, et les fonctionnaires publics eux-mêmes, lorsqu'ils
étaient dignes de sa confiance, devaient l'informer des abus
qu'ils pourraient surprendre. « Si vous trouvez encore le
soir des ecclésiastiques dans les tavernes, » écrivait Alphonse
à un juge de la terre de Valle qui l'avait prévenu de plusieurs faits de ce genre, « je vous prie de les arrêter et
de les faire conduire à l'évêché; c'est le moyen de les corriger. » — « Il m'exhortait souvent, racontait plus tard
un autre magistrat du pays, à user d'une vigilance continuelle pour qu'aucun prêtre ne se rendît coupable d'une
action indigne de son ministère. Il me recommandait surtout avec les plus vives instances d'avoir l'œil ouvert sur
les relations suspectes; et quand je lui disais ce que j'avais
fait pour prévenir le mal, il me témoignait dans sa réponse
une grande satisfaction. Ceux que je parvenais ainsi à arrêter dans leurs dérèglements n'étaient pas en petit nombre,
et le serviteur de Dieu paraissait toujours approuver ma
conduite. »

Quant aux moyens de répression, ils étaient variés et calculés d'après les circonstances et la nature des fautes. C'é-
tait tantôt une réclusion de plusieurs jours dans les prisons

de l'évêché, tantôt une pénitence de plusieurs semaines et
même de plusieurs mois dans une maison religieuse, ou
bien encore la suspension et l'exil pour un temps plus ou
moins long, voire même pour dix ans si c'était nécessaire;
car, tant que le mal subsistait, il n'y avait ni trêve pour le
coupable ni repos pour la conscience de l'Évêque.

Cependant, hâtons-nous de le dire, la miséricorde d'Alphonse se retrouvait jusque dans ses sévérités. C'est ainsi
qu'un jour un prêtre condamné à payer une amende, lui
ayant exposé les frais que lui avaient occasionnés son voyage
et son séjour à Sainte-Agathe, obtint non-seulement la remise de la peine, mais encore un don de vingt carlins, à la
condition de faire profiter les pauvres de l'excédant. « Il
faut punir les coupables, dit l'Évêque à ceux qui l'accusaient
d'indulgence excessive, mais il faut aussi les traiter avec douceur; c'est souvent le meilleur moyen de les corriger; » et,
poussant jusqu'au bout l'application de ce principe, il nourrissait à ses frais les ecclésiastiques pauvres qu'il envoyait
faire des retraites dans les maisons du Saint-Rédempteur,
accordait à ceux qu'il avait privés du droit de célébrer la
messe et qui se trouvaient dans l'indigence une aumône destinée à remplacer pour eux les honoraires de l'autel; enfin,
lorsqu'ils n'avaient aucun moyen de subsistance, faisait passer
aux prêtres bannis du diocèse quinze grains par jour pour
leur entretien. Mais c'était surtout à ceux qui donnaient des
marques d'un repentir sans réserve qu'il ouvrait ses bras et
son cœur. Il pardonnait tout, oubliait tout et détruisait souvent jusqu'aux preuves mêmes de leurs fautes : « Mon fils,
dit-il un jour à un prêtre, en déchirant les pièces de son
procès, je prie Dieu d'en faire autant dans le ciel. »

En même temps qu'il réformait le clergé séculier de
Sainte-Agathe, Alphonse travaillait d'ailleurs, soit en usant
de son influence sur les supérieurs locaux, soit en recourant
aux autorités provinciales, à purger le diocèse de tous les
religieux dont la conduite n'était pas absolument régulière.
Il apporta à cette œuvre une persistance inouïe, répondant
à des amis puissants qui intercédaient en faveur d'un

religieux éloigné du pays par ses ordres : « Tant que je serai
Évêque, votre protégé ne reverra pas Sainte-Agathe ; » et
retirant les pouvoirs de confesser à un supérieur qui se refusait à faire changer de résidence un sujet dont l'assiduité
dans une famille du lieu était l'objet de commentaires
fâcheux : « Comment oseriez-vous, ajouta-t-il en s'adressant
d'un ton sévère à ce pasteur négligent, paître des brebis qui
appartiennent à une autre bergerie, après avoir laissé les
loups ravager votre propre bercail? » Sans entrer du reste
dans de plus grands détails, il suffira de savoir, pour se
rendre compte de l'activité du Saint et des résultats qu'il
obtint, que, pendant la seule année 1768, consacrée plus
spécialement par lui à la visite des monastères, on évalua à
plus de cinquante le nombre des religieux expulsés par ses
ordres.

Mais là ne se bornait pas sa tâche, et il ne perdait de vue
aucune portion de son troupeau. Nous avons déjà dit comment il employait tous les moyens et recourait à toutes les
sources pour connaître jusqu'au moindre scandale et y apporter remède. Les colonies administratives ou militaires
qui se succédaient dans le pays, les employés des douanes,
les officiers qui résidaient à Sainte-Agathe, le régiment en
garnison à Arienzo n'étaient pas de sa part l'objet d'une
surveillance moins active. Non-seulement il convoquait les
chefs pour mettre sous la sauvegarde de leur honneur la
tranquillité du pays et l'honneur des familles, mais parfois,
lorsque cette précaution ne pouvait suffire à le rassurer, il
cherchait à obtenir le changement des officiers ou le déplacement du corps. Cette énergie pour la défense des bonnes
mœurs faillit un jour lui coûter cher, en armant contre sa
vie le bras d'un assassin; mais comme, selon son expression, « l'épiscopat ne lui avait pas été imposé pour entraîner
sa damnation, et que le martyre eût comblé tous ses vœux, »
il n'en continua pas moins à lutter avec une égale vigueur
contre les désordres de toutes sortes. Il poursuivit sans relâche notamment les femmes de mauvaise vie, auxquelles il
daignait   à proposer des moyens de subsistance, si

elles voulaient changer de conduite; et lorsqu'on donnait une mission dans une paroisse, c'étaient ces brebis perdues d'Israël qu'il recommandait surtout aux prédicateurs : « Donnez-leur tout ce qu'elles veulent, disait-il, sans regarder à l'argent, pourvu qu'elles adoptent une autre existence. La conversion d'une seule d'entre elles vaut plus que le prix auquel il vous faudra l'acheter. »

Il jugeait cependant qu'avec les âmes profondément viciées, les voies de rigueur sont souvent, hélas! les seules qui mènent au succès : aussi fit-il disposer dans les villes les plus importantes du diocèse une prison destinée à cette classe particulière de coupables, qu'on mettait en liberté dès que, la solitude et la réflexion ayant produit des résultats salutaires, elles consentaient à signer de leur propre main une protestation de repentir, mais qu'on expulsait du pays lorsque aucun amendement ne se manifestait.

Ces mesures entraînaient pour Alphonse des dépenses considérables. Il lui fallait non-seulement rétribuer largement les agents de police et les surveillants, mais encore pourvoir à la nourriture et à l'entretien des prisonnières; à celles qui se convertissaient il assignait en outre des secours réguliers, calculés toutefois de façon à ne pas encourager chez elles la paresse et l'inaction, et souvent il leur faisait don de meubles et de vêtements, comme on le voit dans une lettre adressée à un de ses pénitents de Naples, don Salvadore Tramontana. « Procurez à cette fille, lui disait-il, un mouchoir pour la tête, un autre pour le cou, une jupe de serge, une robe de dessous en grosse étoffe, un mantelet, une paire de bas blancs et une paire de souliers; le tout pourrait ne pas être absolument neuf, pour ne pas coûter trop cher, mais ne devrait pas être trop vieux non plus, afin que nous ne soyons pas obligés de recommencer demain. » Enfin, il fournissait des trousseaux à celles qui entraient au couvent, et procurait des dispenses gratuites et même des dots à celles qui se mariaient. Cette générosité était d'autant plus méritoire qu'elle n'était pas toujours comprise. Les aumônes distribuées aux femmes repenties excitaient parfois la jalousie de celles qui étaient demeurées honnêtes, et on reprochait au Saint de se laisser tromper par des apparences de conversion. Cette crainte ne le troublait nullement : « Peu m'importe ! disait-il. Ne serait-ce pas déjà un grand résultat si je ne les empêchais que pendant un quart d'heure d'offenser Dieu ?... Ce sera déjà beaucoup s'il se commet un seul péché mortel de moins... et les abandonner serait les exposer à un péril certain. »

Ce désir d'arrêter le mal, au moins dans ses manifestations extérieures, était, en effet, sa principale préoccupation ; et tout ce que l'on pourrait dire de ses efforts à ce sujet demeurerait au-dessous de la réalité. Plusieurs centaines de jeunes filles pauvres durent la conservation de leur innocence à la prévoyance paternelle qui leur fournissait des moyens d'existence et qui allait, pour éloigner d'elles toute tentation, jusqu'à leur procurer de modestes parures. S'étendant d'ailleurs à tous les sujets et à toutes les occasions, la sollicitude d'Alphonse réprimait ou prévenait tous les scandales publics ou privés dont l'écho parvenait jusqu'à lui : tantôt il décidait le duc de Maddaloni à empêcher une troupe d'acteurs de s'établir sur ses terres; tantôt il corrigeait lui-même les comédies de salon qui devaient être jouées à Sainte-Agathe: les bals et les danses, à l'exception de quelques menuets irréprochables, étaient prohibés; certaines fêtes dont le caractère religieux avait disparu, et qui ne servaient plus guère que de prétexte au désordre, étaient supprimées : procès, duels, blasphèmes cédaient le plus souvent devant ses miséricordieux et invincibles efforts, et l'on voyait des pécheurs reputés incorrigibles se transformer au point de subir volontairement l'humiliation d'une pénitence publique [1]. Il avait enfin l'esprit à tout, répétant qu'un Évêque doit être toujours en embuscade, et arrachant par sa conduite cette exclamation à un curieux de ces echanges de la surveillance de sa province : « Sous Mgr de Liguori, nos

_____

[1] .... nessait à se tenir .... deux sur les

fonctions tendent à n'être plus que des sinécures : les gens deviennent si paisibles qu'il n'y a, pour ainsi dire, plus de désordres dans le pays. » Hommage indirect qui, peignant le temps et les mœurs, valait dans sa naïveté plus d'un long panégyrique.

CHAPITRE XXIII

Alphonse devient infirme. — Il demande au pape de le décharger
de ses fonctions.

Le 23 juin 1768, Alphonse ressentit un malaise qui présenta bientôt des symptômes si graves que les médecins appelés auprès de lui crurent à l'invasion d'une fièvre maligne. A ce mot qui ne lui laissait aucun doute sur le danger de son état, se retournant vers eux, le Saint leur dit en souriant : « *Acqua et olio;* » et comme on ne comprenait pas : « Oui, reprit-il, pour la fièvre il faut de l'eau glacée, et pour la mort de l'huile sainte. » Le danger paraissait grand, en effet. Au bout de trois jours, une enflure générale se manifesta, et Alphonse commença à ressentir dans tout le côté droit, surtout dans l'os de la hanche, une douleur aiguë qui résista à tous les remèdes, comme on en peut juger par une lettre adressée un mois après [1] au Père Villani : « Quant à mes infirmités, écrivait-il, elles ne diminuent pas; je souffre peut-être même davantage. Les médecins ne savent plus que penser; aussi ai-je résolu de laisser faire le bon Dieu et d'embrasser la souffrance comme il me l'envoie. » Il n'avait d'ailleurs interrompu ni ses audiences ni ses travaux, et, espérant même pouvoir recommencer la visite de son diocèse, il entreprit, afin d'essayer ses forces, de prêcher dans l'église *dell' Annunziata* la neuvaine de l'Assomption; mais

---

[1] 20 juillet 1768.

après s'être traîné pendant cinq jours jusqu'à la chaire, il fut contraint de s'arrêter et de se faire remplacer par un missionnaire de Naples [1] qui se trouvait alors près de lui.

A partir de cette heure, le mal fit des progrès rapides. Alphonse n'avait plus ni jour ni nuit un instant de repos, et ne trouvait aucune position supportable. Cependant sa vigueur morale était telle, qu'il continuait encore à s'occuper d'affaires, à dicter des fragments d'ouvrages, et à réunir, comme de coutume, toute sa maison pour la prière et la méditation en commun. Son seul regret était de ne plus dire la messe; mais ce sacrifice fait à la volonté du Seigneur remplaçait pour lui celui qu'il ne pouvait plus offrir : « Après quinze jours de lit, c'est-à-dire quinze jours sans messe, je ne vois pas d'amélioration, écrivait-il à un ami; toutefois je suis content, puisque c'est Dieu qui le veut ainsi... J'accepte la perspective de rester dans cet état toute ma vie, si tel est son bon plaisir [2]. »

La fièvre augmentait toujours; à la demande des médecins d'Arienzo, qui voulaient mettre à couvert leur responsabilité, un docteur de Naples fut appelé; mais sa venue n'eut d'autre résultat que de les confirmer dans leurs craintes, car il déclara comme eux le péril imminent. Sous l'influence de prévisions aussi menaçantes, Alphonse voulut être administré et dicta ses dernières volontés. Quatre cent vingt-trois ducats, provenant des fermages de la mense, touchés depuis quelques jours par son économe, tel était le seul trésor dont il eût à disposer; aussi quelques aumônes, un certain nombre de messes pour le repos de son âme, et différents dons à ses domestiques en reconnaissance de leurs services, furent-elles les seules intentions exprimées dans son testament. Enfin il témoigna le désir que son corps fût transporté dans sa cathédrale; et, nul ne doutant qu'il ne rendît bientôt le dernier soupir, on se hâta de régler l'ordre et la pompe du cortége, et de prendre à Sainte-Agathe,

[1] 12 août 1768.

[2] Lettres à don Salvadore Tramontana, prêtre du diocèse de Naples, datées du 18 et du 27 août 1768.

comme à Arienzo, les mesures nécessaires **pour de brillantes**
funérailles.

La mort ne vint pas cependant, pas plus que la guérison;
et les infirmités demeurèrent avec leurs conséquences et
leurs assujettissements. Les douleurs s'étendirent dans toutes
les articulations, jusqu'aux vertèbres du cou, et peu à peu
la tête du Saint se trouva si fort inclinée sur sa poitrine,
que l'on se demandait comment il pouvait encore respirer.
Incapable de rester étendu, il passait les jours et les nuits
sans mouvement, sur un fauteuil. La nature était épuisée et
vaincue; mais l'âme dominait sur ses ruines, et gardait
intacte la possession d'elle-même. Des lèvres d'Alphonse,
fermées à la plainte, il ne tombait que des paroles de
soumission et d'amour. Sans se douter qu'une main filiale
en recueillît le témoignage, il entrait souvent dans de
tendres colloques avec un grand crucifix placé devant lui :
« Merci, mon Dieu, disait-il, de me donner quelque part
aux douleurs que vous avez endurées dans tous les nerfs,
lorsque vous étiez cloué sur la croix. — Je veux souffrir,
mon Jésus, comme vous voudrez, et autant que vous voudrez; seulement donnez-moi la patience. — *Hic ure, hic
seca, hic non parcas, ut in æternum parcas* [1]. — Malheureux damnés, ajoutait-il parfois, que je plains vos
souffrances sans mérites! qu'elles sont douces au contraire, ces souffrances de la terre, dont une heure vaut
mieux que tous les trésors! » Et, regardant joyeusement
la mort qu'il croyait proche, il répétait avec un accent indicible ces paroles dont notre langue ne pourrait donner
qu'une traduction imparfaite : *O che bel morire , abbrac-
ciato colla croce!* Toutefois, les élans de la confiance
n'arrêtaient pas en lui ceux de l'humilité : car on l'entendait
encore s'accuser avec confusion de n'avoir pas correspondu
aux grâces divines, et supplier le Seigneur de ne point
entrer en jugement avec son serviteur.

La contraction des muscles avait rapproché, comme nous

[1] « Brûlez, coupez, ne m'épargnez point ici-bas, afin de m'épargner
dans l'éternité. » (Saint Augustin.)

venons de le dire, la tête de la poitrine. Il en résultait une pression douloureuse qui finit par produire une plaie. Alphonse dissimula le plus longtemps possible cette nouvelle souffrance; aussi, lorsque les médecins découvrirent le mal, s'était-il déjà formé une cavité effrayante que la gangrène menaçait d'envahir. Des soins assidus réussirent à la cicatriser, mais non à redresser les nerfs, qui conservèrent leur position inclinée; et pendant les dix-neuf années qu'il vécut encore, Alphonse fut condamné à ne plus regarder cette voûte du ciel vers lequel cependant son âme s'élançait avec une ferveur qui n'était pas de la terre.

Sa sérénité faisait l'admiration de ses trois médecins. « Je ne revenais pas, dit l'un d'eux, le docteur Maro, de tant de patience et de constance, ni du courage qu'il lui fallait pour supporter ses maux, ne fût-ce que cette horrible plaie qui lui déchirait la poitrine; et cependant son calme était tel qu'on eût dit que ce n'était pas lui qui souffrait. » Tous attestèrent également sa parfaite obéissance à leurs moindres conseils, et son empressement à se soumettre aux remèdes les plus douloureux. Ce n'était pas qu'il cherchât à prolonger sa vie; mais dans la volonté des médecins, il reconnaissait celle de Dieu. « Je ne suis plus qu'un vieillard, leur disait-il; que puis-je espérer, et à quoi puis-je prétendre? Si je vous obéis, c'est pour faire la volonté du Seigneur. » Et il résumait sa pensée dans cet axiome : « Il faut obéir aux médecins, et puis mourir après. » Souvent aussi il plaisantait de leurs efforts pour conserver ce dernier souffle d'existence toujours prêt à s'échapper, et les comparait à « des manœuvres soutenant, à force d'étais et de fourches, une maison en ruines ». — « Un beau jour, ajoutait-il en riant, vous élèverez trop haut un des supports, et l'échafaudage croulera. » — « Soyez tranquille, » disait-il une fois avec enjouement à un chanoine d'Avella, « ma tête ne descendra pas plus bas : impossible à elle maintenant d'avancer... On m'a si souvent appelé estropié qu'à la fin je le suis devenu ! »

Et pourtant ces épreuves involontaires ne suffisaient pas

à son amour. « Celui qui aime ne souffre point, » écrivait
saint Augustin ; « mais aspire à souffrir toujours davantage. »
Alphonse, en effet, malgré toutes ses douleurs, s'ingéniait
encore à découvrir le moyen de pratiquer la pénitence; et
pour suppléer aux disciplines qu'il n'était plus en état de
s'infliger, il se couchait sur un énorme rosaire de bois dont
chaque grain formait dans sa chair autant de trous.

Sa convalescence dura plus d'un an et ne fut à proprement
parler qu'une phase différente de sa maladie. « Je continue
à demeurer dans ma coquille, » écrivait-il au supérieur des
Pieux-Ouvriers, « sans remuer, et entouré de douleurs de
tous côtés [1]. » Et au Père Villani : « Mes souffrances sont
toujours les mêmes ; je me promène sur des béquilles, soutenu par deux personnes, et ne recueille aucune amélioration
de ce genre d'exercice ni de mes sorties en voiture ; je ne
dors presque plus; mais si la nature pâtit, la volonté est
soumise... Grâce à Dieu, je me sens gai et content [2]. »

Du reste, la lucidité de son esprit demeurait entière, et
ses journées n'étaient pas moins remplies qu'autrefois. Il
écoutait les lectures que lui faisait le frère François-Antoine,
s'informait de toutes les affaires, voulait tout savoir, tout
ordonner, tout régler, comme s'il eût été bien portant, jusqu'aux missions qu'il organisait lui-même, ainsi qu'il ressort de ce passage d'une de ses lettres au Père Villani :
« Grâce à Dieu, écrivait-il, j'ai désigné les missions qui
doivent avoir lieu dans le diocèse, et quatre d'entre elles
sont déjà commencées; mais j'en voudrais une cinquième
pour Laiano, petit village à quatre ou cinq milles de Sainte-
Agathe. Ses habitants sont de pauvres campagnards et des
gens simples; il leur faudra, sans faute, deux ou trois de
nos Pères pendant le Carême, ou mieux encore pendant le
carnaval. »

Cette douloureuse maladie n'interrompit même pas la lutte
de plume qu'il avait entreprise depuis si longtemps pour la
défense de la foi; car il composa ou ébaucha à cette époque

[1] 8 octobre 1768.
[2] 2 novembre 1768.

plusieurs réponses à des pamphlets qui avaient attaqué les usages ou l'autorité de l'Église, publia un opuscule sur les cérémonies de la messe, une dissertation sur les honoraires des célébrants, et mit au jour un de ses ouvrages les plus connus : *la Pratique de l'amour envers Jésus-Christ*. Cependant, se jugeant incapable, malgré cette prodigieuse activité, de porter plus longtemps le poids de sa charge, il crut devoir recourir pour la seconde fois au Saint-Père, afin d'obtenir la permission de se retirer dans un couvent du Saint-Rédempteur, et lui demander en même temps de vouloir bien désigner pour son successeur à Sainte-Agathe Mgr Puoti, Évêque d'Amalfi. Nous ignorons quel fut le sort de cette lettre; mais il y a lieu de supposer qu'elle resta sans réponse, car Clément XIII, auquel elle était adressée, mourut peu de jours après, le 2 février 1769.

CHAPITRE XXIV

Si la patience d'Alphonse pendant sa maladie avait été héroïque, comment qualifier l'énergie qu'il déploya durant les six années qui suivirent cette crise, dont il ne se remit jamais complétement, car sa jambe droite resta toujours paralysée, et jusqu'à sa mort il eut besoin pour marcher du secours de plusieurs personnes? L'échec de sa supplique le condamnait à demeurer chargé du diocèse; il en accepta le fardeau, et aussitôt que son état se fut amélioré quelque peu, c'est-à-dire quand ses douleurs eurent cessé d'être aussi vives, il organisa son nouveau mode de vie.

Pour rendre ses réceptions plus faciles, il fit transporter son lit dans une autre chambre dont l'abord était plus commode. Ce fut là que dès lors, sauf le temps consacré à la méditation et les cinq heures réservées au sommeil, il travailla et donna audience. Sa porte n'était jamais fermée, et tous pouvaient se présenter quand bon leur semblait. Toujours égal, le visage gai et souriant, Alphonse accueillait chacun avec la même affabilité et la même grâce; puis, dès que le visiteur l'avait quitté, il revenait aux affaires qu'il traitait avec autant de netteté et de précision qu'avant sa maladie. Il y avait, nous l'avons déjà dit, un véritable miracle de force morale dans le contraste de ce corps réduit à l'état de cadavre, méconnaissable aux amis les plus chers, et de cette âme qui, victorieuse en quelque sorte des misères de la nature, continuait à posséder dans leur plénitude les dons les plus éclatants. Semblable au pèlerin qui presse·le pas, craignant de ne pouvoir atteindre son but avant la nuit, le saint Évêque paraissait même redoubler de vigilance et accélérer ses efforts ; ses lettres devenaient plus fréquentes, ses messagers plus nombreux, ses soins pour connaître tout ce qui se passait dans le diocèse plus minutieux, et ses mesures plus énergiques pour rétablir la discipline partout où elle faiblissait [1]. Rarement une journée s'écoulait sans qu'il mandât plusieurs curés ou vicaires pour se faire rendre compte de l'état de leur paroisse et pour réveiller leur zèle, soit en leur montrant dans son épuisement physique une raison puissante de le seconder plus activement, soit en les menaçant, s'ils ne veillaient pas assidûment sur le troupeau, de les citer à ce tribunal de Dieu, devant lequel lui-même se disposait à comparaître. Il exigeait aussi que le directeur du séminaire vînt lui demander souvent ses instructions, et appelait en outre près de lui, de temps à autre, les jeunes gens qui lui inspiraient le plus de confiance, pour les questionner sur la manière dont la règle était observée, ou ceux qui sollicitaient des congés, afin de s'assurer par ses propres yeux de la légitimité de leurs motifs [2]. C'est ainsi que pas un détail de l'administration ne lui échappait, que pas une mesure n'était prise sans son approbation. Les examens qui précédaient les ordinations se passaient toujours en sa présence, et le trouvaient plus rigoureux encore qu'autrefois ; car il ne voulait pas, disait-il, laisser de péchés à pleurer

---

[1] On s'était relâché à Sainte-Agathe en ce qui concernait les fonctions au chœur et le costume ecclésiastique. Alphonse l'apprit et renouvela, en 1770, les ordonnances qu'il avait déjà promulguées à ce sujet.

[2] « J'ai fait venir ceux qui se disaient malades, et j'ai cherché à découvrir la vérité. J'ai trouvé qu'en effet plusieurs avaient un véritable besoin de sortir pour prendre des bains, ou que le quinquina leur était nécessaire; mais je conserve des doutes quant aux autres... Je les préviendrai tous, même ceux qui sont à l'étranger, que s'ils n'ont pas une raison sérieuse de rester hors du séminaire, ils seront renvoyés. » (Lettre d'Alphonse au Père Caputo, datée du 4 septembre 1773.)

à son successeur. Enfin, essayant, à l'exemple de saint Jérôme, de triompher de la maladie par le travail [1], il donnait encore à l'étude plusieurs heures par jour. Ce travail, auquel ses amis cherchèrent vainement à le faire renoncer, était pour lui, écrivait-il au Père Villani, « un vrai délassement: » il y demeurait d'ordinaire plongé jusqu'à minuit, son lit chargé de livres et de papiers, et sa montre posée devant lui, comme s'il avait eu besoin de se rappeler le prix du temps [2].

Un repas par jour lui suffisait; le soir, il prenait seulement une tasse de café, un verre de limonade ou quelques gorgées d'eau. La position inclinée de sa tête lui rendait, du reste, ce devoir extrêmement pénible, et il ne pouvait boire qu'avec un chalumeau d'argent qu'on lui avait fait accepter en le lui présentant comme un spécimen d'une composition métallique venant de l'étranger.

Cependant les médecins, redoutant les suites d'une vie où l'esprit se prodiguait sans mesure et où le corps recevait à peine le minimum auquel il avait droit, ajoutèrent à son régime une promenade quotidienne en voiture. Malgré l'empressement habituel d'Alphonse à leur obéir, il ne put s'empêcher, cette fois, d'élever des objections, dont la plus grave à ses yeux était le détriment causé aux pauvres par l'entretien d'un équipage. Mais son entourage ne tint pas compte de ses répugnances, et fit acheter à Naples, sans l'en prévenir, une voiture et deux chevaux. En les voyant arriver, le Saint crut recevoir un présent de son frère, et lui écrivit [3] pour l'en remercier. Il ne tarda pas toutefois à savoir la vérité, et, complétement désappointé par cette découverte, gronda sévèrement le frère François Tartaglione, qui avait surveillé l'acquisition, de n'avoir pas essayé au

---

[1] « Perpetua lectione Scripturarum superabat. »

[2] Les principaux ouvrages qu'il publia à cette époque sont : une *Défense de la doctrine du Concile de Trente* (1769), dédiée à Clément XIV, où il réfute en particulier les assertions de Sarpi; une *Histoire des Hérésies*, en trois volumes (1772), qu'il eut l'heureuse inspiration de placer sous la sauvegarde du marquis Tanucci en la lui dédiant, et une *Traduction des Psaumes* (1774), dédiée à Clément XIV.

[3] La lettre est datée du 9 novembre 1769.

moins de ménager sa bourse en cherchant un attelage plus
modeste [1]. Le sien pourtant ne brillait guère par l'élégance,
et il ne manquait pas de gens qui, le voyant passer dans
les rues d'Arienzo, chuchotaient en riant : « Le beau carrosse ! tout est usé, depuis le coffre jusqu'à l'Évêque, depuis les chevaux jusqu'au cocher ! » Tout était si vieux, en
effet, que, grâce aux accidents dont elles étaient semées,
les promenades de l'Évêque étaient pour lui une sorte de
supplice : tantôt un trait se rompait ; tantôt un cheval pris
de convulsions s'abattait et restait sans mouvement ; très-
souvent c'était une borne contre laquelle on se heurtait, car,
pour comble de malheur, la science du cocher n'allait pas
jusqu'à éviter une pierre ni un fossé. Cependant, bien que
la moindre secousse causât à Alphonse une douleur telle que,
pour nous servir de ses propres paroles, il croyait sentir sa
tête se détacher de ses épaules, il ne paraissait pas s'apercevoir des défauts chroniques de son équipage ; et ce fut
uniquement par un scrupule d'économie qu'après avoir suivi
pendant près de deux années ce régime quotidien, il pro-
jeta de s'y soustraire. Résolution dont la défense expresse
du Père Villani réussit seule à le dissuader.

Cette défense était d'autant plus opportune que, depuis
quelque temps déjà, le saint Évêque avait eu le courage de
reprendre ses tournées pastorales auxquelles, on le sait, il
avait toujours attaché une grande importance, y voyant un
des moyens les plus pratiques de purger, selon son expression, « le tronc de l'arbre des pousses sauvages dont l'exubé-
rance aurait fini tôt ou tard par épuiser la greffe ». Il recommença aussi à réunir tous les ans sous son toit les
prêtres et les religieux du diocèse pour les entretenir pendant
quelques jours des devoirs de la vie sacerdotale. Enfin,
toutes les fois que les circonstances lui permettaient d'espérer un nombreux auditoire, il se faisait porter dans la
chaire, et, laissant déborder les tendresses de son cœur,

[1] Il semble cependant que sous le rapport de l'économie il eût été difficile de mieux réussir, car les chevaux, les harnais et la voiture n'avaient
coûté ensemble que 113 ducats.

prolongeait souvent durant des heures entières ses conseils
ou ses exhortations [1]. Aussi, témoin attendri de tous ces
actes de dévouement, un de ses chanoines s'écriait-il dans
son emphatique admiration que « cent Évêques n'auraient
pu faire ce que Mᵍʳ de Liguori accomplissait à lui seul,
malgré l'état pitoyable auquel il était réduit ».

Dieu lui ménageait, vers cette époque, une consolation
inespérée. Depuis le mois de juin 1768, il ne disait plus la
messe [2], et quoiqu'il s'efforçât d'accepter avec soumission
cette épreuve, il ne pouvait s'empêcher de laisser percer de
temps à autre dans la conversation la douleur qu'il en éprouvait. La principale difficulté pour lui était de boire dans le
calice ; mais un religieux augustin ayant eu l'heureuse
idée de lui proposer de communier assis, il acquit la certitude qu'il parviendrait par ce moyen à terminer le saint sacrifice, et monta à l'autel dès le lendemain [3]. A partir de ce
moment, il ne manqua plus de dire chaque jour, avec l'autorisation pontificale, la messe de la sainte Vierge. Un des
assistants nous a laissé le souvenir de l'impression produite
alors par ce vieillard, qui ne semblait plus que l'ombre de
lui-même, mais une ombre rayonnante, et à travers le regard duquel, lorsqu'il s'asseyait pour communier, on voyait
passer comme un reflet du ciel. Cependant son bonheur était
toujours laborieusement conquis. Exact à observer les
moindres rubriques, il ne se dispensait pas d'une génu-
flexion, et voulait même chaque fois plier le genou jusqu'au
sol ; mais, pour se relever, la force lui faisait souvent défaut : il retombait à terre, ne reprenait son équilibre qu'avec
le secours d'un bras, et quittait l'autel épuisé.

Cette vie de prière, de travail et de souffrance, dont l'austère activité fatiguait au bout de deux mois un jeune Père

---

1 Voir Tannoia, p. 456.

2 Pendant ces deux années, ne pouvant plus satisfaire au devoir du
pasteur d'offrir le dimanche et les jours de fête le saint sacrifice aux
intentions de son peuple, il se faisait remplacer de loin par le Père
Fiocchi, alors recteur de Ciorani, ou par les Pères de Sant-Angelo.

3 C'était un dimanche, le 27 août 1770.

de trente-trois ans [1], n'échappait pas toutefois aux calomnies. Quelques malveillants du dehors profitèrent de l'état de sa santé pour accuser Alphonse de négliger son diocèse, sa ville épiscopale en particulier, et de laisser l'administration aux mains de son grand vicaire. Ils ajoutaient même que d'abominables sacriléges se commettaient dans le pays [2], et que devant une incapacité si notoire, le Pape se repentait d'avoir conféré l'épiscopat à Mgr de Liguori; mais Alphonse refusait absolument de se justifier, et citait, pour motiver son silence, l'exemple de saint François de Sales, qui, attaqué par la calomnie, s'était abstenu de se défendre. Une fois seulement, devant une supplique adressée directement au roi par les habitants de Sainte-Agathe, il crut devoir s'expliquer au sujet de sa résidence à Arienzo. S'appuyant sur une bulle de Benoît XIV [3], il prouva sans peine qu'il n'était point en faute, puisqu'il ne quittait pas son diocèse, et que d'ailleurs la nécessité seule l'avait forcé à s'éloigner de sa ville épiscopale, dont l'air froid et humide et le voisinage des montagnes étaient contraires à sa santé. Quant à une autre accusation qui avait été aussi portée contre lui, celle de publier trop de livres, il répondit en abritant sa conduite derrière celle des plus illustres pontifes : « Saint Jean Chrysostome, saint Augustin, saint Ambroise, saint François de Sales, dit-il, ont prêché et composé des ouvrages, tout en administrant leur diocèse... Du reste, mes livres sont utiles à mon troupeau, pour lequel presque tous ont été composés. » Et comme on avait prétendu aussi qu'il se ruinait en impressions, il ajoutait qu'il avait toujours retrouvé, dans le produit de ses ouvrages, les frais de leur publication [4]. »

---

[1] Le Père Buonapane, qui passa à Arienzo, près d'Alphonse, les mois de juin et juillet 1773. Il écrivait au Père Tannoia : « Un genre de vie si austère et si régulier me fatigue, quoique je n'aie que trente-trois ans ; Monseigneur, au contraire, est dispos et va toujours sans la moindre plainte. »

[2] On racontait qu'un prêtre de Sainte-Agathe avait baptisé une chèvre.

[3] La bulle *Ubi primum*, datée du 3 décembre 1740, où on lit ces mots : *Oportet ut personalem in Ecclesia vestra, vel diœcesi, servetis residentiam.*

[4] Après avoir fait tirer à Naples un certain nombre d'épreuves de ses

Tous ces propos, Tannoia semble l'indiquer [1], émanaient principalement d'un groupe de prélats dont la vie mondaine, la poudre, les dentelles, les équipages gênaient la conscience lorsqu'ils portaient leurs regards sur l'existence sévère que nous avons esquissée. Mais leurs efforts, qui se manifestaient tantôt par d'audacieuses comparaisons avec leur propre personne, tantôt et plus souvent par des critiques, « s'ils humiliaient le Saint devant lui-même, ne parvenaient pas à l'irriter, et n'avaient d'autre résultat que de le rendre plus attentif à s'acquitter de ses devoirs. »

Cependant un autre coup, porté cette fois au cœur même du fondateur, s'était joint depuis peu de temps aux épreuves dont nous avons essayé le tableau. Pour en apprécier l'importance, il nous faut retourner en arrière de quelques années et revenir sur des faits que nous avons été contraint de laisser dans l'ombre. 1761, on s'en souvient, avait vu naître la plus jeune maison de la Congrégation. Pendant plusieurs années, les missionnaires ne recueillirent que des encouragements en Sicile. Girgenti leur offrit une église et la jouissance d'une vaste bibliothèque; de ce point, comme centre, ils rayonnaient sur les diocèses voisins, entrevoyant le jour où l'île tout entière serait ouverte à leur apostolat; car plusieurs fondations nouvelles, dont l'une à Palerme, leur étaient déjà proposées. Devant ces faciles succès, la satisfaction d'Alphonse n'était pas toutefois sans mélange; il s'inquiétait de tant de prospérités, et n'avait pas craint de dire ou d'écrire plusieurs fois au supérieur, le Père Blasucci : « Les œuvres de Dieu qui ne sont pas contredites ne sont pas enracinées... Je me réjouis de nos progrès en Sicile; je m'en réjouis beaucoup; mais d'autre part, les applaudisse-

---

ouvrages pour en faciliter la correction, Alphonse les cédait ordinairement à un libraire de la capitale ou à un éditeur de Venise nommé Remondini, et ses bénéfices, déduction faite de tous les frais, étaient consacrés aux pauvres. Il ne consentit jamais à laisser mettre son portrait en tête d'aucune publication émanant de sa plume. (Voir sa réponse à son éditeur : Villecourt, t. IV, p. 121.) Mais Remondini, ayant pratiqué un trou dans sa porte, réussit, sans qu'il s'en doutât, à faire reproduire ses traits.

[1] Voir Tannoia, p. 435 et 436.

ments continus me font peur. » Cette bénédiction de l'adversité à laquelle le Saint paraissait aspirer ne tarda pas à venir, et peut-être se répandit elle avec plus d'abondance que lui-même ne l'eût souhaité. « Il ambitionnait la pluie, dit Tannoia ; Dieu lui envoya l'ouragan. »

L'origine première des malheurs de la Congrégation fut la mort de l'Évêque de Girgenti, son protecteur le plus dévoué dans l'île. Peu de temps, en effet, après cette perte cruelle, le prince de Campofranco, héritier du prélat, éleva des réclamations contre la rente de cent onces assignée par le défunt aux religieux, en appuyant sa demande sur ces deux considérations : que le capital ne provenait pas de la mense épiscopale, mais de biens de famille inaliénables, et que les Pères n'avaient pas le droit d'acquérir. Il soutint ses prétentions à Palerme et à Naples, gagna son procès, et fit mettre le séquestre sur les revenus de la maison. Alphonse reçut cette nouvelle pendant la période la plus aiguë de sa maladie. Ému, mais non pas découragé, il fit écrire au Père Blasucci [1] une lettre qui débutait ainsi : « J'ai reçu votre funeste message ; *je me trompe; rien de funeste lorsque Dieu nous l'envoie;* » puis il lui recommandait de louer, s'il le fallait, une autre maison, et de ne pas abandonner le terrain avant qu'il fût bien prouvé aux Pères que Dieu ne les voulait plus à Girgenti.

Toutefois de plus graves difficultés menaçaient à leur insu les missionnaires : ce n'était plus seulement leur droit de propriété, mais leur doctrine théologique elle-même qui allait être mise en cause. Dénoncés déjà, en 1767, devant le tribunal de la *Monarchia* [2], comme professant un probabilisme relâché et une morale corrompue, ils n'avaient pas eu de peine à démontrer la pureté de leur enseignement; mais le petit groupe janséniste d'où était partie la calomnie

---

[1] Octobre 1768.

[2] Ce tribunal, qui connaissait des causes ecclésiastiques, avait été établi à la fin du XIe siècle par les souverains de Sicile, qui se disaient revêtus par le pape du caractère de légats *a latere*. — Supprimé le 19 février 1715, il avait été rétabli, par une bulle pontificale, le 30 août 1728.

avait survécu à sa défaite, et possédait parmi les professeurs du séminaire de Girgenti un chaud partisan et un puissant auxiliaire. Chargé du cours d'Écriture sainte, il ne prenait même pas la peine de cacher ses opinions, commentait avec enthousiasme les *Réflexions morales* de Quesnel *sur le Nouveau Testament,* et blâmait hautement le Saint-Siége, qu'il disait tombé dans l'hérésie, grâce aux machinations des Jésuites. Le nouvel Évêque ne put supporter ce désordre, et priva le professeur à la fois de son poste au séminaire et du pouvoir de confesser. Dans sa disgrace, Cannella, c'était son nom, crut reconnaître l'influence du Père Blasucci, que Mgr Lanza, dès son arrivée à Girgenti, avait choisi pour théologien, et, brûlant de tirer vengeance de la Congrégation, il se présenta, muni de lettres extorquées à quelques hauts personnages, devant la junte royale comme une victime des Pères du Saint-Rédempteur, persécuté par eux, disait-il, à cause de son opposition à leurs théories antireligieuses et antimonarchiques. Tout absurde qu'elle fût, la calomnie fit son chemin, et le bruit de la prochaine expulsion des Pères se répandit dans l'île.

Conscient des dangers qui menaçaient ses enfants de Sicile, Alphonse leur écrivait sans cesse pour leur recommander l'humilité et la patiénce envers leurs adversaires. Il voulait que la vérité se fît jour; mais, comme il le répétait sous maintes formes, il s'opposait absolument à ce qu'on insultât l'ennemi. La modération dans le bon droit et la charité dans la résistance, c'étaient là deux principes de lutte dont il ne s'écartait jamais, deux vertus aussi inébranlables en lui que la confiance : « Vous avez peur, écrivait-il à un des Pères de Girgenti, et moi je mets tout mon espoir en Dieu, qui nous protégera comme il a protégé la sainte Église persécutée dans tous les siècles. » Ces paroles fortifiaient les cœurs, tandis qu'une vision, accordée à cette époque à une personne étrangère aux rumeurs qui circulaient, contribuait pour sa part à relever les esprits et à encourager les espoirs. Une sainte âme, que des liens spirituels unissaient aux Pères, et dont la prudence leur était connue, vit un jour, pendant sa prière, de ce regard intérieur et surnaturel qui n'est pas rare dans la vie mystique, une colonne debout, sans piédestal, comme prête à tomber au moindre souffle, puis bientôt toutes les maisons du Saint-Rédempteur dévorées par un incendie. Tandis qu'elle contemplait ce spectacle, il lui fut dit « que de grands désastres menaçaient la Congrégation, que la colonne sans piédestal était le couvent de Girgenti, mais que Celui dont elle entendait la voix allait en affermir la base ». Un socle, en effet, parut sous la colonne; le feu s'éteignit peu à peu, sans laisser de trace sur les maisons, et la discorde qui, pendant l'incendie, s'était mise parmi leurs habitants, s'apaisa. Cette vision, dont une partie s'appliquait à des événements encore lointains, semblait promettre en même temps aux missionnaires la fin des épreuves de Sicile; mais bien des alternatives de succès et de défaites leur restaient encore à subir. Si le tribunal et le vice-roi parurent d'abord leur être favorables, et si ces dispositions se manifestèrent d'une manière assez prononcée pour qu'ils crussent pouvoir reprendre leurs missions et leurs retraites, la trêve ne fut pas de longue durée. Craignant de voir sa proie lui échapper, Cannella renouvela avec insistance ses accusations contre leur doctrine, les représenta, conformément à une tactique qui avait déjà fait école, comme plus préoccupés d'amasser de l'argent que de sauver des âmes; enfin, ajoutant un nouveau moyen à ceux qu'il avait déjà mis en œuvre, leur reprocha d'avoir désobéi au roi en s'établissant en Sicile sans sa permission. Devant cette série croissante de mensonges, Alphonse crut devoir prendre la plume lui-même; toutefois, malgré l'influence qu'exerçaient ordinairement ses écrits, il ne put détruire l'impression produite sur le tribunal par le dernier grief, trop habilement choisi pour ne pas flatter les idées alors en faveur, celui d'un établissement non autorisé par le roi; et, les calomnies s'accumulant chaque jour, il devenait de plus en plus probable que les missionnaires seraient bientôt expulsés de Girgenti. Telles étaient aussi les prévisions d'Alphonse, qui préféra à la continuation de la lutte l'immolation volontaire, et se décida à rappeler ses enfants. « Si la Providence vous veut en Sicile, leur dit-il, les moyens de vous y ramener ne lui manqueront pas, et quand nous y reviendrons, ce sera avec la bénédiction de Dieu et le consentement du roi. »

Obéissant à cet ordre, les Pères quittèrent Girgenti au mois de juillet 1772. Ils auraient voulu s'éloigner de nuit et en silence; mais une foule considérable, instruite de leur départ, les accompagna jusqu'au rivage; un long cri de douleur sortit des rangs du peuple lorsqu'on les vit monter sur le navire, et, non moins affligé que son troupeau, l'Évêque leur jeta ce dernier adieu : « Ne craignez rien; vous nous reviendrez, dussé-je y perdre ma crosse et ma mitre ! »

Ce cri du cœur n'était ni une bravade ni une illusion. En effet, grâce à des démarches de toute nature faites auprès du roi par toutes les classes de la population, on devait voir, trois ans plus tard, les fils de saint Alphonse aborder en triomphe sur les côtes d'où la jalousie les avait chassés. L'Évêque vivait encore; mais comme si Dieu ne l'eût conservé que pour être témoin de la victoire, il expira au bout de peu de jours [1], entre les bras de ceux dont il n'avait cessé d'invoquer le retour, après avoir adressé à Dieu la prière du vieillard de l'Évangile : « Seigneur, je ne désire plus rien; ma tâche est accomplie : vous pouvez me rappeler à vous. »

[1] Le 23 mai 1775.

CHAPITRE XXV

Alphonse et la Compagnie de Jésus. — Il assiste Clément XIV mourant. Lettre à propos du choix d'un Pape. — Élection de Pie VI.

La vocation de l'Église ici-bas est d'être, comme son chef et avec lui, un objet perpétuel de contradiction. Attaquée de tous côtés, elle connaît rarement la paix ou le repos : ses ennemis se renouvellent; le terrain change d'aspect; mais la lutte demeure. Au xviii° siècle, le protestantisme, déjà vieux de plus de deux cents ans, avait perdu, au moins dans ses formes primitives, sa puissance d'extension et de conquêtes; mais de ses racines étaient sortis deux rejetons destinés à achever son œuvre : le *jansénisme,* calvinisme mitigé, et le *philosophisme,* enfant illégitime de la science dont il usurpait le nom, et dernière expression du libre examen. Jansénistes et philosophes différaient assurément par le fond des pensées et des intentions; toutefois ils se rencontraient dans un antagonisme commun contre une société dont leur haine a été une des gloires : on a compris que nous voulons parler de la Compagnie de Jésus [1]. Alphonse, qui, toute sa vie, avait principalement cher-

---

[1] Cette connexité d'efforts est avouée et résumée avec une sincérité frappante par un historien protestant dont le Père de Ravignan cite le témoignage dans son *Mémoire sur Clément XIII et Clément XIV.*

« Une conspiration s'était formée, dit-il, entre les anciens jansénistes et le parti des philosophes, ou plutôt, comme ces deux factions tendaient au même but, elles y travaillaient dans une telle harmonie qu'on aurait pu croire qu'elles concertaient leurs moyens. Les jansénistes, sous l'apparence d'un grand zèle religieux, et les philosophes, en affichant des

ché à réagir contre les tendances étroites, les **rigueurs dé-**
fiantes, les exigences excessives et désespérantes des **disciples**
de Jansenius, « plus dangereuses, » selon lui, « que les erreurs de Luther et Calvin, » les voyait avec inquiétude travailler partout à enlever aux Jésuites l'influence **et le crédit**
dont ils jouissaient.

« Tout n'est qu'intrigue, » écrivait-il alors, « de la part
des jansénistes et des incrédules. Leurs désirs ne seront satisfaits que s'ils parviennent à renverser la Compagnie; et
si ce rempart vient à tomber, Dieu sait quelles convulsions
nous verrons dans l'Église et dans l'État! Les Jésuites supprimés, la situation n'ira qu'en empirant; ils ne sont pas,
en effet, le seul point de mire des jansénistes, dont le but
est de pouvoir attaquer plus facilement après leur ruine
l'Église et les princes... » — « Je n'ai reçu, » disait-il encore,
un autre jour, à un religieux de cette société, « aucune nouvelle de vos affaires, bien qu'elles me causent peut-être
plus d'anxiété que celles de notre petite Congrégation. Les
hommes qu'on menace n'ont-ils pas, pour ainsi dire, sanctifié
le monde, et ne poursuivent-ils pas leur œuvre sans relâche? »

La tempête cependant grondait de toutes parts, et bientôt
l'on ne douta plus de la dispersion prochaine des fils de
saint Ignace. Alphonse en ressentit une affliction profonde.
« L'Église demeurera la vigne du Seigneur, » répétait-il;
« mais si l'on chasse les ouvriers qui doivent la garder et
la cultiver, elle ne produira plus que des épines et des
ronces, sous lesquelles viendront nicher des serpents...
C'est le boulevard de l'Église de Dieu que les novateurs
aspirent à détruire : où trouverions-nous après les Jésuites
des athlètes aussi vigoureux ? » Et sa parole prenant sous
l'empire de sa douleur des accents qui, pour dépasser sa pen-

---

sentiments de philosophie, travaillaient tous les deux au renversement
de l'autorité pontificale... Mais pour renverser la puissance ecclésiastique
il fallait l'isoler en lui enlevant l'appui de cette phalange sacrée qui s'était dévouée à la défense du trône pontifical, c'est-à-dire des Jésuites.
Telle fut la vraie cause de la haine qu'on voua à cette société. » (Shoell.
Cours d'histoire des États européens, t. XLIV. p 71.)

sée, ne la rendaient pas moins d'une manière saisissante,
il allait jusqu'à s'écrier : « Sans eux, nous sommes perdus ! »

Aussi, lorsqu'il reçut le bref pontifical[1] qui détruisait la
société, son émotion fut-elle grande. Pendant quelques instants, il demeura en silence, comme pour adorer les desseins
de Dieu dans la décision de son Vicaire ; puis il se borna
à dire : *Volontà del Papa, volontà di Dio.* Et, peu de jours
après, entendant blâmer la conduite du Souverain Pontife :
« Pauvre Pape ! » s'écria l'Évêque, « que pouvait-il faire,
dans les circonstances où il se trouvait, quand tous les souverains demandaient de concert cette suppression ? Pour nous,
il faut nous taire, respecter les secrets jugements de Dieu et
nous tenir en paix. Toutefois, qu'un seul Jésuite reste, et, je
ne crains pas de le dire, il suffira pour rétablir la Compagnie. »

Personne n'ignore l'état d'angoisse où fut plongé Clément XIV, quand les cris de triomphe avec lesquels les
ennemis de l'Église accueillirent la mesure qu'il venait de
prendre, parvinrent jusqu'à lui[2]. Alphonse témoignait fréquemment de la vive inquiétude et de la compassion que
cette situation du Pape lui inspirait. « Priez pour le Saint-
Père », écrivait-il, le 27 juin 1774, au recteur d'une de ses
maisons ; « je tiens du supérieur du collège Chinois, récemment arrivé de Rome, qu'il est accablé de tristesse ; et il
a bien sujet de l'être, car on ne voit aucune lueur de paix

---

[1] Daté du 23 juillet 1773.

[2] Dans une lettre adressée, en 1805, à la princesse de Holenlohe,
l'abbé Proyart dit tenir de la bouche de Pie VI que Clément XIV, « aussitôt son nom apposé à la bulle d'extinction, *jeta la plume d'un côté, le
papier de l'autre, et perdit la tête...* » Ces détails, ajoutait le Pape, lui
avaient été racontés par un prélat, attaché à sa personne après l'avoir
été à celle de Clément XIV, et qui avait lui-même présenté le document
à la signature du Pontife. Le cardinal Pacca rapporte aussi dans ses
mémoires une parole de Pie VII, qu'on n'oserait répéter si elle n'avait
été prononcée par une bouche aussi illustre : « Le Pape, dit-il, informé de l'effet produit par la signature qu'on lui avait arrachée (il s'agissait d'une signature donnée par Pie VII à un concordat qui lui avait été imposé), en avait conçu une juste horreur : il voyait bien de quelle élévation
l'avaient fait tomber des conseils et des suggestions perfides, et il finit par
me dire, — ce sont ses propres expressions, — « qu'il mourrait *fou comme
Clément XIV.* » Voir le R. P. de Ravignan, op. cit., t. Ier, p. 378 et 496.

pour l'Église. Priez pour le Pape! Dieu sait combien je le plains! » Et au Père Villani : « Priez, comme moi, continuellement pour le Pape. On m'écrit de la Romagne qu'il souhaite la mort, tant il est affligé des maux de l'Église... » Et plus tard encore : « Les affaires vont de mal en pis. M⁰ʳ Rosetti, qui vient de Rome, m'a raconté des choses à faire pleurer. Le Pape est dans une grande douleur ; il se tient toujours renfermé, ne donne presque pas d'audiences et n'expédie aucune affaire. »

Enfin, dans une autre lettre du 23 juillet, il écrit de nouveau : « Le Saint-Père souffre profondément de ce qui se passe dans les divers États, et en particulier à Venise. Il est aussi très-frappé de la pensée de la mort. Une religieuse lui avait annoncé qu'il mourrait le 16 juillet ; mais cette date est passée, et il vit toujours. Espérons que Dieu nous le conservera pour le jubilé, et même plus longtemps encore. Pour moi, je ne fais que répéter : « Pauvre Pape ! » et je prie sans cesse le Seigneur de venir à son aide. »

La même compassion et les mêmes sollicitudes se retrouvent dans toute sa correspondance pendant les deux mois que vécut encore Clément XIV ; mais Dieu avait trop souvent exaucé Alphonse pour ne pas l'écouter à cette heure solennelle ; et sa miséricorde, dépassant encore sans doute la prière de son serviteur, se manifesta par une faveur destinée à la fois à soulager le cœur du Saint et à calmer les dernières angoisses du Pontife. Nous la raconterons simplement, tout extraordinaire qu'elle puisse paraître ; car le caractère d'authenticité qui lui a été reconnu dans le procès de canonisation lui donne le droit de prendre place au nombre des faits les plus avérés de la vie d'Alphonse.

Dans la matinée du 21 septembre 1774, l'Évêque, après avoir dit sa messe, se jeta, contre sa coutume, sur son fauteuil. « Là, » lisons-nous dans les pièces officielles de la cause [1], « il éprouva une sorte d'évanouissement... et resta environ deux jours dans un doux et profond sommeil. Une des

---

[1] Informatio, animadversiones et responsio supra virtutibus V. S. D. Alphonsi Mariæ de Ligorio.

personnes de service voulut l'éveiller ; mais son vicaire général, don Nicolas de Rubino, ordonna de le laisser reposer, sans le perdre de vue. Étant enfin revenu à lui, il sonna ses gens, qui accoururent. Les voyant fort étonnés : « Qu'avez-vous donc? leur demanda-t-il. — Ce que nous « avons, lui répondit-on, depuis deux jours vous ne parlez « pas et ne donnez aucun signe de vie ! — Vous me croyiez « endormi, dit alors le serviteur de Dieu ; mais il n'en était « rien : j'étais allé assister le Pape, qui est mort. »

« On ne tarda pas à apprendre, en effet, la mort de Clément XIV, arrivée le 22 septembre, à la treizième heure (vers huit heures du matin), c'est-à-dire au moment précis où le serviteur de Dieu, agitant sa sonnette, » était rentré dans la vie commune.

Et après avoir démontré que cet état extraordinaire et prolongé avait été une extase véritable, l'avocat de la cause s'exprime ainsi : « La coïncidence du jour où le serviteur de Dieu fut ravi en extase, demeurant comme sans vie sur son siége, avec celui de la mort du Souverain Pontife, et la précision avec laquelle il déclara à Arienzo, à l'heure même de l'événement, que le Saint-Père avait cessé d'exister, sont des arguments sans réplique qui prouvent la vérité de la faveur merveilleuse accordée à notre saint et au Pontife mourant. »

Tel est ce prodige, qui n'est pas sans exemple dans l'histoire des Saints, mais qui n'en demeure pas moins un des témoignages les plus admirables et les plus touchants de la sollicitude divine pour les âmes.

Cependant le trône pontifical était vacant, et les cardinaux appelés à faire partie du Conclave allaient se réunir. Bien qu'Alphonse ne fût pas par sa situation destiné à y siéger, la considération dont il jouissait dans le sacré Collége était telle, qu'un de ses membres les plus illustres, le Cardinal Castelli, voulut, avant de se renfermer dans le Cénacle, lui demander de résumer, sous forme de lettre à un ami, ses appréciations sur la situation de l'Église et les principales considérations à peser, selon lui, avant d'élire un nouveau Pape. L'intention du prélat était de présenter ce mémoire au

Conclave pour l'aider à fixer son choix [1]. Le Saint fut confus de cette démarche ; toutefois, son zèle pour la gloire de
Dieu et sa déférence pour le Cardinal l'emportèrent sur son
humilité, et il se décida à écrire la lettre suivante :

« 23 octobre 1774.

« Mon cher ami,

« Vous désirez connaître mon opinion sur la situation ac-
tuelle de l'Église et sur l'élection du Pape. Que vous répon-
drai-je, moi, pauvre Évêque que je suis? Tout ce que je
puis vous dire, c'est que nous avons besoin de prier et de
prier beaucoup ; car pour ranimer la ferveur dans l'Église,
et pour remédier à l'état de confusion dans lequel se trouvent
aujourd'hui toutes les classes, la science et la prudence
humaines ne sauraient suffire ; il y faut le bras tout-puissant de Dieu.

« Parmi les Évêques, il en est peu qui aient un véritable
zèle pour le salut des âmes. Presque toutes les communautés religieuses — pour ne pas dire plus — se sont relâchées : l'observance y fait défaut, et l'obéissance est perdue. Quant au clergé séculier, sa situation est pire encore.
Ce qu'il faut avant tout, c'est opérer une réforme générale
parmi les ecclésiastiques, afin de pouvoir ensuite remédier
a la grande corruption de mœurs qui règne parmi les laïques :
aussi prions Jésus-Christ de donner à son Église un chef
chez lequel l'esprit de Dieu et le zèle de sa gloire l'emportent sur la science et la prudence humaines, un chef qui
soit étranger à tout parti et libre de tout respect humain.
Si jamais, pour notre malheur, nous avions un Pape qui
n'eût pas uniquement en vue la gloire de Dieu, le Seigneur

---

[1] Le cardinal Castelli, auquel sa piété et sa science avaient acquis
beaucoup d'autorité dans le sacré Collège, avait déjà, en 1769, décidé,
par son adhésion absolument inopinée, de l'élection du cardinal Ganga-
nelli (Clément XIV), qui jusque-là n'avait recueilli que trois ou quatre
suffrages. (Le P. de Ravignan, op. cit., t. 1, p. 224.)

ne lui prêterait qu'une faible assistance, et le désordre monterait chaque jour.

« La prière est donc le premier remède qu'il faut appliquer à de si grands maux. Pour moi, je n'ai pas seulement imposé à toutes les maisons de ma petite Congrégation de prier Dieu avec plus de ferveur que de coutume pour l'élection du nouveau Pontife; mais j'ai ordonné en outre dans tout mon diocèse, à tous les prêtres séculiers et réguliers, de dire à la messe la collecte *Pro elegendo summo Pontifice*... Je ne manque pas aussi de prier plusieurs fois par jour à la même intention; mais que peuvent mes froides prières?... Toutefois, je mets ma confiance dans les mérites de Jésus-Christ et de la sainte Vierge, et j'espère qu'avant ma mort, dont mon âge et mes infirmités m'annoncent l'approche, le Seigneur m'accordera la joie de voir son Église se relever.

« Pour préciser davantage cependant ma pensée, je désire comme vous la réforme de nombreux abus; et à ce sujet il me vient souvent un flot d'idées que je voudrais communiquer à tous; mais lorsque ensuite je fais un retour sur ma propre misère, je n'ai plus le courage de les exprimer, pour ne pas avoir l'air de me poser en réformateur du monde.

« Il y a en ce moment beaucoup de cardinaux à nommer. Je souhaite que le futur Pape choisisse parmi ceux qui lui seront proposés les prélats les plus savants et les plus zélés, après avoir engagé tous les princes, en leur faisant part de son exaltation, à ne lui demander le chapeau que pour des hommes d'une piété et d'une doctrine éprouvées.

« Je voudrais aussi qu'il eût assez de fermeté pour refuser les bénéfices à ceux qui en sont déjà suffisamment pourvus; qu'il restreignît le luxe des prélats; qu'il fixât le nombre de leurs gens de service : tant de camériers, tant de valets, tant de chevaux, mais pas davantage, pour ne pas donner de prétexte aux accusations des hérétiques; qu'il réservât enfin les charges aux hommes qui ont déjà rendu des services à l'Église, en éliminant soigneusement les indignes.

« Son devoir ne sera pas moins impérieux en ce qui concerne le choix des Évêques, dont il fera bien d'interroger
de plusieurs côtés à la fois la conduite et la doctrine, se
souvenant que c'est d'eux surtout que dépendent les intérêts
de la religion et le salut des âmes. Il devrait exiger en
même temps des métropolitains qu'ils lui fissent connaître
les Évêques qui ne veillent pas suffisamment sur leur troupeau, et menacer de la suspension ou de l'envoi de vicaires
apostoliques ceux qui se rendraient coupables de négligence, de manquement au devoir de la résidence, ou qui
dépasseraient la mesure dans leur luxe de serviteurs, de
table ou d'ameublement; enfin il faudrait, au besoin, passer de temps en temps de la menace à l'acte, ce qui serait
un moyen de rendre tous les autres plus attentifs à l'avenir.

« Mon désir ardent serait encore que le nouveau Pontife
fût réservé dans la concession de certaines dispenses qui
affaiblissent la discipline, telles que la permission accordée
aux religieuses de sortir de la clôture, lorsqu'elles n'ont
d'autre but que de voir les choses du siècle, et l'autorisation
donnée aux religieux de se séculariser, toutes choses dont
les résultats sont ordinairement fâcheux, et par-dessus tout
qu'il travaillât à ramener tous les religieux à l'observance
primitive de leur règle, au moins en ce qui touche les points
les plus importants.

« Mais je ne veux pas vous ennuyer davantage. Que pou-
vons-nous faire de mieux, du reste, que de prier le Seigneur
de nous donner un pasteur rempli de son esprit!

« Je suis, avec un très-humble respect..... »

L'élection du Cardinal Braschi, qui prit le nom de Pie VI,
vint couronner les vœux d'Alphonse. C'était bien là, en effet,
le saint Pape qu'il souhaitait; et quoique les épreuves aux_
quelles il devait être en butte pendant les vingt-quatre années
de son règne [1] ne dussent pas lui permettre d'accomplir

[1] De 1775 à 1799.

toutes les réformes indiquées par l'Évêque de Sainte-Agathe, quelle n'eût pas été la joie de celui-ci, si, perçant l'avenir, il avait pu entrevoir, à un siècle de distance, l'Église, purifiée et rajeunie par la lutte, poursuivre, sous la conduite d'un chef aussi illustre, mais, hélas! non moins persécuté, sa marche glorieuse à travers les âges!

CHAPITRE XXVI

Nouvelles démarches d'Alphonse pour être déchargé de ses fonctions. —
Ses scrupules et ses angoisses. — Pie VI accepte enfin sa démission.

L'avénement de Pie VI réveilla dans l'esprit d'Alphonse un désir qui, depuis longtemps déjà, ne le quittait plus. Malheureux dans ses démarches successives auprès de Clément XIII, pour obtenir de lui l'autorisation de se démettre de ses fonctions épiscopales, il était revenu encore à la charge sous Clément XIV, et, pour toute réponse, n'en avait reçu que ces paroles : « Que Mgr de Liguori gouverne de sa chambre l'Église de Sainte-Agathe; cela me suffit. Une seule prière adressée par lui à Dieu du fond de son lit vaut mieux que cent ans de tournées diocésaines. » Mais ce troisième échec ne l'avait pas plus découragé que les précédents, et, reconnaissant « qu'il n'y avait rien à faire pour le moment, il attendait, disait-il, un autre Pape plus accommodant[1] ». Aussi le nouveau pontife n'avait pas encore été désigné, que la pensée fixe d'Alphonse reparaissait déjà dans ses lettres au Père Villani. Le 9 novembre 1774, c'est-à-dire six semaines après la mort du Pape, il lui écrivait, en effet, que « le mauvais état de sa santé, les scrupules et les angoisses dont il était assiégé de tous côtés lui faisaient souhaiter de plus en plus d'aller passer dans la Congrégation le peu de temps qu'il lui restait à vivre ». Tou-

[1] Lorsque Alphonse prononçait ces paroles, rien ne faisait prévoir la mort de Clément XIV, qui avait une bonne santé et dix-sept ans de moins que lui.

tefois, combattu comme toujours par la crainte de déserter lâchement son poste, il énumérait, dans la même lettre, les meilleures raisons qu'on pût donner contre l'accomplissement de son vœu. « Il est vrai, disait-il, que si je ne puis plus visiter mon diocèse, mon Vicaire général me remplace dans un grand nombre de cas, et que pour le reste, ma tête étant encore bonne malgré mes infirmités, mes lettres suppléent à ma présence. Je ne laisse aucun mal sans y porter remède, et je m'efforce d'extirper tous les désordres, en m'appuyant au besoin sur le bras séculier. Mes prêtres me craignent, parce que je suis sévère dans les limites que me prescrit le devoir. Je surveille le séminaire et les examens : nul ne reçoit les saints ordres sans être capable de confesser et de diriger une paroisse. Toutes les précautions sont prises pour que les bénéfices ne soient conférés qu'aux plus dignes ; et en ce qui touche les monastères de femmes, je me montre si rigoureux que tout y marche droit. — Je ne vous expose pas ces choses par vanité, croyez-le bien, mais pour que vous puissiez juger en connaissance de cause. — Enfin, je me dis parfois que je suis plus utile à la Congrégation en conservant ma charge ; et, tout en souhaitant le repos, je sens que dans la retraite mes œuvres extérieures seraient diminuées de moitié. Je suis donc dans une grande anxiété. Priez pour moi. Lorsque vous viendrez, nous causerons de tout cela avec Mgr Borgia, et l'on décidera ce qu'il faut faire. Je ne cherche, quant à moi, que la volonté de Dieu. »

Le Père Villani n'avait pas approuvé jusqu'alors le désir d'Alphonse ; mais son avis se modifia totalement devant l'état de souffrance et d'épuisement où il le trouva réduit, et, loin de l'en dissuader cette fois, il l'exhorta à se décharger d'occupations qui devaient nécessairement abréger ses jours. Plusieurs prélats pieux et éclairés, entre autres l'Archevêque d'Amalfi et l'Évêque de Lucera, abondèrent dans ce sens, et dès lors, bien que le consentement du Pape pût sembler douteux, Alphonse ne mît plus la chose en question, répétant sans cesse qu'il mourrait « au milieu de la Congrégation et en *simple religieux* »

Cependant, au moment de faire parvenir sa demande à Pie VI, il sentit ses inquiétudes de conscience se réveiller plus pressantes que jamais. Il allait, se disait-il, abandonner son Église, l'épouse qu'il avait tant aimée, et sans connaître celui qui viendrait après lui... Peut-être ne cherchait-il qu'à se soustraire au poids de la croix...; peut-être serait-il jusqu'à son dernier jour poursuivi par le remords de n'avoir cédé qu'à des considérations personnelles. « Dieu seul sait quelle est mon angoisse, écrivait-il de nouveau au Père Villani[1]. Donnez-moi du courage et montrez-moi que je fais la volonté de Dieu, afin que je quitte mon diocèse en paix[2]. » Il aurait voulu que, par une inspiration spontanée, Pie VI le délivrât du fardeau que, sans le consulter, Clément XIII lui avait jadis imposé; mais ce bonheur ne lui était pas accordé; aussi, au commencement de mai 1775, se décida-t-il enfin à faire présenter au Pape, par l'intermédiaire du Cardinal Castelli, la supplique suivante :

« Très-saint Père,

« Je viens représenter à Votre Sainteté que, chargé de gouverner l'Église de Sainte-Agathe-des-Goths, dans le royaume de Naples, j'ai atteint l'âge avancé de soixante-dix-neuf ans. Avec l'aide du Seigneur, j'ai porté ce fardeau pendant treize ans; mais à présent je ne m'en sens plus capable. Ma vie est épuisée : au mois de septembre j'entrerai dans ma quatre-vingtième année, et de nombreuses infirmités me menacent d'une fin prochaine. Je souffre de la poitrine, et ce mal m'a réduit plusieurs fois à l'extrémité; des palpitations de cœur m'ont fait croire souvent aussi que mon dernier moment était venu; j'éprouve une si grande fatigue de tête que j'ai peine parfois à recueillir mes idées; enfin, je suis sujet à divers accidents assez graves, qui m'obligent à recourir à des traitements violents. Depuis que

---

1 9 mars 1775.
2 14 mai 1773.

je suis Évêque, j'ai reçu quatre fois le saint viatique et deux fois l'extrême-onction.

« A tout cela viennent encore se joindre d'autres incommodités qui m'empêchent également de bien remplir ma charge. Une surdité assez notable gêne considérablement mes rapports avec mes diocésains, en les forçant, lors même qu'ils veulent me parler de choses secrètes, à hausser beaucoup la voix. Je ne puis plus, à cause de ma paralysie, écrire une seule ligne, et j'arrive à grand'peine à tracer une signature presque indéchiffrable. Pour faire le moindre mouvement, il me faut le secours de deux personnes. Ma vie se passe dans mon lit ou sur mon fauteuil. Les ordinations, les sermons, les visites diocésaines me deviennent impossibles, et le pays en souffre nécessairement.

« Dans ces circonstances, et devant la mort qui approche, j'ai cru de mon devoir de conjurer Votre Sainteté d'accepter ma démission. Je la lui offre définitivement par la présente, persuadé que la situation où je me trouve m'empêche de remplir mes obligations envers mon troupeau. J'espère fermement que Votre Sainteté prendra en considération l'état misérable auquel je suis réduit, et daignera y compatir. En me déchargeant de mes fonctions, Elle viendra en aide à des brebis insuffisamment secourues par un pasteur désormais incapable, et Elle calmera les scrupules d'une conscience trop souvent effrayée lorsqu'elle met en regard ses devoirs et son impuissance.

« Je ne veux pas terminer cette lettre sans rappeler à Votre Sainteté la situation de mon Église. Le diocèse compte à peu près trente mille âmes. Deux mille six cents ducats environ constituent, d'après le calcul fait pendant les quatre dernières années, le revenu de la mense. La cathédrale a trente et un chanoines et cinq dignitaires, et vingt-quatre autres chanoines desservent la collégiale établie sur le territoire d'Arienzo. Enfin il y a trois monastères cloîtrés : un à Sainte-Agathe, un à Airola, et le troisième dans la terre d'Arienzo, sans parler de deux maisons de refuge où l'on récite l'office.

« J'attends avec une grande cônfiance la grâce que j'implore de Votre Sainteté avec sa bénédiction, afin de pouvoir désormais ne plus songer qu'à la mort. »

Pie VI ne se montra pas d'abord très-disposé à condescendre à la prière d'Alphonse. Mais, peu de temps après, ayant admis auprès de lui deux missionnaires du Saint-Rédempteur, qui venaient de prêcher dans les Abruzzes, il leur demanda si réellement l'Évêque de Sainte-Agathe était aussi malade qu'on le disait. Avides de retrouver leur père, les deux religieux crurent pouvoir charger quelque peu le tableau et répondirent avec empressement : « Très-Saint-Père, il est dans un état qui fait pitié ; sourd, aveugle, et accablé de tant de maux qu'il n'a plus même l'apparence humaine. » Se retournant alors vers son maître de chambre : « S'il en est ainsi, dit le Pape, faisons ce qu'il nous demande ; » et il se détermina, bien qu'à regret, à accepter sa démission.

Bientôt, en effet, le Cardinal Giraud écrivait à Alphonse [1] :

« Le Saint-Père a reçu la lettre que Votre Grandeur lui a fait parvenir par l'entremise du Cardinal Castelli. Sa Sainteté a appris avec une véritable douleur le triste état de votre santé. Convaincue, comme Elle l'est, de vos mérites et de votre vigilance pastorale, Elle vous voit avec chagrin renonncer au gouvernement de votre Église ; mais persuadée, d'autre part, de la sincérité de vos motifs, Elle ne veut pas prolonger davantage vos angoisses. Elle accepte donc votre démission, qui, du reste, devra se renouveler dans les formes légales.....

« Je suis, avec une profonde estime.... . »

Le contenu de cette lettre, communiqué par Alphonse au Chapitre de Sainte-Agathe, et bientôt connu de la ville tout entière, répandit partout une véritable consternation.

---

[1] 9 mai 1775.

« Dieu nous punit, » disait l'Archidiacre don Rainone, celui
qui avait jadis administré le diocèse avant l'arrivée du Saint,
« parce que nous n'avons pas su reconnaître le don qu'il
nous avait fait. » Le clergé était unanime dans ses regrets.
Les prêtres mêmes qui avaient été en lutte avec l'Évêque, ou
pour lesquels il s'était montré le plus sévère, s'affligeaient
comme les autres d'une résolution qu'on allait jusqu'à taxer
de coupable, et il ne manquait pas de gens qui adressaient
à Alphonse ce dernier adieu : « Que le bon Dieu vous par-·
donne, Monseigneur! mais le tort que vous faites au pays
est irréparable. » Les pauvres surtout ne pouvaient se consoler, et un Père du Saint-Rédempteur recueillit de la bouche
d'un villageois en larmes ces paroles aussi touchantes que
désolées : « Quand nous allions à la montagne, nous lais-
sions nos enfants chez Monseigneur, et nous étions sûrs
qu'ils ne manqueraient de rien. Maintenant, que ferons-
nous? »

Mais la décision était cette fois irrévocable, car dans le
consistoire tenu à Rome le 17 juillet, la démission de l'É-
vêque de Sainte-Agathe avait été officiellement acceptée [1].
Cette dernière formalité acheva d'alléger la conscience du
Saint, et comme on lui rapportait le mot d'un plaisant qui
prétendait que depuis ce jour sa tête semblait redressée :
« Il a raison, reprit-il en souriant; on a enlevé de mes
épaules le mont Taburno. » — C'était une montagne qui
dominait Sainte-Agathe. — La crainte que son diocèse ne
demeurât sans pasteur vint encore cependant troubler la
paix d'Alphonse. La nomination de M⁛ Rossi, évêque d'Ischia, au siége de Sainte-Agathe ne suffit pas pour le rassurer, et prévoyant contre l'attente générale que ce prélat ne
pourrait de longtemps entrer en fonctions, il résolut de ne
pas abandonner son poste avant l'arrivée du nouvel élu.

---

[1] Alphonse obtint la conservation des priviléges attachés à l'épiscopat,
en particulier celui de l'autel portatif; le Saint-Père voulut y ajouter
une pension de huit cents ducats sur les revenus de son évéché et la
remise des frais (500 écus) qui revenaient à la Chambre apostolique pour
l'expédition de la bulle.

Une règle de date récente imposait malheureusement à l'Évêque démissionnaire le devoir de quitter le diocèse dès que son successeur était préconisé. Son dévouement fut donc inutile; ce qui fut pour lui la source d'un regret d'autant plus vif, que, grâce à des difficultés de diverses natures, le siége de Sainte-Agathe resta vacant pendant près de cinq ans.

Quant à lui, anxieux de remplir sa tâche jusqu'au bout, il engagea Mᵍʳ Rossi à venir passer deux jours sous son toit, et en l'initiant aux difficultés et aux ressources de sa nouvelle charge, il eut la consolation de se sentir encore utile à « sa pauvre Église, à l'Épouse qu'il avait tant aimée ».

CHAPITRE XXVII

Adieux d'Alphonse à son diocèse. — Le 27 juillet 1775, il part et retourne à Pagani. — Joie que lui procure sa délivrance.

A la veille de rentrer dans sa chère cellule et de se retrouver au milieu des premiers enfants que Dieu lui avait donnés, mais aussi de quitter pour toujours une famille non moins chère à son cœur, Alphonse se sentait étrangement partagé entre la joie et la tristesse. Il comptait les heures; et pourtant son départ lui apparaissait tout ensemble comme un espoir et comme un effroi. La nuit il rêvait à ses pauvres, et croyait les entendre gémir, en lui reprochant de les abandonner; le jour, la vue d'un mendiant l'attendrissait jusqu'aux larmes, et ses aumônes ne connaissaient plus de mesure.

Cependant il ne voulut s'épargner aucun déchirement, et tint à prendre congé en personne des fidèles d'Arienzo, tous réunis dans leurs paroisses respectives pour y recevoir sa dernière visite. Il leur exprima, avec une tendresse plus émue que jamais, et au milieu des sanglots de l'auditoire, l'intérêt paternel qu'il conservait pour leurs âmes, leur demanda pardon en pleurant, et avec une incomparable humilité, de ce qu'il appelait ses fautes et ses scandales, et les supplia de prier souvent pour lui, surtout lorsqu'ils auraient reçu la nouvelle de sa mort.

Il voulut également visiter une dernière fois les couvents, et y rappeler succinctement les conseils qu'il avait tant de fois donnés, tels que la fidélité au chœur, l'amour de la cellule et la fuite du parloir, s'excusant pourtant d'avoir peut-être à cet égard exigé trop de perfection; mais sa sévérité,

ajouta-t-il, n'avait eu d'autre mobile que le **désir profond**
de conserver à chaque Institut la ferveur de **ses débuts** et
l'estime des fidèles. Là encore il affirma à tous **et à toutes**
que s'il les quittait, ce n'était pas qu'il eût **cessé de les**
aimer, mais seulement parce que le Pape l'avait **reconnu**
incapable d'occuper sa charge et avait voulu **lui laisser** le
temps de pleurer ses péchés avant de paraître **devant Dieu.**
Enfin il demanda, comme preuve suprême d'**affection**, la
persévérance dans la prière pour son âme lorsqu'il **aurait**
cessé de vivre.

La fatigue excessive qui aurait évidemment **suivi pour**
lui un voyage à Sainte-Agathe, lui fit renoncer **à aller**
prendre congé en personne de sa ville métropolitaine. Il se
contenta d'écrire quelques lettres d'adieux, entre **autres au**
Chapitre de la cathédrale [1] et à ses filles du Saint—Rédempteur, plongées dans l'affliction à la pensée de ne **plus le**
revoir ici-bas. La Mère Marie-Raphaël lui envoya **en retour**
au nom de toute la communauté l'expression de sa douleur
et de sa fidélité. Alphonse en fut profondément touché ; mais
la demande que lui faisait en même temps la supérieure de
laisser, par testament, son cœur au couvent souleva chez lui
une sorte d'indignation : « Eh quoi ! s'écria-t-il, j'avais toujours regardé la Mère Raphaël comme une femme sensée :
mais je perds cette opinion. Mon cœur !... que veut-elle donc
en faire ? C'est l'âme seule qui importe ; quant à mon corps,
je me soucie peu de ce qu'il deviendra. » Il ne lui en adressa
pas moins une lettre pleine de tendresse, dans laquelle il insistait sur ce qui était à ses yeux le secret de la perfection,
c'est-à-dire sur la volonté de faire de l'amour de Dieu la
force dirigeante de la vie, et recommandait avec instances
d'éviter, comme un des plus grands périls de la vie monastique,
le goût de la nouveauté, surtout dans le sens d'une largeur
contraire aux anciennes coutumes. Cette missive accompagnait
le seul legs qu'il fit à la communauté, à savoir une grande
croix, ornée des insignes de la Passion, qu'il baisait chaque

---

[1] Cette lettre ne nous est malheureusement pas parvenue.

jour en entrant dans sa salle à manger, dont elle était le principal ornement. Quelques autres dons tout aussi modestes furent distribués à ceux qui lui avaient demandé des souvenirs. Le Chapitre d'Arienzo reçut la croix de bois qui était placée au premier palier de son escalier et qui figure encore aujourd'hui dans la sacristie de l'église collégiale, le séminaire, un exemplaire de ses Œuvres et une collection de livres qui lui appartenait en propre ; les religieuses de l'Annonciade, le petit tableau de la Madone du Bon-Conseil qui était toujours sur sa table ; enfin les Pères Capucins, les branches de tubéreuses qui ornaient dans sa chapelle l'autel du Saint-Sacrement. La pauvreté de ces legs contrastait d'une manière frappante avec la richesse des présents laissés par ses prédécesseurs, et comme on en faisait la réflexion devant lui : « Que voulez-vous, » dit-il en souriant et en montrant du doigt un petit coffret placé sous son lit, « cette cassette renferme tout mon patrimoine. » Le peu de linge qu'elle contenait était, en effet, toute sa fortune, bientôt augmentée du matelas et du fauteuil sur lesquels le Saint avait passé de si longues heures de souffrance, et qu'il pria humblement les administrateurs du diocèse de lui octroyer à titre d'aumônes.

Le 27 juillet 1775 avait été désigné comme la limite extrême du séjour de l'Évêque à Arienzo, et ce terme approchait. Bien que déchargé canoniquement du soin des âmes, Alphonse voulut cependant demeurer jusqu'au dernier jour sur la brèche ; c'est ainsi que, redoublant d'efforts pour achever les conversions qu'il avait entreprises, il parvint à force de supplications et de larmes à triompher de certaines résistances qu'il n'avait pu vaincre jusque-là. Enfin la veille du jour fatal arriva. Dès l'aurore, la maison épiscopale fut littéralement envahie par les pauvres qui venaient recevoir les dernières largesses de leur pasteur. Sa chambre même fut mise, pour ainsi dire, au pillage par des visiteurs plus avides d'emporter comme relique quelque objet ayant été à son usage que scrupuleux sur les moyens de le conquérir. L'un d'eux s'empara avec violence d'un crucifix de bois. Un autre se saisit d'un petit vase de cuivre dont le Saint avait fait son bénitier. Tout disparut, jusqu'aux images de papier attachées au chevet de son lit, et le barbier de la maison, ne voyant plus rien à prendre, en fut réduit à solliciter de l'Évêque lui-même une vieille béquille dont il s'était servi pendant sa dernière maladie : « Emportez-la, lui répondit Alphonse, peut-être un jour vous sera-t-elle utile. » Il disait vrai ; mais son humilité était loin de prévoir comment cette parole se réaliserait. Plusieurs années après, en effet, la belle-fille du barbier était dans un péril mortel; on lui présenta la béquille, et elle fut aussitôt guérie [1].

Parmi les visiteurs de ce dernier jour, il s'en trouvait dont la douleur était si vive que si le sentiment du devoir à accomplir n'eût soutenu son courage, la résolution de l'Évêque en eût été peut-être ébranlée. « Ne croyez-vous pas qu'il m'en coûte aussi de partir ? » dit-il à deux prêtres qu'il ne parvenait point à consoler ; « je ne souffre que trop, puisque ce sont mes enfants que je quitte ; mais Dieu le veut ainsi... Du reste, sachez-le bien, si mon corps s'éloigne, mon cœur ne vous quitte pas. » Tout était consommé. Après s'être donné lui-même pendant treize ans, Alphonse avait distribué tout ce qui lui restait ; le lendemain, il bénit encore sa chère Église, et, fendant la foule qui se pressait sur ses pas, il monta en voiture, aidé par les personnes de sa maison et par le Père Villani, qui prit place à ses côtés. Une corbeille liée derrière le carrosse contenait tout son bagage, qui se composait d'un crucifix de bois [2], d'un chandelier, d'une lampe de cuivre, d'une cafetière et d'un fourneau. Un âne venait ensuite, portant le matelas qu'il avait demandé la permission d'emporter avec lui. Chacun pleurait, et le Saint lui-même ne retenait pas ses larmes. Il prit son rosaire, invoqua ses patrons, confia à Jésus-Christ et à sa sainte Mère le troupeau chéri dont il s'éloignait, et donna l'ordre

---

[1] Cette guérison a été consignée dans le procès de béatification.

[2] Ce crucifix, qui avait été dans sa chambre à Arienzo, était encore, il y a peu de temps, conservé à Pagani dans la chambre contiguë à celle où couchait le Saint.

du départ. Plusieurs personnes se préparaient à l'accompagner : d'un signe, il les engagea à n'en rien faire, et, arrivé à trois ou quatre milles de Sainte-Agathe, il contraignit le Père Caputo et quelques notables des environs qui avaient bravé sa défense à rebrousser chemin, leur présence, disait-il, ne faisant qu'accroître et entretenir sa douleur.

Vers midi, il arrivait à Nole. Craignant de trouver à l'évêché une réception trop solennelle, il s'arrêta au séminaire, et y célébra la messe, dont les émotions de la matinée l'avaient privé jusque-là ; puis il prit part au dîner de la maison, adressa, sur la demande du supérieur, quelques paroles aux élèves, et se disposait à repartir lorsqu'un gentilhomme aveugle s'approcha de sa voiture, et le supplia en pleurant de lui imposer les mains. Ému d'une foi si grande, Alphonse fit un signe de croix sur ses yeux, et l'aveugle recouvra la vue [1]. Il semble qu'au moment où il allait rentrer dans l'ombre, la Providence se plût à montrer dans ce dernier acte un symbole éclatant des œuvres qui avaient rempli la période éclatante de sa vie, de toutes les guérisons spirituelles qu'il avait faites et de toutes les illuminations intérieures qu'il avait opérées.

Au bout de quelques heures, il était à Nocera où les cloches se mirent en branle dès que son arrivée fut signalée. La population tout entière l'accompagna en triomphe jusqu'à la maison des Pères ; elle avait reconquis celui qu'elle considérait déjà comme *son Saint*, bien qu'un nuage dût assombrir la joie du retour et que plus d'un dans la foule se rappelât sans doute à cette heure la promesse d'Alphonse, si près, paraissait-il, de se réaliser : « Ne pleurez pas ; *je reviendrai mourir au milieu de vous.* » Quant à lui, il gravit l'escalier d'un pas ferme, et se retournant vers l'un des missionnaires. « Gloire à Dieu ! s'écria-t-il. Comme elle est devenue légère, cette croix que je porte sur ma poitrine, et qui était si lourde quand je montais les marches du palais

---

[1] Il se nommait Michele Menichino Drancia. Aveugle depuis quelques mois, il avait été traité sans succès par plusieurs médecins de Nole et de Naples Voir Tannoia, p. 591.

d'Arienzo ! » Puis il entra dans la chapelle qui correspondait avec le premier palier, se prosterna la face contre terre, et s'écria : « Mon Dieu ! je vous rends grâces de m'avoir délivré de ce lourd fardeau. Mon Jésus ! je n'en pouvais plus ! » Enfin il entonna le *Te Deum* avec toute la communauté.

Dès le lendemain, il reçut la visite de l'Évêque de Nocera, qui lui apportait les pouvoirs dont il pouvait disposer en sa faveur, et que suivirent bientôt les autres prélats des environs, les supérieurs des monastères voisins et les personnages les plus importants de tout le pays. Le Saint les accueillit tous avec une véritable allégresse, ne sachant que se réjouir et que répéter sans cesse : « Grâce à Dieu ! je suis en paradis ! »

Alphonse avait gouverné l'Église de Sainte-Agathe pendant treize ans et quinze jours, et durant ce temps il ne s'en était éloigné que trois fois pour des motifs urgents [1]. Pasteur vigilant et lutteur infatigable, il avait voulu, comme à l'autre extrémité de l'Italie le grand archevêque de Milan, qu'il s'était donné pour modèle, faire de son diocèse un bercail bien gardé et une forteresse prête à repousser tous les coups. Mieux encore, en effet, que saint Charles Borromée, il pouvait entrevoir l'aurore de nos luttes contemporaines et pressentir combien l'Église aurait besoin de se retremper dans la sainteté et dans la doctrine pour résister à la triple coalition de l'histoire altérée, de la science dévoyée et de la passion triomphante.

---

[1] La première fois, en 1764, lorsqu'il se rendit au chapitre général de la Congrégation ; la seconde, en 1765, lorsqu'il dut, sur l'ordre des médecins, aller rétablir sa santé à Pagani ; la troisième enfin, en 1767, quand il lui fallut défendre à Naples la Congrégation menacée. Ces trois périodes réunies ne dépassèrent pas beaucoup les trois mois d'absence annuelle accordés par les conciles.

LIVRE IV

DEPUIS LE RETOUR D'ALPHONSE DANS LA CONGRÉGATION
JUSQU'A SA MORT

1775-1787

CHAPITRE I

Alphonse reprend l'administration directe de sa Congrégation. — Trois fondations nouvelles : Scifelli, Frosinone, Bénévent. — Lettres et conseils.

Si l'espérance de se reposer dans l'inaction avait déterminé Alphonse à se démettre de son évêché, ses illusions se seraient bien vite évanouies. Depuis treize ans, en effet, il se déchargeait sur le Père Villani du gouvernement ordinaire de la Congrégation, et ne s'occupait que des affaires les plus importantes; mais, de retour à Pagani, il lui fallut rentrer dans le détail compliqué de l'administration, ce qui était pour lui, à son âge et dans son état de santé, un travail écrasant.

Le fardeau était d'autant plus lourd d'ailleurs que l'Institut prenait plus de développement. Aux six maisons[1] dont il se composait quand il l'avait quitté pour Sainte-Agathe, venait de s'en adjoindre une septième, fondée[2] à Scifelli, petit village des États pontificaux, et un autre établissement se préparait dans le même diocèse, à Frosinone[3]. Ces deux maisons réunissaient, aux yeux d'Alphonse, des avantages tout spéciaux. Voisines l'une de l'autre, elles lui paraissaient destinées à se prêter un mutuel secours; à l'abri

---

[1] Celles de Ciorani, diocèse de Salerne, fondée en 1736; de Nocera de Pagani (maison dite de *Saint-Michel*), diocèse de Nocera, en 1742; d'Iliceto (la *Consolazione*), diocèse de Bovino, en 1745; de Caposele (*Mater Domini*), diocèse de Conza, en 1746; de Sant-Angelo a Cupolo, diocèse de Bénévent, en 1755; de Girgenti, diocèse de Girgenti, en 1761.

[2] 1774.

[3] Ce projet ne put être exécuté que le 20 juin 1776.

des persécutions dont son œuvre était sans cesse menacée dans le royaume de Naples, elles seraient, disait le Saint, un refuge en cas de tempête; enfin, sous l'autorité souveraine du Pape, leurs habitants ne pourraient rencontrer aucun obstacle à l'observation de la règle dans toute sa vigueur. Il n'hésitait pas à voir là le doigt de la Providence; aussi écrivait-il au futur recteur de Frosinone : « Je ne puis m'empêcher de rendre grâce à Jésus et à Marie, qui m'accordent tant de consolations dans mes vieux jours. »

Cependant cette joie ne devait pas être sans mélange : les débuts de ces maisons furent difficiles; l'argent faisait défaut pour achever des constructions indispensables, et, durant plusieurs mois, les Pères furent réduits à loger deux ou trois dans une seule chambre, ce qui était contraire aux usages de la Congrégation et aux désirs formellement exprimés du fondateur. La misère fut même si grande à Scifelli, que pendant un temps le pain y manqua. Ce dénûment si absolu déchirait le cœur du saint Évêque; et il se désolait de ne pouvoir y porter remède. « Je ne sais à qui recourir, écrivait-il..., je suis un pauvre mendiant, et j'ai beaucoup de dettes. Plût à Dieu que je pusse vous envoyer le montant intégral de ma pension! mais je suis dans la maison de Nocera, où il n'y a rien non plus... Pour le moment, je ne puis disposer que de dix carlins. » Et une autre fois : « Je suis dans une peine continuelle, en voyant que je ne puis secourir comme je le voudrais Scifelli et Frosinone; j'ai fait une quête et me suis procuré treize ducats, qui, joints à vingt-sept autres que je vous envoie, font quarante...; j'espère pouvoir bientôt vous envoyer quelque nouveau secours. » Dans sa détresse, en effet, il vendit quatre couverts d'argent qu'il avait gardés pour ses visiteurs, et en fit passer le prix aux missionnaires. Il songea même un instant à se défaire de sa voiture et à se priver d'un repas; mais cette résolution eût dépassé les bornes de la prudence, et il en fut détourné par son entourage. Joignant d'ailleurs, jusqu'au bout, la sagesse au zèle, il défendit à Scifelli, dès que les constructions principales furent achevées, d'en entreprendre d'autres, et voulut que toutes les ressources fussent consacrées à l'entretien des religieux. Il recommanda aussi, malgré l'attrait qui le poussait sans cesse à orner la maison du Seigneur, de modérer les dépenses destinées à la chapelle. « Désormais, pas de frais extraordinaires pour l'église, lit-on dans une de ses lettres, pas d'achat de tableaux, de statues, de chasubles ou d'autres ornements sans ma permission. Je défends également d'élever au compte de la Congrégation des autels en marbre. Enfin lorsqu'on célèbre une fête, qu'il n'y ait ni détonations de boites ni feux d'artifice; qu'on épargne les tentures de soie ou d'autres étoffes précieuses; qu'on se contente de feuillages, de cierges et de fleurs; c'est là ce qui convient à l'état de pauvreté où nous sommes en ce moment, et la pauvreté ne fait injure ni à Dieu ni à nous. »

Il encourageait en même temps les Pères à supporter généreusement ces épreuves, en leur rappelant que « les fondations commencent toujours au milieu de la pénurie, de la confusion, de la contradiction et de la misère », et les exhortait à n'en conserver pas moins l'observance dans toute sa perfection. « Si Dieu m'a réjoui par la fondation de ces maisons, leur disait-il, c'est pour que j'aie le bonheur d'y voir fleurir la règle dans toute sa pureté... Il faut que les autres maisons présentes et futures prennent exemple sur les deux établissements des États de l'Église. »

Cependant le Père François de Paule, qu'il avait nommé recteur de Frosinone, agissait souvent un peu trop à sa guise, ce qui rendait à Alphonse, pour le reprendre, la vigueur de ses jeunes années. « Les affaires ne me sont communiquées que pour la forme, lui écrivait-il, et l'on ne me fait rien savoir...; pourtant, je n'ai jamais eu l'intention de vous dispenser de m'informer de ce que vous faites. Grâce à Dieu, je ne suis pas encore mort, et je n'ai pas non plus perdu l'esprit. D'ailleurs, j'ai été avocat, j'ai été évêque, et comme tel j'ai donné bien des conseils et dû traiter bien des affaires; aujourd'hui que je suis Recteur-Majeur, quelles raisons aurait-on de ne pas me prévenir? Écrivez-moi donc ce que l'on fait et ce dont l'on traite : je veux tout connaître. » Et un autre jour : « Ne réglez aucune mission sans m'avoir d'abord mis au courant de tout, et s'il en est besoin, envoyez-moi un exprès. Aux Évêques qui s'adresseront à vous, vous répondrez que vous ne pouvez rien promettre sans ma permission. » A peine était-il revenu dans la Congrégation, que Dieu lui imposait ainsi une tâche plus difficile peut-être, écrivait-il lui-même, qu'aucune de de celles qu'il avait accomplies, et pourtant la fondation de Frosinone n'était pas encore terminée qu'un autre établissement lui était offert.

Bénévent, détenu pendant cinq ans par le roi de Naples, venait d'être restitué au Pape [1] ; le siége en était vacant, et Pie VI avait désigné pour l'occuper l'Évêque de Montefiascone [2], en le chargeant expressément de lui faire connaître, dès son arrivée dans le diocèse, les mesures qu'il croirait les plus opportunes pour y favoriser le développement de l'esprit religieux. Parmi ces mesures, nulle ne parut plus pressante à tous que d'appeler les Pères du Saint-Rédempteur, afin de remplacer la Compagnie de Jésus que le pays venait de perdre. Alphonse, alléguant que la ville possédait déjà plusieurs ordres monastiques, et que la vocation de ses missionnaires était avant tout d'évangéliser les campagnes, refusa d'abord ; mais devant l'insistance qui y fut mise, et la considération que les Congrégations établies à Bénévent, livrées exclusivement à des œuvres spéciales, ne combleraient pas la lacune laissée par le départ des Jésuites, il se laissa persuader, et donna son consentement à la fondation. Bientôt donc, le 6 juin 1777, jour de la fête du Sacré-Cœur, ses disciples s'installèrent dans l'ancien couvent des fils de saint Ignace, dont le Pape leur assura la jouissance, en y ajoutant les revenus attachés à la maison et les priviléges spirituels récemment accordés par lui aux Passionnistes [3]. Le saint

---

[1] Voir, page 435, note 2.

[2] Mgr Banditi.

[3] Les Passionnistes venaient d'être fondés par le bienheureux Paul de la Croix. Leur règle et leur institut avaient été approuvés par Clément XIV et Pie VI.

Pontife aurait voulu faire plus encore pour témoigner sa bienveillance aux missionnaires et les attirer à Rome, où déjà, en 1774, il les avait engagés à s'établir; mais ce désir ne put se réaliser, et loin de s'en affliger, Alphonse en rendit grâce à Dieu. « Si le Pape avait persisté dans son dessein, » écrivait-il à cette occasion, « quand bien même toute la Congrégation aurait été contre moi, je lui aurais demandé avec fermeté d'y renoncer. Que ferions-nous à Rome? Distraits de nos missions, éloignés de notre but, nous ne serions plus qu'une œuvre bâtarde. Mille autres peuvent nous y remplacer. Notre Congrégation est destinée aux montagnes et aux paysans; placez-la au milieu des prélats, des chevaliers, des dames et des courtisans : adieu, missions; adieu, campagnes; et qui sait? peut-être deviendrions-nous aussi des gens de cour. Que Jésus-Christ nous en préserve! Remercions Dieu, toutefois, de la bonne opinion que le Pape a de nous [1]. »

Les détails que nous venons de rapporter démontrent suffisamment l'activité que déployait Alphonse dans l'administration extérieure de sa Congrégation; mais sa surveillance n'était pas moins assidue pour tout ce qui touchait à la vie intime des missionnaires. De là encore des échanges de lettres presque incessants, et dont le résultat immédiat pour lui était souvent une fatigue de tête qui l'obligeait à se faire appliquer sur le front un linge mouillé, ou un morceau de marbre qu'il tenait d'une main tout en écrivant de l'autre. Rien ne pouvait le décider cependant à restreindre cette correspondance, qui lui apparaissait comme un des devoirs principaux de sa situation : « Que voulez-vous! je me retrouve supérieur, » disait-il au Père Maione, son ancien et inconstant compagnon à Sainte-Agathe; « si je ne l'étais

---

[1] « Il ne faudrait pas conclure de ces paroles que saint Alphonse fût opposé en principe à une fondation à Rome. Il ne la jugeait pas encore opportune; mais il semblait l'entrevoir dans l'avenir : « Je ne crois pas, » écrivait-il deux ans après, « qu'il soit expédient pour le moment, ni d'ici à une époque assez éloignée, d'avoir une maison à Rome; mais si avec le temps Dieu nous fait connaître qu'il veut nous y fixer, nous obéirons. » (Lettre inédite au Père Blasucci, 27 octobre 1776.)

pas, je laisserais faire les autres : mais puisque je le suis
j'aurais scrupule de ne pas consigner par écrit les --
que Dieu me donne ; car il en accorde aux supérieurs qu
refuse à d'autres : » et ainsi, pour obéir à sa conscience,
multipliait les conseils, les recommandations, souvent même
entraîné par son zèle, les avertissements les plus sévères.
« J'apprends avec douleur, » écrivait-il par exemple, « que la
ferveur décroît parmi les sujets de la Congrégation. Je prie
chacun de vous de veiller davantage sur lui-même ; je ne puis
pas souffrir de voir de mon vivant l'observance se ralentir...
On me dit qu'on goûte assez peu la pauvreté et la mortification. Sommes-nous donc dans la Congrégation pour nous
récréer et pour y jouir de nos aises ?... On n'aime plus la
pauvreté ! Comme si nos maisons avaient des rentes, et comme
si ce n'était pas, au contraire, un miracle de la Providence,
qu'il y ait chaque jour sur la table assez de pain pour tous !
Le nombre considérable de frères que nous avons à entretenir nous permet à peine de dépenser quatre ou cinq grains
par personne : que chacun se contente donc du peu qu'on lui
donne, et le reçoive comme une aumône de Dieu. » Et ailleurs : « J'apprends que l'obéissance décline ; si elle dispa-
rait, c'en est fait de la Congrégation... Nos maisons ne seront
plus que des foyers de disputes et de péchés... On m'assure
aussi qu'il y a des Pères qui ont prétendu se faire désigner
comme prédicateurs. Ce défaut, je ne le connaissais pas encore. Vouloir prêcher par choix ! Mais quel bien peut faire
celui qui prêche parce que c'est là sa volonté propre ? De
grâce, que je n'entende plus rien de semblable ! C'est un
défaut pour lequel on mérite d'être chassé de la Congrégation, ou du moins relégué pour toujours dans un lieu où l'on
n'ouvre plus la bouche... Je vous écris les larmes aux yeux,
lit-on dans une autre lettre, car j'apprends que plusieurs
correspondent mal aux intentions que Dieu a eues en les
appelant dans notre petite Congrégation, et qu'ils se laissent dominer par l'esprit d'orgueil... Notre manque de fidélité à Dieu me fait plus trembler que les persécutions les
plus furieuses de la part des hommes et des démons. Dieu

nous protége lorsque nous vivons selon son cœur, et nous pouvons nous écrier alors : *Si Deus pro nobis, quis contra nos?* Mais si nous nous conduisons mal envers Dieu, il ne nous doit plus que le châtiment. »

Ainsi qu'on s'en souvient peut-être, il tenait beaucoup jadis à ce que les missionnaires n'allassent pas sans de graves raisons visiter leurs parents ; ses idées n'avaient pas varié, et trouvant que les Recteurs usaient sur ce point de trop d'indulgence, il avait chargé le Père Villani, qui remplissait les fonctions de Vicaire général, de leur transmettre ses reproches. Mais ce religieux lui-même n'avait pas toujours la main assez ferme, selon lui ; aussi écrivait-il encore : « J'ai déclaré au Père Villani qu'il gouvernait avec trop de faiblesse, et je lui ai dit que je voulais être informé de tout ce qui se passe d'important. Je demande donc à chacun de me signaler les désordres auxquels le Père Villani, prévenu par vous d'abord, n'aurait pas apporté remède. Je trouverai bien, moi, le moyen d'y mettre fin. Le Seigneur ne me conserve pas la vie pour autre chose. » Enfin, plus ardent, semble-t-il, à mesure qu'il approchait du moment où il allait abandonner sa Congrégation à d'autres mains, il s'efforçait d'en faire, par ses corrections incessantes, cette vierge sans tache et sans ride sous la forme de laquelle l'Église nous est peinte dans les vieux cantiques chrétiens. « Les défauts que l'on ne combat pas, écrit-il, deviennent bientôt des maladies épidémiques... Châtiez donc quand il le faut ; châtiez publiquement lorsqu'il y a eu scandale, et chassez ceux qui se montrent incorrigibles... La Congrégation n'a pas besoin de beaucoup de sujets : dix membres lui suffisent, pourvu qu'ils aiment vraiment Dieu... Saint Philippe de Néri disait qu'il ne faudrait pas plus de dix saints pour convertir le monde... Pour ma part, je suis déterminé à ne plus souffrir non-seulement de sujets qui, par une conduite peu édifiante, discréditeraient l'œuvre des missions, mais même de membres qui mèneraient seulement une vie inutile. — Mes frères et mes fils en Jésus-Christ, comprenez bien ce que je vous dis : Dieu préfère votre obéissance et votre soumission aux supérieurs à cent sacrifices et à mille œuvres éclatantes. Dieu nous veut pauvres et contents de notre pauvreté... Celui qui ne se résigne pas à mener parmi nous une vie de privations peut prendre congé de notre société, et s'en aller chez lui vivre à sa guise. Je suis prêt à lui en accorder la permission ; car Dieu ne veut pas dans sa maison de serviteurs contraints et mécontents. — Il y en a vraiment quelques-uns parmi nous dont les plaintes sont dignes de risée ; ils disent que leur santé souffre dans la Congrégation ; comme si on y entrait pour acquérir l'immortalité et l'exemption de toute infirmité !... Il faut mourir, et, avant de mourir, il faut être malade. Mes frères, je vous aime tous plus que je n'aimerais un frère selon la chair, et, lorsque l'un de vous sort de notre compagnie, j'en ressens une peine indicible ; mais quand je vois que la gangrène s'est attachée à un membre malade, et qu'on doit faire usage du fer, il faut que j'emploie le fer, quelle que soit la peine qu'il m'en coûte. »

Toutefois, hâtons-nous de le répéter, ces mesures extrêmes ne devaient être appliquées que lorsque les efforts du Supérieur avaient échoué contre des volontés rebelles. Il lui était recommandé avec instances d'avertir d'abord tendrement les coupables et de les reprendre seul à seul avec une douceur infinie. « Traitez-les avec affabilité et courtoisie, » ne se lassait pas de dire Alphonse. « Je sais bien qu'avec plusieurs il faut une patience de saint ; mais je sais aussi qu'on y arrive... Le Supérieur doit avoir le fer dans la main et le miel dans la bouche. » — Et il écrivait encore au Père François de Paule : « Je prie Votre Révérence de se montrer humble et affable envers tous, spécialement en mission, et de traiter ceux dont elle a la charge avec tous les égards possibles, considérant qu'ils se trouvent loin de leur pays et de leur famille, et qu'ainsi ils ont droit à un redoublement de charité. »

Du reste, si la sévérité dont Alphonse faisait souvent preuve avait eu besoin d'explication, on l'aurait trouvée dans ses vastes espérances pour l'avenir réservé à sa fonda-

tion. « Je tiens pour certain, écrivait-il, que Jésus-Christ
regarde avec tendresse notre petite société et qu'il l'aime
comme la prunelle de son œil... Je ne le verrai pas, parce
que ma mort est proche ; mais j'ai la ferme confiance que
notre petit troupeau grandira de plus en plus avec le temps,
non par les richesses et les honneurs qu'il acquerra, mais
par la gloire qu'il rendra à Dieu, et par les cœurs qu'il con-
querra à Jésus-Christ. Enfin un jour viendra, je l'espère,
où, réunis dans la cité permanente, nous nous verrons entourés de plusieurs centaines de milliers d'âmes dont le retour à Dieu fera éternellement notre couronne et notre
joie. »

C'était le regard fixé sur ces horizons éternels que, gardien vigilant et infatigable de sa Congrégation, Alphonse
cherchait, pour ainsi dire, à lui communiquer quelque chose
de l'immutabilité céleste. Tel était à ses yeux le moyen le plus
sûr d'obtenir que le Saint-Esprit la maintînt à son tour au
milieu des persécutions et des tempêtes. Il ne se trompait
pas, et l'on verra tout à l'heure qu'à aucune œuvre de l'É-
glise on ne peut appliquer peut-être avec plus de vérité cette
parole de l'Écriture : *Tanto pondere fixit eam Spiritus sanctus ut immobilis permaneret!*

CHAPITRE II

Nouvelles attaques dirigées contre la Congrégation.— Alphonse s'efforce
de ranimer la confiance des siens. — Rapport fait par le procureur de
la junte des Abus. — Alphonse obtient le renvoi du procès devant la
Chambre royale.

Les épreuves n'avaient jamais manqué à l'Institut du
Saint-Rédempteur ; mais à l'époque où Alphonse en reprit
le gouvernement immédiat, sa situation allait devenir plus
critique qu'elle ne l'avait jamais été. « Je suis entouré d'é-
pines qui ne me laissent aucun repos, » s'écrie-t-il dans une
de ses lettres ; et il n'y avait dans ces paroles ni exagération de pensée ni excès de langage, car il ne s'agissait de
rien moins que de voir la Congrégation succomber enfin devant les efforts de deux hommes dont la haine la poursuivait depuis longtemps, et sur lesquels il nous faut revenir
encore, malgré toute notre répugnance à rappeler sur leur
nom l'attention de nos lecteurs. Pour avoir toutefois une
claire idée de leurs intrigues, il est nécessaire de remonter
à quelques années en arrière.

Don Maffei et le baron de Ciorani, qui trop souvent déjà
ont fixé notre attention dans cette histoire, arrêtés un moment, mais non découragés, par l'échec qu'ils avaient subi en
1767, avaient cru trouver dans la persécution dont les Jésuites
étaient alors l'objet en Europe, une occasion favorable de
renouveler leurs tentatives. Représenter, en effet, la Congrégation du Saint-Rédempteur comme un rejeton de la
Compagnie de Jésus, ou plutôt comme le même Ordre
déguisé sous un titre à peu près semblable, établir d'une
part une sorte d'analogie entre les règles des deux Instituts,

et insister de l'autre sur cette différence que les Jésuites au moins avaient été approuvés, tandis que le décret de 1752 n'avait pas, disait-on, reconnu aux Rédemptoristes le droit de vivre en communauté, c'était un moyen puissant de succès auprès d'un grand nombre d'esprits, et surtout auprès d'un gouvernement dont le marquis Tanucci était l'âme. La vie commune des missionnaires, sous l'autorité de supérieurs généraux et de recteurs locaux, leurs noviciats, leurs études, constituaient une organisation que l'on prétendait en contravention ouverte avec les lois du royaume : c'étaient là, faisait-on remarquer, les caractères distinctifs d'un ordre religieux, c'est-à-dire de ce que le roi avait précisément refusé d'autoriser. Enfin, pour parfaire la trame, on essaya de représenter comme un délit l'affiliation spirituelle en vertu de laquelle les bienfaiteurs de la Congrégation participaient aux mérites des bonnes œuvres accomplies par les missionnaires, et l'on fit dresser dans les provinces le relevé de ces diverses affiliations. Le ministre des affaires ecclésiastiques et le président de la Chambre royale connaissaient heureusement, depuis bien des années, le caractère violent du gentilhomme d'Iliceto, et ils écoutèrent assez froidement ses plaintes ; mais le marquis Tanucci, dont Maffei ne manqua pas de caresser les faiblesses en lui dénonçant ce qu'il appelait les acquisitions secrètes des Pères, se montra plus facile à vaincre, et par ses ordres une nouvelle procédure fut entamée.

La position devenait de plus en plus grave, et tous les amis de la Congrégation comprirent que l'heure était arrivée de faire un suprême effort. Les habitants d'Iliceto, notamment, envoyèrent les premiers, pour témoigner de l'innocence des missionnaires, une députation que Tanucci accueillit assez mal, et tous les Évêques dont les diocèses bénéficiaient chaque année de l'œuvre des missions multiplièrent auprès des ministres les démarches et les sollicitations. Pendant ce temps, Alphonse lui-même adressait à Ferdinand IV un mémoire dans lequel il s'attachait spécialement à lui montrer quelles avaient été les véritables intentions du roi son père, en rendant le décret de 1752. Toutefois, malgré la justice évi-

dente de sa cause, la confiance du saint fondateur, si ferme
jusque-là, commençait à l'abandonner : « Nous sommes au
moment d'une grande tempête, écrivait-il. Je suis épouvanté
par l'idée de la suppression possible de nos maisons ; soyons
tous sur nos gardes, car les circonstances sont telles qu'elles
me font appréhender la ruine de toute la Congrégation. »
Et comme il aimait mieux, selon son expression, sacrifier
un bras que de risquer de perdre tout le corps, il songeait
à abandonner le couvent d'Iliceto, à céder au baron la
vigne, origine première de tant de maux, et même à se
retirer avec les siens à Scifelli et à Bénévent. Tel n'était pas,
il est vrai, l'avis du Père Villani, qui attendait le salut d'un
autre côté, et qui, se rappelant le succès du dernier voyage
d'Alphonse, le pressait d'aller se jeter aux pieds du roi pour
implorer sa protection ; mais le Saint s'y refusait, ne s'en
trouvant pas le courage, et se bornait à répondre : « Quelle figure ferais-je devant le roi? Il me prendrait pour un fantôme...
Du reste, la Congrégation n'est pas l'ouvrage des hommes ;
ce ne sont pas eux non plus qui pourront la soutenir. »

L'ouverture des débats avait été fixée au 24 décembre 1775,
lorsqu'une combinaison inattendue, en changeant tout d'un
coup la marche du procès, vint aggraver encore le danger.
Maffei et le baron obtinrent, en effet, du ministre que l'affaire ne serait pas immédiatement portée devant la Chambre
royale, dont ils redoutaient le jugement, et que les pièces
seraient remises auparavant entre les mains du procureur
de la junte des Abus, Ferdinand de Leo, qui, après les avoir
étudiées, déposerait les actes à la secrétairerie d'État, avec
un mémoire destiné au roi. Ce magistrat était l'ennemi juré
des ordres religieux, et le sens de son rapport pouvait être
facilement prévu.

Cette nouvelle se répandit parmi les Pères comme un coup
de foudre, et produisit un ébranlement général dans la Congrégation. Fatigués d'une lutte déjà longue, craignant, non
sans quelque raison, de se voir bientôt expulsés de leurs
maisons, et redoutant par-dessus tout la mort du fondateur,
qui, dans leur pensée, devait être le signe de la dispersion

de la société, plusieurs des missionnaires songèrent à se préparer un asile. En même temps, l'obéissance s'affaiblissait peu à peu, et lorsque les recteurs s'en plaignaient, on leur répondait que la règle n'avait pas été approuvée par le roi ; parfois même, on allait jusqu'à les menacer de recourir à une autorité supérieure. Alphonse se désolait à la vue de ces défaillances, inconnues jusque-là au milieu des siens, et retrouvant sa confiance lorsqu'on semblait désespérer autour de lui, il s'appliquait sans relâche à les combattre. Toutes les instructions et toutes les lettres écrites par lui à cette époque en font foi : « Ne craignez rien, disait-il, de la persécution. Voyez le manteau de neige qui recouvre les plantes. Loin de leur nuire, il sert à affermir leurs racines et les rend plus fertiles. Ainsi en est-il des persécutions, qui consolident l'œuvre de Dieu ; » et, continuant à chercher ses comparaisons dans la nature, il ajoutait : « Le grand ennemi de la plante, c'est le ver qui ronge sa tige ; ainsi en est-il de nous, et les seuls vers que nous devions craindre, ce sont nos défauts et nos infidélités volontaires... Une inobservance me fait plus de peine que cent persécutions. Baisons les murs de notre cellule ; plus nous sommes persécutés, plus nous devons nous serrer contre Jésus-Christ. » Aussi, infatigable à veiller à l'observation de la règle, assistait-il tous les samedis aux coulpes, profitant de la circonstance pour exhorter les religieux à une perfection sans cesse croissante. Enfin, aux arguments tirés de sa santé, il répondait : « N'ayez pas peur ; je ne vais pas encore vous quitter : *Dieu veut que je meure sujet et non supérieur*... D'ailleurs, cette Congrégation n'étant pas mon œuvre, mais celle même de Dieu, subsistera après moi. » Et sa foi dans l'avenir était si ferme qu'elle lui fit rejeter, malgré l'imminence du péril, divers moyens de salut qu'on lui suggérait, tels que la création de colléges pour la jeunesse et, afin de déférer aux désirs souvent exprimés du public, l'autorisation pour les missionnaires de prêcher des carêmes. Toutes ces propositions étaient incompatibles, selon lui, avec la vocation de ses disciples : « C'est aux pauvres que Dieu nous a envoyés, » dit-il ; *evangelizare pauperibus misit nos Deus;* et il s'y refusa absolument.

Cependant les calomnies persévéraient avec tant d'audace, on continuait avec tant d'assurance à accuser les Pères de professer des doctrines relâchées et perfides, à évaluer leurs richesses et les sommes transportées par eux, disait-on, dans les États pontificaux [1], que Tanucci, ému de ces bruits, renvoya définitivement l'affaire devant la junte des Abus, dont il avait déjà mis un des membres en réquisition. Cette décision affligea vivement Alphonse. « La seule dénomination de ce tribunal discrédite les causes dont il est chargé, » écrivait-il à ceux de ses missionnaires qui étaient alors à Naples. « Essayez, sans retard, au moyen d'une nouvelle supplique au roi, de faire revenir notre procès devant la Chambre royale; » et lui-même faisait intercéder dans ce sens auprès de la reine, par des personnes qui avaient sur elle un certain crédit, entre autres par l'Archevêque de Bénévent et par plusieurs dames de sa cour.

Les choses en étaient là, quand un fait encore plus imprévu vint apporter dans la situation un nouvel élément. Le marquis Tanucci se retira des affaires [2], et le marquis della Sambuca, qui était très-dévoué aux intérêts de la Congrégation, lui succéda dans la charge de premier ministre. Ce changement n'empêchait pas le procès intenté aux missionnaires de suivre son cours; mais il n'en avait pas moins pour eux une grande importance, mieux sentie encore lorsque, peu de mois après, le magistrat chargé de l'étude des pièces présenta au roi son rapport.

Ce mémoire n'était guère qu'un résumé violent de toutes les accusations invraisemblables dont les Pères étaient l'objet

---

[1] Cette calomnie était d'autant plus absurde qu'Alphonse, pour n'y donner aucune prise, avait absolument défendu aux maisons des États pontificaux de recevoir, *fût-ce même un carlin*, du royaume de Naples.

[2] La Reine de Naples ayant mis au monde un fils, avait acquis par là, suivant l'ancienne coutume du royaume, le droit de paraître et d'émettre son opinion dans le Conseil. L'influence de cette princesse, qui était autrichienne, imposa des limites à celle du premier ministre, jusqu'alors tout-puissant, et en 1776, après une trop longue administration, Tanucci se retira des affaires.

depuis tant d'années. Il commençait par l'examen du fait
particulier qui avait donné lieu à la procédure ou, en d'autres
termes, des droits des religieux sur les propriétés léguées
par don André Sarnelli, et concluait contre eux en vertu de
ce raisonnement que la Congrégation n'étant avant 1752,
c'est-à-dire avant l'approbation royale, qu'un corps illicite,
et ayant perdu depuis, par ses délits, jusqu'à la faculté
d'exister, n'avait jamais pu légitimement posséder, et devait
rendre au baron de Ciorani les terres en litige.

Mais c'était surtout dans l'énumération de ces délits assez
graves, assurait-on, pour troubler la paix et l'ordre public,
que les efforts des adversaires s'étaient, par la bouche du
magistrat, donné libre cours. Le premier, et le plus éclatant, disait-il, c'était la violation des intentions du roi, dont
l'approbation n'avait été accordée, selon lui, qu'aux œuvres
d'un certain nombre de prêtres séculiers, et la formation de
communautés religieuses, c'est-à-dire de centres où les missionnaires vivaient ensemble, faisaient des vœux et obser-
vaient des règles qui n'avaient pas reçu l'*exequatur* dans la
chambre royale. Les priviléges conférés par Benoît XIV à
ces communautés constituaient un second chef d'accusation ;
car si le bref pontifical avait obtenu le *placet*, ce n'était,
affirmait le rapporteur, que par supercherie. Il voyait un
troisième grief dans la fondation d'un établissement à Bénévent, lorsque le roi n'avait reconnu que quatre maisons;
mais celui qui, à son avis, dépassait tous les autres, était
le caractère même de la Congrégation du Saint-Rédempteur,
qui paraissait une ramification manifeste de la Société de
Jésus. « J'ai lu la règle, ajoutait-il ; elle diffère autant de
celle des autres Instituts qu'elle se rapproche de celle des
Jésuites. Il n'est pas difficile, en effet, de reconnaître dans le
Supérieur général ce despote qui gouverne arbitrairement et
absolument toute la Compagnie ; or cette autorité sans contrôle du général et son droit de renvoyer tout individu, même
profès, quel que soit d'ailleurs le temps passé par lui dans
l'Institut, sont précisément les deux points qui forment l'essence du jésuitisme. C'est là le mystère de son gouverne-

ment et le secret de sa force , et c'est là ce qui l'a rendu si
redoutable, malgré les persécutions subies dès l'origine par
la Compagnie. » La diversité des bonnes œuvres entreprises
par les missionnaires, bien que dans le préambule de la règle
il ne fût question que d'évangéliser les campagnes, était en_
core, aux yeux de Ferdinand de Leo, une manifestation du même
esprit envahisseur, et lui faisait appréhender « que ces religieux ne finissent, comme les Jésuites, partout embrasser ».

S'érigeant enfin en docteur de l'Église, le procureur examinait la doctrine et censurait sévèrement la morale d'Alphonse. Sa théologie, disait-il, n'était tirée que du jésuitisme ; elle en adoptait le principe fondamental et toutes les
pernicieuses conséquences ; elle servait d'asile au probabilisme et aux restrictions mentales ; elle autorisait le parjure. Aussi, au nom de la pure morale de Jésus-Christ dont
il se faisait le défenseur, demandait-il au Roi de soumettre
les livres de l'ancien Évêque de Sainte-Agathe à des théologiens qui lui en signaleraient les erreurs, et d'en défendre
ensuite la lecture à ses sujets, selon les formes usitées ; le
confessionnal et la chaire devant être interdits aux Pères
pendant la durée de l'examen. Tout cet échafaudage était couronné d'ailleurs par la démonstration de l'inutilité de la Congrégation, dont le magistrat réclamait pour conclure la suppression. En outre, prévoyant déjà, dans sa précipitation
passionnée, jusqu'aux détails de la mise à exécution, il proposait dès lors que les biens non revendiqués par les donateurs ou leurs héritiers fussent vendus et transformés en un
capital dont les intérêts, divisés entre les religieux déjà revêtus des ordres sacrés, constitueraient pour chacun d'eux
une rente viagère de soixante-douze ducats, tandis que les
autres membres de l'Institut, spécialement les novices, seraient renvoyés dans leurs familles. Clause difficile à remplir, disons-le en passant, car le revenu de toutes les maisons,
déduction faite de celui des terres de Ciorani, ne s'élevant
pas à plus de cinq cent quatre-vingt-dix écus, aurait à peine
permis à chaque missionnaire de toucher le demi-quart de
la somme fixée par le rapporteur !

Devant ce faisceau de subtilités et de calomnies, où l'on retrouve presque avec tous ses détails le système poursuivi de nos jours au delà de nos frontières, Alphonse ne se troubla pas. « Si c'est là le sentiment du Procureur, dit-il, ce n'est pas celui de Dieu, et ce ne sera pas celui du roi. » Néanmoins, comme il tenait essentiellement à ne pas paraître devant la junte des Abus, il adressa une supplique au marquis della Sambuca, pour demander le retour de la cause devant la chambre royale, et la lui fit remettre par les Évêques de Caserte et de Girgenti, qui se trouvaient alors à Naples. En même temps, — la prière étant toujours et avant tout sa meilleure ressource, — il envoya des aumônes aux Capucins de Naples et des cierges aux Camaldules, en leur demandant d'exposer le saint Sacrement. Il avait grande confiance dans ce moyen d'action sur le cœur de Dieu, et y recourait chaque fois qu'il sentait ses œuvres en péril. Cette sainte tentative fut couronnée de succès : son vœu fut exaucé, et le procès renvoyé devant la Chambre. Le Saint se réjouit du résultat de cette première démarche ; mais il se refusa à la compléter en se rendant à Naples, où quelques-uns de ses amis cherchaient de nouveau à l'entraîner. Sa présence, disait-il, ne servirait qu'à divertir les enfants qui, le voyant en carrosse, se demanderaient s'il était mort ou vivant, et il ajoutait : « Je suis prêt à donner ma vie pour la Congrégation, mais non pas à la perdre en faisant une démarche inutile. » Aussi, laissant les nombreux avocats de ses adversaires déployer le luxe de leurs sollicitations et de leurs visites, et le Procureur de la junte des Abus commenter en tous lieux une pièce dont il espérait la célébrité, se borna-t-il, quant à lui, à rédiger pour le tribunal une défense pleine de force et de modération, qui fut appuyée par trente membres de l'épiscopat. Malgré ces efforts tentés de part et d'autre, la cause fut encore différée, et demeura pendant de longs mois en suspens ; mais Alphonse ne s'émut nullement de cette attente : « Le temps, disait-il, est un galant homme ; il sert à merveille celui qui est persécuté. »

Il ne se trompait pas. Deux ans après, en effet, au mois d'août 1779, lorsque les passions furent un peu apaisées, le ministre des affaires ecclésiastiques saisit une occasion favorable pour rappeler au Roi cette longue et inique procédure. Il lui présenta en même temps un nouveau mémoire, dans lequel l'infatigable Évêque s'était efforcé de démontrer que l'accusation d'agir contrairement aux intentions royales en formant des communautés manquait de tout fondement, que les services divers rendus aux populations par les Pères du Saint-Rédempteur étaient précisément le fruit du sage gouvernement de la Congrégation, et qu'enfin les règles étaient nécessaires pour maintenir l'ordre, les supérieurs pour faire respecter les règles, et les novices pour perpétuer l'Institut. Le Roi goûta ces arguments, déclara qu'il autorisait la Congrégation à conserver ses supérieurs, ses statuts et ses noviciats, et, afin de lui donner une preuve non équivoque de sa confiance, la chargea de prêcher dans tout le royaume le jubilé accordé par Pie VI.

En vain le Procureur cria-t-il au scandale, jurant dans sa colère que « le grand-duc de Toscane en personne n'aurait pu obtenir de la cour ce qu'en avait arraché cette poignée de gueux », et fit-il tous ses efforts pour hâter un jugement destiné, dans sa pensée, à lui donner au moins gain de cause en ce qui touchait la vigne de Sarnelli : il ne devait pas voir l'issue du procès. Frappé d'un mal subit, il mourut peu après, presque en même temps qu'un des hommes de loi dont il avait réclamé le concours. Maffei lui-même les avait précédés dans la tombe, laissant une veuve et plusieurs enfants qui, pendant quatre années, ne durent leur subsistance qu'à la charité d'Alphonse et du Père Tannoia, alors recteur de la maison d'Iliceto. Quant au baron de Ciorani, demeuré seul sur la brèche, il n'apporta plus à la poursuite le même acharnement, et la cause resta encore pendante durant plus de trois ans. Comme le pilote après la tempête, Alphonse profita de cette trêve pour réparer les avaries que le navire avait souffertes, c'est-à-dire pour ranimer l'observance affaiblie, pour faire rentrer dans leurs couvents les sujets qui, à la faveur des circonstances, s'étaient retirés dans leurs familles, pour en expulser quelques autres, enfin pour rétablir partout l'ordre et l'autorité.

CHAPITRE III

Les âmes lassées de ce monde lèvent naturellement leurs regards vers les choses célestes; nous ferons comme elles, en quelque sorte, et pour nous reposer un moment du spectacle ingrat des passions humaines déchaînées contre les œuvres de Dieu, nous essaierons de pénétrer ce qui se passait, pendant la crise que nous venons de raconter, dans la cellule et dans le cœur d'Alphonse.

Il était trop habitué, en effet, à planer au-dessus des incidents de la vie commune pour laisser aucun nuage troubler sa sérénité. En dépit des orages qui soufflaient alentour, son ciel intérieur restait bleu et pur, et, à la veille peut-être de voir sa Congrégation dépouillée, dispersée, anéantie, sa parole calme et ferme exhortait ses fils à rester attachés à la règle et à gagner à Dieu des âmes « qui seraient pour leur cause les meilleurs avocats. » Lui-même donnait l'exemple en accomplissant, malgré son grand âge, tous les exercices prescrits à la communauté avec une fidélité et une persévérance irréprochables. Jamais il n'omettait la méditation matinale imposée aux autres religieux; sa messe était précédée d'une longue préparation et suivie d'une action de grâces non moins prolongée; il ne manquait ni à l'examen de conscience avant le repas, ni à la lecture de la Vie des Saints, ni à sa méditation ordinaire sur la Passion, et, sans tenir compte de la difficulté qu'il éprouvait à descendre ou plutôt à se traîner à la chapelle, il s'y rendait chaque jour, et y demeurait parfois en prière pendant plusieurs heures.

Tous les soirs enfin, il faisait le Chemin de la croix, en parcourant péniblement les stations disposées dans le corridor du couvent.

Le reste de la journée, il le passait dans une des deux petites chambres qui formaient tout son appartement, ne quittant l'oraison que pour l'étude, sans jamais perdre un moment, ainsi qu'il s'y était engagé par vœu. Dans cette pièce, dont il avait fait un véritable sanctuaire, était dressé un autel sur lequel on voyait le crucifix qu'il tenait du Père Longobardi, et trois images de la sainte Vierge représentée dans l'une avec une colombe sur la poitrine, et dans une autre sous les traits d'une bergère. Les murs étaient tapissés de grandes gravures venues d'Allemagne et représentant le Sauveur au jardin des Olives, à la colonne, couronné d'épines et sur la croix. Enfin, une petite table basse et rustique chargée de quelques livres, trois ou quatre chaises de paille, et le vieux fauteuil, seul souvenir du palais épiscopal, complétaient l'ameublement; encore avait-il fallu, pour calmer les scrupules du Saint, remplacer par du cuir le damas usé qui recouvrait son siége de malade [1].

La seconde pièce, qui lui servait de chambre à coucher, était aussi ornée de pieuses images. La Madone dite *de la Puissance*, saint Michel, sainte Marguerite de Cortone et le bienheureux Bonaventure de Potenza étaient placés à la tête de son lit, tandis qu'en face, son regard se reposait naturellement sur Notre-Dame des Sept-Douleurs, et d'autres souvenirs de la Passion, dévotion, on se le rappelle peut-être, traditionnelle dans sa famille. Tel était l'humble et pauvre demeure où Alphonse recevait les visiteurs de toutes classes qui venaient le consulter, et d'où il ne sortait qu'à regret et pour obéir aux médecins. C'était bien à contrecœur, en effet, qu'il conservait le régime de promenades dont la conséquence nécessaire pour lui était l'obligation d'entretenir un carrosse. Triste équipage toutefois, car rien de ce qui le composait n'avait encore été renouvelé, malgré

---

[1] On conserve et l'on montre encore aujourd'hui ce pauvre mobilier qui semble prêcher, après la mort d'Alphonse, la vertu qu'il a tant aimée.

les réclamations incessantes des serviteurs, notamment du cocher, lequel, un jour entre autres, presque écrasé contre une muraille, en relevant un des chevaux qui s'était abattu, alla jusqu'à s'écrier : « Monseigneur, si vous avez votre volonté, moi aussi j'ai la mienne : vous changerez d'attelage, ou vous changerez de cocher ! » Plus tard, il est vrai, Alexis, profitant d'une visite des duchesses de Bovino et de Caracciolo, leur montra l'état dans lequel était la voiture du pauvre Évêque, et les supplia de dire à son neveu que s'il avait un vieux coche au rebut, il devrait bien le lui envoyer; mais si ce désir fut satisfait, il n'en fut pas de même de celui du cocher, Alphonse s'étant refusé absolument, dans l'intérêt des pauvres, à une acquisition dont leur bourse eût nécessairement subi le contre-coup.

Tout le revenu du Saint continuait, en effet, comme par le passé, à être employé en bonnes œuvres, dont son fidèle serviteur dévoilait plus tard les secrets, avec une émotion d'autant plus grande qu'il avait lui-même reçu des dots pour ses deux filles, l'une religieuse et l'autre mariée, sans compter plus de deux cents ducats de gratification, en diverses circonstances. Mais comme la véritable charité ne s'adresse pas seulement aux corps, tous les samedis, malgré le déclin de ses forces, le saint prélat voulait encore faire l'aumône de sa parole aux fidèles de Pagani. Les deux personnes attachées à son service le portaient dans la chaire, et il y retrouvait sa vigueur et presque le feu de sa jeunesse, pour enflammer les âmes au nom de Jésus-Christ : on eût dit les rayons ardents encore d'un soleil d'automne au moment où il va disparaître sous l'horizon. Il prêchait aussi de temps à autre dans des couvents de femmes, et pour se rendre compte de l'impression qu'il y produisait encore, il suffit de rappeler un détail qui nous a été laissé de sa visite au conservatoire *del Carminello,* où régnait depuis longtemps le scandale d'une guerre intestine. Ce que les exhortations de plusieurs prêtres de mérite n'avaient pu obtenir, la vue seule d'Alphonse l'opéra, et l'on vit en particulier deux religieuses jusqu'alors en lutte ouverte, touchées de sa mansuétude, de son humilité et de sa charité, se jeter aux pieds l'une de l'autre, en se demandant pardon.

Sa présence, du reste, qui devenait de plus en plus rare, n'était pas toujours nécessaire pour révéler son pouvoir, et un verre d'eau pure envoyé par lui à cette époque, à une supérieure atteinte d'un cancer incurable, suffit pour faire disparaître subitement le mal. Cependant si l'assistance personnelle des malades ne pouvait plus être alors pour lui qu'une bonne œuvre accidentelle, car il était plus gravement atteint et plus complétement infirme que la plupart d'entre eux, il se faisait conduire encore au chevet des mourants lorsqu'il avait des raisons de craindre pour leur salut. C'est ainsi qu'on le vit une fois, durant plus d'une heure, essayer, mais en vain, de convertir un chirurgien militaire, incrédule et impénitent, des lèvres duquel on ne parvenait à arracher que cette froide invocation : *Causa causarum, salva me!* Plus heureux, un autre jour, il réussit à confesser un soldat du régiment de Nocera dont aucun effort n'avait pu jusque-là vaincre la résistance; ce qui lui causa une telle joie qu'il fit remercier publiquement la sainte Vierge par les fidèles, pendant son sermon du samedi suivant.

Ses infirmités ne l'empêchaient pas non plus de s'associer à toutes les misères publiques, et d'en prendre occasion pour frapper à la porte des consciences. Le 15 mai 1779, par exemple, après une sécheresse de cinq mois qui avait désolé les environs de Nocera, il oublia une fois encore la vieillesse et la maladie pour essayer de secourir une population qu'il considérait presque comme son troupeau. Revêtu de ses habits violets, dont il ne se servait plus depuis longtemps, couvert de cendres, une corde au cou et précédé de la croix, il se dirigea à pied, soutenu par plusieurs personnes, vers l'église paroissiale; puis, montant dans une chaire que l'encombrement des fidèles força d'apporter sur la place publique, il exhorta le peuple pendant une heure au repentir et à la pénitence. Le lendemain, il entreprit un nouveau pèlerinage dans une chapelle voisine du couvent, fit découvrir l'image de la sainte Vierge qu'on y vénérait, pria en silence, et, se retournant vers les fidèles, leur dit ces simples mots : « Recommandez-vous avec confiance à Marie ; confessez-vous, communiez cette semaine, et dimanche prochain nous aurons la pluie. » L'auditoire les recueillit comme une promesse ; cependant le dimanche venu, le ciel restait parfaitement bleu. « Cette fois, disait-on déjà, Monseigneur s'est trompé ; » lorsque, vers le soir, un tourbillon de vent amena tout à coup des nuages, suivis d'une pluie torrentielle. Alphonse, selon sa coutume, ne voulut pas paraître attacher de valeur à cette coïncidence, et répondit à ceux qui lui en parlèrent : « On a pris ce que j'ai dit pour une prophétie ; c'est une parole qui m'a échappé, je ne suis pas prophete[1] ! »

Il n'avait alors, d'ailleurs, que trop sujet, hélas ! de représenter, ainsi qu'il ne manquait pas de le faire, les calamités publiques comme des châtiments mérités, car l'incrédulité et le désordre accomplissaient tous les jours en Europe de nouvelles ruines. La triste littérature de ce malheureux siècle poursuivait sa tâche, et, traversant les Alpes, les écrits de Voltaire et de Rousseau étaient devenus le passe-temps à la mode des dames napolitaines. Alphonse, qui, toutes les fois qu'il le pouvait, ne cessait de travailler encore à des œuvres de polémique, pressait vivement plusieurs écrivains de ses amis de prendre part à une lutte dans laquelle il sentait ses forces le trahir. Lui-même voulut cependant tracer de sa main des encouragements chaleureux à

---

[1] Nous avons emprunté à Tannoia les détails de cet événement ; voici la relation, quelque peu différente, que nous en a donné un autre contemporain de saint Alphonse : « In hac pluviæ aquæ inopia, qua a die decima sexta superioris decembris ad præsentem usque maium laboramus, in caritate annonæ, atque in tanto sitientium agrorum periculo, die decima quinta hujusce mensis, beatissimus antistes ætate et sanctitate verendus, apud urbem Nocera, magna suorum populique corona stipatus, caput cinere aspersus, fune ad collum adligatus, ab una ad aliam ædem incessit, ac pro concione verba etiam, quantum potuit, habuit vehementer. Mirum ! Sequenti die non urbs paulo distans, sed ea tantum regio, quam vulgo dicunt de'Pagani, quæque pœnitentem Alphonsum viderat, optatum cœli imbrem experta est. » (Lettre de Mᵍʳ Lupoli, évêque de Cerreto, à l'abbé Nonnotte, en date du 29 mai 1779.)

un prêtre français de Besançon, l'abbé Nonnotte, dont les ouvrages lui avaient été adressés. « Permettez à un ancien Évêque du royaume de Naples, lui dit-il dans une lettre retrouvée récemment, de vous adresser ces lignes. Agé de quatre-vingt-deux ans, ma vieillesse et mes nombreuses infirmités m'ont forcé de déposer le fardeau de l'épiscopat et de me retirer dans ma Congrégation ; mais je n'ai pas de plus grande consolation peut-être pour mes derniers jours, que de lire les excellents travaux que vous avez publiés contre Voltaire. » Puis, exprimant à l'auteur le désir de voir ses livres traduits dans toutes les langues de l'Europe, il lui manifestait l'intention de demander à Pie VI un bref pour le dernier recueil qu'il venait de donner au public [1] ; et le suppliait de ne pas s'arrêter dans une carrière si vaillamment commencée. Mais Alphonse n'en connaissait pas encore toutes les difficultés. L'engouement général pour les œuvres de Voltaire était tel, en effet, que par crainte peut-être de s'attirer le fiel de l'impitoyable railleur, les examinateurs royaux étaient très-peu disposés à accorder l'*imprimatur* aux ouvrages destinés à les réfuter, et grand fut l'étonnement du Saint, lorsqu'il apprit, par son correspondant français, que celui-ci sollicitait inutilement l'autorisation de publier un troisième volume intitulé : *l'Esprit de Voltaire dans ses écrits.* « L'Archevêque de Paris, écrivait l'abbé Nonnotte, m'a répondu qu'il n'y avait rien à espérer. Chose étrange ! à défaut des catholiques qui n'osent l'entreprendre, je serai peut-être obligé de faire imprimer par les hérétiques de Genève un livre composé pour la défense de la religion... Je ne puis que m'écrier comme autrefois Cicéron : *O tempora! o mores* [2] *!* »

---

[1] Cet ouvrage, publié à Avignon, en 1772, sous le titre de *Dictionnaire philosophique,* faisait suite à un autre intitulé *Erreurs de Voltaire,* imprimé dix ans auparavant dans la même ville, et auquel Clément XIII avait déjà accordé une approbation spéciale.

[2] « Tam stulta autem et nostrorum erga Vulterium admiratio, aut tantus ab illo maledicentissimo homine metus, ut benevolum censorem reperire nequeam ; quin etiam ab ipso Parisiensi Archiepiscopo responsum mihi est, censorem me nullum hujusmodi reperturum. Res sane admiratione

La tristesse que causait à Alphonse cette situation religieuse et morale de la France lui arrachait des larmes :
« Pauvre Paris! s'écriait-il, qu'es-tu devenu? » et sa voix
prenant parfois un accent prophétique, il ajoutait : « Ces
désordres ne demeureront pas impunis. Malheureuse France!
je te plains, et je plains aussi tous les innocents qui seront
enveloppés dans ta disgrâce. Je voudrais écrire au roi
(Louis XV); mais que puis-je de loin, lorsque l'Archevêque
même de la capitale et tant de saints Évêques ne sont pas
écoutés [1]? » Sur ces entrefaites cependant, une nouvelle
inattendue vint réjouir un instant Alphonse. Le bruit courut
à Naples, au mois de mai 1778, que le philosophe de Ferney,
touché de la grâce, revenait à la foi, et qu'il allait rétracter
ses erreurs et ses blasphèmes. Transporté de bonheur, le
saint vieillard eut aussitôt la pensée d'écrire à Voltaire
pour le féliciter et le remercier de ce grand exemple donné
au monde. Cette lettre ne devait jamais être envoyée à son
destinataire; la voici toutefois, traduite du latin, et telle
qu'elle nous a été conservée par les contemporains :

« Monsieur,

« Celui qui vous écrit est un Évêque accablé d'infirmités,
auquel le Souverain Pontife a daigné permettre d'abdiquer
le gouvernement du diocèse de Sainte-Agathe-des-Goths.
A l'âge de quatre-vingt-trois ans et à l'extrémité de mes
jours, j'ai appris avec un grand bonheur votre insigne conversion, que tous les catholiques accueilleront avec une
égale allégresse, et je ne puis m'empêcher de vous adresser
cette lettre, pour vous féliciter de tout mon cœur. J'étais
dans l'angoisse et les larmes en vous voyant, depuis tant
d'années, faire un si mauvais usage du beau génie que
vous avez reçu de Dieu; et bien souvent, quoique je sois le
plus misérable des hommes, je priais le Seigneur, le Père

digna! Librum in religionis defensionem conscriptum, quia non audent
catholici, apud hæreticos forsitan Genevenses, typis cogar mandare! Hic
vero liceat cum Tullio exclamare: O tempora, o mores!... »
    [1] Jeancard, vie du B. Alphonse-Marie de Liguori.

des miséricordes, afin qu'il vous retirât de vos erreurs et vous attirât à son amour. Ce que je souhaitais si ardem- ` ment s'est accompli. Je le dis comme je le pense, votre retour à l'Église lui sera plus utile que n'auraient pu l'être les travaux incessants de cent compagnies de missionnaires.

« Mais, afin que la joie universelle soit complète et qu'il ne reste aucun doute sur la sincérité de votre démarche, je désirerais vous voir réparer, par la publication d'un livre, vos erreurs et vos sophismes d'autrefois. Vous combattriez en même temps par là un autre écrivain moderne [1], qui n'a pas craint d'attaquer les dogmes de la foi, au grand détriment d'une foule de malheureux jeunes hommes, lesquels, grâce à lui, fanatisés par ce qu'ils estiment l'indépendance, portent l'audace jusqu'à l'oubli de Dieu et de leur âme. Je sais que vous souffrez des yeux; mais la moindre chose dictée par vous suffirait pour convaincre de votre conversion ceux qui voudraient encore en douter. Je prierai donc avec instances le Seigneur de vous donner la force, sinon d'écrire, au moins de dicter quelque travail contre les incrédules de notre temps. Que Dieu vous conserve ! »

La conversion de Voltaire n'était, comme on le sait, qu'un bruit sans fondement; la nouvelle en fut démentie au moment même où le saint prélat allait expédier sa lettre. Ce fut pour lui une douleur plus qu'une surprise : « Ces efforts extraordinaires de miséricorde, dit-il, Dieu ne les fait que pour ceux en qui un germe quelconque de droiture a été, dans le principe, mêlé à l'erreur, comme il en était pour saint Paul. Chez ce malheureux, au contraire, tout est mauvais à l'excès. » Les faits ne justifièrent que trop rapidement, hélas ! cette appréciation ; peu de jours après, le 30 mai 1778, Voltaire rendait le dernier soupir dans les circonstances que l'histoire a rapportées, et le 2 juillet suivant, Jean-Jacques Rousseau, après avoir stigmatisé avec tant d'éloquence le suicide, mettait lui-même fin à ses jours.

---

[1] Il parlait évidemment de J.-J. Rousseau.

CHAPITRE IV

Revenant à une première pensée, énergiquement combat-
tue autrefois par son frère, don Hercule de Liguori avait
fait entrer ses deux fils au collége des nobles, et, toujours
inquiet de l'avenir, bien que l'aîné n'eût encore que treize
ans, il songeait déjà à préparer son mariage, et avait même
entamé une négociation à ce sujet. Cette nouvelle fit bondir
Alphonse sur son fauteuil, et un de ses religieux, qui
partait pour Naples, fut chargé de représenter à Hercule
le péril auquel, grâce à l'indiscrétion ordinaire des serviteurs, le jeune homme allait être exposé. Lui-même écrivit
bientôt à son frère, pour lui répéter combien il était sca-
breux, à son sens, de traiter dès lors d'un mariage qui ne
pourrait s'effectuer avant six ou sept ans, et pour lui recommander de veiller avec soin à ce que Joseph ne fût pas
informé de ses intentions. Puis, encore préoccupé de l'âme
de ses neveux, et craignant d'être surpris par la mort, il
leur adressa une lettre pleine de tendres et précieux conseils, que l'on nous saura gré de reproduire dans son
entier.

« Mes très-chers neveux,

« Je vous attendais ici pour vous donner ma dernière bénédiction et mes derniers avis — car si je vis encore pour
pleurer mes péchés, c'est un miracle de la bonté du Sei-

gneur. Il n'a pas daigné me donner cette consolation, que d'ailleurs je ne méritais pas : que sa volonté soit faite ! Je vous bénis donc de loin de tout mon cœur, et je prie le bon Dieu de vous bénir, lui aussi, du haut du ciel, en répandant dans vos jeunes cœurs sa crainte et son amour. Que cet amour soit persévérant en vous et vous conduise à l'éternité bienheureuse, où, si le Seigneur use envers moi de miséricorde, j'irai moi-même vous attendre ! Appliquez-vous à craindre Dieu comme votre maître, mais surtout à l'aimer comme votre père. Votre père ! doux nom que vous lui donnez chaque jour dans l'Oraison dominicale, en disant : *Pater noster.* Oui, il est votre Père; aimez-le donc avec tendresse. C'est un Père qui est bon, doux, affectueux, tendre, bienfaisant, miséricordieux; ce sont là autant de titres qui doivent vous le faire aimer d'une affection cordiale, tendre, reconnaissante. Vous serez heureux, souvenez-vous-en, si vous l'avez aimé avec un cœur sincère et depuis votre enfance, son joug ne vous semblera pas dur, mais suave, et sa sainte loi vous sera aimable. Apprenez donc à vaincre vos mauvaises passions et à triompher des ennemis de votre âme. L'habitude du bien s'enracinera peu à peu en vous, et vous finirez par trouver simple et facile ce qui paraîtrait désagréable et difficile aux âmes enfoncées dans le vice. Aimez Dieu, mes chers petits enfants. Je vous appelle mes enfants, non-seulement parce que je vous aime avec toute la tendresse d'un père, mais parce que je voudrais enfanter dans vos cœurs la sainte charité. Aimez, mes petits enfants, votre Dieu et Seigneur Jésus-Christ; mais aimez-le beaucoup, et soyez jaloux de conserver cet amour. Oh! la grande perte que celle de l'amour de Dieu, de sa grâce et de son amitié ! et le grand malheur que celui d'encourir son mépris et ses vengeances !

« Je vous recommande d'être humbles. L'homme humble fuit les périls, recourt à Dieu avec confiance dans les tentations involontaires, et conserve ainsi l'amour divin. L'orgueilleux, au contraire, tombe promptement dans le péché, et offense facilement le Seigneur. Sans humilité, vous n'au-

rez jamais aucun bien véritable, vous n'aurez jamais de
vertu solide et sincère, ou vous la perdrez aisément. Dieu
résiste aux superbes; mais sa miséricorde regarde au contraire les petits d'un œil compatissant et en fait ses amis.
Si d'ailleurs vous vous examinez attentivement vous-mêmes,
au lieu d'être tentés de vous enorgueillir, vous trouverez en
vous mille motifs de vous humilier. Vous êtes bien nés,
mais c'est un don de Dieu. Vous êtes dans un collége
gouverné par des supérieurs pleins de zèle et de sagesse,
dont la haute naissance est accompagnée de hautes vertus ;
vous y recevez une bonne éducation, sous la conduite de
maîtres prudents, sages et exemplaires : tout cela vous le
devez au Seigneur. Vous êtes aussi maintenant, comme je
l'espère, dans la grâce de Dieu; mais c'est encore là un pur
effet de sa bonté, et tous ses bienfaits, loin de vous porter
à la vanité, doivent vous faire sentir vos obligations envers
lui. Si vous considérez ensuite ce qui vous appartient véritablement, c'est-à-dire vos fautes, vous y trouverez suffisamment, je le répète, de quoi vous abaisser. Obéissez donc
à vos supérieurs avec humilité, amour et reconnaissance;
car, soit qu'ils vous enseignent, vous louent ou vous cor-
rigent, ce sont autant de preuves d'affection qu'ils vous
donnent. Leurs corrections peuvent ne pas vous plaire ; elles
n'en sont pas moins un effet de l'amour que vous portent
ces bons religieux. Obéissez-leur enfin, parce que votre
père vous a confiés à leurs soins, et vous les a donnés pour
le remplacer auprès de vous; respectez-les, aimez-les
comme vous respecteriez et aimeriez votre père lui-même.
J'espère, du reste, que c'est déjà là ce que vous faites pour
plaire à Dieu, à votre père et à moi.

« J'ai appris avec peine toutefois que vous vous appliquiez
peu au travail. O mes enfants ! si vous pouviez comprendre
le tort que vous vous faites par là, vous en verseriez des
larmes... L'ignorance et l'oisiveté sont des sources fécondes
de péchés et de vices. Étudiez donc avec soin, avec application et même avec effort, pour connaître Dieu, ses dons,
ses récompenses, et pour l'aimer de plus en plus. Celui qui

vit dans l'ignorance ne connaît guère le Seigneur, ni ses bienfaits ni les devoirs qu'il lui impose, si même il les connaît; aussi est-il exposé à l'offenser bien souvent. Travaillez donc, et, avant que je meure, donnez-moi la consolation d'apprendre que vous avez profité de mes conseils. Je suis arrivé au terme de mes jours; je ne sais si vous pourrez me revoir : que ces dernières exhortations restent gravées dans vos jeunes cœurs et qu'elles produisent en vous les fruits que je désire! Lisez soigneusement ma longue lettre; demandez l'explication de ce que vous ne comprendrez pas; et surtout mettez en pratique mes conseils suprêmes qui se résument en ce peu de mots : Aimez beaucoup Dieu, étudiez pour le connaître et l'aimer toujours davantage; conservez dans votre cœur ce saint amour et l'humilité; obéissez avec docilité à vos supérieurs et à votre père; observez les règles du collége pour plaire à Dieu; enfin aimez Marie, sous la tutelle et le patronage de laquelle je vous laisse, en vous recommandant à elle, avec une ardente affection. Je vous bénis en Jésus-Christ, afin, comme je l'espère, que vous soyez à lui dans le temps et dans l'éternité. »

Alphonse semblait ainsi remplir par avance la charge de père à l'égard de ces enfants auxquels la mort allait bientôt ravir celui que Dieu leur avait donné. Prévoyait-il ce malheur? On ne saurait l'affirmer; cependant un jour qu'il méditait, enfoncé comme de coutume dans son fauteuil; il se retourna tout d'un coup vers le Père Costanzo, qui était dans sa chambre, et lui dit : « Hercule me causera cette année un grand chagrin. » Don Hercule était robuste et en parfaite santé; aussi n'attacha-t-on aucune importance à cette parole que l'on crut même échappée à un rêve; trois mois après toutefois, une mort soudaine enlevait à Alphonse le dernier frère qui lui restât [1].

Toujours soumis à la volonté divine, le Saint reçut cette nouvelle avec une douleur résignée. « Dieu soit béni ! » dit-il; et, joignant les mains, il garda quelque temps le silence.

[1] Le 8 septembre 1780.

Puis il fit appeler un des Pères, et voulut écrire sans retard à l'avocat Gavotti que don Hercule, on s'en souvient, avait désigné depuis longtemps pour être le tuteur de ses enfants, en lui imposant la condition de se diriger sans cesse d'après les conseils de l'ancien Évêque de Sainte-Agathe. Pendant qu'il remplissait son office, le secrétaire se souvint des paroles mystérieuses qu'il avait entendues trois mois auparavant, et se hasarda à demander au Saint si ce n'était pas là le grand chagrin dont il avait voulu parler; mais Al·phonse, l'interrompant brusquement et l'engageant à ne pas se laisser distraire de sa besogne, termina sans répondre à sa question la lettre dans laquelle il insistait principalement sur l'éducation religieuse de ses neveux.

Si l'avenir de ces jeunes gens animait sa sollicitude, celui de leur sœur, Teresina, pensionnaire au couvent des bénédictines de *San-Marcellino* à Naples, ne le préoccupait pas moins peut-être. Cette jeune fille, alors âgée de seize ans, était pour le cœur de son vieil oncle une perle dont il voulait à tout prix conserver la pureté. « A quatre-vingt-cinq ans, lui écrivait-il avec une grâce charmante, on n'est plus bon à rien; mais quand vous aurez besoin de quelque chose, faites-le-moi toujours savoir: je m'arrangerai pour que d'autres vous le procurent; » et comme Teresina lui avait confié son désir de se faire religieuse, il l'encourageait dans cette même lettre à ne pas négliger ce qu'il jugeait être vraiment pour elle l'appel du Seigneur. « Si quelqu'un vous conseille de quitter le couvent pour aller vous jeter dans le précipice, » ajoute-t-il en effet, désignant ainsi le mariage pour ceux qui n'y sont point appelés, « ne l'écoutez pas, car certainement vous vous en repentiriez dès le lendemain. » Pendant plusieurs mois, il revient dans sa correspondance sur cette vocation qui lui tenait au cœur, et au sujet de laquelle il avait reçu évidemment des lumières surnaturelles : « Saluez pour moi Teresina, écrit-il à une de ses cousines, Antonia de Liguori, et recommandez-lui de ne pas se laisser persuader par le monde d'abandonner Jésus-Christ. Ce serait pour elle un malheur de toute la vie, et un malheur

plus grand à la mort. » Et bientôt apres, s'adressant à don
Gavotti : « Quant à ce qui touche Maria-Teresina, ma nièce
et votre pupille, les nouvelles que j'en reçois m'affligent
profondément; car on m'assure qu'elle ne parle plus de
son attrait pour la vie religieuse. » Enfin à la jeune fille
elle-même, dont il semble que la résolution eût faibli, il
écrit à son tour : « Oui, ma chère enfant, je continuerai à
prier pour votre vocation, comme vous me le demandez. Je
n'ai point oublié qu'il y a peu d'années, lorsque votre père
vivait encore, loin de songer à vous donner au monde, vous
formiez le projet de vous consacrer à Jésus-Christ. Je prie
Notre-Seigneur de vous raffermir lui-même dans cette sainte
pensée. Si vous y étiez infidèle, vous auriez beaucoup de
peine à persévérer dans la grâce de Dieu... »

Les désirs des saints, lorsqu'ils sont si véhéments, doivent être exaucés. Teresina revint bientôt à son intention
première, et déclara qu'elle voulait rester dans la maison
où elle avait été élevée. Mais elle n'avait que dix-huit ans,
et, don Hercule ayant demandé qu'elle ne prît pas le voile
avant sa vingtième année, son tuteur refusa d'abord d'y
consentir. Devant ses réclamations toutefois, et devant les
insistances de son oncle, il finit par céder, et exigea seulement qu'elle passât quelques mois dans le monde avant
d'entrer au noviciat. Alphonse, anxieux de lui épargner les
dangers de cette dernière épreuve, la confia à une de ses
plus saintes pénitentes, la duchesse de Bovino, qui, sur la
demande de la jeune fille, la conduisit à Pagani. Cette visite fut pour le Saint une veritable fête. Il garda sa nièce
pendant trois jours, et n'ayant dans sa pauvreté d'autres
souvenirs à lui offrir, il lui remit le livre des *Visites au saint
Sacrement*, celui de la *Préparation à la mort* dont il était
également l'auteur, et un reliquaire de filigrane; puis, lorsqu'elle vint avec la duchesse prendre congé de lui, il lui
donna « comme oncle et comme Évêque » une bénédiction
solennelle à laquelle Teresina attribua la guérison d'un mal
dont elle souffrait depuis près d'un an.

Quatre mois après, elle prit le voile. Alphonse avait demandé que la cérémonie se fît simplement; cependant une grande partie de la noblesse napolitaine y assista. Lui-même aurait désiré la présider; mais sa santé lui interdisait tout voyage, et il dut se borner à écrire à la novice qui lui avait exprimé ses regrets de son absence, la lettre suivante, la dernière de leur correspondance qui soit parvenue jusqu'à nous :

« Ma chère enfant, je n'ai pu en vous lisant retenir les larmes que m'arrachait le chagrin de n'avoir pas été témoin de votre prise d'habit. Si Dieu me l'avait permis, ce sont, au contraire, des pleurs de joie qu'on m'aurait vu répandre; mais il n'a pas voulu m'accorder cette consolation. Je ne me lasse pas de vous recommander à Jésus-Christ, pour qu'il vous enflamme de son saint amour, et que vous puissiez aller jouir de lui, un jour, face à face, au paradis. Priez souvent le Seigneur, afin qu'il me donne aussi une bonne mort, car les péchés que j'ai commis m'inspirent une grande crainte pour mon salut éternel. Je vous bénis et vous promets de vous avoir présente à l'esprit toutes les fois que je recevrai Jésus-Christ, auquel je demanderai sans cesse d'établir son règne en vous. »

Mais Alphonse devait être encore pour la jeune religieuse l'instrument d'une nouvelle faveur. Peu de temps après avoir prononcé ses vœux, Teresina fut atteinte d'un mal de gorge qui lui enleva complétement la voix, et menaça bientôt de devenir chronique. Aussitôt elle recourut à son oncle, et lui représenta l'impuissance où elle était d'accomplir un des principaux devoirs de la vie monastique, la récitation de l'office et le chant des louanges du Seigneur. Alphonse lui répondit par l'envoi d'une image de l'Immaculée Conception devant laquelle il l'engagea à prier avec ferveur. Cette fois encore, la grâce ne se fit pas longtemps attendre, et jusqu'à un âge très-avancé, la voix de Teresina se distingua au chœur par sa fraîcheur et son éclat[1].

---

[1] Marie-Thérèse avait 86 ans lorsque le mal à la jambe dont Alphonse

Le mariage de Joseph de Liguori, devenu par la mort de son frère [1] le seul héritier du nom, fut la dernière préoccupation du Saint pour sa famille. Ne pouvant en prendre soin lui-même, il en avait chargé spécialement don Gavotti et un autre de ses amis, leur recommandant expressément de ne chercher qu'une jeune fille pieuse et d'une bonne naissance, et de laisser ensuite à la décision de son neveu toute liberté. Ces instructions furent fidèlement remplies ; Joseph épousa la fille du prince Campana et vint avec elle à Pagani, solliciter une bénédiction qui marqua l'accomplissement de la tâche d'Alphonse envers les enfants de son frère.

l'avait guérie, 68 ans auparavant, reparut au même endroit et amena sa mort.

[1] Un journal du royaume ayant confondu le jeune Alphonse de Liguori avec son oncle, et annoncé la mort de l'Évêque de Sainte-Agathe, le Chapitre de la cathédrale de Lucques fit célébrer un service à son intention. Le saint, qui en fut informé, remercia les Chanoines, en les rassurant sur sa santé.

CHAPITRE V

Négociation entreprise pour obtenir l'approbation royale. — Le Père
Maione falsifie la règle.

La bienveillance témoignée par le roi Ferdinand à l'Institut
du Saint-Rédempteur, au milieu des difficultés qui l'avaient
assailli peu d'années auparavant, inspira à plusieurs membres de la Congrégation la pensée de solliciter en faveur de
leur règle une approbation définitive. Alphonse goûta ce
projet dont l'exécution devait avoir, entre autres avantages,
celui de fermer la bouche à tous les adversaires qui depuis
si longtemps accusaient l'Institut d'être dépourvu d'existence légale. Toutefois, avant d'entreprendre aucune démarche, il voulut recueillir les avis de quelques hommes
influents de Naples et consulter en particulier le Grand-
Aumônier, Mgr Testa. Celui-ci l'encouragea et se montra
tout disposé à le seconder, à la condition qu'on retranchât
des constitutions ce qui avait trait aux acquisitions et aux
revenus des diverses maisons. Cette réserve n'offrait point de
difficulté sérieuse; Alphonse confia donc sans plus tarder la
négociation au Père Maione, qui, fixé depuis quelque temps
à Naples en qualité de consulteur général, y conduisait avec
habileté les affaires de la Congrégation; mais il lui répéta
plusieurs fois que, sauf en ce qui touchait les acquisitions
dont le roi ne voulait à aucun prix, il lui défendait absolument d'apporter à la règle aucune modification. Le Père
Maione accepta le mandat, non sans manifester des doutes
sur le succès de l'entreprise, et insista à son tour pour que

l'affaire restât secrète entre les consulteurs. « Une parole échappée à un seul des Pères pourrait, disait-il, donner l'éveil aux ennemis de la Congrégation et tout compromettre. » Cette exigence semblait raisonnable; aussi les membres du Conseil s'engagèrent-ils volontiers à garder le silence. Mais, hélas! le prétexte allégué cachait, — tout tend à le prouver, — des raisons moins avouables; car à peine la règle fut-elle abandonnée au négociateur, qu'aidé d'un autre consulteur, le Père Cimino, il se mit à y faire les modifications les plus arbitraires, retranchant, ajoutant, changeant à sa guise, jusqu'à ce que l'ensemble eût pris une forme toute nouvelle.

Cependant, malgré ses précautions pour n'être point découvert, le bruit se répandit parmi les religieux qu'on travaillait à refondre leurs constitutions. Il n'en fallut pas davantage pour mettre toutes les maisons en émoi. Les protestations affluèrent de toutes parts, sans que les efforts d'Alphonse, qui n'avait aucun motif de soupçonner une semblable trahison, pussent arriver à calmer les esprits. « Tranquillisez-vous, écrivait-il au Père Tannoia, alors à Iliceto, et rassurez tout le monde. Tout cela n'est que mensonge, pur mensonge. » Et au Père Corrado, de Ciorani : « On dit que je veux faire de nouvelles règles, moi si jaloux de conserver les anciennes et si fermement résolu à empêcher jusqu'à mon dernier soupir qu'on y porte la plus légère atteinte!... c'est pour moi une profonde affliction d'entendre ces choses; ce sont des inventions du démon pour nous troubler. » Puis il terminait par cette assurance adressée à tous les recteurs : « Sur ma conscience, il ne s'agit de rien contre la règle ou contre les observances de la communauté. »

Sommé de son côté par quelques religieux de s'expliquer, le Père Maione nia tout avec assurance. En même temps, pour parer au tort que pouvaient lui causer les soupçons dont il était l'objet, il se plaignit auprès d'Alphonse des indiscrétions qu'on s'était permises et des accusations indignes qu'on répandait contre lui. Cette démarche fortifia le Saint dans sa confiance. Il se crut plus obligé que jamais à soutenir son mandataire, et un jour, il profita de la présence de plusieurs Pères pour répéter solennellement, en prenant comme à témoin la croix qu'il portait sur sa poitrine : « Je vous assure qu'on ne fait rien contre la règle. Ce qui concernait les acquisitions est supprimé, parce que le roi n'en veut pas ; voilà tout, et sur ce point nous devons nous soumettre. »

Toutefois le nombre des réclamations était tel qu'Alphonse finit par éprouver, lui aussi, quelques craintes, et en écrivit au Père Maione. Celui-ci se justifia d'abord par des réponses ambiguës, puis ne tarda pas à arriver en personne à Pagani. Là, payant d'effronterie, il présenta au Saint la nouvelle règle, en l'assurant que, hormis l'article concernant les acquisitions et quelques changements de rédaction, tout était conforme aux statuts approuvés par le Saint-Siège. Le manuscrit était couvert de ratures et de renvois; les caractères en étaient fins et illisibles; Alphonse, dont la vue était très-affaiblie, le donna à examiner au Père Villani.

Un coup d'œil suffit à ce dernier pour s'apercevoir des changements, parmi lesquels le plus important était la suppression des vœux. Mais le consulteur, interrogé sur la raison de cette lacune, répondit sans s'émouvoir que le roi, considérant les vœux comme le caractère distinctif d'un corps religieux, se refusait à les autoriser, que le rôle de la Congrégation était de se plier à la loi et non de la dicter, et que d'ailleurs l'avantage d'obtenir l'approbation royale valait bien ce léger sacrifice. Le Père Maione avait un naturel violent, et en imposait à tous ses compagnons; le Père Villani, au contraire, était timide. Cédant à une faiblesse de caractère, dont, sans doute, il dut plus tard gémir souvent devant Dieu, il ne se sentit ni le courage de le contredire, ni celui d'éclairer Alphonse, auquel, pressé par le Père Cimino, il porta la règle et ne craignit pas même de dire, sans réfléchir aux conséquences de ses paroles, que *tout allait bien*.

Tout allait bien, en effet, mais pour les projets du Père Maione, qui, de retour à Naples, continua dans ses lettres à

dissimuler soigneusement ses actes. « Si un Père vient vous
dire, écrivait-il à Alphonse, qu'il ne veut observer que l'ancienne règle, vous pourrez hardiment lui répondre que lorsqu'on lui proposera autre chose que ce qui est prescrit par
la règle et par les décrets royaux, il sera libre de ne pas
l'observer. » Puis, pour expliquer ce langage quelque peu
obscur, et se justifier de ne pas entrer dans des détails plus
précis, il ajoutait : « Votre Grandeur, ne pouvant lire elle-
même ses lettres, comprendra que j'use de certaines précautions en lui écrivant. »

Trompé par ces affirmations répétées, et surtout par le
témoignage du Père Villani, Alphonse vivait donc en toute
sécurité, regardant comme des tentations les inquiétudes de
ceux qui l'entouraient. Ce qui l'affligeait, lui, ce n'était pas
ce que redoutaient ses compagnons, c'était de ne pas voir modifier un décret par lequel, peu d'années auparavant, le roi
avait voulu laisser aux religieux la faculté de quitter la
Congrégation pour se retirer dans leurs familles quand ils
le jugeraient bon. Cette liberté était injuste à ses yeux. La
Congrégation, disait-il, ne peut congédier le missionnaire
sans motif grave : celui-ci à son tour ne doit pas la quitter
sans une cause légitime ; il a été instruit et entretenu par
elle : il lui doit ses travaux. Aussi, après avoir passé plusieurs nuits à réfléchir, espérant qu'il était encore temps
de revenir sur ce point, écrivit-il au Père Maione de représenter au Grand-Aumônier que ce statut allait certainement
à l'encontre des intentions royales. Mais le Père lui répondit que la négociation avait pris fin, et qu'il n'y avait
plus rien à tenter.

Le 1ᵉʳ janvier 1780, la nouvelle règle fut, en effet, proposée au conseil royal. Le Grand-Aumônier, le ministre des
affaires ecclésiastiques et les autres membres de l'assemblée,
croyant par là faire preuve de déférence envers l'ancien
Évêque de Sainte-Agathe, accordèrent avec empressement
la ratification qu'on leur demandait en son nom. Le roi ne

gérer dans les contrats de mariage et autres traités, la défense d'intervenir sous aucune forme dans les testaments. Enfin le Père Maione, pour assurer le succès de son œuvre, déposa deux copies de l'acte, l'une à la Chambre royale et l'autre entre les mains du Procureur général. L'œuvre légale était accomplie; mais il fallait en porter le résultat à Alphonse. Ce jour-là, le courage manqua au négociateur, et il choisit pour le remplacer le Père Caione, recteur de Bénévent, qui arriva à Pagani le 27 février 1780.

Le Saint était alors très-souffrant; il prit la lettre et la posa près de lui sans la décacheter, mais ne dissimula pas la joie qu'elle lui causait et témoigna l'intention de proposer, le Vendredi saint suivant, à toute la communauté un renouvellement solennel des vœux. Cependant le doute régnait encore dans les esprits, et les Pères répondirent qu'avant de contracter aucun engagement, ils voulaient relire le texte des règles : désir sans grande portée en apparence, mais sous lequel l'intonation de la voix laissait deviner la pensée qui l'inspirait. Le soir, en effet, ne pouvant plus maîtriser leur impatience, ils insistèrent si vivement auprès du Père Villani que celui-ci leur remit la dépêche entre les mains. Aussitôt ils s'en partagèrent les feuilles et les parcoururent avec une anxiété qui n'était dépassée que par leur surprise à chaque modification nouvelle qui passait sous leurs yeux. Les droits des Consulteurs étaient étendus outre mesure : ils pouvaient, à la majorité simple, renvoyer tous les sujets, même les prêtres, admettre dans la Congrégation des hommes déjà engagés dans l'état ecclésiastique, correspondre sans permission avec le dehors. Les sujets qui jouissaient de rentes viagères ne pouvaient plus en disposer pour leurs familles, mais devaient nécessairement les abandonner à la Congrégation. La défense concernant les stations de carême était levée. Les missionnaires, jusqu'alors soumis aux Évêques en ce qui avait trait seulement à leurs travaux extérieurs, devaient dorénavant relever d'eux au spirituel et nfin les grands vœux étaient supprimés.

n à faire des copies et à délibérer, et

le lendemain, ayant le jour, on vint réveiller Alphonse pour se plaindre à lui de ces nouveautés. Il demeura comme étourdi sous le coup d'une révélation à laquelle il ne pouvait croire, se mit à lire lui-même les feuilles qu'on lui avait apportées, et lorsqu'il eut achevé : « C'est impossible ! s'écria-t-il, c'est impossible ! » puis, portant ses regards sur le Père Villani : « Don André, ajouta-t-il sévèrement, je n'attendais pas de vous cette trahison ! » et s'adressant à la communauté : « Je mériterais d'être attaché à la queue d'un cheval ; comme supérieur, je devais tout voir..., mais vous savez combien j'ai de difficulté à lire une ligne. » Il paraissait anéanti. Il se retourna vers son crucifix, et lui parla tout haut : « Mon Jésus, je me suis fié à celui qui conduit mon âme. En qui donc aurais-je pu avoir confiance, si ce n'est en lui ? Et j'ai été trompé ! » Ce fut tout ; il passa le reste de la matinée dans un accablement muet, et ses sanglots interrompirent seuls son silence. A peine réussit-on, plusieurs heures après, à lui faire accepter un peu de nourriture ; mais il ne put terminer son repas. « Ah ! Seigneur, répétait-il sans cesse en fixant sur son crucifix ses yeux pleins de larmes, ne châtiez pas les innocents ; punissez seulement le coupable qui a gâté votre œuvre ! » Pendant plusieurs nuits il ne put dormir. On crut qu'il ne survivrait pas à son chagrin.

Au bout de quelques jours, cependant, il reprit un peu de courage ; mais, ne sachant encore à quelle mesure se résoudre, il appela auprès de lui les Pères qui lui inspiraient le plus de confiance, parmi lesquels se trouvaient le Pere Tannoia et le Père Corrado. Les lettres qu'il leur écrivit pour les faire venir à Pagani étaient autant de cris de détresse. « Cher Barthélemy, disait-il au dernier, je suis menacé de devenir fou. Le règlement du Père Maione est presque entièrement contraire à mes vues. Ici, tous les jeunes gens sont en effervescence. Je vous en prie, quittez tout et venez, si vous ne voulez pas que je perde la tête ou que je meure d'une attaque. » — « Notre règle, mandait-il au Pere Caione à Bénévent, avait été examinée par Mgr Falcoia, un saint qui a fait des miracles, revue par le Cardinal Spinelli, et finalement approuvée par Benoît XIV. Maintenant la voilà toute bouleversée, et je ne sais qui pourrait avoir le courage de lui préférer le nouveau règlement. Ce n'est pas le roi qui a fait ces changements ; ce n'est pas son ministre : c'est le Père Maione. Je veux croire que ses intentions étaient bonnes ; mais je ne reconnais pas là l'œuvre de Dieu. »

Pendant que le Saint protestait ainsi avec indignation contre ces chagements, le consulteur le représentait à Naples comme luttant péniblement contre ses maisons pour leur faire adopter la nouvelle règle, et il persuadait au Grand-Aumônier d'intervenir en faisant savoir aux religieux que le règlement approuvé par le roi devait être observé ponctuellement, intégralement et immédiatement par tous les membres de l'Institut. La lettre emphatique contenant cet ordre était rédigée, comme on l'apprit plus tard, par le Père Maione lui-même. Elle causa dans la Congrégation une nouvelle explosion qu'Alphonse chercha en vain à calmer. Ses efforts ne firent qu'augmenter les fureurs, au point qu'on osa l'accuser d'être complice du Père Maione. Hélas ! nous ne savons que trop qu'après en avoir été la dupe, c'était lui au contraire qui en était la première victime. Cependant, avec une tendresse puisée, comme il le disait, sur le Calvaire, il essaya de toucher et de ramener ce fils égaré : « Mon cher Angelo, lui écrivait-il [1], oublions tout le passé et mettons-le sous nos pieds. Retirez-vous dans votre maison de Ciorani ou, si elle ne vous convient pas, dans celle que vous voudrez, et soyez sûr que pour ma part je vous aimerai comme autrefois, plus encore, si c'est possible. Vous resterez d'ailleurs Consulteur comme auparavant, et vous continuerez à donner votre avis dans toutes les affaires importantes. Confiez-moi donc votre réputation ; la défendre auprès de vos frères ou des étrangers sera ma préoccupation continuelle... et calmons-nous, je vous en prie, au nom des plaies de Jésus-Christ. Je vous bénis, et je prie le Seigneur de vous remplir de son amour. »

---

[1] 20 mars 1780.

Alphonse espérait ramener le prodigue en versant sur lui, selon son expression, toute la douceur qu'il pouvait amasser dans son âme; mais, loin d'être gagné par cet excès d'indulgence, le Père Maione mit le comble à sa trahison en se couvrant encore du nom d'Alphonse et en faisant usage d'un blanc-seing qu'il possédait, pour obtenir du roi l'ordre de chasser de la Congrégation tous ceux qui se refuseraient à observer le nouveau règlement. Le Saint en fut heureusement informé, et, devant l'imminence du péril, il expédia sans retard un des siens à Naples, avec la mission de retirer sa procuration au Père Maione, et d'en investir le Père Corrado. En même temps il écrivit à celui-ci d'aller trouver le Grand-Aumônier pour lui révéler l'état des choses, lui faire connaître le mécontentement universel, et lui démontrer que cette obligation de suivre une règle à laquelle ils n'avaient pas promis l'observance compromettait nécessairement la vocation de plus de cent jeunes gens, dont les études théologiques avaient été assez brillantes, disait Alphonse, pour leur permettre de figurer avec honneur en Sorbonne ou à Louvain. « Quant à ma santé, ajoutait-il, dites à Monseigneur le Chapelain que je ne suis pas devenu imbécile, comme voudrait le faire croire le Père Maione; j'ai encore toute ma tête, bien qu'il travaille à me la faire perdre [1]. »

Et il le démontra en écrivant directement, quelques jours après, à Mgr Testa une longue lettre pleine de ses angoisses sur l'avenir de sa Congrégation. Il pria en même temps le Père Fatigati, qui était très-lié avec le prélat, d'user de son crédit auprès de lui, et, supposant que l'Évêque de Gaëte pourrait aussi exercer quelque influence, il le supplia dans les termes les plus touchants de venir à son secours.

Malheureusement le Grand-Aumônier avait pris part à la composition du nouveau règlement, qu'il trouvait excellent, et, loin de consentir à l'annuler, il ne songeait, au contraire, qu'à en hâter l'exécution.

[1] Lettre au Père Corrado, 12 avril 1780.

CHAPITRE VI

Alphonse convoque à Pagani une réunion générale de la Congrégation.
— On procède à de nouvelles élections. — Le Père Leggio. — Pie VI,
trompé, déclare les maisons napolitaines exclues de la Congrégation.

●

Les insistances du Grand-Aumônier pour que les Pères
du Saint-Rédempteur adoptassent une règle à laquelle ils
ne s'étaient point engagés excitaient parmi eux un mécontentement qui n'eût eu rien que de très-légitime, s'il ne s'y
était joint, au moins chez un grand nombre, un sentiment
amer contre Alphonse et contre son conseil, et si; par
suite, la vénération dont on avait jusqu'alors entouré le
fondateur n'allât chaque jour en s'affaiblissant. Ce désaccord
et cet esprit de révolte, dans une société autrefois si unie et si
soumise à son chef, portaient à son comble l'amertume du
Saint qui, depuis plusieurs semaines, ne trouvait de soulagement que dans la solitude et dans la prière, aux pieds de
son crucifix.

Le *statu quo* ne pouvait se prolonger cependant, et il fallait prendre un parti; aussi, suspendant l'exécution du
nouveau règlement, Alphonse convoqua-t-il une assemblée
qui devait se composer de deux représentants de chaque
maison, et arrêter le sens de l'adresse qu'il convenait d'envoyer au roi. Hélas! loin de rétablir la paix, cette mesure
ne devait servir qu'à accentuer la division.

Le couvent de Frosinone comptait alors parmi ses
membres un religieux napolitain du nom de Leggio, caractère chagrin, remuant et difficile, qu'Alphonse avait
dû, bien à regret, faire passer plusieurs fois d'une résidence

dans une autre. Ces changements, dont son humeur seule était la cause, avaient profondément irrité le Père. Depuis quelque temps, il cherchait à en tirer vengeance, et, espérant en trouver l'occasion dans les événements qui venaient de se passer à Naples, il suggéra à ses compagnons et aux autres missionnaires des États pontificaux la pensée de se séparer de leur fondateur et de proclamer l'indépendance de leurs maisons. Plusieurs religieux se laissèrent persuader, et Leggio, pour assurer ce premier succès, fit dénoncer à Rome l'Évêque de Sainte-Agathe comme complice des nouveautés introduites dans la règle, et comme voulant exercer une direction arbitraire sur la Congrégation. Une requête adressée au Pape, à son instigation, allait même jusqu'à le supplier de vouloir bien autoriser la tenue d'un chapitre dans un des couvents de ses États, en permettant à ces établissements de se séparer des maisons napolitaines et de se donner un Supérieur général.

Ce fut sur ces entrefaites qu'arriva la circulaire par laquelle Alphonse convoquait une assemblée à Pagani, sous sa présidence. Mal accueillie dans les quatre couvents des États romains, elle demeura sans réponse, si bien que, ne sachant à quelle cause attribuer ce silence des recteurs, le saint Évêque dut, après avoir fait certifier officiellement sa signature, intimer à chacun, contre sa coutume, l'ordre formel d'envoyer au Chapitre deux représentants. Cette fois, les opposants feignirent de se soumettre, et leurs députés, parmi lesquels se trouvait le Père Leggio lui-même, parurent à Pagani.

L'assemblée s'ouvrit le 12 mai 1781. Une grande agitation se manifesta tout d'abord parmi ses membres : expression sincère chez les uns d'un zèle ardent pour la règle approuvée par Benoît XIV et pratiquée depuis plus d'un demi-siècle, explosion violente chez les autres d'une passion impossible à contenir. Presque tous se montraient fort irrités contre les Pères Maione et Cimino; plusieurs parlaient de les chasser de la Congrégation comme traîtres à leur mandat, et les plus modérés demandaient qu'ils fussent au moins déposés; mais cette dernière mesure elle-même semblait trop rigoureuse à Alphonse, qui espérait encore ramener à force de douceur le Père Maione au repentir. Aussi la situation personnelle du Saint devenait-elle de plus en plus difficile : les récriminations contre lui se succédaient sans relâche; on lui reprochait d'avoir gardé le secret sur les transformations subies par la règle, méprisé les réclamations générales et immolé, pour ainsi dire, ses propres enfants, « crime, disait-on, que Dieu aurait peine à lui pardonner ». Il n'y avait pas jusqu'à la charité dont il voulait user envers tous qui ne le fît soupçonner d'être de connivence avec les deux coupables, et l'exaspération arriva à un tel degré qu'il se prit à regretter amèrement d'avoir convoqué l'assemblée.

Celle-ci, en effet, dépassant ses pouvoirs, déposa, le 20 mai, après huit jours de discussions orageuses, les six Consulteurs, et, si elle n'osa pas dépouiller Alphonse de son titre de Recteur majeur, elle le contraignit en quelque sorte à donner lui-même sa démission. Il le fit avec une profonde humilité, sans regret ni réclamation, souhaitant, comme Jonas, être l'unique victime de la tempête, et par son sacrifice sauver la barque du naufrage.

On procéda ensuite à une nouvelle élection. Le Saint fut renommé comme par grâce et en considération de sa vieillesse et de ses services-passés; mais, des anciens Consulteurs, les Pères Mazzini et Villani furent seuls, et par les mêmes motifs sans doute, réintégrés dans leurs fonctions; encore ce dernier, auquel on ne pouvait pardonner sa faiblesse, cessa-t-il d'exercer la charge de Vicaire général, qui fut confiée au Père Corrado, tandis que le Père Tannoia était élu Consulteur général et Procureur. Ne pouvant arrêter le torrent, et craignant de plus grands maux encore, Alphonse adopta toutes ces décisions. Quant à un projet de réforme qui avait été lancé au milieu de l'effervescence générale, il n'en sortit, en fait de mesure sérieuse, mais demeurée sans résultat, qu'une supplique au roi dans laquelle on lui demandait la faculté de prononcer comme autrefois, et selon

la teneur de la règle, les vœux d'obéissance, de pauvreté et
de vie commune, ainsi que le serment de persévérance.

Cependant, à travers ces débats, dont il avait attisé le
feu, le Père Leggio poursuivait son plan, et il quitta Nocera
plus décidé que jamais à consommer la séparation. Dans ce
but, il se rendit à Rome, sollicita une audience de Pie VI,
et, affectant en sa présence, avec un grand dévouement pour
sa Congrégation, une vive douleur de ce qu'il appelait la
défaillance des maisons napolitaines, il gagna sans peine,
par son hypocrite soumission, l'intérêt et la bienveillance du
Pontife. Vint ensuite une description de la réunion de Pagani,
qu'il qualifia de *brigandage d'Éphèse*, et un travestissement
odieux de l'attitude d'Alphonse. A l'entendre, ce n'était pas
le fondateur qui était victime d'une trahison, c'était lui au
contraire qui, peu soucieux de se conformer aux décisions
pontificales, allait introduire, si l'on ne se hâtait de prévenir
ses démarches, dans les maisons des États romains, les
mêmes changements que dans le royaume de Naples.

Devant cette déclaration, Pie VI manifesta une surprise
égale à son mécontentement. Le dévouement que l'Évêque
de Sainte-Agathe avait toujours témoigné au Saint-Siége
et les bontés dont tous les Papes l'avaient comblé faisaient, en effet, de la conduite qu'on lui prêtait un pro-
blème indéchiffrable. La seule explication qui s'offrît à
l'esprit du Pape fut la nécessité dans laquelle se serait cru
Alphonse, affaibli d'ailleurs par l'âge et les infirmités, de
céder à une pression violente du gouvernement napolitain,
pour éviter à sa Congrégation un sort analogue à la Compagnie de Jésus. Ces motifs ne justifiaient pas complétement
aux yeux du Saint-Père l'infraction faite à l'obéissance;
toutefois il passa outre et ne songea qu'à arrêter la contagion. Il se borna donc à ordonner ¹ au secrétaire de la Congrégation des Évêques et Réguliers de prévenir le Cardinal-
Archevêque de Bénévent et l'Évêque de Veroli, dans le
ressort desquels se trouvaient les quatre maisons du Saint-

1780.

Rédempteur, que le Pape, ayant eu connaissance des changements opérés ou projetés dans les règles de cette société, entendait qu'on continuât à observer en tous points les constitutions approuvées par Benoît XIV, de sainte mémoire. En cas d'opposition, la Congrégation des Évêques et Réguliers devait être avisée, afin d'y remédier par des mesures efficaces.

Ce bref, bientôt connu dans le royaume de Naples, causa une véritable joie au saint fondateur, qui bénit Dieu d'avoir mis, au moins dans les États pontificaux, la règle à l'abri de toute mutilation; mais sa satisfaction fut de courte durée, car il ne tarda pas à apprendre que plusieurs religieux napolitains, violant ouvertement les statuts, étaient partis sans autorisation pour le diocèse de Bénévent. Parmi eux se trouvaient le recteur et le préfet d'Iliceto, et douze clercs de ce même établissement sur lesquels Alphonse fondait de grandes espérances. Il baissa la tête devant cette défection et adora les desseins de Dieu; cependant, comme sa préoccupation était avant tout de rétablir l'ordre et la paix dans la Congrégation, il pria le Cardinal de Bénévent, chargé, nous venons de le dire, de veiller à l'exécution de la règle primitive dans les maisons de son diocèse, d'examiner pièces en main l'ensemble de l'affaire, sans tenir compte des mesures prises, ni des élections faites dans la dernière assemblée; car il était prêt, disait-il, à résigner sa charge et à disparaître, s'il le fallait, pour le bien général. En même temps, il suppliait les Pères de se soumettre à l'avis qu'exprimerait le Cardinal; mais l'excitation était trop vive pour que le langage de la raison pût se faire entendre, et, des divers expédients proposés par le prélat, aucun ne fut accepté.

A Rome, tout réussissait, au contraire, au gré du Père Leggio, qui faisait expédier aux recteurs des quatre maisons pontificales la défense expresse d'obtempérer dorénavant à aucun ordre émanant du Recteur majeur et de laisser les religieux soumis à leur obédience sortir des États-romains pour retourner dans les communautés napolitaines. Cette

décision ne fut point communiquée à Alphonse; et quelques
vagues rumeurs en étaient à peine arrivées jusqu'à lui,
lorsqu'un jour, ayant mandé à Pagani les plus anciens
Pères de Bénévent et de Sant'-Angelo pour l'éclairer, il
n'en obtint d'autre réponse qu'un refus formel dont le
motif, ouvertement allégué pour la première fois, était la
rupture du lien d'obéissance qui naguère les rattachait à
lui. Ce fut sous cette forme amère que la vérité parvint à
la connaissance du Saint. Il se soumit humblement à l'arrêt du Pape; néanmoins la réaction physique produite sur
lui par une nouvelle aussi inattendue fut telle que, pendant quelques jours, sa vie parut une fois de plus en danger. Hélas! ce n'était qu'au prix de bien des douleurs encore
qu'il devait acheter sa délivrance.

Cependant son rival, enhardi par un succès plus grand
peut-être qu'il ne l'eût osé rêver, résolut de faire un pas de
plus dans la voie de la séparation. Profitant du crédit dont
il jouissait auprès des Cardinaux qui composaient la Congrégation des Évêques et Réguliers, il s'efforça en effet de
leur démontrer la nécessité de convoquer promptement un
Chapitre et de donner un supérieur aux quatre maisons de
l'État pontifical, qui ne devaient plus reconnaître l'autorité
du Recteur majeur. Mais avant de prendre une aussi grave
détermination, la Congrégation voulut recueillir de plus
amples renseignements sur les origines premières de la division, et elle s'adressa dans ce but à l'internonce de Naples.
Celui-ci en référa à l'Archevêque [1], et tous deux, après avoir
jugé avec raison qu'il fallait d'abord entendre l'accusé, en-
joignirent à Alphonse d'envoyer à Rome les actes dressés
dans la dernière assemblée, avec un récit exact des faits qui
l'avaient précédée. Le gouvernement napolitain défendait
malheureusement à cette époque, et sous les menaces les
plus sévères, les communications directes avec la cour
pontificale. Écrire à Rome parut donc à Alphonse une mesure aussi difficile dans son exécution qu'insuffisante dans

1 Mgr Caracciolo.

ses résultats, tandis que l'envoi de délégués chargés de donner de vive voix toutes les informations désirées était, selon lui, la meilleure marche à suivre. Ce fut ce dernier parti qu'il adopte; mais, évidemment inconscient du danger qui menaçait son œuvre, et craignant de distraire ses religieux des missions qu'ils avaient entreprises, il demanda qu'on voulût bien lui accorder un délai de deux mois. Rien ne pouvait mieux servir les desseins du Père Leggio, qui ne manqua pas de représenter ce retard comme un moyen de gagner du temps, et qui, appuyant sur le tort fait aux maisons des États romains par cette absence prolongée de chef, redoubla d'instances et multiplia les suppliques pour qu'on leur donnât dès lors un supérieur *par interim*. Il n'était soutenu dans ses démarches que par le couvent de Frosinone; mais la persistance d'une calomnie sans contrepoids et le silence inexpliqué d'Alphonse finirent par triompher des hésitations de la cour romaine. Le 22 septembre 1780, Pie VI déclara les maisons du royaume de Naples exclues de la Congrégation du Saint-Rédempteur, dépouilla leur fondateur de l'autorité qu'il avait exercée jusqu'alors et nomma le recteur de Frosinone, le Père François de Paule, *Président* des quatre maisons de l'État pontifical. Cet acte était en lui-même si important, et devait jeter sur les dernières années d'Alphonse une teinte si sombre, qu'il nous semble nécessaire de reproduire ici textuellement la lettre adressée au Cardinal de Bénévent par le secrétaire de la Congrégation des Évêques et Réguliers, Mᵍʳ Carafa :

« Notre Saint-Père le Pape, écrivait-il, voulant pourvoir d'un supérieur légitime les maisons de la Congrégation du Saint-Rédempteur situées dans votre diocèse et dans celui de Veroli, a daigné, dans l'audience accordée le 22 courant au soussigné..., nommer Président de ces maisons le Père François de Paule, supérieur actuel de Frosinone, diocèse de Veroli. Sa Sainteté lui confère tous les pouvoirs nécessaires pour que, selon la teneur des règles et constitutions du Très-Saint-Rédempteur, approuvées, le 25 fé-

vrier 1743, par le Pape Benoît XIV, de sainte mémoire.
dans son bref : *Ad pastoralis dignitatis fastigium,* ledit
Père François de Paule puisse gouverner les maisons et
leurs membres à la place de celui qui, revêtu jusqu'ici du
titre de Recteur majeur de la susdite Congrégation, a osé
adopter pour lui et pour ses partisans une nouvelle règle,
différant essentiellement du règlement suivi dans l'origine,
et a cessé, par cela même, de faire partie de sa communauté, comme de jouir des prérogatives et des grâces
accordées par le Saint-Siége. J'en informe Votre Éminence,
pour qu'elle veuille bien commander, au nom du Souverain
Pontife, à tous les membres de cette Congrégation qui se
trouvent dans son diocèse, d'observer en tous points, ainsi
qu'on le leur a déjà fait savoir, les règles et constitutions
approuvées par Benoît XIV, sans admettre aucun changement; enfin, de reconnaître jusqu'à nouvel ordre pour
leur supérieur ledit Père François de Paule, nommé Président par Sa Sainteté, et de lui rendre l'obéissance qui lui
est due [1]. »

Cette décision, qui mettait le comble au triomphe du Père
Leggio, semblait faite pour assouvir sa vengeance ; mais sa
haine réclamait une dernière satisfaction. Poursuivant, en
effet, jusque dans sa disgrâce la fraction de l'Institut demeurée fidèle au fondateur, il obtint un rescrit de la Sacrée
Pénitencerie, d'où il ressortait que les missionnaires du
royaume de Naples, ne faisant plus partie de la société,
n'avaient plus droit aux priviléges spirituels accordés autrefois à la Congrégation par le Souverain Pontife, et que toute
supplique adressée par eux, en tant que membres de cette
Congrégation, ne serait même plus accueillie à Rome.

Tout était donc consommé lorsque les religieux envoyés
par Alphonse pour expliquer sa conduite, et qui avaient
quitté Pagani avant qu'on y connût le décret pontifical, arrivèrent dans la ville sainte; c'étaient les Pères Tannoia et

---

[1] Une copie de cette lettre fut expédiée à l'Évêque de Veroli.

Gallo. A leur vue, le Père Leggio feignit une vive douleur. « Hélas! » leur dit-il avec les dehors d'une émotion profonde, « Dieu seul sait tout ce que j'ai fait pour éclairer la
Congrégation des Évêques et Réguliers, pour détromper
le Saint-Père et pour démontrer l'innocence de Mᵍʳ 'de
Liguori; tout a été inutile : le Pape l'a pris en horreur
et ne veut plus même entendre prononcer son nom. » Mais
laissons parler ici le Père Tannoia lui-même : « Il se montrait tout enflammé pour notre cause, » écrit ce Père dans
ses Mémoires, « tandis qu'en secret il contrecarrait toutes
nos démarches. Je me rendis avec lui chez Mᵍʳ Carafa et
chez l'abbé Zuccari, pro-secrétaire... Malheureusement je
ne pus rien obtenir, car la Congrégation était suspendue, et
les Cardinaux étaient en villégiature. Le Procureur[1] d'ailleurs
ne cessait de protester devant moi de sa tendresse et de son
dévouement pour Alphonse; mais la nature du feu est telle
qu'il ne peut longtemps se cacher : un jour donc, ne sachant plus dissimuler, il se démasqua, exhala tout le venin
de son âme, et me dit d'un ton triomphant : « *Si ha giocato
l'altare*. Il a joué l'autel[2]. » Tel était, en effet, le dernier
but de ses actes : faire à Alphonse le plus de mal possible,
et le poursuivre avec acharnement, vivant ou mort. »

Cette découverte, qui aurait dû, ce semble, exciter le
zèle des deux envoyés, jointe aux obstacles qu'ils avaient
déjà rencontrés, les jeta, au contraire, dans un découragement où leur fidélité incontestable rend difficile de ne pas
voir une permission providentielle. Ne pouvant se faire
entendre de la Congrégation des Évêques et Réguliers, et
espérant encore moins arriver jusqu'à Pie VI, les Pères
Tannoia et Gallo jugèrent inutile de prolonger leur séjour à

---

[1] C'est ainsi que Tannoia désigne toujours le Père Leggio, dont il ne
prononce pas une fois le nom.

[2] Ce mot bizarre doit être probablement entendu dans le sens de : *Il a
perdu ses chances d'être mis sur les autels*. C'est aussi ce que l'on peut
induire de cette autre parole du même Père Leggio à l'Évêque de Narni,
toujours à propos d'Alphonse : « Il a joué sa canonisation et l'a perdue. »
Après la mort du Saint, on vit, en effet, le Père Leggio faire tous ses efforts pour entraver la cause de sa béatification.

Rome, et reprirent le chemin de Pagani. Ils y arrivèrent le soir, mais ne voulurent pas troubler le repos du saint vieillard; et ce fut seulement le lendemain matin, pendant qu'il se préparait à entendre la messe que sa santé ne lui permettait pas ce jour-là de célébrer, que le Père Villani vint lui apprendre à la fois l'insuccès du voyage et la nomination du Père François de Paule en qualité de Président des maisons romaines. La douleur d'Alphonse fut profonde, sans qu'elle se traduisît toutefois par aucune démonstration extérieure. « Je ne veux que Dieu seul, dit-il, et si sa grâce me reste, cela suffit. Le Pape l'a décidé ainsi : que Dieu soit béni ! » Puis il reprit paisiblement sa prière, assista au saint sacrifice, reçut la communion, et, sans rien changer à ses habitudes, sortit en voiture, après son action de grâces. Mais au moment même où il semblait avoir triomphé des amertumes de la première heure, une horrible tentation vint l'assaillir. La destruction prochaine, inévitable, de sa Congrégation lui apparut comme un malheur que ses péchés avaient attiré sur elle, et la pensée de l'abandon définitif de Dieu et de sa damnation éternelle traversa, comme un affreux fantôme, son âme terrifiée. En vain il s'humiliait et s'excitait à la confiance; chaque fois l'esprit malin redoublait de ruse et lui montrait dans sa confiance même un symptôme nouveau de sa présomption. Bientôt la lutte interne prit des proportions telles qu'Alphonse n'eut pas le courage de continuer sa promenade, et donna au cocher l'ordre de rentrer; enfin , à la porte du couvent, le peu de force qui lui restait encore l'abandonnant tout à fait: « Au secours, mes frères, s'écria-t-il d'un ton suppliant; le démon cherche à me jeter dans le désespoir; au secours : je ne veux pas offenser Dieu ! » Les Pères Villani et Mazzini accoururent; on le transporta dans sa chambre, et la communauté tout entière l'entoura; mais il ne cessait de répéter en pleurant : « Dieu abandonne la Congrégation à cause de mes péchés. Secourez-moi, le démon essaie de me pousser à bout; mais je ne veux pas offenser Dieu. » A force d'encouragements et d'appels à sa foi, les Pères pourtant parvinrent à le calmer, et se rassurèrent bientôt eux-mêmes, lorsqu'ils l'entendirent s'adresser à haute voix à une image de la sainte Vierge, placée près de lui, et lui dire avec une simplicité toute filiale : « *Madonna mia, vi ringrazio;* je vous remercie, vous m'avez secouru. · Aidez-moi encore, ma Mère! Jésus, mon espérance! *Non confundar in æternum.* »

« Le soir, raconte Tannoia, nous allâmes chez lui après le souper et le trouvâmes entièrement rasséréné. « Le dé-« mon, nous dit-il, a voulu toute la journée me porter au « désespoir; mais la sainte Vierge m'a défendu, et, grâce à « Dieu, je n'ai pas cédé ! » La tentation se présenta de nouveau à plusieurs reprises, ajoute l'historien; car, selon son expression, le diable ne le quittait pas : il en triompha toujours, et quelques-uns des nôtres étant revenus devant lui sur les événements, il coupa court à la conversation par ces mots : « Le Pape a cru devoir agir ainsi; Dieu soit béni ! « la volonté du Pape est la volonté de Dieu. »

L'épreuve était vaincue; aussi, tout malade qu'il fût, descendit-il le samedi suivant à l'église, et prêcha-t-il comme de coutume, en recommandant seulement aux fidèles de prier pour « la Congrégation plongée dans des angoisses profondes ». Enfin, plusieurs jours après, il parla avec la même placidité de ses nouvelles douleurs à son ami, l'Évêque de Gaëte, dans un entretien où l'un et l'autre recherchèrent comment on pourrait éclairer le Souverain Pontife et l'amener à revenir sur sa décision. Le résultat de cette entrevue fut une conférence entre l'Évêque de Gaëte, accompagné d'un représentant d'Alphonse, et le Cardinal de Bénévent; mais ce dernier, après avoir entendu l'exposé de toute l'affaire, jugea que, dans les circonstances où l'on se trouvait, des démarches faites à Rome seraient plutôt nuisibles qu'utiles à la Congrégation, et l'on se sépara sans avoir rien résolu.

CHAPITRE VII

Alphonse se soumet au Père François de Paule. — Il n'en est pas moins accusé de rébellion contre le Pape. — Sa douleur et ses démarches pour faire cesser la division.

L'obéissance d'Alphonse était trop sincère pour reculer même devant les actes les plus douloureux en apparence. Il reconnut sans hésiter le Père François de Paule pour supérieur, et, ne voulant pas continuer à habiter davantage une maison que le Pape ne considérait plus comme faisant partie de l'Institut, il prit la résolution d'aller se fixer à Bénévent pour y vivre et mourir en simple religieux. Son âge et sa santé rendaient cette détermination plus méritoire que réalisable ; un autre motif cependant le décida seul à y renoncer : ce fut la crainte du retentissement que son départ aurait à Naples et des difficultés qui pourraient surgir à cette occasion entre le Pape et le roi. Retenu contre son gré, il s'empressa du moins d'écrire au Père Président pour faire acte de soumission, lui exprima sa ferme intention de se rendre dans l'État pontifical, si l'ordre lui en était donné [1], et ne se calma qu'après avoir reçu du nouveau supérieur le commandement exprès de rester à Pagani, avec l'assurance qu'il n'en continuerait pas moins à faire partie de la Congrégation. Les paroles prophétiques prononcées plusieurs fois par Alphonse : « Je mourrai simple religieux, » reve-

---

[1] Cette lettre, qui eût été pour nous si intéressante, était soigneusement conservée à Frosinone ; mais elle disparut à l'époque de l'invasion française.

naient naturellement à l'esprit; et déjà on pouvait pressentir
leur accomplissement.

Toutefois si, par son abnégation et son courage, les angoisses de sa position personnelle pouvaient être allégées,
les difficultés de la situation générale n'en étaient ni diminuées ni éclaircies. L'arrêt du Pape avait été pour toutes
les maisons du royaume comme un coup de foudre et un
signal de dispersion. Un grand nombre de religieux les
avaient quittées, les uns pour aller habiter dans les maisons
romaines, les autres pour rentrer dans le monde [1], faisant
sentir plus amèrement encore à Alphonse par cette désertion du foyer domestique l'abandon dans lequel le laissait
lui-même le Père de la grande famille chrétienne. Quelle
n'était pas, en effet, sa douleur, ainsi qu'il l'écrivait au
Père François de Paule, de sentir le Pape irrité contre lui
et de n'avoir aucun moyen de se défendre, lorsqu'il savait,
ajoutait-il, « que le Saint-Père mieux informé ne le con-
damnerait certainement pas ! »

Pour essayer d'éclairer Pie VI, il rédigea un mémoire
contenant toute l'histoire de la Congrégation, depuis sa
naissance jusqu'à ses dernières vicissitudes, et l'envoya au
Cardinal de Bénévent, avec prière de le mettre sous les
yeux du chef de l'Église. Mais le prélat se borna à déposer
la pièce dans les bureaux des Évêques et Réguliers, où
aucune réponse n'y fut faite. Désolé de ce silence, qui était
encore un mécompte, le Saint exprima de nouveau au
Cardinal le regret de ne pouvoir se rendre auprès du
Pape, pour apprendre de sa propre bouche la conduite
qu'il devait suivre, en face des difficultés qu'il craignait de
rencontrer du côté du roi. Deux ans auparavant, en effet, le
Procureur de la junte des Abus avait réclamé la suppression
de l'Institut, en se basant précisément sur le fait qu'on y sui-

---

[1] Le Père Maione fut de ce nombre. Malgré les instances d'Alphonse
et la certitude de recevoir son pardon, il quitta la Congrégation, et s'attacha, en qualité de secrétaire, au service d'un seigneur napolitain chez
lequel il acheva tristement sa vie. Avant de mourir, toutefois, il témoigna
un amer regret de sa faute et des malheurs dont elle avait été la cause.

vait la règle approuvée par Benoît XIV, et la **demande** était encore pendante. Le rejet du nouveau règlement **serait** un grief bien autrement sérieux, dont la conséquence **immédiate** pourrait être la suppression des quatre maisons **napolitaines.** « Les choses étant telles, disait Alphonse, que **devons-nous** faire?... Nous sommes châtiés sans être coupables. » Et écrivant au Père François de Paule, il ajoutait : « Le Pàpe sait par combien de défenses nous sommes tenus à l'étroit; il sait que nous n'avons aucun moyen de nous tirer d'embarras, et toutefois il nous maintient dans sa disgrâce !! »

Les âmes aussi souffraient de cette division de la Congrégation. Les missions continuaient; mais les missionnaires se sentaient comme paralysés par la privation des pouvoirs spéciaux dont ils avaient joui jusqu'alors. En vain l'Évêque de Lettere avait-il écrit au Pape pour lui demander de leur rendre leurs anciens priviléges; il n'avait obtenu de Mɢʳ Carafa qu'un refus catégorique ainsi formulé : « Le Saint-Siége n'ayant accordé ses grâces, indults et priviléges, qu'à la Congrégation du Saint-Rédempteur approuvée par Benoît XIV, tous ceux qui ne professent point cette règle **dans** son intégrité, et qui, par cela même, ne font plus partie de l'Institut, ne peuvent avoir part à ses faveurs; et ce qu'ils feraient en dehors des règles canoniques, en s'appuyant sur ces prérogatives, serait aussi illicite que les actes d'un prêtre qui n'aurait aucun prétexte à invoquer. » Le Saint en fut profondément affligé, car il ne cessait de dire que, grâce au retrait de leurs pouvoirs, ses disciples n'avaient plus que des moyens très-imparfaits de secourir les âmes. Enfin la pauvre petite Congrégation napolitaine, calomniée et diffamée par le Père Leggio, était considérée comme schismatique et mise à l'index, pour ainsi dire, par plusieurs Évêques, qui lui interdisaient la prédication dans leurs diocèses. Les habitants de Pisciota, par exemple, ayant demandé une mission prêchée par les Pères du Saint-Rédempteur : « J'y consens, » leur répondit l'Évêque de Capaccio, « pourvu que ce soient les Pères des États pontificaux. Ceux-là sont reconnus par le Pape comme de **vrais**

enfants de l'Église et de véritables membres de la Congrégation du Saint-Rédempteur; quant aux *Cioranistes*, qui
habitent le royaume, ils se sont séparés du Vicaire de
Jésus-Christ; aussi ont-ils été dépouillés de tous les priviléges et de toutes les facultés que le Saint-Siége leur avait
accordés. » Et l'Évêque ajoutait : « Puisse Dieu les éclairer
et leur faire comprendre dans quelle dangereuse situation
se met celui qui se soustrait à l'obéissance du pasteur suprême, auquel le Christ a conféré le droit de paître les
brebis aussi bien que les agneaux! » A Naples même, où
Alphonse était si vénéré, où l'orthodoxie des Pères était si
connue, on discutait sérieusement, dans des réunions de
missionnaires, si l'on pouvait en conscience entrer ou rester dans la Congrégation du Saint-Rédempteur. Ainsi,
après un demi-siècle de fidélité et de dévouement, Alphonse
ne passait plus que pour un prêtre révolté contre le Pape,
et l'on faisait des prières pour sa conversion et celle de ses
amis !

Ces épreuves l'atteignaient dans ce qu'il avait de plus cher,
mais ne troublaient pas sa sérénité. Humblement soumis aux
décisions du Saint-Père, dont il ne permettait pas qu'on
blâmât les volontés ni même qu'on interprétât les intentions
dans un sens plus favorable à sa cause, il proscrivait autour
de lui toute plainte et s'indignait devant l'idée qui lui était
suggérée de réclamer l'intervention du roi. « Je ne pourrais
absoudre, » écrivait-il [1] au Père Corrado, « un de nos Pères
qui, dans ce moment, aurait recours à Sa Majesté, et je
prie Votre Révérence d'interdire expressément tout acte de
ce genre. » Du reste, il parlait peu, méditait la Passion
pendant une grande partie du jour, et relisait aussi, durant
des heures entières, la *Vie de saint Joseph de Calasanzio*,
dont la vieillesse avait été, comme la sienne, attristée par
de cruelles persécutions [2].

---

[1] 5 janvier 1781.

[2] Saint Joseph de Calasanzio, né en 1536, d'une famille noble d'Aragon,
fonda à Rome la Congrégation des Clercs réguliers des Écoles Pies pour
l'instruction de la jeunesse. A l'âge de quatre-vingts ans, il fut horrible-

Résolu néanmoins à lutter jusqu'à la fin, il se décida à
tenter un dernier effort auprès de Ferdinand IV, et, s'appuyant sur la promesse que ce prince lui avait faite de
récompenser largement les services rendus par les missionnaires à l'occasion du dernier jubilé, il lui demanda
pour tous les siens l'autorisation de s'engager au moins
par serment, puisque les vœux solennels leur avaient été
interdits, à persévérer dans la pauvreté et la vie commune.
Le roi y consentit, et, le 24 février 1781, le marquis de
Marco en transmit la nouvelle au fondateur. Alphonse crut
tout sauvé. Il savait qu'en 1684 Innocent XI avait commué
en simples serments les vœux d'une Congrégation sous le
vocable de Saint-Joseph, et il ne doutait pas que Pie VI,
usant de la même condescendance, ne consentît dès lors
à la réunion de toutes les maisons. Le Père François de
Paule lui-même partageait cette opinion ; aussi y eut-il à
Pagani et dans les trois autres communautés du royaume
une vive explosion de joie et de gratitude, à laquelle s'as-
socièrent les populations de certaines localités, qui, très-
attachées aux Pères, compatissaient à leurs épreuves. « Les
habitants des environs, » écrivait le recteur d'Iliceto, « ont
manifesté leur satisfaction par des feux, des décharges et
des fusées. Le Chapitre de la cathédrale nous a envoyé son
économe pour nous féliciter, et l'agent du prince ainsi que
plusieurs gentilshommes ont dîné avec nous. »   .

Dès que le décret royal eut été rendu public, Alphonse,
qui comprenait combien il était urgent de se hâter, en
envoya une copie au préfet de la Congrégation des Évêques et Réguliers, le Cardinal Zelada, en insistant de nouveau sur la trahison dont il avait été victime et sur les
motifs qui lui faisaient souhaiter si ardemment la réunion.
Il écrivit en même temps au Père Leggio pour le supplier

ment persécuté par trois membres de sa Congrégation, traduit devant le
tribunal du Saint-Office, déposé de sa charge de Supérieur général, et
obligé de se soumettre à l'un de ses persécuteurs Il mourut à quatre-
vingt-douze ans dans la disgrâce du Pape. Un bref avait supprimé sa
Congrégation ; mais, comme il l'avait prédit, ce bref fut révoqué après
sa mort, et Clément XIII le mit au nombre des Saints.

de ne pas s'opposer à un rapprochement également désiré par les deux fractions de l'Institut. « Je ne puis croire, » lui disait-il, « que si Votre Révérence persiste à maintenir la division, elle n'en ait des regrets pendant tout le reste de ses jours; mais alors il n'y aura plus de remède. Je vous demande donc, pour l'amour de Jésus-Christ, lorsque vous serez à ses pieds, seul avec lui, de bien réfléchir sur ce point. Je vous embrasse, et je conjure le Seigneur de vous faire accomplir sa volonté; c'est l'unique grâce que je sollicite pour moi-même, et la prière qui m'est le plus ordinaire : mon Dieu, ne me laissez pas manquer à un *iota* de votre volonté! »

Mais le Père Leggio fut implacable. Bien loin de se rendre aux supplications du Saint, il redoubla d'efforts pour entraver toute mesure conciliatrice ; ce qui lui était d'autant plus facile qu'il n'y avait personne à Rome pour le contredire; et, dans une réunion de la Congrégation devant laquelle il comparut, feignant, comme à son ordinaire, un grand zèle pour la règle et pour les droits du Pape, il osa représenter Alphonse comme ayant la prétention étrange de substituer sa volonté propre à l'autorité suprême, en proposant des serments opposés aux constitutions primitives. « Ce que nous voulons, » dit-il en terminant, « ce sont les règles de Benoît XIV, et non la réforme de Mgr de Liguori. Du reste, c'est le Pape qui doit donner la loi, et ce n'est pas à lui qu'on l'impose. » Vainement le Cardinal Zelada prit-il la parole pour excuser le saint vieillard et pour demander qu'en considération de ses mérites et de ses services, on mît un terme à la division; il fut seul de son opinion : tous ses collègues, qui admiraient l'ardeur du Père Leggio, et qui ne voyaient que par ses yeux sans suspecter en rien ses paroles, s'y opposèrent avec chaleur, surtout le rapporteur de la cause, le Cardinal Ghilini; et bientôt, sur les seules informations du secrétaire de la Congrégation, le Pape confirma les décisions antérieures.

Averti du rejet de sa demande, le Saint ne trahit par aucun signe ni par aucun soupir la déception qu'il en éprouvait. « Moi aussi, dit-il, je veux ce que Dieu veut. La

volonté de Dieu redresse toutes choses. » **Cependant la ré-**
gnation n'excluait pas chez lui l'espérance. Il avait quatre-
vingt-cinq ans; son corps n'était plus qu'**une ruine;** mais
son âme était encore douée d'un courage **infatigable** et
d'une indomptable énergie, et il était résolu **à travailler** jusqu'à la fin pour recouvrer la bienveillance **du Pape;** aussi,
quelque temps après, ayant appris que le **Père François de**
Paule devait se rendre à Bénévent, pria-t-il le recteur de
cette maison, le Père Corrado, qui se trouvait momentanément à Naples, de retourner chez lui, afin de conférer avec
le Père président sur les moyens à prendre pour opérer le
rapprochement. « A Bénévent, » écrivait-il au Père Corrado, « on s'est beaucoup réjoui de la faveur que le roi nous
a accordée en nous permettant de faire le serment de persévérance. Le Cardinal aussi a paru très-satisfait; mais cela
ne suffit pas : si l'affaire ne se conclut point, ce qu'on a
gagné sera perdu. Courage! Dieu nous aidera. »

Le 3 avril 1781, en effet, par une coïncidence que l'on
pouvait croire providentielle, le Père François de Paule
et les quatre recteurs d'Iliceto, de Caposele et de Sant'-
Angelo se rencontrèrent, sans s'être concertés, à Bénévent.
Unis dans la même pensée, ils s'entendirent aisément sur
les démarches à faire pour arriver à ne plus former, comme
jadis, qu'une seule famille. La création de deux provinces,
l'une comprenant les maisons napolitaines, l'autre administrée par le Père François de Paule en qualité de vicaire, et
renfermant les établissements des États pontificaux, leur
parut un moyen de conciliation imposé par la situation elle-
même, et l'on résolut d'envoyer à Rome, pour obtenir l'approbation du Pape, le Père Tannoia, qui, lors de son dernier
voyage, avait reçu déjà de plusieurs personnages importants un accueil sympathique.

Les choses en étaient là et le projet n'avait pas encore été
mis à exécution, lorsque le bruit d'un voyage du Saint-
Père dans les Marais-Pontins se répandit à Ciorani. La circonstance semblait merveilleusement propice pour tenter un
grand coup et pour donner enfin directement au Pontife ces

explications verbales dont l'absence ayait fait jusque-là tout
le mal; aussi, dès qu'on apprit son arrivée à Terracine,
Alphonse supplia-t-il le Cardinal de Bénévent et l'Évêque de
Gaëte de se rendre auprès de lui en personne, et de lui
faire eux-mêmes un récit dont il espérait plus de succès
que de toutes les démarches détournées et de toutes les
correspondances. Pie VI, prévenu contre les maisons du
royaume de Naples et contre leur supérieur, se montra
d'abord peu favorable à la requête des deux prélats; mais
l'Évêque de Gaëte insista, lui représenta que de toute cette
trame, Alphonse n'avait été que la victime, l'assura qu'aucune des innovations insérées dans le règlement n'avait été
encore adoptée, et acheva son discours par un tableau
des angoisses de la Congrégation et des services qu'elle avait
rendus jusque-là dans le royaume qui ébranla le Souverain
Pontife. « Que l'on me dise donc sincèrement alors tout ce
qui s'est passé, s'écria-t-il; car il est contraire à tous les
principes de changer la règle d'une communauté religieuse
sans l'autorisation du Saint-Siège. » Et l'Évêque étant encore revenu sur, les vertus du pieux fondateur et sur son
dévouement filial pour le Pape : « Je sais bien, reprit
Pie VI, que c'est un saint et qu'il a toujours été très-atta-
ché à la chaire apostolique; mais il ne l'a pas montré en
cette circonstance. » Pourtant il ne lui en envoya pas moins
sa bénédiction apostolique, ainsi qu'à tous les membres de
la Congrégation, non sans ajouter : « Mais, encore une fois,
qu'ils viennent auprès de moi, et qu'ils m'exposent fidèlement tout ce qui s'est passé. » Ce fut là aussi la seule réponse que pût obtenir le Cardinal de Bénévent.

Pour satisfaire à ce désir, qui concordait si bien avec le
sien, Alphonse, après avoir demandé partout des oraisons
et des messes, envoya à Rome, vers la fin de mai, — à défaut du Père Tannoia, retenu par la maladie, — les Pères
Corrado et François-Xavier de Leo; et, dans le but de calmer sa conscience, chargea le premier d'entretenir le Pape
d'un scrupule qui, en révélant à son insu la droiture de son
âme, aurait peut-être, si Pie VI en avait eu connaissance,

contribué à dissiper les équivoques dont il était circonvenu. Afin de pratiquer la pauvreté aussi parfaitement qu'un simple religieux, le Saint avait fait vœu, bien que Recteur majeur, de soumettre toujours ses doutes touchant la propriété au Recteur local de la maison dans laquelle il résiderait, et de lui obéir en tous points. Mais le Pape ne reconnaissait plus pour supérieurs les Recteurs des maisons napolitaines : pouvait-il encore s'adresser au Recteur de Pagani, et ne manquait-il pas à ses engagements en n'obéissant qu'à lui? Tel était le scrupule qui l'assiégeait. « Représentez au Saint-Père, » dit-il à son messager, « les angoisses qu'entretiennent dans mon âme ces perpétuelles hésitations, angoisses qui ressemblent à celles de la mort, et demandez-lui la permission de m'en rapporter au jugement du Recteur ou de mon confesseur. Suppliez-le enfin d'avoir pitié de moi, en se rappelant le temps où, dans sa bonté, il me voulait quelque bien. » Mais le négociateur, sans se rendre compte de l'impression que cette confidence pouvait faire sur le cœur de Pie VI et du résultat qu'elle pouvait exercer sur sa mission, se borna à recourir au Cardinal grand pénitencier, qui, admirant la perfection du vœu, répondit « qu'Alphonse pouvait dans ses doutes en référer à son confesseur ».

Mais la grande question demeurait pendante; et rien ne semblait malheureusement en faire présager encore la solution. C'est, hélas ! l'histoire de toutes les divisions : promptes à naître, elles ne disparaissent parfois que sous la lime du temps. Le Père Leggio, en effet, ne voulait à aucun prix de la réunion. « C'est une satisfaction, disait-il, que n'obtiendront jamais de moi Mᵍʳ de Liguori et *ses satrapes*; » et comme si Alphonse lui avait donné le droit de douter de ses sentiments paternels, il ajoutait : « D'ailleurs, si Monseigneur me tenait, il me mettrait en pièces. » Cette résistance suffit pour faire échouer tous les efforts des envoyés napolitains, et une supplique présentée par eux au nom d'Alphonse n'obtint pour toute réponse que ces mots : *Audiatur procurator generalis Congregationis præsens in cu-*

ria. « A entendre sur la question le Procureur général de la Congrégation. » En conséquence, ce fut le Père Leggio, c'est-à-dire le fauteur même de la révolte, qui fut appelé à comparaître de nouveau devant la vénérable assemblée. Le langage qu'il devait y.tenir n'était malheureusement que trop facile à prévoir : « Je n'ai jamais eu connaissance, dit-il en débutant, d'aucun décret privant le demandeur des grâces du Saint-Siége. S'il a voulu dire que, pour avoir deserté la règle dont il avait fait profession et adopté un autre système, il lui faut l'absolution, ceci, Éminences, dépend de votre miséricorde; mais pour que sa persévérance dans la désertion ne rende pas votre absolution inutile, vous ferez bien de le dispenser de ses vœux. » A ce trait qui achevait de peindre la perfidie de son projet, le procureur ajoutait une série d'accusations contre les maisons du royaume auxquelles, revenant encore aux anciens griefs, il reprochait en particulier d'avoir manqué à la pauvreté, à la stabilité et à l'obéissance due au Saint-Siége. Les conclusions de ce discours furent acceptées par la réunion, et le Saint-Père lui-même, en voyant les faits présentés une fois de plus sous un jour tout différent de l'aspect sous lequel on les lui avait montrés à Terracine, ne cacha pas la fatigue que lui causait cette affaire et son désir d'y mettre fin. Il fut donc signifié aux Pères de Leo et Gallo qu'on s'en tenait aux décisions précédentes, et que dorénavant on ne recevrait même plus leurs pétitions [1].

Les deux religieux restèrent encore quelques semaines à Rome, espérant toujours contre toute espérance; mais ils comprirent enfin que leurs démarches seraient désormais absolument inutiles, et, l'âme déchirée, ils reprirent le chemin de Pagani. Quant à Alphonse, trop familiarisé avec l'épreuve pour s'étonner de sa persistance, il apprit sans se troubler l'échec de ses envoyés : « Il y a six mois, » dit-il en entendant leur récit, « que je ne fais plus d'autre prière : Seigneur, je veux tout ce que vous voulez. »

---

[1] Et amplius non admittamus preces. (24 août 1781.)

C'est ainsi qu'il sacrifiait sans amertume et sans même exprimer de regret, ce qu'il avait de plus précieux au monde, l'œuvre de toute une vie déjà longue, et avec elle l'honneur et la paix de ses derniers jours; c'est ainsi que, par une permission mystérieuse de la Providence, le Pape traitait avec une rigueur inusitée un vieillard dont le Siége apostolique n'avait jamais reçu que respect et amour, et qui lui donnait une dernière preuve de fidélité en acceptant ses décisions les plus sévères avec l'obéissance la plus filiale. L'histoire cependant, il est nécessaire de le dire, ne saurait en imputer la faute à Pie VI, mais aux menées indignes d'un homme dont l'astuce et les manœuvres abusèrent trop longtemps les plus hautes autorités de la cour romaine.

CHAPITRE VIII

Comment Alphonse supporte sa disgrâce. — Nouvelles fondations dans les États pontificaux. — Le Saint-Siége se relâche un peu de sa rigueur.

La Providence se plaît souvent à donner aux œuvres qu'elle a laissées trembler sous la main des hommes comme une seconde naissance et un épanouissement inattendu. Au moment où, par la scission qui venait de s'opérer, là Congrégation semblait menacée de stérilité et peut-être même de mort, trois établissements nouveaux, à Rome [1], à Gubbio et à Spello, près de Foligno, vinrent témoigner de la puissance de fécondité que Dieu avait daigné déposer dans l'Institut par la main de son saint fondateur. Informé de ce succès par le Père François de Paule, Alphonse lui en exprima une satisfaction qui n'eût pas été plus vive si ces fondations eussent été le fruit immédiat de ses efforts. « J'ai reçu avec bonheur votre chère lettre, » répondit-il aussitôt au Père Président ; et comme le nouveau supérieur lui avait avec justice renvoyé l'honneur des travaux de ses missionnaires : « Moi aussi, ajoutait le Saint, je remercie Dieu d'avoir daigné me choisir

---

[1] Pie VI avait donné aux missionnaires du Saint-Rédempteur l'église de Saint-Julien, près de Sainte-Marie-Majeure. En 1815, ils se transportèrent dans celle de Sainte-Marie-*in-Monterone*; mais ils revinrent en 1854 se fixer de nouveau sur la colline de l'Esquilin, à la villa Caserte, où ils fondèrent le couvent et l'église qu'ils occupent aujourd'hui, et qui est la résidence du supérieur général de la Congrégation.

pour commencer le bien qui a été accompli ensuite par vous, et surtout par un Pape auquel le Seigneur a accordé la grâce de faire tant de choses pour son nom. Je suis heureux de penser que vous allez bientôt donner des missions autour de Foligno, et je ne cesserai de demander à Dieu de se servir de vous pour y propager son Évangile. »

Il ne se lassait pas non plus de manifester son allégresse devant ceux qui l'entouraient : « Notre seigneur et Père est dans le ravissement, écrivait le Père Villani [1]. Il bénit Dieu et parle constamment des nouvelles fondations ». Le Saint, en effet, était trop détaché de sa personne pour ne pas se réjouir de l'épanouissement donné en dehors de lui à son œuvre, et quelques mois après [2], il disait encore dans une lettre adressée au Père Président : « Je remercie Dieu de faire prospérer vos maisons et de permettre que je meure humilié ; c'est une preuve qu'il veut me pardonner mes péchés... Ma prière pour vous est continue... Je ne vous oublie jamais ; aussi toutes les fois que vous le pourrez, envoyez-moi quelques lignes : vos lettres me font du bien... Je vous embrasse, ainsi que tous vos compagnons... » Et il signait avec la formule en usage dans la Congrégation quand on s'adressait au Recteur majeur : *Votre très-affectionné et très-obligé frère*, ALPHONSE-MARIE, du Très-Saint-Rédempteur.

Les relations les plus amicales continuaient donc, comme on le voit, à régner entre Alphonse et ses anciens compagnons. Loin de laisser aucun sentiment de jalousie ou de rancune effleurer son âme, il avait plus à cœur que jamais de maintenir au moins des liens de charité entre les maisons du royaume de Naples et celles des États pontificaux. Les témoignages en abondent. « Je m'efforce, lisons-nous dans une nouvelle lettre au Père François de Paule, d'inspirer ici à tous mes frères l'esprit d'amour. Que Votre Révérence en fasse autant de son côté. Dieu aime ceux qui aiment la cha-

---

[1] Lettre au Père François de Paule, novembre 1781.
[2] Juin 1782.

rité. » Et un jour qu'on blâmait en sa présence ceux qui
s'étaient séparés de lui. « Que vouliez-vous qu'ils fissent
contre la volonté du Pape? répondit-il. Tous n'auraient pas
voulu nous quitter, et un grand nombre d'entre eux regret-
tent vivement la division: mais nous ferons du bien chacun
de notre côté. C'est ainsi que cela se passe en ce monde...
Dieu dispose les événements, et celui qui dirait le contraire
ne saurait pas la première lettre de la science des choses;
aussi devons-nous nous borner à répéter : « Le Seigneur l'a
voulu! » Une autre fois, la conversation étant tombée sur le
Père Maione, il ne souffrit pas davantage qu'on appréciât sa
conduite avec la sévérité qu'elle semblait mériter : « Laissons
à Dieu le soin de le juger, dit-il, et croyons qu'il a permis
ces événements pour que nous puissions nous établir à Foligno et à Gubbio. Si l'on ne s'était pas tant occupé de
nous, nous ne serions sans doute pas aujourd'hui en possession de ces maisons. Le Seigneur a voulu qu'un nuage
couvrît celles du royaume, afin de développer la Congrégation dans les États pontificaux. Qu'il soit toujours glorifié!
Sa volonté redresse toutes choses. » Enfin, une religieuse lui
ayant demandé s'il était vrai qu'un schisme se fût formé
au milieu d'eux, il lui répondit : « Il est vrai que quelque
mésintelligence s'est élevée entre nous, et que plusieurs
Pères nous ont quittés; mais nous prions pour eux, tandis
qu'ils prient à leur tour pour nous; aussi puis-je espérer
que tous nous sommes agréables à Dieu, et que tous nous
deviendrons des saints. »

Malgré cette résignation héroïque et cette inaltérable
douceur, il souffrait cruellement de la position fausse dans
laquelle se trouvaient les premières fondations. La division,
avec ses tristes conséquences, était le sujet habituel de ses
préoccupations, et on en eut la preuve pendant une maladie
qui le frappa à cette époque. En proie à une fièvre violente :
« Comment, nous ne sommes plus de la Congrégation du
Saint-Rédempteur! répétait-il souvent dans son délire...
Mais nous avons reçu notre règle du Pape Benoît XIV;
nous avons prononcé des vœux, et nous les gardons fidèle-

ment; pourquoi donc sommes-nous expulsés?... Dieu le
veut, sans doute... Patience! » Toutefois, on en fit la remarque : jamais, pendant ces heures où il n'était plus maître
de sa parole ni de sa pensée, il ne sortit de sa bouche un
seul mot qui parût révéler jusque dans les profondeurs les
plus mystérieuses de son âme un sentiment d'amertume
contre le Pape, ou contre qui que ce fût. Il suffisait d'ailleurs pour le calmer de lui répondre qu'ils n'en demeuraient
pas moins, lui et ses compagnons, de véritables Rédemptoristes. Il se taisait invariablement devant cette affirmation,
et retrouvait la paix.

Pendant sa convalescence, la même idée le poursuivait
encore, et il répétait souvent, dans des termes presque semblables, ce qu'il avait dit dans ses moments de divagation :
« Je ne comprends pas comment on peut soutenir que nous
ne sommes plus de la Congrégation du Saint-Rédempteur,
puisque nous avons reçu notre règle de Benoît XIV, que
nous l'avons observée et que nous l'observons toujours. »
Et comme le Père de Meo lui répondait un jour que le Pape
et le roi ne cessaient de voir en lui le fondateur de la Congrégation : « Ah! il ne s'agit plus de moi en ce monde, »
reprit le Saint; « mais je veux qu'on sache que nous ne nous
sommes jamais départis de la règle donnée par le Pape. »

Néanmoins, au milieu des douleurs de l'épreuve, il continuait à croire qu'elle cesserait un jour, et que le temps
viendrait où les maisons du royaume des Deux-Siciles recouvreraient la place qu'elles devaient occuper dans l'Institut; « car, » avait-il soin de dire, avec cette prédilection
pour le sol natal qui ne déserte jamais le cœur des Saints,
« c'est pour le royaume que je l'ai fondé, c'est dans ce but
que Dieu m'a appelé '... Courage! Lazare est ressuscité le

---

1 On se tromperait si l'on concluait de ces paroles que, dans la pensée
de saint Alphonse, sa Congrégation n'était destinée qu'au seul royaume
de Naples. Il estimait, au contraire, comme nous le voyons dans ses
lettres, que, pour avoir une existence durable, il était nécessaire qu'elle
passât la frontière : *Parliamo chiaro*, disait-il : *se la Congregazione non
si stabilisce fuori del regno di Napoli, non sara mai Congregazione.*
(Racolta delle lettere, § XVII. Osserv. delle reg. Lettera 13.) Mais il ne

quatrième jour ! Dieu peut tout. Soyons-lui fidèles; prions et soumettons-nous. » Et dans une conversation avec le Père Villani, il ajouta : « J'ai une ferme confiance que bientôt ceux-là mêmes qui s'opposent à la réunion demanderont à être admis parmi nous. »

Mais rien ne faisait encore pressentir, si ce n'est au fondateur, la résurrection des couvents napolitains; car quelque temps après, plusieurs religieux ayant sollicité la permission d'y rentrer, le Père Président reçut de la cour de Rome, qu'il avait consultée, la réponse qu'il n'était pas permis d'émigrer dans un pays où la Congrégation du Très-Saint-Rédempteur n'avait plus d'existence légitime [1]. Ce caractère précaire nuisait beaucoup d'ailleurs aux succès de l'œuvre, et lui créait une situation si difficile qu'un grand nombre d'Évêques [2] crurent devoir écrire au Saint-Père pour lui représenter une fois de plus la parfaite innocence des missionnaires, et surtout de leur fondateur, trompé par deux des siens, et « ne survivant que par miracle à tant d'afflictions. » Ils lui rappelèrent que « l'apostolat des campagnes était confié, pour ainsi dire, à la seule Congrégation du Saint-Rédempteur [3]. » Ils lui dépeignirent le zèle de ces « vrais ouvriers de la vigne du Seigneur, seuls à prêcher Jésus-Christ crucifié [4]... seuls, pendant huit mois de l'année, à se dévouer au clergé, aux séminaires, aux couvents de femmes [5], » et à évangéliser « les Calabres, la terre de Labour, la Ba-

pouvait oublier non plus le but premier de sa fondation qui avait été d'évangéliser les âmes abandonnées de ces campagnes si chères à sa jeunesse sacerdotale.

[1] *Sanctitas sua declaravit non licere transitum ad domos regni Neapolis in quibus Congregatio SS. Redemptoris legitime non subsistit.* » (Lettre du Cardinal Zelada au Père François de Paule.)

[2] Les Archevêques de Capoue, d'Amalfi, de Matera, de Conza et de Salerne ; les Évêques de Nocera, de Nole, de Lacedogna, de Saint-Ange et Bisaccia, de Musco, etc.

[3] *Puo dirsi affidato alla sola Congregazione del SS. Redentore.* (Lettre de l'Évêque de Lacedogna au Pape.)

[4] *Questi soli, posso dire, predicano Cristo crocifisso.* (Lettre de Mgr Tortara, vicaire capitulaire de Bovino, et plus tard Évêque de Fondi.)

[5] *Soli si affaticano continuamente a beneficio di cleri*, etc. (Id.)

silicate, la province de Lecce, tout le royaume enfin, qui, sans eux, resterait privé d'ouvriers [1]..., et, pour ainsi dire, de tout secours spirituel [2]. » — « Je ne puis suffisamment exprimer le profit que mes diocésains retirent de leurs travaux, » écrivait l'un de ces prélats [3]; « si je n'étais assisté de ces Pères, je n'aurais personne à qui confier cette grande œuvre des missions et des retraites, non moins utile à mon séminaire qu'à tout mon diocèse. » En même temps, les chanoines de Foggia et le prince de San-Severo présentaient de leur côté au Pape des suppliques, qui toutes se terminaient par une prière pressante de rendre aux missionnaires du royaume la bénédiction, la protection et les faveurs du Siége apostolique. Enfin la même conclusion se trouvait exprimée dans un rapport adressé, vers cette époque [4], par l'Internonce à la Congrégation des Évêques et Réguliers.

Toutes ces instances ne pouvaient manquer de faire impression sur l'esprit de Pie VI. Si elles ne le déterminèrent pas encore, en effet, à reconnaître la Congrégation du royaume de Naples comme une société religieuse, au moins le décidèrent-elles à lui rendre en partie ses bonnes grâces ; car, à la suite d'une nouvelle requête présentée par Alphonse au mois de mars 1783, il reçut pour tous ses compagnons, présents et futurs, les mêmes indulgences et les mêmes pouvoirs dont jouissaient dans les Etats pontificaux les missionnaires du Saint-Rédempteur. En vain le Père Leggio essaya-t-il une dernière fois de se mettre à la traverse; en vain s'efforça-t-il de faire restreindre la faveur accordée à la seule faculté de bénir les médailles et les chapelets, et poussa-t-il l'imposture jusqu'à rédiger sous le nom du Père Tannoia une supplique au Saint-Père, pour le prier de spécifier exactement les priviléges dont il avait eu l'intention de gratifier les maisons napolitaines; son intrigue échoua

---

1 *Destituto di opern.* (Lettre de l'Évêque de Lacedogna.)
2 *Quasi priva di r* *Hvali aiuto.* (Id.)

complétement, et la seule réponse qu'il obtint fut que le
rescrit pontifical, suffisamment clair en lui-même, n'avait
besoin d'aucune explication.

On devine les sentiments d'émotion et de reconnaissance
qui remplirent le cœur d'Alphonse, lorsqu'il vit le Souverain Pontife se relâcher un peu de sa rigueur à l'égard de
ses compagnons. Il s'en réjouit comme de la fin de la lutte
et crut d'autant plus toucher à ces jours meilleurs dont il
n'avait cessé de prédire l'aurore, qu'à Naples le long procès qui, depuis dix-neuf ans, occupait la Chambre royale,
venait de se terminer à l'honneur des missionnaires. Après
avoir écarté toute plainte contre leur conduite et leur doctrine, le tribunal avait refusé d'admettre le grief formulé
contre eux de vivre en communauté, les décrets royaux
les autorisant implicitement, déclarèrent les magistrats, à
observer une règle et à obéir à des supérieurs, genre de vie
commun, du reste, aux séminaires et même aux prisons;
enfin l'arrêt de la Chambre n'avait pas été moins favorable
en ce qui touchait la vigne réclamée par le baron de Ciorani, dont la propriété avait été unanimement reconnue aux
Pères.

Cette solution inespérée, ou, comme l'appelait Alphonse,
ce grand miracle (*miracolone*), qui suivait de si près les
concessions faites par le Saint-Père, fut la dernière lueur
qui éclaira pour lui l'horizon, car, malgré ces victoires
partielles, le schisme continuait à s'accentuer au lieu de
s'éteindre, et l'abîme se creusait chaque jour plus profond.
Quelques mois s'étaient à peine écoulés [1], qu'un Chapitre,
tenu avec l'autorisation du Pape dans la maison de Scifelli,
procédait à la réélection du Père François de Paule, et que
les missionnaires de Girgenti, brisant à leur tour avec le
berceau de la Congrégation, donnaient au Père Blasucci le
titre de *Recteur-Majeur de Sicile*. Pendant ce temps, les
maisons napolitaines dépérissaient de plus en plus, faute
de sujets et de ressources; le couvent d'Iliceto ne suffisait

---

[1] 4 février 1783.

pas à entretenir le noviciat, et les autres, trop pauvres eux-mêmes, ne savaient comment venir à son secours. « Toutes ces maisons tombent en ruines, » disait Alphonse. « Ah ! Seigneur, que votre volonté soit faite et qu'il en advienne ce que vous voudrez !... J'aurais bien désiré pourtant voir, avant de mourir, nos affaires terminées. Mais ce n'est pas la volonté de Dieu : les choses ne s'arrangeront qu'après moi [1]. »

Comme Jésus-Christ, en effet, Alphonse ne devait descendre de la croix qu'après sa mort [2], et ne trouver d'autre paix et d'autre repos que ceux de l'éternité.

---

[1] Alphonse ne se trompait pas : ce fut seulement plusieurs années après sa mort que le Roi permit (29 octobre 1790) aux missionnaires du royaume de Naples de revenir à la règle de Benoît XIV, et que le Pape autorisa (5 août 1791) la Congrégation à se réunir sous la direction d'un seul recteur-majeur. Le 14 avril 1793, le Père François de Paule, qui ne voulait pas consentir au rapprochement, fut déposé dans un Chapitre général et remplacé par le Père Blasucci, lequel gouverna l'Institut pendant vingt-quatre ans.

[2] Discours prononcé par Mgr Dechamps, archevêque de Malines, le 21 mai 1871, à l'occasion du décret proclamant saint Alphonse docteur de l'Église.

CHAPITRE IX

Derniers efforts de zèle et de fidélité. — Les forces d'Alphonse
l'abandonnent.

Les longues et douloureuses épreuves dont nous venons
de parler avaient épuisé les forces d'Alphonse. Peu à peu,
il s'était vu contraint de remettre le soin des affaires extérieures au Père Villani, qui lui avait été donné comme
coadjuteur, et de ne plus laisser à son zèle d'autre aliment
que le salut des âmes, la surveillance intérieure de la Congrégation et sa propre sanctification; il avait même dû renoncer par obéissance à prêcher les samedis et les jours de
fête, et se contenter d'adresser, soit en particulier, soit à
l'église, des avis à ceux qui venaient faire des retraites dans
le couvent. Il tenait toutefois à rester au courant de tous les
détails relatifs à l'apostolat des campagnes demeuré, comme
aux premiers jours, l'objectif providentiel de sa vie religieuse : conseils à leur départ, entretiens à leur retour, il
n'épargnait rien pour encourager et instruire jusqu'au bout
ses enfants. Leurs succès ne le comblaient pas seulement
de joie: il s'en montrait parfois, peut-on dire, presque jaloux. « Pendant que vous travaillez, que fais-je, moi? disait-il; je suis inutile et même à charge à la Congrégation.»
Et si on lui répondait qu'en qualité de fondateur, il avait
part aux mérites de ses fils : « Fondateur! fondateur! »
répliquait-il vivement, « je ne suis qu'un misérable. Dieu
seul a fondé la Congrégation, et je n'ai été qu'un vil instrument dans sa main. »

Il veillait encore, dans la mesure de ses forces, au développement de la piété parmi les Pères et au maintien de la
régularité qui y contribue. Ceux qui ne consacraient pas un
temps suffisant à la célébration de la messe, ou qui réci-
taient trop vite la prière commune, auraient essayé vainement de se soustraire à la sévérité de ses remontrances.
L'exacte observation des rubriques, le choix des livres
qu'on lisait pendant le repas, l'abondance de la nourriture
distribuée à chacun, rien n'échappait à sa surveillance; et,
continuant à s'ingénier pour découvrir tout ce qui pouvait
favoriser la perfection de la discipline, il avait recommandé
au frère chargé de sonner les exercices de donner quelques
coups de cloche cinq minutes avant l'heure, pour qu'on eût
le temps de se recueillir avant de se rendre à l'église. Lorsque
le Père Villani lui demandait de ratifier une décision, il ne
le faisait qu'après s'être bien rendu compte des motifs qui
provoquaient la mesure et des circonstances qui l'accompagnaient; et l'on admirait souvent dans ces occasions la fidélité avec laquelle, à près de quatre-vingt-dix ans, il se
souvenait des détails du passé ou de la situation particulière
de chacun. Sur un point seulement, la mémoire lui faisait
défaut; il ne distinguait plus les jours de la semaine, et
avait besoin qu'on les lui rappelât. En dehors de cette par-
ticipation aux infirmités intellectuelles de la vieillesse, dont
les Saints eux-mêmes ne sont pas exempts, il conservait
toute sa présence d'esprit et, s'il s'efforçait souvent d'écour-
ter par un silence considéré parfois comme un symptôme
d'affaiblissement, les visites de pure civilité qui lui étaient
plus que jamais à charge, il reprenait toute sa vivacité avec
ceux qui l'entretenaient de sujets dignes de son attention.
C'est ainsi que, lorsqu'un visiteur arrivait de Naples ou de
tout autre lieu, il l'interrogeait aussitôt sur la situation religieuse des pays catholiques et sur l'état des relations
entre le Saint-Père et les divers souverains. La vacance des
siéges épiscopaux, provoquée par la difficulté de ces rapports, était un des principaux objets de ses préoccupations;
aussi témoigna-t-il une vive satisfaction en apprenant qu'il

y avait espoir d'accommodement entre le Pape et le roi Ferdinand. « Mon désir le plus cher, dit-il, est que les diocèses soient pourvus bientôt de saints Évêques. Savez-vous ce qui résulte de l'absence des pasteurs? ni plus ni moins que la perte des âmes. C'est là ce qui, depuis six mois et plus, me fait pleurer devant Dieu. Le manque d'Évêques est la ruine des Églises. » Sa douleur était d'ailleurs si profonde lorsqu'on lui parlait du dépérissement de la foi ou des mœurs, que le Père Villani défendit de faire dorénavant en sa présence aucune allusion à ce sujet. En revanche, le récit d'une conversion le transportait de bonheur. Une personne venue de Naples lui ayant dit un jour que l'œuvre *des Chapelles* était toujours florissante, et qu'en particulier parmi les cochers on trouvait de véritables saints, il se redressa sur son lit et s'écria trois fois de suite : « *Cocchieri santi a Napoli;* des cochers saints à Naples! *Gloria Patri!* » Ce souvenir et, pour ainsi dire, ce parfum de sa jeunesse, avait épanoui son âme, et la nuit suivante, on l'entendit répéter : « *Cocchieri santi a Napoli!. che vi pare?* Que vous en semble? »

Mais s'il avait tant à cœur la sainteté chez les autres, il continuait surtout à la poursuivre pour lui-même, et son principal moyen de sanctification était la constance avec laquelle il s'acquittait encore des exercices de la Communauté et de ses dévotions particulières. La persévérance était, en effet, son caractère distinctif : « Je ne veux pas de grandes choses, » disait-il après le vénérable Berchmans : « si peu que ce soit, pourvu qu'on y soit fidèle : *Quidquid modicum, dummodo sit constans.* » Aussi, quel que fût l'accablement dont la douleur physique affligeait ses sens, n'omettait-il jamais le moindre des actes de religion qu'il s'était prescrits. Jamais il ne manqua, par exemple, de suivre le chemin de la croix dans le grand corridor de la maison, jusqu'au moment où cette pratique lui fut interdite, et l'élan presque incessant de son âme vers la protectrice de ses premières années ne fit que s'accroître en approchant de son terme ici-bas. Le rosaire, qu'il avait appris sur les

genoux de sa mère, était demeuré sa dévotion préférée[1];
mais en prolongeant, pour ainsi dire, l'écho à travers tout
le jour, il se plaisait à renvoyer à Marie, à chaque tinte-
ment de l'horloge, les paroles que l'ange lui avait apportées
du ciel: quand la cloche sonnait l'*Ave Maria*, il interrompait tout et demeurait longtemps absorbé dans la contemplation du mystère de l'Incarnation; enfin il ne prenait
jamais son repos avant d'avoir épanché sa confiance dans
de longs actes d'abandon et d'amour. Quant à ses livres de
lecture, ceux qu'il faisait passer avant tous les autres
étaient, avec l'histoire de saint Joseph de Calasanzio, dont
nous avons déjà parlé, la vie de sainte Thérèse et des premières fleurs de la réforme du Carmel. Lorsqu'un passage
l'avait frappé, il le communiquait, après le souper, à ses
disciples, et un soir qu'il avait demandé en vain aux étudiants qui l'entouraient l'explication d'une strophe très-
obscure d'un cantique de saint Jean de la Croix, il se mit
à leur en exposer le sens mystérieux avec une si grande
onction et de si vives lumières, que tous les Pères et les
élèves qui l'entendirent en demeurèrent remplis d'admiration.

Depuis longtemps cependant la célébration de la messe
lui devenait très-difficile, et les génuflexions qu'il faisait
jusqu'à terre le fatiguaient tellement que plusieurs fois il
avait failli être obligé de quitter l'autel; aussi le Père Villani lui donna-t-il à entendre que Dieu voulait le priver

---

[1] Alphonse y attachait une importance d'autant plus grande que, pour
calmer sa conscience au sujet des vœux particuliers qu'il avait faits, le
Père Villani les avait tous commués en la récitation du rosaire. Croyant,
selon son expression, son salut attaché à cette prière, et craignant de ne
pas la réciter suffisamment bien, il voulait souvent la recommencer;
aussi Alexis lui offrit-il, un jour, une convention en vertu de laquelle il pro-
fiterait de tous les *Ave Maria* de surérogation dits par son maître; l'Évêque
faillit se fâcher : « Taisez-vous, s'écria-t-il, voilà des paroles oiseuses dont
vous rendrez compte à Dieu. » — Un autre jour, comme Alphonse était
dans une profonde léthargie, le frère François-Antoine lui dit pour l'en
faire sortir qu'il n'avait pas encore récité le rosaire; aussitôt il ouvrit les
yeux, et commença, comme à son ordinaire, l'invocation : *Deus, in adju-
torium meum intende.*

dorénavant de cette consolation suprême. Il se soumit avec douleur, et un vendredi, le 25 novembre 1784, il offrit les saints mystères pour la dernière fois. A partir de ce jour, il dut se borner à entendre la messe et à communier dans son oratoire. Il descendait ensuite à l'église, soutenu par le Père François-Antoine et par le fidèle Alexis, se plaçait à côté du maître-autel et assistait immobile à cinq ou six messes successives. Dans la journée, il passait encore plusieurs heures devant le saint Sacrement. Mais les transports dont il n'était pas maître, et dans lesquels il entrait souvent, excitant, sans qu'il s'en doutât, l'attention curieuse des fidèles, le Père Villani crut devoir lui demander un nouveau sacrifice. Il n'osa pas toutefois lui en révéler le motif, et pendant longtemps Alphonse se défendit, opposant toujours d'ingénieuses raisons aux objections qui lui étaient faites. Lui disait-on, par exemple, que sa santé ne permettait plus de le porter à l'église, il assurait que jamais il ne se sentait mieux que devant le tabernacle. Était-ce l'élévation de la température qu'on mettait en avant, « Jésus-Christ, répondait-il, ne cherchait pas la fraîcheur. » L'engageait-on enfin à faire son adoration chez lui, il s'écriait tout ému : « Mais Jésus-Christ n'y est pas! » Tous les arguments échouaient contre son insistance, et quand il était seul au moment où sonnait l'heure à laquelle on avait coutume de le conduire à la chapelle, il se traînait jusqu'à l'escalier, s'efforçait de descendre et ne s'arrêtait que parce qu'il tombait épuisé. Un jour vint pourtant où il se résigna, et consentit à ne plus faire sa visite au saint Sacrement que de sa chambre, en allumant chaque fois des cierges sur son autel, pour honorer au moins de loin Celui qu'il ne pouvait plus aller chercher dans son temple.

L'obéissance qui l'amenait peu à peu à tous ces sacrifices avait toujours été, on s'en souvient, la règle principale de sa piété; mais il s'en faisait alors, s'il est possible, un devoir plus strict et plus absolu. Le Père Mazzini, Recteur de la maison, l'avait exhorté à ne pas se charger de trop de prières vocales. De peur de lui désobéir, il envoyait quelquefois Alexis le consulter sur le nombre de *Pater* qu'il pourrait réciter, et ne voulait pas même boire un verre d'eau sans autorisation. « Il faut obéir, » disait-il sans cesse, « obéir toujours, obéir à tous, même au cuisinier. » Aussi était-il connu dans la maison que le frère François-Antoine et Alexis lui faisaient faire tout ce qu'ils voulaient.

Également fidèle à la pauvreté, sa chère épouse, ainsi qu'il l'appelait à l'exemple de saint François d'Assise, il ne permettait ni qu'on désignât aucun objet comme étant sa propriété ni qu'on le traitât d'une manière différente des autres religieux. Ayant demandé un jour d'où venait un clavecin qu'il avait vu dans la bibliothèque, et ayant reçu pour réponse que c'était *le sien,* celui que son frère lui avait donné : « Mon clavecin! s'écria-t-il; mais je n'ai rien qui m'appartienne; il a été envoyé à la communauté et non à moi. » Guidé par le même esprit, il réussit à se défaire d'un couvert d'argent que, par respect pour son caractère épiscopal, le Recteur avait consacré à son service, en prétendant que la fourchette ne piquait pas aussi bien que celles de la communauté; et il ne cessa de refuser tout mets de choix, primeurs, gâteaux, poissons, qu'on essayait parfois de lui présenter. « Je suis pauvre, disait-il, et je dois me nourrir comme les pauvres. » Des herbes amères desséchées demeuraient d'ailleurs les seules aromates dont il assaisonnât ses repas, et l'usage qu'il faisait du sel était d'en saupoudrer les fruits qu'on lui servait, afin de leur ôter toute saveur. Il remplaça par un verre d'eau le vin qu'il prenait d'ordinaire le soir pour se procurer un meilleur sommeil, et continua jusqu'à sa mort à s'abstenir rigoureusement le samedi de toute boisson. S'ingéniant enfin à suppléer aux exercices de pénitence corporelle qui lui étaient depuis longtemps défendus, il avait imaginé une mortification singulière et presque incroyable : c'était de rester immobile sur sa chaise, comme un bloc de marbre, depuis le matin jusqu'au soir. Alexis l'ayant engagé, un jour, à quitter une position très-fatigante qu'il avait prise : « J'au-

rais beau vouloir me redresser, » répondit-il en riant, —
car il était toujours gai, et plaisantait volontiers de sa vieillesse et de ses misères, — « je serais toujours tordu. » Cette
pratique héroïque, dans laquelle il persévéra pendant les
vingt dernières années de sa vie, était loin toutefois de satisfaire sa ferveur : on l'entendait se lamenter de ce qu'il
appelait en toute sincérité sa *vie commode et impénitente ;*
et il répétait souvent à son confesseur avec une profonde
conviction et un vif sentiment de douleur : « Hélas! hélas!
ce n'est pas ainsi que vivaient les saints. »

La terre cependant et tout ce qui s'y rattache s'éloignait
de ses regards de plus en plus. Jusqu'alors il avait pu sortir
en voiture à peu près chaque jour; mais, le 19 septembre
1784, il fut pris, au milieu de sa promenade, d'une défaillance qui le contraignit à s'arrêter et à demander l'hospitalité à une pauvre femme chez laquelle il resta plusieurs
heures, étendu sur un lit, sans mouvement. A la suite de
cet accident, attribué aux cahots de la route, les médecins
décidèrent qu'il sortirait dorénavant en chaise. Le Saint y
consentit d'abord; mais la préoccupation de se sentir un
fardeau sur les épaules de ses porteurs détruisait tout le
bénéfice qu'on recherchait pour sa santé; aussi se borna-
t-on bientôt à le promener dans une chaise roulante à travers les corridors; encore ne s'y prêtait-il qu'avec regret,
craignant de fatiguer celui qui le traînait, et fît-il garnir
de cuir les roulettes de la chaise, de peur d'incommoder
les religieux pendant les heures d'étude ou le temps du
silence [1].

Ces changements successifs dans ses habitudes, cette
décadence sensible de ses forces, et surtout son grand âge,
faisaient craindre aux amis d'Alphonse qu'il n'approchât du
terme suprême. Son âme aussi se dépouillait chaque jour
davantage de tout sentiment humain. « Grâce à la miséricorde divine, » dit-il une fois au Père Villani, « je ne me

---

[1] Délivré de la nécessité d'entretenir un équipage qui ne devait plus
lui servir, Alphonse s'empressa d'envoyer à Naples ses chevaux, qui furent
vendus l'un *dix-huit francs,* et l'autre *six.*

sens plus attaché à aucune créature. » L'amour divin achevait son œuvre, et, jusque dans son sommeil, on l'entendait s'écrier : « Que vous êtes beau, mon Jésus! Marie, que vous êtes belle! je veux vous plaire, dût le monde entier s'écrouler sous mes pas. »

CHAPITRE X

Le pressentiment dont nous venons de parler n'était, hélas !
que trop fondé. Alphonse touchait au but de son pèlerinage.
Il avait quatre-vingt-huit ans : aucune des épreuves de ce
monde ne lui avait manqué, et sa vie, surtout depuis le
coup douloureux qui l'avait séparé d'une partie de ses
enfants, n'était plus, à vrai dire, qu'une longue agonie.
Mais ces vingt-deux ans d'infirmités corporelles, ces vingt-
quatre années de persécutions et de souffrances de tout
genre, devant lesquelles son courage n'avait pas faibli,
n'étaient rien auprès des peines intérieures, des scrupules, des perplexités, des frayeurs, dont il fut accablé
pendant la période qu'il nous reste à parcourir. Dieu, ce
semble, tenait en réserve ce genre de martyre, destiné
seulement aux âmes privilégiées, pour mettre le sceau à la
sainteté de son serviteur.

Étrange et saisissant spectacle ! celui qui avait dirigé,
consolé, éclairé, rassuré tant de consciences, devait lui-
même marcher à tâtons et en aveugle sur cette route de la
vie spirituelle qu'il avait eu pour vocation spéciale d'aplanir ;
celui qui, pendant plus de cinquante ans, avait prêché, en
opposition, on peut le dire, avec la tendance de l'époque,
une doctrine toute de miséricorde et d'amour devait, un jour,
ne plus entrevoir le Seigneur que sous les traits d'un juge
sévère et irrité.

Rien ne peut donner l'idée de tout ce qu'Alphonse eut à souffrir pendant plus d'un an. Sa grande et ferme intelligence se trouva tout à coup obscurcie et comme paralysée, ne sachant plus même distinguer le bien du mal, et voyant partout le péché. Il n'y avait pas de mauvaise pensée dont il ne fût assailli, pas de tentation qui ne se présentât à lui, pas de mystère devant lequel sa foi ne se sentît ébranlée [1]. « Remerciez Dieu, » disait-il à un religieux, « de n'avoir point de tentation contre la foi, car vous ne sauriez croire combien on en souffre! » Avec le doute, l'orgueil, la présomption, les fantômes impurs se disputaient son imagination : « J'ai quatre-vingt-huit ans, » répétait-il en pleurant, « et le feu de ma jeunesse n'est pas encore éteint! »

Plus la sainteté resplendissait en lui aux yeux de tous, plus ce vieillard qui, d'après le témoignage de sept de ses confesseurs, avait traversé la vie sans commettre un seul péché mortel [2], voyait sa conscience chargée de crimes. « J'ai foulé aux pieds toutes mes obligations, » disait-il; « je ne fais plus une bonne œuvre; mes sens se révoltent, et je mange comme un loup. Je ne sais comment Notre-Seigneur peut me supporter. » Aussi une crainte excessive de l'enfer venait-elle mettre le comble à ses épreuves. « Qui sait, » s'écriait-il avec larmes, « si je suis dans la grâce de Dieu et si je me sauverai? Oh! Seigneur! ne permettez pas que je sois damné. Ne m'envoyez pas en enfer, où l'on ne peut vous aimer. Châtiez-moi comme je le mérite; mais ne me rejetez pas de devant votre face... » — « Eh quoi! mon Jésus, » répétait-il à d'autres reprises, en regardant son crucifix, « je n'aurais point le bonheur de vous aimer éternellement! Ma Mère, pourquoi ne dois-je pas vous aimer dans l'éternité? » Cette pensée que Dieu l'avait rejeté le poursuivait partout. Il lui semblait entendre une voix crier dans son âme : « Tu as abandonné ton Dieu, et ton Dieu t'aban-

---

1 « Non vi è mistero di nostra fede che in esso non sia combattuto, » disait le Père Mazzini.

2 L'Église déclare aussi dans l'office de saint Alphonse qu'il n'a jamais commis de péché mortel.

donne ! » — « Chaque fois que je prie, ajoutait-il, je me crois
repoussé; je m'écrie : Mon Jésus! je vous aime, et l'on me
répond : Ce n'est pas vrai. » Souvent il s'arrêtait tout court
au milieu de son repas, et parfois même passait des jours
entiers sans prendre d'aliment. La nuit, on l'entendait
soupirer, gémir et, appelant Dieu et la sainte Vierge à son
secours, répéter avec angoisse : « Mon Jésus ! faites que je
meure plutôt que de vous offenser. O Marie! si vous ne me
soutenez pas, je serai pire que Judas. » Tantôt il réveillait le
serviteur ou le frère qui couchait près de lui, et le suppliait
de l'aider à dissiper ses frayeurs; tantôt il se levait et se faisait conduire chez le Père Villani ou le Père Mazzini, afin de
leur exposer ses doutes; et lorsque ceux-ci lui demandaient
l'objet de ses craintes : « Je me sens sous le fléau de la justice divine, disait-il; je souffre l'enfer... Ne me laissez pas
seul : le démon veut me jeter dans le désespoir! » Un jour
que deux Évêques s'informaient de sa santé : « Je me porte,
répondit-il, comme quelqu'un qui va paraître devant le
tribunal de Jésus-Christ! » et il fondit en larmes. Lorsqu'il
devait communier, ses tortures intérieures redoublaient, au
point de le priver quelquefois de ce bonheur. Souvent le
Père Garzilli, qui lui disait la messe dans sa chambre, était
obligé de s'interrompre et de le calmer. Il le faisait du reste
avec une brusquerie assez singulière, à en juger par ces
paroles qu'il lui adressa un matin où, après avoir entendu les
premiers mots de la formule liturgique : *Corpus Domini,*
Alphonse hésitait encore à recevoir la sainte hostie : « Monseigneur, ne laissez pas Jésus-Christ faire plus longtemps
antichambre! » On vit plusieurs fois pourtant la lutte se
prolonger jusqu'après l'heure des messes; mais, sa crainte
se transformant alors en un désir violent et passionné de
posséder Jésus-Christ, il fallait céder à ses instances et lui
apporter la communion.

Cependant, au milieu de ces angoisses constantes, sa
fidélité ne se démentait jamais. Tout son temps restait consacré à la prière, et il méditait sans relâche la vie de saint
Grégoire de Nazianze ou celle de saint François de Sales,

deux saints qui avaient souffert des épreuves analogues
aux siennes. « Rebuté de Dieu, » pour employer son expression, il n'était que plus empressé à le chercher, et plus
avide de « rassasier son amour » Dans les moments où il
se sentait le plus violemment tenté, il se faisait porter devant
le saint Sacrement, où il savait que « le démon le laisserait en
paix ». Mais son remède invariable, dernière ressource et
force suprême des âmes, c'était l'obéissance. Jamais il ne s'en
écarta, et, quels que fussent les motifs que lui suggérât le
malin esprit pour ne point se soumettre : « Ma tête, disait-il,
ne veut point obéir : elle tourne comme un moulin !... mon
esprit se révolte : mais de grâce, mon Jésus, faites que je
me vainque et que j'obéisse! je ne veux pas m'en rapporter
à moi-même, et je n'entends pas me mettre en opposition
avec l'autorité. »

Craignant de déranger le Père Villani, son confesseur,
en le faisant demander trop souvent, il chargeait quelquefois, dans son admirable simplicité, Alexis ou le frère
François d'aller lui exposer le sujet de son inquiétude. Mais
l'ambassadeur n'accomplissait pas toujours sa mission, et,
lorsque le Saint s'en apercevait, il descendait lui-même
l'étage qu'il habitait, se traînant à grand'peine jusqu'à la
cellule du Père, où, s'adressant humblement au premier
religieux qu'il rencontrait, le questionnait comme s'il avait
oublié les principes les plus élémentaires de la morale. Un
texte de l'Écriture cité à propos dissipait fréquemment ses
alarmes. C'est ainsi qu'un jour, le Père Villani lui ayant
rappelé ces paroles d'Ezéchiel : Nolo mortem impii, sed ut
convertatur et vivat — « O mon Dieu ! » s'écria Alphonse,
« combien de centaines de fois ne l'ai-je pas répété aux pécheurs pour les rassurer, et voilà que moi-même je l'avais
oublié ! » Cependant, au milieu de l'atmosphère désolée
dans laquelle il vivait, il ne laissait pas d'accueillir avec
charité les confidences des personnes du dehors, et de les
encourager comme autrefois à supporter leurs peines. Une

de ses cousines, religieuse à Naples, tourmentée comme
lui par des scrupules, lui avait écrit pour lui demander conseil : « Consolons-nous ensemble, lui répondit-il, et ne nous
troublons pas : je suis éprouvé de la même manière que
vous. Tout près que je sois de la mort, les tentations ne
me quittent pas, et ma seule ressource est de regarder,
comme vous, le crucifix. Embrassons donc la croix, et tenons toujours les yeux fixés sur Jésus-Christ mourant.
Espérons qu'il voudra bien ne pas nous envoyer en enfer,
où, séparés de lui, nous ne pourrions pas l'aimer, ce qui
serait l'enfer de notre enfer. Répétons-lui sans cesse : Seigneur, faites que je vous aime, et puis envoyez-moi où vous
voudrez...; privez-moi de tout, mais non pas de vous ! »

Le démon, voyant sans doute qu'aucune de ses ruses
accoutumées ne parvenait à ébranler Alphonse, usa de ses
dernières armes, et se montra à lui sous une forme humaine. Ces horribles visions, qui, selon le témoignage du
Père Villani, se renouvelèrent souvent à cette époque, semblaient encore avoir pour but ordinaire de le porter au désespoir : en effet, tantôt sous un vêtement sacerdotal, pour
donner plus d'autorité à sa parole, tantôt sous des traits
aimés, le père du mensonge se présentait à lui et cherchait
à lui persuader que les discours et les livres n'étaient pas
des titres suffisants pour mériter le ciel, et que, lorsqu'on
paraissait devant Dieu les mains vides, on ne pouvait
espérer le salut. Alphonse acceptait tous les reproches et
confessait sa misère, mais protestait en même temps de sa
confiance dans les mérites du Sauveur, et l'esprit de ténèbres disparaissait. D'autres fois, au contraire, il s'efforçait de lui inspirer des pensées d'orgueil. Un jour, en particulier, il vint à lui sous l'apparence d'un missionnaire
arrivant de Naples pour lui offrir ses hommages, et se mit
à lui adresser, à propos de ses œuvres, des félicitations sans
mesure. Le Saint, troublé, fit le signe de la croix sur le
fantôme, qui s'évanouit. Un autre jour, où des tentations
plus pénibles encore tourmentaient l'esprit d'Alphonse, le
démon prit pour entrer dans sa cellule la forme d'un des

Pères du Saint-Rédempteur. L'Évêque, sous l'empire d'un sentiment d'humilité héroïque, voulut lui faire la confidence de ses épreuves ; mais quelle ne fut pas sa surprise en entendant son interlocuteur lui répondre qu'il n'y avait pas là matière à péché grave, que lui aussi ressentait les mêmes impressions, et que le meilleur remède était de s'y laisser aller !... Saisi d'horreur à cette conclusion, le Saint se leva vivement de sa chaise, en invoquant à haute voix Jésus et Marie, et quand il se retourna, il était seul : ces noms bénis avaient suffi pour mettre en fuite le tentateur.

Dieu cependant n'abandonnait pas son serviteur. Il ne le protégeait pas seulement, en effet, comme nous venons de le voir, contre les piéges qui lui étaient tendus ; mais il soutenait et récompensait encore sa fidélité par des faveurs non moins extraordinaires assurément que ses épreuves. Comme son Maître au désert, Alphonse recevait, peut-on dire, au sortir des tentations, la visite des anges [1]. Le ciel tout entier se communiquait à son âme dans des entretiens admirables qui, excitant et apaisant à la fois ses transports, le transfiguraient déjà devant les hommes avant qu'il eût passé encore par l'épreuve du tombeau.

Ces grâces, qui ne font pas la sainteté, mais qui souvent la révèlent, n'étaient pas nouvelles, du reste, pour Alphonse. Maintes fois dans le cours de sa vie, pendant ses visites au saint Sacrement ou tandis qu'il célébrait les saints mystères, on l'avait surpris abîmé dans une contemplation sublime qui répandait sur ses traits, habituellement fort pâles, une lumière dont le reflet venait illuminer son livre : un jour entre autres, dans le cloître des Dominicains de Naples, où il attendait en faisant son oraison que l'on ouvrît les portes de la chapelle, il avait été trouvé plongé dans un ravissement dont n'avait pu l'arracher un essaim de mouches qui s'était abattu sur son visage. Mais cet état surnaturel se développa encore pendant les dernières années de sa vie ;

---

[1] Matth., IV, 2.

et il fut un temps où ses extases devinrent à peu près quotidiennes [1].

Malgré ses précautions pour les dissimuler, il ne put empêcher ses compagnons d'en être parfois les spectateurs et d'en devenir pour nous les témoins. C'est ainsi que le frère François-Antoine, qui ne le quittait guère, assistait souvent à ses colloques enflammés avec des êtres invisibles; que le Père Volpicelli, au moment où il lui suggérait des actes d'amour de Dieu pour calmer ses troubles de conscience, voyait soudain son corps, suivant l'essor de son âme, quitter le sol et s'élever à la hauteur de plusieurs pieds, et que d'autres missionnaires, entrant à l'improviste dans sa chambre, l'y trouvaient immobile, suspendu entre la terre et le ciel, dans la posture d'un homme agenouillé, les bras étendus et le visage resplendissant. Tous ces témoignages enfin se trouvent confirmés par le Père Tannoia lui-même, qui, au mois d'octobre 1784, ayant célébré la messe plusieurs jours de suite en présence du saint Évêque, le vit tous les matins, à diverses reprises, pendant et après le saint sacrifice, monter dans l'espace avec la légèreté d'une plume, bien qu'il fallût habituellement le secours de deux personnes pour l'aider à se mouvoir.

A ces dons admirables, qui déjà, pour ainsi dire, transportaient Alphonse dans la région des bienheureux, se joignaient encore pour lui quelques-uns des priviléges les plus merveilleux dont l'histoire des saints nous offre l'exemple. Un sens mystérieux lui révélait l'existence du mal dans son voisinage, au point qu'il put un jour, sans se tromper, avertir le curé de Pagani des désordres secrets qui régnaient impunément dans la paroisse, et prévenir son entourage de la présence scandaleuse dans le couvent d'une femme introduite, sous un costume de soldat, par un étranger, qui abusait de l'hospitalité des Pères. Habitué aux saintes familiarités du Seigneur, il sut reconnaître un autre

---

[1] Villecourt, t. IV, p. 214. — Voir d'ailleurs, pour plus de détails sur les faits miraculeux de la vie de saint Alphonse, les chapitres, XXIX, XXX et XXXI du livre V de cet ouvrage.

jour que l'hostie qu'il avait reçue n'était point consacrée[1];
enfin, non moins clairvoyant à certaines heures sur l'avenir
que sur les détails cachés du présent, il fit connaître d'avance,
à diverses reprises, des événements qui ne tardèrent pas à
se réaliser. Il annonça plusieurs fois, par exemple, la mort
de personnages importants, tantôt sans les nommer expressément, comme il arriva pour le Père de Meo, un des plus
illustres membres de la Congrégation, frappé d'apoplexie
dans la chaire de Nole[2]; tantôt en les désignant par leur
nom, ainsi qu'il en fut pour le Père Caputo, l'ancien Recteur de son séminaire, retiré à Naples depuis quelque temps[3].
Mais la plus remarquable peut-être de ses prophéties fut
celle par laquelle il prédit à sa ville natale une grande ca-
tastrophe pour l'année 1799, quand rien ne pouvait faire
prévoir que, cette année-là même, une armée étrangère
envahirait le royaume[4].

L'esprit de prophétie n'est, du reste, qu'une forme du
don des miracles, et ce don avait été accordé à Alphonse
avec une abondance qui rappelle les premiers siècles chré-

[1] Voici comment le fait est rapporté par les contemporains : Un
matin, après avoir, comme de coutume, communié dans son oratoire
à la messe du Père Garzilli, Alphonse s'interrompit au milieu de son
action de grâce pour dire au frère François-Antoine : « Ce matin, le
Père Garzilli n'a pas consacré. » Le servant de messe, interrogé à ce
sujet, raconta, en effet, que le religieux, grâce à une distraction dont son
extrême vieillesse était sans doute la cause, avait confondu le Memento
des morts avec celui des vivants. — Le Père Garzilli avait alors plus de
90 ans. Il mourut peu de temps avant Alphonse, le 10 novembre 1786.

[2] Le Père Alexandre de Meo prêchait une retraite à Nole. Le 20 mars
1786, pendant l'instruction du soir, il baissa tout à coup la tête, et tomba
agenouillé dans la chaire. Son état ayant été jugé trop grave pour qu'on
pût le transporter, on lui dressa un lit dans l'église ; et ce fut là que,
vers minuit et demi, entouré des fidèles en prières, il rendit son âme
à Dieu. Plusieurs guérisons miraculeuses obtenues par son intercession
vinrent ajouter encore à la vénération dont il était l'objet durant sa vie.

[3] Tannoia, p. 725. — Alphonse, étant encore à Arienzo, avait aussi
annoncé publiquement la mort prochaine de l'Évêque de Caserte, que rien
ne semblait devoir faire pressentir, et qui, la nuit suivante, en effet,
rendit son âme à Dieu. Tannoia, p. 547.

[4] L'armée française, commandée par Championnet, entra à Naples le
23 janvier 1799.

tiens [1]. Ses dernières années notamment furent marquées
par un nombre considérable de guérisons merveilleuses,
opérées d'ordinaire par sa seule bénédiction. C'étaient parfois des infirmes couchés sur leurs grabats qu'on lui amenait
de fort loin, et qui s'en retournaient comme le paralytique
de l'Évangile; mais plus souvent encore les enfants, ces
privilégiés du Sauveur, dont il aimait à s'entourer, quoiqu'il eût l'air alors, disait-il en riant, « d'un vieux hibou
environné de jeunes passereaux, » devenaient l'objet de ces
grâces de choix. Aussi les mères s'empressaient-elles de
placer sur son passage, ou, lorsque ses promenades eurent
cessé, d'apporter au seuil de la maison de Pagani, ceux
d'entre eux qui étaient malades ou languissants : Alphonse
leur imposait les mains, et ils le quittaient pleins de force
et de santé [2]. Cependant, comme sa vertu s'effrayait de tout
ce qui la mettait en relief, il se refusait absolument à reconnaître que sa bénédiction pût produire de semblables
résultats : « Si j'étais saint, » disait-il, « si je savais faire
des miracles, je commencerais par me guérir, moi, pauvre
homme estropié et bon à rien! » Un jour même, il lui vint
un scrupule, et il consulta les Pères Villani et Mazzini afin
de savoir s'il pouvait, sans manquer à l'humilité, bénir ceux
qui s'approchaient de lui au moment où il venait respirer à
la porte du couvent; mais ces religieux lui répondirent, sans
hésiter, que c'était là précisément un des priviléges de
l'épiscopat, et qu'il ne lui était pas permis de priver les
fidèles des bienfaits qui y étaient attachés.

Une circonstance très-extraordinaire, mais constatée par
de nombreux témoins, vint à cette époque démontrer une
fois de plus l'efficacité de sa bénédiction C'était un soir; le
Vésuve lançait des torrents de flammes dans la direction de
Torre dell'Annunziata, et l'on pouvait craindre que l'érup-
tion en s'étendant n'atteignît Pagani. Les missionnaires

---

[1] Le procès de canonisation de saint Alphonse constate plus de cent
miracles opérés par lui de son vivant, et les informations juridiques portent
le total bien au delà encore.
[2] Tann., p. 713.

épouvantés vinrent chercher leur Père, qui rejoignit la communauté réunie pour contempler ce saisissant tableau. On le pria alors de bénir la montagne. Il hésita; cependant, comme les instances redoublaient, il fit le signe de la croix sur elle, en disant: « Je te bénis au nom du Père, du Fils, et du Saint-Esprit; » et aussitôt, affirmèrent les personnes présentes à la scène, on vit la lave, changeant de cours, se précipiter dans un ravin escarpé, opposé à la direction qu'elle suivait jusque-là [1]. On eût dit que l'illustre patronne de son ancien diocèse avait communiqué à Alphonse la puissance qu'elle semblait autrefois exercer sur l'Etna [2]. Ce n'était pas, du reste, la première fois qu'il sauvait des flammes le bourg de Pagani : déjà, longtemps auparavant, il y avait éteint un incendie, en faisant jeter au milieu du foyer une image de la sainte Vierge [3].

Mais, comme ses miracles, les heures du Saint étaient comptées. Le 27 septembre 1786, Alphonse entra dans sa quatre-vingt-onzième année. Ce jour-là, la communauté était venue le visiter, et n'avait reçu de lui que l'accueil affectueux auquel elle était accoutumée; mais un jeune religieux de la famille de sainte Thérèse, le Père Joseph Imperato [4], ayant voulu à son tour lui porter ses félicitations, le trouva absorbé dans une méditation dont il ne sortit que pour lui dire : « Père Joseph, c'est la dernière fois que nous nous voyons... » Depuis lors, bien que sa santé se soutînt encore pendant près d'une année, la pensée de la mort ne le quitta plus. « J'ai fini tout ce que j'avais à faire, » dit-il un jour à un frère lai; « les livres que je devais publier sont achevés : dans peu de temps, je m'en irai. » — Et

---

[1] Tann., p. 712.

[2] De nombreux récits des XIIe, XIVe, XVe, XVIe et XVIIe siècles attribuent, en effet, à l'intercession de sainte Agathe, dont les reliques reposent dans plusieurs villes de Sicile, la cessation à diverses reprises des ravages du volcan. (Boll., feb. I, p. 653 à 657.)

[3] Villecourt, t. IV, p. 231.

[4] Alphonse s'intéressait beaucoup à ce jeune religieux, dont il avait annoncé d'avance la naissance et la vocation, et auquel il fit plusieurs autres prédictions que l'avenir devait également réaliser.

comme le frère lui répondait vivement : « Mettez-vous donc
bien vite alors à composer un autre livre, pour que nous
vous gardions encore auprès de nous. — Eh quoi ! » s'écria
l'Évêque ; « voudriez-vous que je vécusse davantage pour
offenser encore le Seigneur ? »

Un siècle presque entier de vertus et de souffrances donnait, en effet, à Alphonse le droit de dire qu'il avait fini ce
qu'il avait à faire. Abandonné de la plupart de ses disciples
et mystérieusement délaissé par le Père de la grande famille
chrétienne, il pouvait répéter après son divin Maître : *Tout
est consommé!...* Mon Dieu, *je remets mon âme entre vos
mains.*

CHAPITRE XI

Le 16 juillet 1787, Alphonse, s'adressant au frère François-Antoine, lui dit d'un ton plus joyeux que de coutume qu'il avait une cérémonie nouvelle à accomplir. On ne tarda pas à comprendre le sens qu'il attachait à cette étrange parole. A partir du 18, en effet, la fièvre s'empara de lui, et sa faiblesse devint bientôt si grande, qu'un autel fut dressé dans sa chambre, afin qu'il pût entendre la messe de son lit. Aucune crise toutefois ne semblait imminente. Le malade était calme, et la présence de ses enfants paraissait lui apporter une grande douceur. Il les regardait, les bénissait, parlait des absents ; ses scrupules et ses troubles intérieurs s'étaient évanouis : il semblait presque avoir retrouvé, avec la paix et la sérénité, sa gaieté d'autrefois. Mais dans la nuit du 22, son état s'aggrava ; le 23 au matin, il avait à peu près perdu l'usage de ses sens, et le Père Mansione, alors Recteur de la maison de Pagani [1], lui donna l'extrême-onction. En même temps, on convoqua en toute hâte les Recteurs de Ciorani, d'Iliceto, de Caposele, et même ceux des maisons romaines de Bénévent et de Sant'-Angelo, qui arrivèrent accompagnés de tous les sujets dont la présence n'était pas absolument nécessaire dans leurs couvents. Dès qu'il les aperçut, le Saint, qui avait recouvré sa présence d'esprit, témoigna sa satisfaction de leur

---

[1] 1817, après la mort du Père Blasucci, le Père Mansione fut élu ... ir de la C ..., Il mourut en 1824.

venue, et traça affectueusement sur eux le signe de la croix.

Plusieurs jours se passèrent sans apporter de changement notable ni dans ses souffrances ni dans le danger de sa situation. Les remèdes eux-mêmes, loin de le soulager, ajoutaient à ses douleurs et troublaient parfois, par les soins qu'ils nécessitaient, la délicatesse de ses sentiments; cependant le mot d'obéissance suffisait pour lui faire tout accepter avec douceur et empressement. Jamais, du reste, il ne proférait de plainte, et la communion, qu'il recevait chaque jour, absorbait le plus ordinairement ses pensées. Non-seulement il la réclamait avec des instances dont l'ardeur attendrissait les assistants, mais il en poursuivait encore la pensée au milieu des divagations fébriles de ses nuits sans sommeil. A part ces moments de pieuses rêveries qui d'ailleurs ne semblaient pas même, comme on le voit, interrompre sa conversation avec Dieu, il répondait à toutes les questions avec sa lucidité accoutumée, reconnaissait tous ceux qui s'approchaient de son lit, et ne cessait de leur demander des prières qu'ils auraient été bien plus enclins à solliciter de lui. C'est ainsi, en effet, qu'Alexis et le frère François-Antoine lui dirent un jour en s'agenouillant : « Monseigneur, voici bien des années que nous vous servons; vous êtes gravement malade, et ne tarderez peut-être pas à être reçu dans le paradis où Notre-Seigneur Jésus-Christ fera votre bonheur : bénissez-nous et priez pour nous. — Je le veux bien, » répondit simplement le Saint, et, faisant sur eux le signe de la croix, il prononça les paroles de la bénédiction épiscopale. Une autre fois, comme le même frère lai lui avait demandé de comprendre dans sa prière tous les membres de la Congrégation, sans oublier ceux des États pontificaux : « Oui, » répéta-t-il à deux reprises, et d'une voix plus forte que d'ordinaire : « Oui, je bénis les maisons des États. » Son ancien diocèse, les religieuses de Sainte-Agathe et de Scala, « le roi, les généraux, les princes, les ministres et tous les magistrats qui rendent la justice, » eurent aussi part à son souvenir et occupèrent ses dernières pensées.

La modeste cellule ne désemplissait pas un seul instant.
Don Joseph de Liguori était arrivé de Naples, accompagné
de sa jeune femme et de son oncle, le prince de Polleca [1].
Alphonse se montra sensible à cette preuve d'attachement ;
il les bénit, répondit à son neveu, qui lui demandait un
dernier conseil : « Pense avant tout à sauver ton âme, » et
garda pendant quelques instants sa main pressée dans la
sienne. Mais ce n'étaient pas seulement sa famille de la terre
et celle qu'il avait formée pour le ciel qui l'entouraient ; des
prêtres appartenant à divers diocèses, des religieux de tous
ordres, des gens du monde se pressaient autour de lui, voulant approcher une dernière fois de l'homme vénéré qu'ils
allaient perdre, et contempler le grand spectacle d'une âme
sainte au seuil de l'éternité. On lui faisait toucher des chapelets, des crucifix, des scapulaires; on s'arrachait les
linges qui lui avaient servi, et de tous les lieux où parvenait la nouvelle de sa mort prochaine, on écrivait à Pagani
pour solliciter quelque objet qui eût été à son usage. Partout
aussi on faisait des prières publiques afin d'obtenir sa guérison; mais il refusait de s'y unir, et à ceux qui le pressaient
de se recommander au moins au frère Gérard Majella, mort
en odeur de sainteté dans la Congrégation [2], il répondait :
« Lui non plus ne peut me guérir. »—« Tout est fini, » dit-il
enfin un autre jour, comme pour leur épargner des soins
inutiles, aux médecins et aux Pères dont il remarquait
l'empressement à le secourir. Cette conviction était désormais constante, invariable; et pourtant, de son corps exténué et mourant, la vie jaillissait encore, car trois prêtres
malades [3] retrouvaient, en approchant de sa couche, cette
santé que pour lui-même il semblait repousser.

La lampe qui, pendant plus de soixante ans, avait jeté
tant d'éclat sur l'Église allait s'éteindre, en effet, avant de

---

[1] Don Joseph Capano Orsini, frère de Marianne de Liguori.

[2] Voir, p. 263, note 1.

[3] Le Père Buonapane, religieux du Saint-Rédempteur, le Père Samuel,
ancien Provincial des capucins de Naples et un chanoine nommé Villani,
infirme depuis trois ans.

se rallumer au foyer éternel. Elle n'avait plus d'huile et sa lueur baissait. A partir de ce moment, nous suivrons pas à pas et jour pour jour le récit du Père Tannoia, le meilleur guide que nous puissions choisir; car le fidèle compagnon de la vie d'Alphonse fut aussi le témoin assidu de ses derniers instants. « Je ne m'éloignai plus de son chevet, écrit-il, et je notai jusqu'aux soupirs de ce père chéri qui m'avait tant aimé. »

Le 28 juillet, date solennelle que nous ont conservée ses Mémoires, Alphonse communia pour la dernière fois, et prolongea plus longtemps que de coutume son action de grâces; cependant, sentant ses forces décroître, il supplia qu'on voulût bien l'aider à converser encore avec Dieu. Ses fils qui l'entouraient se mirent alors à lui suggérer de pieux sentiments : il les écoutait avec plaisir, et lorsqu'ils s'arrêtaient, les priait de continuer, en leur demandant « s'ils n'avaient plus de bonnes pensées à lui donner ». On plaça près de lui un cierge bénit, et l'on commença les prières des agonisants. En même temps, on lui présenta une image de la sainte Vierge, qu'il baisa en murmurant l'*Ave Maria;* mais ensuite il parut agité, et, portant sa main à son front: « Pensées..., » dit-il avec un soupir, « vous ne me laissez pas de repos... » A neuf heures, il prit un crucifix, le considéra plusieurs fois attentivement et l'approcha de ses lèvres. L'image de la sainte Vierge lui fut de nouveau montrée, afin qu'il remît son âme et sa vie entre ses mains. Il ouvrit les bras en signe d'offrande et prononça quelques mots qu'on ne put comprendre.

La nuit fut tranquille, il reposa paisiblement; mais le lendemain, 29 juillet, des visions sinistres semblèrent l'obséder. Déjà à plusieurs reprises, pendant sa maladie, des paroles entrecoupées avaient laissé voir qu'il repoussait les derniers efforts de celui qu'il allait vaincre pour toujours et auquel, comme saint Martin de Tours, il avait le droit de demander : « Pourquoi es-tu ici, bête cruelle? il n'y a rien qui t'en donne le droit [1]. » — « Que faites-vous

1 Sulp. Sev. Epist. III.

faites-vous ? » l'avait-on entendu dire un jour, comme s'a-
dressant à un personnage invisible, « vous m'exposez à
commettre un péché mortel; » et une autre fois, il avait
répété douloureusement : « Voulez-vous donc me jeter dans
le désespoir? » Ce jour-là, pendant la messe, il parut soutenir
un nouvel assaut, car il s'écria tout à coup : « *Quanti nemici
esterni!* Que d'ennemis extérieurs ! » On lui donna à baiser
une image de saint Joseph; il la saisit, et, se retournant
vers le frère : « C'est saint Joseph, » dit-il d'une voix plus
calme; puis il essaya de prier en tenant toujours l'image
dans sa main. Alexis lui demanda alors s'il avait besoin de
quelque chose : « Non, c'est fini, » répondit-il ; et ce fut
tout. Plus tard, la respiration devint suffocante. Vers neuf
heures du soir, on crut que l'agonie commençait. Mais cette
fois encore, il reprit ses sens, et à la prière de bénir la
Congrégation, il acquiesça par un signe de tête.

Le 30 au matin, plusieurs messes furent, comme à l'ordinaire, célébrées en sa présence. On comprit qu'il voulait
communier; mais le Père Villani, craignant qu'il ne pût
avaler la sainte hostie, ne permit pas qu'on la lui donnât.
Ses paroles, ses signes même devenaient plus rares; cependant un religieux, arrivé de Sant'-Angelo, ayant sollicité sa bénédiction, il étendit la main sur lui. Peu après, il
ne reconnut pas l'Évêque de La Cava.

La journée se passa dans cet état de somnolence dont
le malade sortait encore chaque fois qu'on prononçait à
son oreille une prière, ou seulement les noms de Jésus
et de Marie, et qu'on lui montrait un objet de piété. Les
Pères, voulant tous posséder un souvenir de ces dernières
heures, glissaient souvent entre ses doigts un crucifix,
que bientôt après ils remplaçaient par un autre. Le Saint
essayait parfois de l'approcher de ses lèvres; mais la force
lui manquait, et il fallait guider sa main. Par moments
aussi, il paraissait en proie à de cruelles douleurs et
indiquer par ses gestes le désir d'être soulagé; prière
instinctive qui ne durait pas longtemps toutefois, car
bientôt, élevant ses bras avec peine, il les joignait et les

croisait sur sa poitrine, comme pour donner à la souffrance un dernier baiser.

La fin de la lutte approchait. Pendant la nuit et la journée suivante, quoique dans une grande prostration, Alphonse montrait encore qu'il comprenait toutes les paroles qu'on lui adressait. Vers midi, il prit une image de la sainte Vierge qui était posée sur lui, et la serra contre son cœur. Il la reprit de nouveau à deux heures et à six heures du soir. A cet instant, son visage devint radieux, et il sourit doucement. Quelques minutes avant sept heures, le même phénomène se renouvela, et, comme la première fois, il parut s'entretenir avec la sainte Vierge. Ne peut-on pas croire, en effet, que Celle à laquelle il avait si souvent demandé pendant sa vie de *le consoler par sa présence*, à l'heure de sa mort[1], se tenait près de lui à cet instant suprême et attendait son dernier soupir avec la sollicitude d'une mère épiant la délivrance de son enfant?

L'agonie se prolongea toute la nuit; mais c'était une agonie calme et paisible, qui ne troublait ni sa sérénité ni son recueillement, et qui lui permettait de s'unir aux saintes pensées suggérées par les Pères. Ce n'était pas le

---

[1] « O Consolation des affligés, » lit-on dans « *la prière pour obtenir une bonne mort* », au livre des VISITES, « ne m'abandonnez pas à cette heure... « Obtenez-moi alors de vous invoquer plus souvent, afin que j'expire en « ayant sur les lèvres votre doux nom et celui de votre adorable fils. Et « même, ô ma Souveraine, pardonnez ma hardiesse, avant que je meure, « *venez vous-même me consoler par votre présence*. Cette grâce, vous l'avez « faite à tant d'autres de vos serviteurs! Moi aussi je la désire et je l'es_ « père. Je suis pécheur, c'est vrai, et je ne la mérite pas; mais je suis « votre serviteur, je vous aime et j'ai une grande confiance en vous. O « Marie, je vous attends, ne me refusez pas cette consolation. »

Et au livre des GLOIRES DE MARIE (Ire partie, ch. II, § 3) : « Quand je me trouverai dans les dernières angoisses de la mort, ô « Marie, mon espérance, ne m'abandonnez pas. Plus que jamais alors, « assistez-moi et fortifiez-moi, afin que je ne sois pas désespéré à la vue « de mes péchés que le démon me remettra sous les yeux. Pardonnez_ « moi mon audace, ô ma Souveraine, *venez vous-même alors me consoler* « *par votre présence*. Vous avez fait cette grâce à beaucoup d'autres; moi « aussi, je la veux. Si ma hardiesse est grande, plus grande encore est « votre bonté qui va à la recherche des plus misérables pour les con_ « soler. »

combat de la vie contre la mort, c'était plutôt le lever d'une
aurore et l'entrevue pressentie d'un âme avec son Dieu.
Aucun mouvement extraordinaire, aucun symptôme apparent de douleur ne venait troubler la beauté de ce spectacle
auquel, pour répondre à un autre vœu de leur père, assistaient, en prières et en larmes, presque tous les membres de
la Congrégation [1].

Enfin, on venait de terminer la dixième messe, l'horloge
marquait midi, et les cloches sonnaient l'*Ave Maria;*
Alphonse, qui tenait toujours l'image de la sainte Vierge,
parut céder à un tranquille sommeil... Tout était dit pour ce
monde, et, selon la douce expression de sa langue maternelle, il s'était bien vraiment endormi dans le baiser du
Seigneur. C'était le mercredi 1er août 1787. L'Église invoquait saint Pierre aux Liens, et se disposait à célébrer la
fête de sainte Marie-des-Anges ; Pie VI gouvernait le troupeau du Christ, et la Congrégation du Saint-Rédempteur
comptait cinquante-cinq ans d'existence.

---

[1] « O mon Dieu, je vous remercie dès maintenant de ce qu'à l'heure
« de ma mort, vous me ferez assister par mes chers frères de la Congré-
« gation, qui n'auront alors d'autre préoccupation que mon salut éternel,
« et qui tous m'aideront à bien mourir. »

(Préparation à la mort. Consid. VII, 1er point.)

CHAPITRE XII

◆

Les habitants de Pagani et de Nocera, dont on voulait éviter les démonstrations trop bruyantes, ne connurent la mort d'Alphonse qu'au bout de quelques heures, lorsque son corps eut été transporté dans un petit oratoire intérieur où, environné de cierges et de prières, il devait demeurer jusqu'au lendemain, et qu'un détachement de cavalerie royale eût été posté, pour en défendre l'accès, aux abords de la maison. Bientôt cependant la foule se pressa autour du couvent ; mais elle ne put y pénétrer, et, pour satisfaire la dévotion publique, les Pères durent se charger de faire toucher eux-mêmes des chapelets aux restes du Saint et de répandre sur lui des fleurs ; souvenirs précieux que chacun emportait dans sa demeure avec le respect des premiers chrétiens pour l'huile parfumée versée sur les corps des martyrs. Les membres vénérés de celui que, devançant le jugement de l'Église, la voix du peuple mettait déjà au rang des bienheureux, conservaient encore toute leur flexibilité, et ses traits, qu'un artiste de Naples reçut la mission de reproduire, leur expression à la fois gracieuse et imposante. La mort avait accompli son œuvre en respectant sa victime, et l'âme semblait avoir laissé après elle comme l'empreinte majestueuse de sa sainteté.

L'Évêque de Nocera eût désiré que la cérémonie des funérailles ressemblât à une marche triomphale, et que le cortége vînt, à travers les rues foulées si souvent par les pas de l'Apôtre, jusqu'à la cathédrale située au milieu de la ville haute, avant de reprendre le chemin de l'église du couvent. Mais les habitants de Pagani, ou de la ville basse, qui soupçonnaient de sa part un pieux stratagème pour leur enlever les reliques de leur Saint, arrêtèrent la voiture du prélat, le menacèrent de s'opposer au besoin par les armes à ses projets, et le contraignirent ainsi à les abandonner. Tous les regards se portèrent dès lors sur l'humble église des Pères qu'Alphonse lui-même avait bâtie, et où les derniers honneurs allaient lui être rendus. L'affluence des prêtres arrivés de toute part força les missionnaires à y multiplier les autels, et le saint sacrifice y fut offert toute la nuit pour celui que Dieu venait d'enlever à la terre. Le lendemain matin dix mille personnes, parmi lesquelles les plus pauvres hameaux avaient leurs représentants, occupaient les abords du temple. Portée par les Recteurs des quatre maisons du royaume, suivie par les magistrats de la ville, par l'Évêque à pied, un cierge à la main, et par un long cortége, la précieuse dépouille y fut conduite et déposée sur une estrade. Le Vicaire général de Nocera célébra la messe, à laquelle succéda une oraison funèbre prononcée par un membre éminent du clergé de Salerne; mais l'éloquence de l'orateur ne pouvait guère ajouter à l'émotion des assistants qui prodiguaient, les uns à leur Évêque, les autres à leur Père, des hommages contre lesquels son humilité était désormais impuissante à le défendre. Enfin, pour compléter cette scène touchante, le frère François-Antoine et le fidèle Alexis [1], debout auprès de leur maître, prenaient les petits enfants dans les bras des mères, et leur faisaient baiser une dernière fois la main qui les avait bénis si souvent.

Le concours du peuple dura jusqu'au soir, et il fallut recourir à la force publique pour pouvoir procéder à la sé-

---

[1] Alexis Pollio avait été recommandé au Père Villani par son maître, qui se préoccupait de ce qu'il deviendrait après lui. Il avait soixante-six ans; sa femme était morte : on lui permit d'entrer en qualité de frère lai dans la Congrégation, où il mourut pieusement comme il avait vécu.

pulture. Vers sept heures, on plaça le corps dans un cercueil de plomb scellé de douze cachets[1] et fermé par trois clefs différentes, dont l'une fut remise au prince de Polleca, qui représentait à la cérémonie les neveux d'Alphonse, l'autre aux régents de la ville, et la troisième au Recteur de la maison de Pagani. Le cercueil fut ensuite déposé au côté gauche du maître-autel, et recouvert d'une table de marbre portant l'inscription suivante :

HIC. JACET. CORPVS.

ILLUSTRISSIMI. ET. REVERENDISSIMI. DOMINI.

D. ALPHONSI. DE. LIGORIO.

EPISCOPI. S. AGATHAE. GOTHORVM.

ET. FVNDATORIS. CONGREGATIONIS.

SANCTISSIMI. REDEMPTORIS.[2]

Mais ces restes vénérés n'avaient pas encore été confiés à la terre pour y attendre la résurrection, que Dieu s'était déjà chargé du soin de les glorifier ici-bas. Le jour même des funérailles fut témoin de plusieurs grâces miraculeuses obtenues par l'intercession d'Alphonse. Un petit enfant d'un an, qui avait été apporté mourant à l'église, fut guéri en touchant ses reliques, et le lendemain, parlant pour la première fois, s'écria en voyant son portrait[3] : *Alfonso in*

---

[1] 6 aux armes de l'Évêché, 4 à celles de la ville et 2 portant l'empreinte du sceau de la Congrégation.

[2] Quelques jours après celui des obsèques, de nouveaux services furent célébrés : dans l'église des Pères; dans la cathédrale de Nocera; dans toutes les maisons de la Congrégation, entre autres à Frosinone et à Ciorani, où, pendant la cérémonie, deux malades, dont une femme aveugle depuis dix ans, furent guéris; enfin à Sainte-Agathe-des-Goths, à Naples et dans plusieurs autres villes du royaume. Partout l'affluence fut considérable; à Ciorani, en particulier, elle fut telle que des marchands forains vinrent s'établir avec leurs baraques aux alentours du couvent.

[3] Cette image avait été envoyée de Naples, où un marchand d'objets de piété, nommé Nunzio Petrino, spéculant sur la mort prochaine d'Alphonse, avait fait graver un portrait dont il put ainsi tirer immédiatement un grand nombre d'exemplaires. De son côté, un ancien pénitent

cielo! Il santo in cielo! Un religieux de Monte-Vergine, une femme tourmentée depuis longtemps par la fièvre, une sœur converse de Naples, un chanoine de Sainte-Agathe et plusieurs autres malades furent guéris par l'application d'un morceau de ses vêtements ou d'une lettre écrite de sa main. Il apparut enfin à deux religieuses : l'une qui avait été sa pénitente, sœur Angela Olivieri, de Naples, profondément affligée à la nouvelle de sa mort, le vit tout à coup près d'elle transfiguré et glorieux; l'autre, carmélite au monastère de Ripa-Candida, chantait l'office quand elle entendit une voix lui recommander de découvrir à son confesseur que don Alphonse de Liguori s'était montré à elle dans sa gloire; et au même moment, elle l'aperçut au milieu d'un globe lumineux dont rien ne pouvait exprimer la beauté. On eût cru voir, dit-elle, un soleil radieux se réfléchissant dans un vaste et brillant cristal. Le saint Évêque paraissait plein d'allégresse et de beauté, et sa chair était comme un ivoire de la plus éclatante blancheur. A sa vue, continue la religieuse, je me sentis défaillir sous le poids de la joie. Il me regardait avec bonté et tendresse, et m'adressa ces paroles : « Ma fille, gardez la pureté de l'âme. Que votre cœur soit à Dieu seul et toujours à Dieu ! Soyez prête à tout souffrir, et vivez sur la terre comme si vous n'y étiez plus. »

Cependant la série des miracles ne devait pas s'arrêter. Des guérisons et des apparitions[1] vinrent à différentes re-

---

d'Alphonse, don Salvatore Tramontana, avait fait graver à ses frais douze portraits différents du saint. On évalue à 60,000 au moins le nombre d'images qui furent distribuées à Naples.

[1] Le cadre de ce travail ne nous permet pas de les reproduire ici ; nous citerons cependant la guérison d'une femme de la Cava, nommée Marie Catone, qui, atteinte depuis six ans d'une maladie de poitrine, était à toute extrémité. A peine lui eut-on suspendu au cou une relique du Saint, qu'elle vit apparaître trois vierges vêtues d'azur, à côté desquelles se tenait Alphonse. Il portait l'habit de sa congrégation; sa tête était inclinée et son visage souriant comme durant sa vie; d'une main, il s'appuyait sur un bâton rustique, et de l'autre montrait aux trois vierges la mourante. L'une d'elles la prit alors par la main et lui ordonna de se lever ; puis, lui désignant la troisième qui était environnée de plus d'éclat que ses

prises accroître la dévotion des fidèles envers le saint Évêque, et bientôt plus de quatre cents suppliques, dont la plus remarquable à cause des souvenirs qu'elle réveillait était une lettre de Ferdinand IV, roi des Deux-Siciles, furent adressées successivement au Saint-Siége pour demander sa béatification. Rome céda au vœu du monde chrétien. L'examen de l'affaire commença, et après une de ces études dont l'inflexible rigueur forme le caractère traditionnel, la Congrégation des Rites lava la mémoire d'Alphonse de toutes les accusations portées contre lui [1]. Pie VI pleura de chagrin d'avoir involontairement persécuté un saint, et, commençant dès lors à le glorifier par ses discours, n'hésita pas à déclarer devant toute l'Église [2] qu'il conservait précieusement « le souvenir de la pieuse et singulière obéissance dont le serviteur de Dieu avait donné par ses paroles, ses actions et ses écrits de fréquents témoignages au Saint-Siége. » Il ordonna même que, dans la poursuite de la cause dont il autorisait l'introduction, il ne fût fait aucune allusion à la faute dont on l'avait à tort supposé coupable [3].

Le malheur des temps et l'exil de Pie VI arrêtèrent la marche du procès. On continua cependant à recevoir les dépositions des témoins et à recueillir les documents, et,

compagnes, elle lui dit que la sainte Vierge, par l'intercession de son serviteur Alphonse, lui rendait la santé. A ces mots, la malade se leva : elle était guérie. Ce miracle est consigné dans le procès de béatification.

1 « Sicque... per quoscumque judices, ordinarios et delegatos etiam causarum palatii apostolici auditores, S. R. C. Cardinales etiam de latere legatos et apostolicæ sedis nuntios, sublata eis, et eorum cuilibet quavis aliter judicandi et interpretandi facultate et auctoritate judicari et definiri debere, ac irritum et inane, si secus super his a quocumque quavis auctoritate scienter vel ignoranter contigerit attentari, non obstantibus constitutionibus et ordinationibus apostolicis, cæterisque contrariis quibuscumque. »

2 29 avril 1796.

3 Le Père Leggio, comme nous l'avons dit, essaya d'entraver la cause de la béatification d'Alphonse, et ce fut là même ce qui lui attira à la fin la disgrâce du Pape et lui fit interdire l'entrée du Vatican. — Il mourut en 1801, le jour même de la fête du Saint-Rédempteur, frappant violemment du poing contre son lit, et sans proférer aucune parole qui pût témoigner de son repentir.

le 14 mai 1803, la Congrégation constata qu'il n'y avait rien dans ses œuvres qui fût digne de censure [1].

De l'examen de ses ouvrages on passa bientôt à celui de ses vertus, grâce à une autorisation du Pape suspendant en cette circonstance le décret d'Urbain VIII qui impose un délai de cinquante années. Ce travail se poursuivit sans relâche, et à la troisième et dernière épreuve, qui eut lieu en présence du Souverain Pontife, les Cardinaux et les Consulteurs proclamèrent, avec une unanimité très-rare en pareil cas, que les vertus du serviteur de Dieu avaient atteint le degré héroïque; décision qui fut confirmée par le Saint-Père, le 7 mai 1807, dans la basilique de Saint-Jean-de-Latran. Il ne manquait plus, pour obtenir la béatification, que la reconnaissance officielle de deux miracles, lorsque la procédure se trouva de nouveau suspendue par la captivité du Pape et l'envahissement des États pontificaux. Dès le retour de Pie VII à Rome, elle fut reprise, et le 17 septembre 1815, jour auquel on célébrait pour la première fois dans l'Église la fête de Notre-Dame des Sept-Douleurs [2], le Souverain Pontife rendit un décret constatant l'authenticité de deux faits miraculeux, à savoir : « la subite et parfaite guérison de Madeleine de Nunzio, dont une grande partie du sein avait été coupée la veille à la suite d'un ulcère gangréneux, avec la réintégration des chairs enlevées, et la guérison instantanée et parfaite du Père François d'Ottojano, de l'ordre des Mineurs réformés de Saint-François, lequel était atteint de phthisie pulmonaire. » Enfin, le 6 septembre 1816, le Pape signa le bref de béatification, c'est-à-dire l'acte définitif qui, en conférant à Alphonse le titre de Bienheureux, le déclarait très-certainement en possession du bonheur céleste, et autorisait les fidèles à lui rendre un culte public, ainsi que les diocèses de Nocera et de Sainte-Agathe, et la Congré-

---

[1] Indépendamment des œuvres imprimées, les manuscrits de saint Alphonse qui furent soumis à la révision s'élevaient au nombre de dix-neuf cent treize. Villecourt, t. IV, p. 266.

[2] Villecourt, t. III, p. 323.

gation du Saint-Rédempteur à célébrer tous les ans une
messe avec propre en son honneur. La cérémonie solennelle
eut lieu neuf jours après, dans la basilique de Saint-Pierre.

Dieu cependant voulait accorder une récompense plus
haute encore à l'humilité de son serviteur, et de nouveaux
prodiges [1], accompagnés de nouvelles sollicitations, déterminèrent peu de temps après le Saint-Siége à laisser introduire
la cause de la canonisation. La Congrégation des cardinaux,
prélats et consulteurs dut en conséquence se livrer à l'examen de deux autres miracles qui lui avaient été soumis, la
guérison immédiate d'Antonia Tarsia, mortellement blessée
à la suite d'une chute, et celle non moins rapide du frère
Pierre Canali, des camaldules, atteint d'un ulcère. L'évidence en fut reconnue [2], et, le 15 mai 1830, Pie VIII sanc-
tionna les conclusions de l'enquête. Mais il mourut sur ces
entrefaites, et ce fut seulement le 26 mai 1839, qu'un cinquième Pontife, Grégoire XVI, éleva aux honneurs des
autels Alphonse-Marie de Liguori, en même temps que deux
religieux qui avaient entrevu sa gloire, François de Hiero-
nymo, de la Compagnie de Jésus, qui avait salué son au-

---

[1] Parmi ces prodiges, il en est trois qui nous intéressent à un titre
spécial, parce qu'ils ont eu lieu sur cette terre de France dont Alphonse
parlait la langue, et à laquelle il avait souvent témoigné tant de sympa-
thies. Jeancard, auteur d'une vie abrégée du Saint, a connu une personne
d'Aix, Marie Bastide, femme du greffier en chef au tribunal de commerce,
qui, malade à toute extrémité, fut guérie instantanément par l'application
d'une image d'Alphonse, le 2 août 1818, jour où l'on célébrait pour la première fois sa fête en Provence. — En avril 1827, une jeune fille habitant
la même ville fut aussi guérie subitement par l'intercession du Saint, dans
des circonstances qui ont été rapportées par les journaux du temps. (Voir
la *Gazette de Lyon* et l'*Ami de la Religion*, n° 1341.) — Enfin, la même
année, une femme de Marseille, nommée Élisabeth Fluchaire, dont l'état
etait désespéré, ayant commencé une neuvaine en l'honneur d'Alphonse,
le vit en songe lui offrant un bouquet de fleurs qui, flétries d'abord, reprirent bientôt leur éclat et leur fraicheur. A partir de ce moment, elle
ne douta pas de sa guérison, qui eut lieu, en effet, le dernier jour de la
neuvaine. Le lendemain, elle vint communier dans la chapelle de
l'Évêque, Mgr de Mazenod, auquel son médecin adressa un rapport conforme a ce récit.

[2] 23 septembre 1829.

rore[1]; Jean-Joseph de la Croix, de la réforme de Saint-
Pierre d'Alcantara, qui avait annoncé l'expansion de son
œuvre[2], et deux autres fleurs de la vie monastique, Pacifique
de Saint-Severin, Mineur réformé, et Véronique Juliani,
abbesse des Capucines. Un neveu d'Alphonse, plusieurs de
ses petits-neveux, cent membres environ de la Congrégation
du Saint-Rédempteur, le roi de Naples et le roi de Bavière,
don Miguel de Portugal et la reine de Sardaigne assistèrent
à la cérémonie.

Nous ne parlerons pas des fêtes splendides que la capitale
des Deux-Siciles voulut donner en l'honneur.du Saint, dont
elle se glorifiait avec raison d'avoir été le berceau, et qu'elle
associa dès lors dans son culte à son illustre protecteur,
saint Janvier[3]; mais nous ne pouvons taire un autre hommage qui lui fut rendu à Rome, dans la basilique même de
Saint-Pierre, où une statue en marbre blanc lui fut érigée
à l'extrémité supérieure de la croix, près de la chaire du
prince des Apôtres, comme pour rappeler que le Saint-Siége
n'avait pas eu de nos jours de plus ferme défenseur[4].

Un seul souhait restait encore à former pour la gloire de
saint Alphonse, et c'est au grand Pontife qui occupe aujourd'hui le trône de saint Pierre qu'il fut donné de l'accomplir. Pie IX, que déjà l'on avait vu à Nocera s'agenouiller devant les reliques de l'Évêque de Sainte-Agathe.
et tirer de son doigt son anneau pour le mettre à celui d'Alphonse; Pie IX qui, au milieu d'un siècle rêvant de lumière
et aveuglé d'orgueil, semble avoir eu pour mission spéciale
d'allumer de nouveaux phares dans l'Église, signait, le
11 mars 1871, du fond de sa prison du Vatican, le décret qui
décernait le titre de Docteur à celui qui, par ses vertus et
ses travaux, avait été, disait-il, « comme la lampe posée

1 Voir page 5.
2 Voir page 166.
3 Saint Alphonse est aujourd'hui, en effet, le second patron de
Naples.
4 Cette statue, comme celles qui décorent la nef centrale de la grande
basilique, est d'une dimension telle qu'un homme de sept pieds arriverait
à peine à ses genoux.

sur le candélabre pour illuminer la maison de Dieu [1]. »
Enfin, à cet honneur, conféré dix-huit fois seulement en
dix-neuf siècles [2], le Pape voulut bientôt après joindre un
témoignage de son estime pour l'œuvre principale du saint
Docteur, en élevant à la pourpre romaine un des plus
illustres membres de cette Congrégation du Saint-Rédempteur, qui, répandue aujourd'hui dans les deux mondes et
toujours debout sur le rocher de l'Église, lutte vaillamment
pour elle et se dévoue pour son triomphe.

Et maintenant, arrivé à la fin de notre œuvre, nous ne
pouvons mieux résumer la pensée qui nous l'a fait entreprendre et l'espoir qui nous l'a fait achever qu'en répétant la
prière par laquelle le diacre Paulin, secrétaire et biographe
d'un autre grand Évêque d'Italie, terminait l'histoire de
saint Ambroise :

« Je supplie et conjure tout homme qui lira ce livre
d'imiter la vie que je viens de raconter, et de faire fructifier
la grâce de Dieu dans son âme, afin de mériter d'être réuni
à ce grand Saint au jour de la résurrection pour la vie
éternelle [3]. »

Puisse ce vœu être exaucé ! puisse le récit de cette vie,
sanctifiée par la souffrance et transfigurée par l'amour, susciter au fond de quelques cœurs généreux l'ambition sacrée
de marcher par le même chemin ; ou si cette récompense
était jugée trop haute pour nos efforts, puisse, ne fût-ce
qu'une seule âme, se sentir pressée du désir de mieux connaître ce Dieu que l'on peut tant aimer !

---

1 Décret du 11 mars 1871.

2 Discours prononcé le 21 mai 1871 par M⸢gr⸣ Dechamps, archevêque
de Malines, à l'occasion du décret proclamant saint Alphonse docteur de
l'Église.

3 « Unde hortor et obsecro hominem qui hunc librum legerit, ut imi-
tetur vitam sancti viri, laudet Dei gratiam, et velit habere consortium cum
Ambrosio in resurrectione vitæ. » (Paulin. in vita Ambros., n. 55.)

NOTICE SOMMAIRE

SUR LES PRINCIPAUX OUVRAGES DE SAINT ALPHONSE DE LIGUORI [1]

Ce qui étonne le plus quand on étudie la vie de saint Alphonse
de Liguori, c'est l'activité et la fécondité prodigieuse qu'il déploya,
au milieu de tant d'autres travaux, dans la composition et la publication de ses ouvrages. Il avait près de cinquante ans quand
parut son premier opuscule, et cependant il a laissé dans ses écrits
de tout genre la matière d'au moins quarante ou cinquante volumes, résultat inexplicable s'il n'avait su allier à une rare pénétration d'esprit une volonté qui ne connaissait pas d'obstacles, et
réaliser à la lettre le vœu nouveau et presque unique dans l'Église,
de ne jamais perdre un seul instant.

Aussi ses ouvrages peuvent-ils être considérés comme un glorieux monument non-seulement de sa piété et de son zèle pour les
âmes, mais encore de la puissance de ses facultés, de l'étendue de
son intelligence et de la variété de son savoir. Ils embrassent les
questions les plus diverses et les plus difficiles du dogme, de la
morale, de la vie chrétienne et de la vie ascétique. Un souffle de
sainteté en traverse toutes les pages et leur communique une grâce
ineffable, jointe à une extraordinaire onction. De là cette vogue
étonnante dont ils ont joui et jouissent encore. Les uns sont entre
les mains de tous les théologiens; d'autres, entre les mains de tous
les fidèles; chacun continue, après la mort de son auteur, ce qui
fut l'œuvre de sa vie entière, la sanctification des âmes et l'extension du règne de Dieu [2]. Nous donnerons ici une liste des principaux d'entre eux.

[1] Nous devons au P. Dujardin, de la Congrégation du Très-Saint-Rédempteur, une excellente traduction des œuvres de saint Alphonse de
Liguori, 43 vol. in-12, publiés par Casterman. — Tournay.

[2] L'esprit général des ouvrages de saint Alphonse a été résumé d'une
manière aussi lucide qu'éloquente, dans un discours du cardinal Dechamps,
que nous avons déjà cité et dont le lecteur trouvera à l'*appendice* de cet
ouvrage un important fragment.

ŒUVRES DE THÉOLOGIE ET DE POLÉMIQUE

Théologie morale, dont la seconde édition est dédiée au pape Benoît XIV, œuvre capitale du Saint, fruit de ses longues et profondes études, et qui devait amener en peu de temps une véritable révolution, féconde et salutaire, dans l'enseignement de cette partie si importante de la science sacrée. Saint Alphonse, intimement convaincu de l'influence de la direction dans la vie des familles et des sociétés chrétiennes, eut particulièrement en vue, en écrivant ce livre, l'instruction des confesseurs. Il y concentra toutes les lumières que lui fournissaient ses méditations et son expérience. Attentif à éviter les extrêmes également dangereux d'une rigidité austère et d'un probabilisme relâché, il ne cherche jamais ni à affranchir les âmes de ce que leur imposent Jésus-Christ et l'Église, ni à les charger plus que Jésus-Christ et l'Église ne prétendent le faire. Où la loi est claire, il lui asservit la liberté, et où elle ne l'est pas, s'il favorise la liberté, il n'en exagère pas les droits. Il ne s'attache d'ailleurs exclusivement à aucune école; il les respecte toutes; mais dans les cas douteux, il révère par-dessus tout le bon sens. C'est ce qui explique le succès prodigieux de cet ouvrage, qui devint classique dans l'enseignement de la théologie morale, servit de norme à presque tous les traités qui furent composés depuis sur ces graves matières, et porta un coup mortel au rigorisme outré des jansénistes et de ceux qui avaient subi l'influence de leurs principes. Saint Alphonse fit école en matière de morale, et c'est par là qu'il a mérité le titre glorieux de docteur de l'Église.

Apologie de la Théologie morale, où se trouvent réunis les témoignages des principales autorités sur lesquelles s'appuie son système, et qui fut regardée comme un chef-d'œuvre. Elle se recommande, en effet, par la modération de la forme autant que par la solidité des preuves, et n'oppose aux contradictions les plus violentes que le langage de la raison et d'une inaltérable douceur.

La vérité de la foi, grand ouvrage que saint Alphonse publia pour la défense de l'Église. Il comprend trois parties, dont la première est dirigée contre les matérialistes, c'est-à-dire contre la négation de Dieu; la seconde, contre les déistes, c'est-à-dire contre la négation de la religion révélée; et la troisième, contre les hérétiques. c'est-à-dire contre la négation de la vérité et de l'institution divine de l'Église catholique. Il combat en même temps les jansénistes et leurs erreurs sur la grâce et la rédemption. Deux appendices sont consacrés au livre de l'*Esprit* d'Helvétius ; l'un renverse la théorie matérialiste qui fait de la sensibilité physique l'origine et la cause productrice de la pensée ; l'autre combat le système qui prétend résumer dans le plaisir et l'intérêt le principe suprême de la morale. Cet ouvrage, dont saint Alphonse avait dit : « Il me coûte des sueurs de sang, » fut accueilli par des applaudissements universels, et reçut les plus grands éloges du Pape. Clément XIII, auquel il était dédié, félicita l'auteur « d'avoir mis à profit les moindres loisirs que lui laissaient les occupations de sa charge, pour les consacrer à des travaux dont l'utilité ne s'arrêtait pas aux limites de son diocèse, mais s'étendait à l'Église tout entière [1] ».

Ouvrage dogmatique contre les hérétiques prétendus reformés, ou Exposition des points discutés et définis par le concile de Trente, dédié à Clément XIV. Ce livre, dirigé surtout contre Paolo Sarpi, qui s'était efforcé de discréditer l'autorité du concile de Trente, ne traite pas seulement des difficultés qui y ont été agitées, mais expose aussi sur chaque point la doctrine des auteurs, et est suivi de plusieurs travaux sur la grâce et l'infaillibilité de l'Église. Saint Alphonse était malade et presque mourant quand il le composa ; cependant on y retrouve toute la force de son esprit et toute la tendresse de son cœur. Son succès fut grand non-seulement en Italie, mais encore dans toute l'Europe, où la netteté et la sûreté de sa doctrine étaient de plus en plus appréciées.

Triomphe de l'Église, ou Histoire et réfutation des hérésies, trois volumes dédiés au marquis Tanucci, ouvrage dans lequel le saint docteur résume le commencement et les progrès des hérésies, oppose à la contradiction des doctrines des hérétiques l'immutabilité de l'Église romaine, et défend l'infaillibilité du Pape.

Instruction pour les confesseurs, résumé de la Théologie morale, auquel le Saint ajouta de nouvelles instructions pour la direction des âmes et de nouveaux éclaircissements sur les points de morale les plus controversés. L'immense succès que ce livre obtint en Italie, où en peu d'années il arriva jusqu'à sa dixième édition, fit souhaiter à plusieurs de le voir se répandre au delà des frontières.

---

[1] Lettre en date du 4 août 1767.

Pour satisfaire à ce désir, saint Alphonse le traduisit en latin sous le titre de *Homo apostolicus.*

Pratique du confesseur pour bien exercer son ministère, ouvrage admirable, inspiré par le même zèle, et qui met au service des confesseurs les fruits et les enseignements d'une expérience consommée. Considérant le confesseur comme père, comme médecin, comme docteur et comme juge, saint Alphonse lui trace des règles de conduite appropriées à chacun de ces caractères. Il indique comment il doit instruire les hommes de toute condition, les enfants, les jeunes gens, les jeunes filles, les âmes élevées à une haute piété et celles qui sont atteintes de la maladie du scrupule. Il a pris soin de rechercher tous les cas particuliers, et donne des conseils sur la manière de traiter les sourds, les muets, les moribonds, les condamnés, enfin ceux qui sont spécialement tourmentés par le démon. Rien n'est oublié, ni la direction qui convient aux âmes dans les différents degrés d'oraison, ni les remèdes que le confesseur doit opposer aux péchés d'habitude, aux occasions dangereuses, aux rechutes. Cet ouvrage respire une onction divine; tout y est charité, douceur et modération : c'est l'image parfaite du Saint lui-même. Il fut traduit en latin par l'auteur, sous le titre de *Praxis Confessarii,* et inséré dans la quatrième édition de la Théologie morale.

Selva, ou recueil de matières pour les sermons et les instructions, à l'usage des jeunes Pères de la Congrégation.

Instruction sur les préceptes du Décalogue pour les bien observer, et sur les sacrements pour les bien recevoir, œuvre composée pendant l'épiscopat d'Alphonse, pour remédier à l'ignorance de son troupeau, et destinée en particulier à combattre la rigidité excessive sous prétexte de pureté de doctrine. « Ce n'est pas là, disait le Saint, la doctrine de l'Église, qui se glorifie d'être mère et non marâtre. Cette sévérité a été inventée par Jansenius et ses sectateurs ; ce n'étaient nullement là les sentiments des saints Évêques que nous honorons sur les autels, ni de ceux qui, pour le salut d'une âme, ont sacrifié leur sang et leur vie. »

La fidélité des sujets envers Dieu les rend aussi fidèles à leur souverain. Sous ce titre, saint Alphonse, âgé de plus de quatre-vingts ans, publia un ouvrage qu'il envoya à Marie-Thérèse, aux rois d'Espagne, de Portugal et de Sardaigne, aux ducs de Parme et

de Toscane, aux électeurs de Cologne et de Trèves, au prince
Charles, gouverneur des Pays-Bas, et généralement à tous les
souverains catholiques d'Europe et à leurs ministres. Ce livre fut
traduit en français, et se vendit dans plusieurs pays d'Europe.

Neuvième édition de la théologie morale, retouchée pour la
dernière fois par saint Alphonse. Il avait quatre-vingt-neuf ans
quand il fit ce travail. On y lit ce passage dans lequel il résume ce
qui fut l'œuvre de toute sa vie : « J'ai écrit contre les auteurs trop
indulgents, pour ne pas voir la morale chrétienne suivre dans sa
marche une liberté immodérée de penser, et j'ai écrit contre les
auteurs trop rigides, pour empêcher les fausses consciences et sauver les âmes du danger de se perdre. Les partisans des deux extrêmes me censureront; mais je n'ai eu d'autre but que la gloire
de Dieu et le salut des âmes. » Ce fut cette édition qui reçut l'approbation de la Congrégation des Rites.

ŒUVRES ASCÉTIQUES

Visites au saint Sacrement et à la sainte Vierge. Véritable
effusion de ce brûlant amour pour Jésus et sa Mère, qui fut, si on
peut le dire, la grande et unique passion de la vie de saint Alphonse.
cet ouvrage eut, du vivant même de son auteur, d'innombrables
éditions, et contribua puissamment à réveiller la dévotion des
fidèles envers le principal et divin objet de la piété chrétienne. Les
premières éditions françaises de ce livre sont dues, l'une au P. Bau-
drand, jésuite, et l'autre à l'abbé Nonnotte, avec lequel nous avons
vu Alphonse entrer en relations, à propos de ses ouvrages contre
Voltaire.

Les Gloires de Marie. Travail de plusieurs années, destiné à
recueillir dans les saints Pères et les théologiens les preuves les
plus concluantes en faveur des prérogatives de la Mère de Dieu,
« pour fournir aux âmes pieuses, dit l'auteur, à peu de frais et
sans beaucoup de peine une lecture qui puisse les remplir d'amour
envers Marie». C'est dans cet ouvrage qu'il soutient contre Muratori
« que tous les biens que Dieu nous dispense doivent passer par les
mains de Marie », renouvelant ainsi en l'appuyant de son autorité
la doctrine de saint Bernard, qui considère la sainte Vierge comme
médiatrice entre Dieu et les hommes, opinion favorable à la

piété, à la condition qu'on n'oublie pas toutefois qu'il n'y a dans le fond qu'un seul mediateur véritable, Jésus-Christ Notre-Seigneur, comprenant et achevant tout dans la plénitude de sa ré· demption.

Pratique de l'amour envers Jésus-Christ. Un des ouvrages les plus connus et les plus beaux peut-être qui soient sortis de la plume du Saint ; chef-d'œuvre de grâce et de piété, digne de figurer dans toutes les bibliothèques à côté de l'*Imitation.*

Maximes éternelles, ou Méditations pour chaque jour de la semaine, publiées comme appendice aux *Visites.*

Réflexions et affections sur la Passion de Jésus-Christ. Sous ce titre, saint Alphonse a publié trois opuscules différents sur le sujet habituel de ses méditations. Il y décrit les souffrances du Sauveur, en suivant l'Évangile, dont une seule parole, dit-il, fait plus d'impression que toutes les découvertes qu'on assure avoir été faites par des personnes pieuses dans des contemplations et des révélations particulières. Lui-même nous apprend qu'il se servait tous les jours de ce recueil, afin de mourir les yeux fixés sur Jésus-Christ.

Avis sur la vocation religieuse, où saint Alphonse fait voir que la volonté de Dieu ne peut être assujettie à la volonté des parents, et que lorsque le Seigneur appelle, c'est à lui seul que l'on doit obéir. Il démontre dans cet opuscule l'excellence de la vie religieuse, les avantages qu'on y trouve, les moyens de conserver sa vocation, et il offre une série de quinze méditations aux âmes qui ont embrassé cet état.

Avis aux novices pour les aider à persévérer dans leur vocation. Ce travail est le complément de celui qui précède. Le Saint y étudie les ruses, les illusions, les embûches que le tentateur met en œuvre pour faire rentrer les novices dans le monde. Il indique les moyens d'y échapper et de rester fidèle à Dieu. Saint Alphonse portait si loin, du reste, sa sollicitude pour les enfants de sa Congrégation, qu'il ne dédaigna pas d'écrire à l'usage des frères servants un petit traité sur les règles les plus essentielles de la grammaire, et un autre sur les quatre règles de l'arithmétique, donnant de ces œuvres de charité intellectuelle qui con· véritable grandeur.

délibérant sur le choix

d'un état, où le Saint exalte la virginité, à laquelle il oppose les misères de l'état conjugal et les dangers qui l'accompagnent.

La Véritable Épouse de Jésus-Christ, où se trouve toute l'essence de la théologie mystique, et qui, à peine paru, fut traduit en allemand et plusieurs fois réimprimé.

Pratique abrégée de la perfection, tirée des enseignements de sainte Thérèse, et résumant toute la doctrine spirituelle de cette grande sainte.

Préparation à la mort, ou Considérations sur les vérités éternelles : cet ouvrage a été traduit en plusieurs langues.

Du grand moyen de la prière, où saint Alphonse démontre la nécessité de la prière, son efficacité et ses conditions.

La Voie du salut, qui renferme des méditations pour tous les temps de l'année et un règlement de vie.

Traité de la divine Providence, dédié à Pie VI, où l'auteur s'attache surtout à montrer le plan et l'économie de la Rédemption, et à ranimer par cette vue la confiance des âmes craintives.

Brisé déjà par l'âge et les infirmités, le Saint écrivit encore dans le même but un opuscule intitulé : *Conseils pour relever et encourager les âmes désolées.*

Victoires des Martyrs, où le Saint, se bornant à ne citer que les faits les plus authentiques, raconte l'histoire des martyrs les plus célèbres des premiers siècles; il y joint, dans une seconde partie, l'histoire des martyrs du Japon, et « prouve que l'Église catholique est la seule vraie Église, puisqu'il n'a été donné qu'à elle de fournir cette glorieuse et innombrable phalange de héros. »

Traduction et explication des Psaumes, dédiée à Clément XIV, fort admirée des contemporains, et dont saint Alphonse lui-même disait qu'elle lui avait été fort utile pour la récitation de l'office divin.

Vie du Père Sarnelli, de la Congrégation du Très-Saint-Rédempteur.

Vie du Père Cafaro, de la même Congrégation.

Vie du frère Cursio, de la même Congrégation.

Vie et mort de la servante de Dieu, sœur Thérèse-Marie de Liguori [1].

Plusieurs *neuvaines,* en particulier une *neuvaine de Noël,* comprenant un ensemble de sermons, de méditations et de prières relatives à la naissance et à l'enfance du Sauveur.

Un grand nombre de *cantiques* en italien.

De l'Amour divin et des moyens de l'acquérir, un des derniers opuscules du saint Évêque, dans lequel il insiste surtout sur le détachement des choses de la terre, le fréquent souvenir de la Passion de Jésus-Christ et de son amour pour nous au saint Sacrement, la conformité à la volonté de Dieu, l'amour de l'oraison et de la prière, et où il montre enfin de quel bonheur anticipé la miséricorde de Dieu veut payer notre amour.

C'est ainsi que s'acheva dignement cette longue série d'ouvrages qui tous n'avaient qu'un but : Dieu et les âmes. Ce fut comme le chant du cygne de ce grand serviteur de Dieu, dont le corps, pour ainsi dire, était déjà dans le tombeau et l'âme dans le ciel, comme un écho de cette éternité bienheureuse où il avait vécu d'avance par la foi, et où il allait se reposer à jamais dans la gloire.

---

[1] Voir p. 21.

APPENDICE

.

PIÈCES JUSTIFICATIVES

DÉCRET DU PAPE PIE IX CONFÉRANT A SAINT ALPHONSE DE LIGUORI
LE TITRE DE DOCTEUR DE L'ÉGLISE

DECRETUM

URBIS ET ORBIS

Inter eos qui fecerunt et docuerunt, quosque Dominus Noster Jesus Christus magnos fore vocavit in Regno cœlorúm, merito recensendus est SANCTUS ALPHONSUS MARIA DE LIGORIO. Congregationis a Sanctissimo Redemptore Institutor et Sanctæ Agathæ Gothorum Episcopus. Hic virtutum omnium exempla faciens, veluti lucerna supra candelabrum posita omnibus Christifidelibùs, qui in Domo Dei sunt, adeo illuxit ut jam inter cives Sanctorum et domesticos Dei fuerit relatus. Quod autem sancta operatione complevit, verbis etiam et scriptis docuit. Siquidem ipse errorum tenebras ab Incredulis et Jansenianis late diffusas doctis operibus maximeque Theologiæ Moralis tractationibus dispulit atque dimovit. Obscura insuper dilucidavit, dubiaque declaravit, cum inter implexas Theologorum sive laxiores sive rigidiores sententias tutam straverit viam, per quam Christifidelium animarum moderatores inoffenso pede incedere possent. Simulque Immaculatæ Deiparæ Conceptionis et summi Pontificis ex Cathedra docentis infallibilitatis doctrinas accurate illustravit ac strenue asseruit, quæ postea ævo hoc nostro dogmaticæ declaratæ sunt. Scripturarum denique ænigmata reseravit tum in asceticis lucubrationibus, cœlesti quadam suavitate refertis, tum in saluberrimo quodam commentario, quo Psalmos et Cantica in Divino Officio a Clericis recitanda ad eorum pietatem fovendam et mentem erudiendam explanavit. Summam Alphonsi sapientiam jam demiratus fuerat Pius septimus sa. me., eumque commendaverat quia *voce et scriptis in media sæculi nocte errantibus viam justitiæ ostendit, per quam possent de potestate tenebrarum transire in Dei lumen et regnum.* Neque minori laude *inusitatam vim, copiam, varietatemque doctrinæ* in libris ab ipso conscriptis prosequutus est alter Summus Pontifex Gregorius XVI. sa. me. in Litteris decretalibus, quibus Alphonso majores Cœlitum honores tribuebantur.

Verum temporibus hisce nostris adeo sapientiam ejus enarrant gentes, et laudem ejus enuntiat Ecclesia, ut plurimi Sanctæ Romanæ Ecclesiæ Cardinales, fere omnes totius Orbis Sacrorum Antistites, Supremi Religiosorum Ordinum Moderatores, insignium Academiarum Theologi, illustria Canonicorum Collegia, et docti ex omni cœtu Viri supplices libellos Sanctissimo Domino Nostro Pio IX. Pontifici Maximo porrexerint, quibus communia exposuere vota, ut sanctus Alphonsus Maria de Ligorio Doctoris Ecclesiæ titulo honoribusque cohonestaretur. Sanctitas sua, preces benigne excipiens, gravissimum hujusmodi negotium de more Sacrorum Rituum Congregationi expendendum commisit. Itaque in Ordinariis Comitiis ad Vaticanas Ædes infrascripta die collectis Eminentissimi et Reverendissimi Patres Cardinales sacris tuendis Ritibus præpositi, audita relatione Eminentissimi et Reverendissimi Cardinalis Constantini Patrizi Episcopi Ostiensis et Veliternensis, sacri

Collegii Decani, eidem S. Congregationi Præfecti, causæque Ponentis, consideratis Animadversionibus R. P. D. Petri Minetti sanctæ Fidei Promotoris, Patroni causæ responsis, nec non Theologorum pro veritate sententiis; omnibus denique severissime hinc inde libratis, unanimi consensu rescribendum censuerunt : *Consulendum Sanctissimo pro concessione seu declaratione et extensione ad universam Ecclesiam tituli Doctoris in honorem S. Alphonsi Mariæ de Ligorio, cum Officio et Missa jam concessis, addito* Credo, *Antiphona ad Magnificat in utrisque Vesperis*. O Doctor, *ac Lectionibus I. Nocturni :* Sapientiam, et VIII. *Responsorio :* In medio Ecclesiæ. Die 11 martii 1871.

Postmodum facta horum omnium et singulorum eidem Sanctissimo Domino Nostro Pio Papæ IX. per infrascriptum ipsius S. Congregationis Secretarium fideli relatione, sanctitas Sua S. Congregationis Rescriptum adprobavit et confirmavit; ac desuper Generale Decretum Urbis et Orbis expediri mandavit, die 23 iisdem mense et anno.

C. Ep. Ostien. et Velitern. Card. PATRIZI, S. R. C. Præf.

Loco † signi.

D. Bartolini, S. R. C. Secretarius.

FRAGMENT DU DISCOURS PRONONCÉ PAR Mᵍʳ DECHAMPS, ARCHEVÊQUE
DE MALINES, LE 21 MAI 1871, A L'OCCASION DU DÉCRET CONFÉ-
RANT A SAINT ALPHONSE LE TITRE DE DOCTEUR DE L'ÉGLISE.

Par son long apostolat, Alphonse avait comme achevé
sa science théologique par la science pratique des âmes, et
si cette science était forte, elle était en même temps com-
patissante: c'était la science du bon Samaritain, qui répand
l'huile et le vin sur les plaies des pécheurs : *Infundens
oleum et vinum* [1]. Le vin des vérités éternelles qui réveillent
les âmes par la crainte de Dieu, l'huile de la miséricorde
qui les console et qui fait pénétrer en elles le repentir
par l'espérance, et une plus vive espérance par le repentir.

Il avait horreur des doctrines jansénistes et rigoristes,
qui chargent les hommes de lourds fardeaux sans leur
donner les moyens de les porter; il réfutait avec puissance
ces doctrines qui exigent de ceux qui s'approchent des
sacrements la perfection qui n'en doit être que le fruit; il
ne voulait pas qu'on transformât les opinions en lois; il

[1] Luc. x, 34

rappelait que pour lier les consciences, les lois doivent être certaines; il enseignait qu'il ne fallait exiger de la généralité des hommes que l'observance des préceptes, se bornant à conseiller le reste, et s'efforçant d'attirer par l'exemple de sa propre vie à la pratique des plus hautes vertus. En un mot, miséricordieux pour les autres, il n'était sévère que pour lui-même et pour ceux qui, par leur caractère sacré, étaient obligés, comme lui, d'avoir ce que saint Jean Chrysostome appelle : *animum excelsum,* c'est-à-dire une vie supérieure à là vie ordinaire des chrétiens.

Sa grande théologie fut un vrai don de la Providence au moment même où les écoles en avaient besoin. L'hérésie perfide du jansénisme, comme toutes les hérésies, à défaut de raisons pour se justifier, cherchait des prétextes. Elle les trouva dans les abus des casuistes. La casuistique était devenue une véritable forêt d'opinions où se refugiaient les fausses consciences pour se cacher à elles-mêmes. Or, c'est dans les profondeurs et les ombres de cette forêt que saint Alphonse, par un labeur immense, fit pénétrer la lumière; c'est à travers les broussailles des systèmes que, d'une main ferme, il traça la voie sûre, ce grand chemin de la vérité entre les aspérités et les pentes du rigorisme et du relâchement [1].

Et cependant, mes Frères, c'est quand il rendait cet inappréciable service à la science et aux consciences, qu'il fut lui-même accusé de relâchement.

Il le fut d'abord dans le royaume de Naples, où le jansénisme était de mode. C'était le temps où le pouvoir politique s'entourait de théologiens pour gouverner l'Église, et c'est devant des prélats de cour que saint Alphonse dut parfois se défendre. On ne lit pas aujourd'hui sans sourire les noms de ces fiers examinateurs, noms qui seraient passés à un éternel oubli, s'ils ne restaient attachés au sien. Mais aux prélats de cour s'unirent des professeurs et des écrivains, et

---

[1] ... Cum inter implexas theologorum sive laxiores sive rigidiores sententias tutam straverit viam per quam Christi fidelium animarum moderatores inoffenso pede incedere possent. (Decret, 23 martii 1871.)

le futur Docteur de l'Église dut soutenir **contre eux une**
lutte publique, douloureuse, prolongée. Elle **nous a valu les**
opuscules remarquables qui servent de **complément à sa**
grande œuvre morale, à ce travail de dix-sept **ans, mêlé à**
tant d'autres travaux fécondés par la croix.

Je dis fécondés par la croix, parce que bien souvent le
Saint écrivait étendu sur un lit de douleur; je dis encore
fécondées par la croix, parce que ses œuvres véritablement
fécondes ne ressemblent pas à tant d'autres qui, malgré leur
beauté et leur grandeur, n'en sont pas moins des œuvres
mortes. Non, ses œuvres sont vivantes, et elles font vivre,
parce qu'elles sont pleines de l'esprit de Dieu, qui est un
esprit de vie.

Savant selon le monde et littérateur distingué, il n'a pas
écrit une ligne pour l'amour de la gloire. Il n'a pas même
écrit une ligne pour le seul amour de la science, mais il s'est
toujours servi de la science pour servir les hommes. Jamais
il n'a fait un livre pour faire un livre, mais chacun de ses
ouvrages est sorti de sa plume pour répondre à un besoin
ou à une maladie des âmes.

C'est pour combattre l'incrédulité du xviii° siècle qu'il a
publié la *Vérité de la foi.* Dans cet ouvrage, où il renverse
le rationalisme par sa base (démontrant avec évidence
que c'est la raison même qui oblige à la foi), comme dans
ses autres œuvres philosophiques contre le matérialisme,
le panthéisme, le déisme, les sectes, on entend le langage d'un savant qui possède la science à ce degré si
rare où celui qui la possède sait la dissimuler à force de la
rendre accessible à tous les esprits. Lorsqu'il traite les plus
grandes et les plus profondes questions, celles, par exemple,
de l'harmonie de la raison et de la foi, de la grâce et de la
liberté, il est tellement maître de son sujet, que les savantes
formules de l'école, il les traduit en langue vulgaire avec une
étonnante précision, et fait ainsi disparaître les difficultés
sous sa plume. Mais c'est justement parce qu'il les fait disparaître, que sa maîtresse manière de les traiter n'a pas été
suffisamment remarquée. Le jour arrive cependant, grâce au

suprême jugement du Saint-Siége, où les œuvres spéculatives de notre saint Docteur vont être universellement citées, comme l'est déjà sa grande œuvre morale.

Il n'en est pas moins vrai que c'est l'action de cette grande œuvre sur les écoles catholiques, et l'action plus puissante encore de ses œuvres ascétiques sur la catholicité tout entière, qui ont fait ceindre son front de l'auréole de Docteur de l'Église.

Pour être un grand ascète, mes Frères, il faut avoir la science de la nature humaine et de la grâce divine; il faut être un vrai philosophe, c'est-à-dire un sage; il faut être un vrai dogmaticien et un vrai moraliste. La raison mène à la foi, et la foi à la vie chrétienne. Eh bien, la science ascétique, c'est la science de cette vraie vie. Sans elle donc, toute la science profane et sacrée est privée de son couronnement. Ce couronnement, vous le savez, ne manque pas à la science de saint Alphonse. Ses livres de piété sont en même temps des livres de science, de la grande science des Écritures surtout, car elle est partout répandue, et soutient toujours ses admirables prières. Dans ses ouvrages, mes Frères, le saint auteur a trouvé *la moyenne* de la parole humaine, car il y ravit les savants en se faisant entendre des ignorants eux-mêmes. C'est à ce caractère qu'on reconnaît l'esprit de Dieu, l'esprit de celui qui donne à sa parole, comme à la fleur des champs, ce qui fait la joie des simples et l'étonnement des sages. Les *Maximes éternelles* de saint Alphonse, sa *Pratique de l'amour envers Jésus-Christ*, ce livre plein de grâce qu'on rencontre partout à côté de l'*Imitation*, ses *Méditations sur la Passion*, ses *Visites au saint Sacrement*, ses *Gloires de Marie*, ses traités sur la *Prière*, pour ne citer que quelques-uns de ses ouvrages ascétiques, ont détaché de la vanité, converti, consolé, sauvé des multitudes d'âmes de toutes les nations.

Ah! je l'ai vue, la pauvre chambre, où le pauvre vieillard écrivait ces livres si chers à Dieu et aux hommes. Il écrivait pour attirer les âmes à Jésus-Christ, et il eût voulu les lui attirer toutes; mais il ne savait cependant pas qu'il écrivait pour toutes les langues et pour tous les siècles : *O Doctor optime, Ecclesiæ sanctæ lumen, Beate Alphonse*. avec quelle joie nous vous invoquons aujourd'hui comme Docteur de l'Église universelle!

FIN

TABLE

—

LIVRE I

DEPUIS LA NAISSANCE D'ALPHONSE DE LIGUORI JUSQU'A LA FONDATION
DE LA CONGRÉGATION DU SAINT-RÉDEMPTEUR

1696-1732

—

LIVRE II

DEPUIS LA FONDATION DE LA CONGRÉGATION DU SAINT-RÉDEMPTEUR
JUSQU'A L'ÉLÉVATION D'ALPHONSE A L'ÉPISCOPAT

1732-1762

TABLE 643

LIVRE III

DEPUIS L'ÉLÉVATION D'ALPHONSE A L'ÉPISCOPAT JUSQU'A SON RETOUR DANS LA CONGRÉGATION

1762-1775